REVISED

C'EST À TOI!

Level Two

Authors

Karla Winther Fawbush

Toni Theisen

Dianne B. Hopen

Diana Moen

Contributing Writer

Sarah Vaillancourt

EMC/Paradigm Publishing, Saint Paul, Minnesota

Credits

Editor
Sarah Vaillancourt

Associate Editor
Diana Moen

Design and Composition
The Nancekivell Group
Chris Vern Johnson
Desktop Solutions

Illustrator
Hetty Mitchell

Cartoon Illustrator
Steve Mark

Consultants

Augusta DeSimone Clark
St. Mary's Hall
San Antonio, Texas

Michael Nettleton
Smoky Hill High School
Aurora, Colorado

Mirta Pagnucci
Oak Park River Forest High School
Oak Park, Illinois

Ann J. Sorrell
South Burlington High School
South Burlington, Vermont

Janice Treadgold
Independence High School
San Jose, California

Nathalie Gaillot
Language Specialist
Lyon, France

EMC/Paradigm World Language Consultants
Dana Cunningham
Robert Headrick

ISBN 0-8219-2257-2

Published by EMC/Paradigm Publishing
875 Montreal Way
St. Paul, Minnesota 55102
800-328-1452
www.emcp.com
E-mail: educate@emcp.com

Printed in the United States of America
3 4 5 6 7 8 9 10 XXX 07 06 05 04 03 02

To the Student

Rebonjour! (*Hello again!*)

Congratulations on having successfully completed the first level of *C'est à toi!* You should feel proud of your accomplishment because you have acquired a solid foundation for communicating with others in French. The first-level textbook helped you develop skills in listening, speaking, reading and writing French. You already know how to perform certain tasks: introducing someone, telling what you like and don't like, ordering something to eat and drink, choosing and purchasing items in a store, asking for and giving information, accepting and refusing invitations, saying what you need, and giving directions. You can talk about various topics that interest both you and French-speaking teens, such as music, sports, leisure activities, food, shopping, traveling, family and school. You can also describe yourself, your friends, your family and personal experiences, both in the past and in the present. In short, you can make yourself understood and react appropriately in simple social interactions. Besides learning the French language, you have also developed cultural understandings about how people in French-speaking regions live, act and think, as well as what they value. In addition, you have learned skills that will help you act independently and successfully in novel cultural situations.

In the second level of *C'est à toi!*, you will expand upon the communicative tasks and skills you have already practiced. For example, you will be able to ask for what you need at a post office, bank or gas station, reserve a room at a hotel or youth hostel, communicate on the phone and by letter, postcard and fax, describe your daily routines, talk about what careers interest you, and discuss contemporary social and political problems in France. Your ability to read and write French will improve as you learn how to analyze and interpret songs, poems, articles and stories, to take notes, and to write outlines, summaries and business letters. You will become acquainted with French people, both past and present, who have become famous for their accomplishments in art, science, films, literature, sports, politics, etc. You will learn more about your neighbors in French-speaking Canada as well as about interesting regions and sites in France. You will also heighten your awareness of other areas in the world where French is spoken: from Morocco to Martinique, from Tahiti to Tunisia.

The format of this textbook is similar to the first level of *C'est à toi!* **Unités 1-3** review vocabulary, structure and verbs from the previous textbook so that you can brush up on these building blocks of French in order to have a firm foundation for the new material you are about to learn. In the following eight **unités** you will further develop your ability to interact with others in authentic French while enhancing all of your language skills. *C'est à toi!* again encourages you to express yourself in French by interacting with your classmates either in pairs or in small groups. Remember to practice your French every chance you get both during and outside of class. You will make mistakes, but your ability to speak French and your confidence will improve with continual practice. Your efforts to improve your ability to communicate in French will provide you with a tremendous sense of accomplishment as you extend your knowledge about realistic situations that you might encounter if you travel to a French-speaking environment. As you continue your journey in the francophone world, we wish you the best of luck. Or, as we say in French, **Bonne continuation!**

Table of Contents

Unité 1 Les fêtes 1

Unité 2 Paris 49

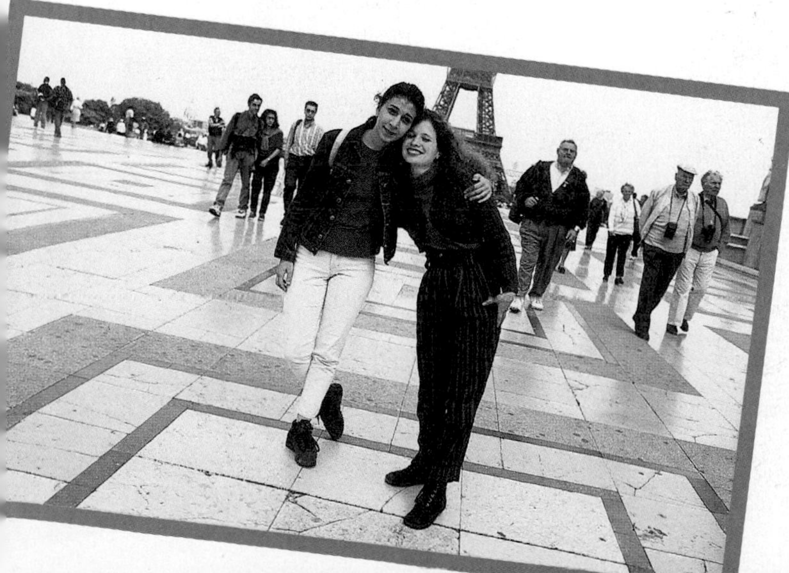

Unité 3 En France 95

Unité 4 La vie quotidienne 143

Unité 5 Sports et Loisirs 183

Unité 6 Les pays du Maghreb 221

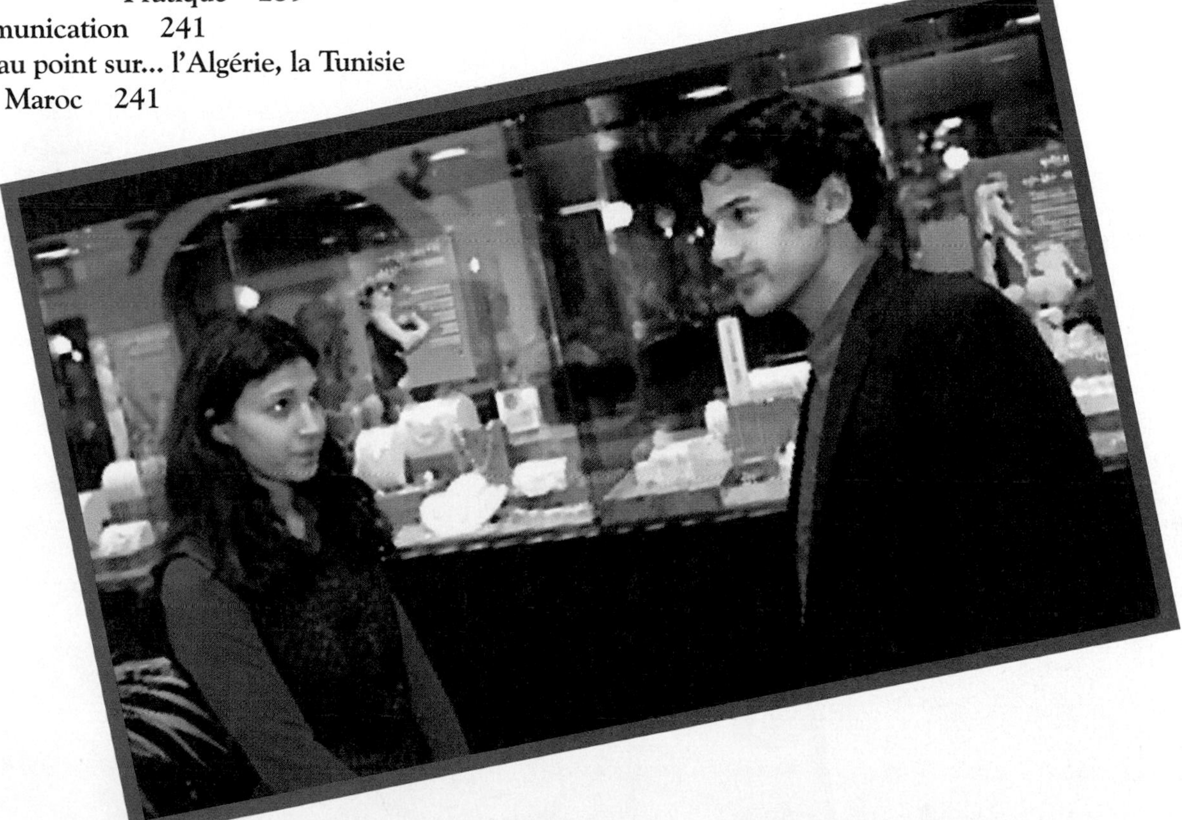

Unité 7 Les châteaux 261

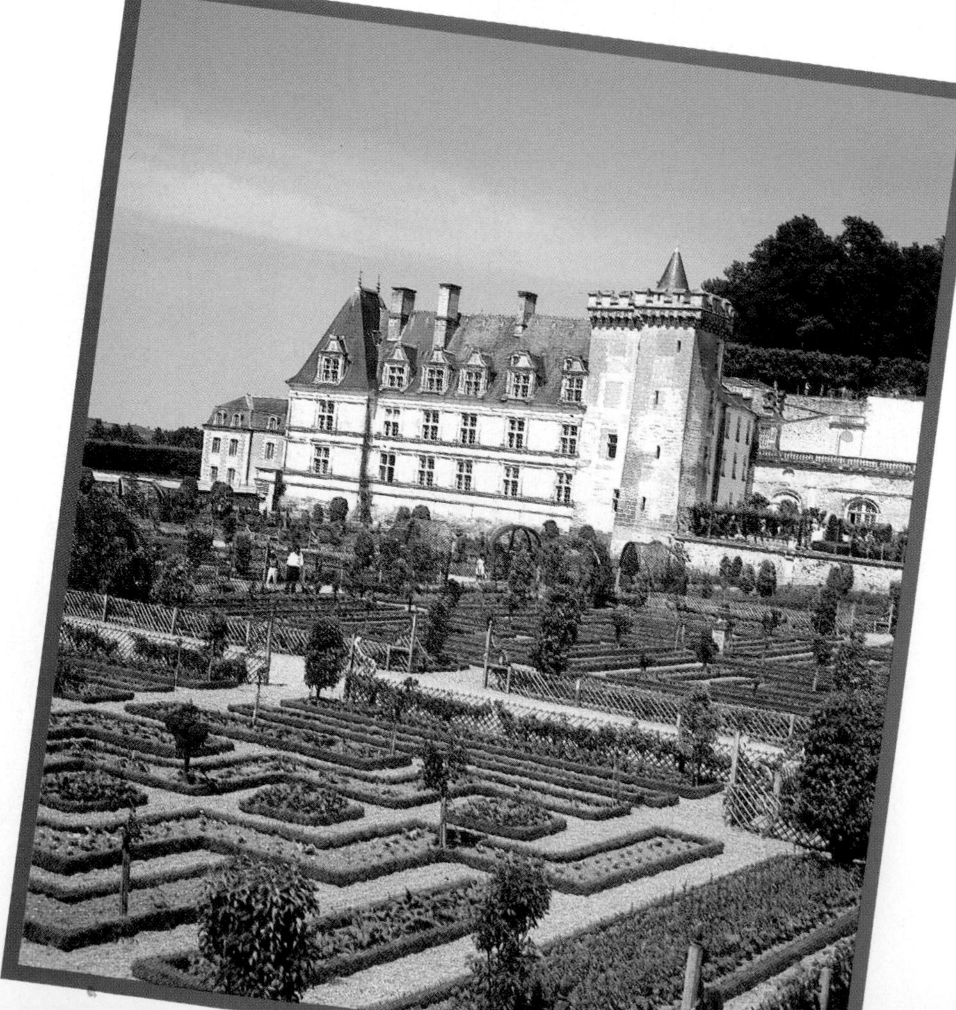

Unité 8 En voyage 301

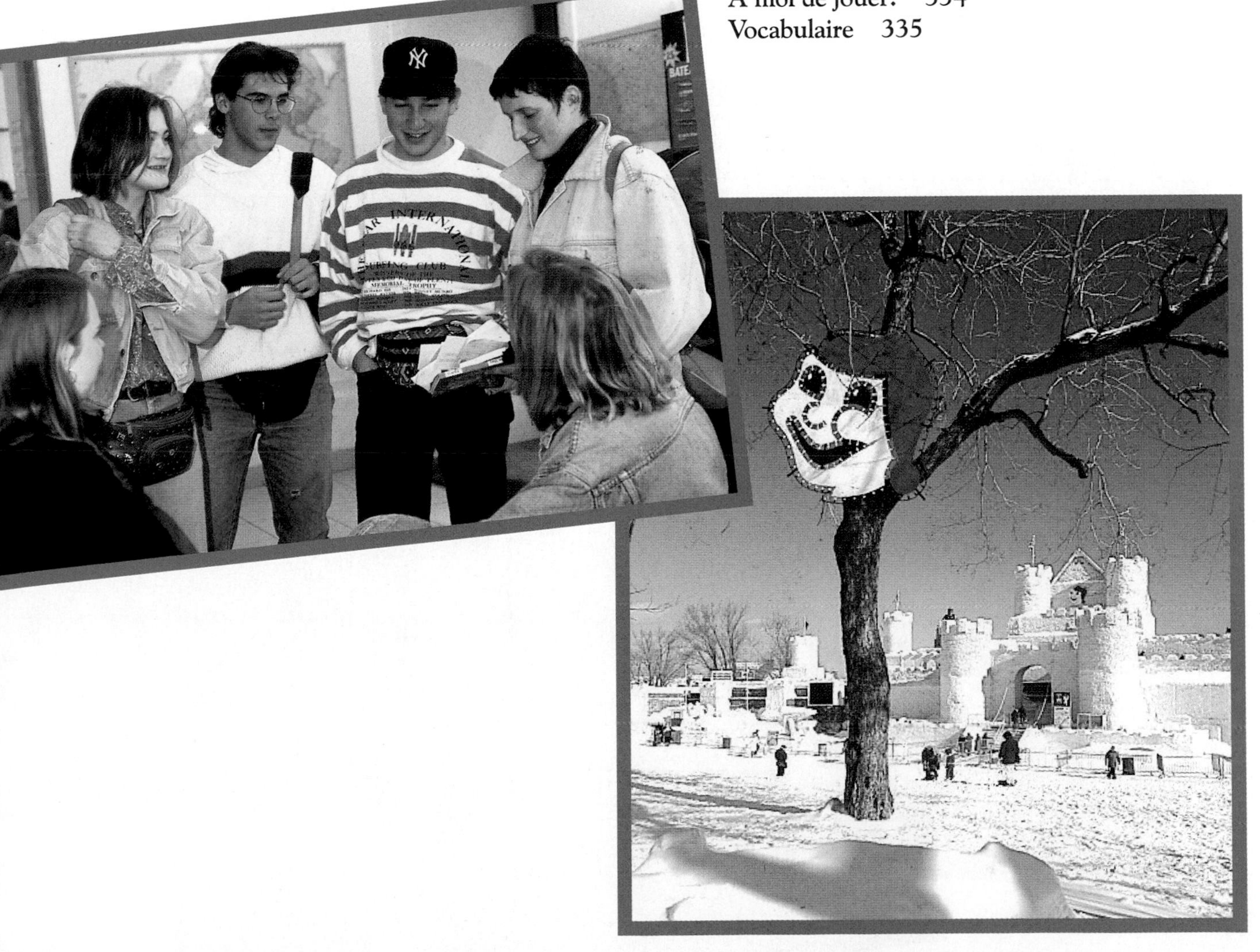

Unité 9 Des gens célèbres du monde francophone 337

Unité 10 Notre monde 377

Unité 11 La France contemporaine 415

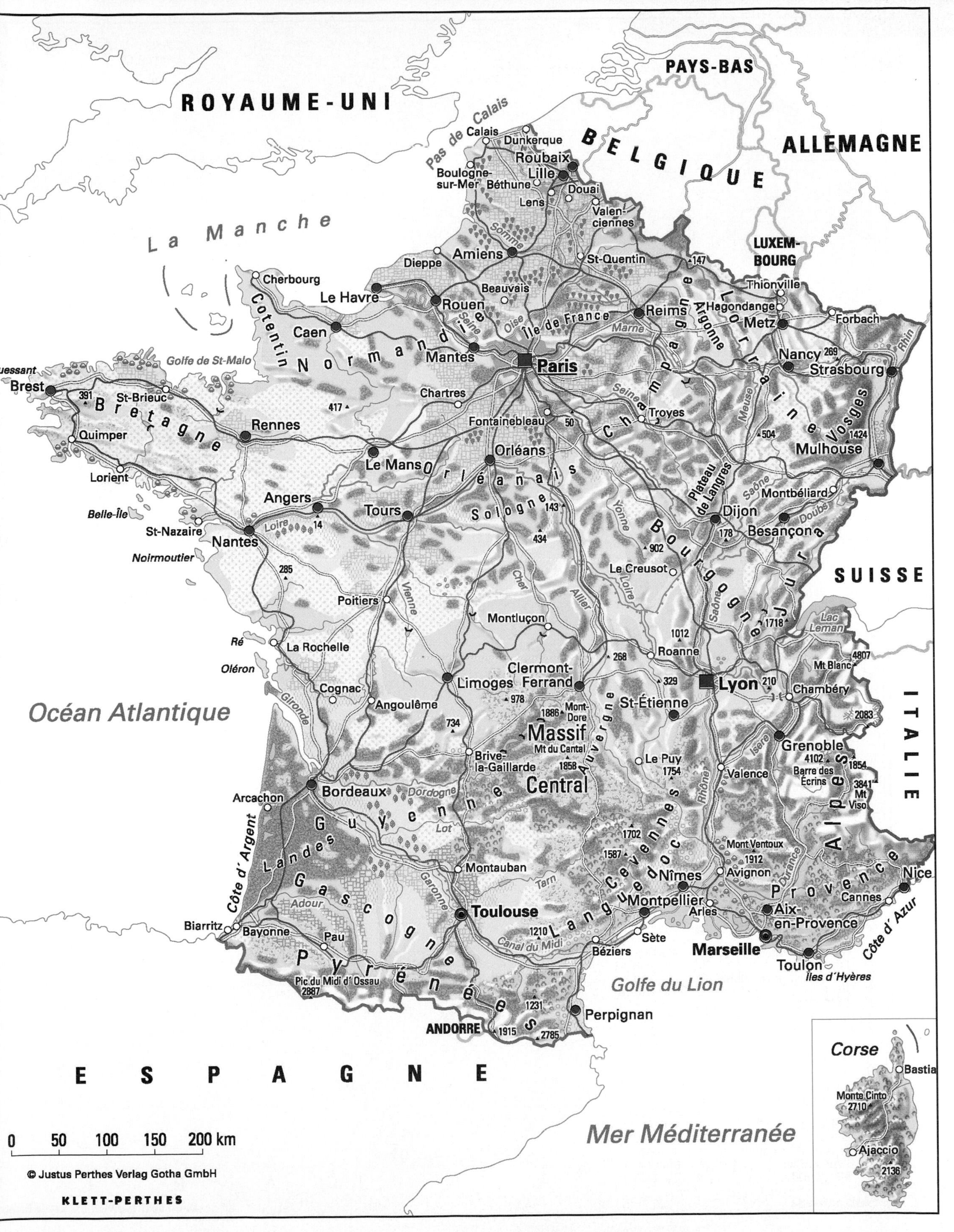
ROYAUME-UNI
PAYS-BAS
BELGIQUE
ALLEMAGNE
LUXEM-BOURG
SUISSE
ITALIE
ESPAGNE
ANDORRE
La Manche
Pas de Calais
Océan Atlantique
Golfe du Lion
Mer Méditerranée
Golfe de St-Malo
Calais
Dunkerque
Boulogne-sur-Mer
Roubaix
Lille
Béthune
Lens
Douai
Valen-ciennes
Amiens
Dieppe
St-Quentin
147
Somme
Cherbourg
Cotentin
Le Havre
Rouen
Beauvais
Reims
Argonne
Lorraine
Thionville
Hagondange
Metz
Forbach
Caen
Normandie
Seine
Oise
Île de France
Marne
Mantes
Paris
Champagne
Nancy
269
Strasbourg
Rhin
uessant
Brest
391
St-Brieuc
Bretagne
417
Chartres
Rennes
Quimper
Lorient
Fontainebleau
50
Troyes
Meuse
504
Vosges
1424
Mulhouse
Le Mans
Orléans
Orléanais
Plateau de Langres
Saône
Montbéliard
Doubs
Angers
Tours
Sologne
143
Dijon
Besançon
Belle-Île
St-Nazaire
Loire
14
Nantes
434
Yonne
902
178
Bourgogne
Jura
Noirmoutier
285
Le Creusot
Poitiers
Vienne
Cher
Allier
Montluçon
1012
1718
Lac Léman
Ré
La Rochelle
Roanne
268
Oléron
Clermont-Ferrand
Lyon
210
Mt Blanc
4807
Cognac
Limoges
978
329
Chambéry
Angoulême
Gironde
1886
Mont-Dore
St-Étienne
2083
734
Massif
Mt du Cantal
Grenoble
Brive-la-Gaillarde
1858
Auvergne
Le Puy
1754
Isère
4102
1854
Barre des Écrins
3841
Mt Viso
Arcachon
Bordeaux
Dordogne
Central
Valence
Rhône
Guyenne
Lot
Cévennes
Alpes
1702
Côte d'Argent
Landes
Mont Ventoux
1587
1912
Durance
Montauban
Languedoc
Nîmes
Avignon
Gascogne
Tarn
Garonne
Provence
Nice
Adour
Montpellier
Arles
Cannes
Toulouse
Aix-en-Provence
Côte d'Azur
Biarritz
Bayonne
Pau
1210
Sète
Canal du Midi
Béziers
Marseille
Toulon
Îles d'Hyères
Pyrénées
Pic du Midi d'Ossau
2887
1231
Perpignan
1915
2785
Corse
Bastia
Monte Cinto
2710
Ajaccio
2136
0
50
100
150
200 km
© Justus Perthes Verlag Gotha GmbH
KLETT-PERTHES

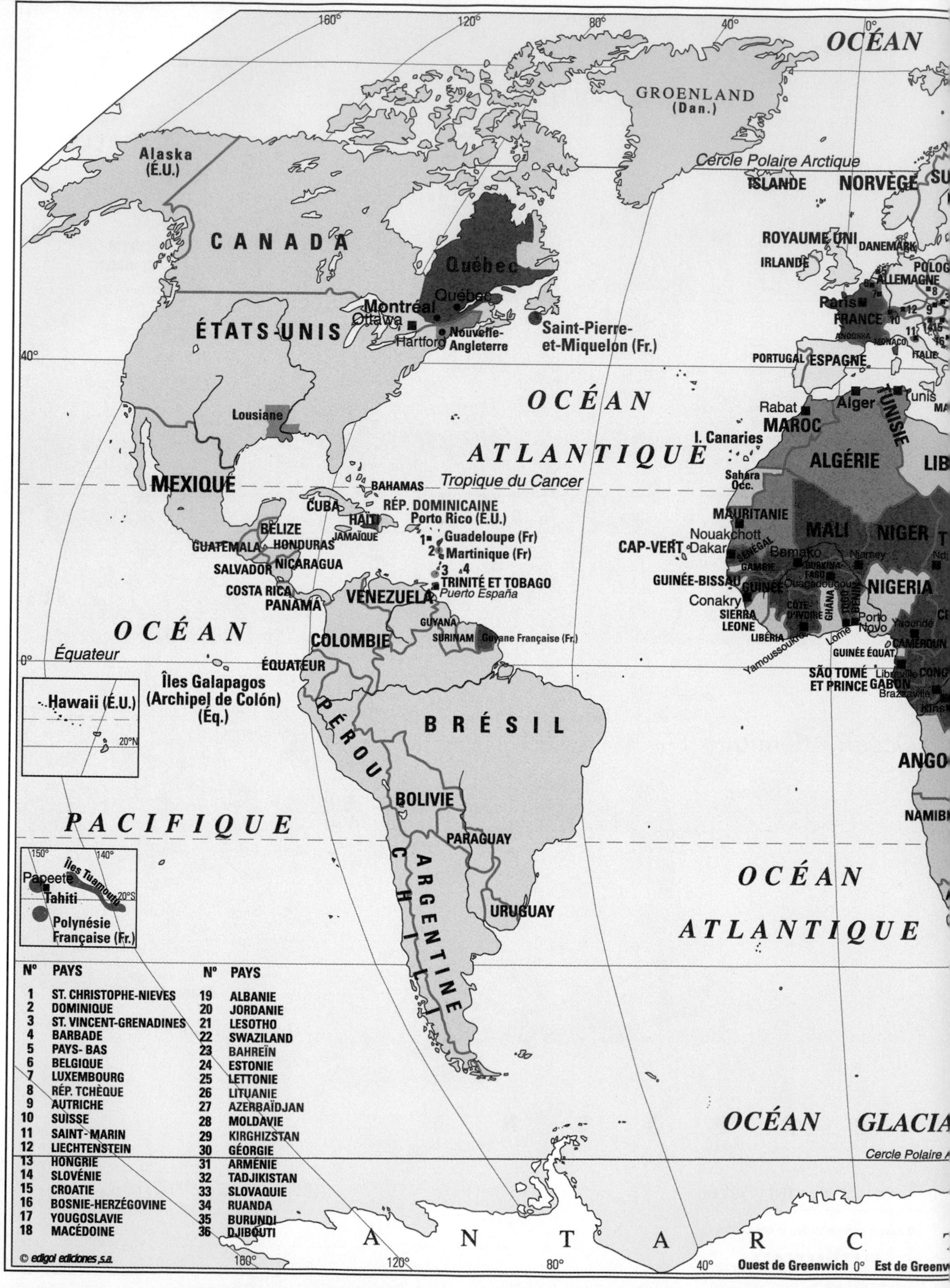
OCÉAN
GROENLAND (Dan.)
Alaska (É.U.)
Cercle Polaire Arctique
ISLANDE
NORVÈGE
CANADA
Québec
ROYAUME UNI
DANEMARK
IRLANDE
ALLEMAGNE
Montréal
Québec
Ottawa
Paris
FRANCE
ÉTATS-UNIS
Nouvelle-Angleterre
Hartford
Saint-Pierre-et-Miquelon (Fr.)
PORTUGAL
ESPAGNE
ITALIE
MONACO
ANDORRA
OCÉAN
Rabat
Alger
Tunis
TUNISIE
MAROC
Lousiane
I. Canaries
ATLANTIQUE
ALGÉRIE
MEXIQUE
BAHAMAS
Tropique du Cancer
Sahara Occ.
CUBA
RÉP. DOMINICAINE
Porto Rico (É.U.)
HAÏTI
MAURITANIE
BELIZE
JAMAÏQUE
Guadeloupe (Fr)
Martinique (Fr)
MALI
NIGER
Nouakchott
CAP-VERT
Dakar
SÉNÉGAL
GAMBIE
Bamako
Niamey
GUATEMALA
HONDURAS
SALVADOR
NICARAGUA
TRINITÉ ET TOBAGO
Puerto España
GUINÉE-BISSAU
GUINÉE
BURKINA-FASO
Ouagadougou
NIGERIA
COSTA RICA
PANAMA
VENEZUELA
Conakry
SIERRA LEONE
CÔTE D'IVOIRE
GHANA
TOGO
BÉNIN
Porto Novo
Lomé
Yaoundé
GUYANA
SURINAM
Guyane Française (Fr.)
LIBÉRIA
Yamoussoukro
OCÉAN
COLOMBIE
CAMEROUN
Équateur
ÉQUATEUR
GUINÉE ÉQUAT.
Îles Galapagos (Archipel de Colón) (Éq.)
SÃO TOMÉ ET PRINCE
Libreville
GABON
Brazzaville
Hawaii (É.U.)
20°N
PÉROU
BRÉSIL
BOLIVIE
PACIFIQUE
PARAGUAY
CHILI
ARGENTINE
OCÉAN
ATLANTIQUE
Îles Tuamotu
Papeete
Tahiti
20°S
Polynésie Française (Fr.)
URUGUAY
N° PAYS
1 ST. CHRISTOPHE-NIEVES
2 DOMINIQUE
3 ST. VINCENT-GRENADINES
4 BARBADE
5 PAYS-BAS
6 BELGIQUE
7 LUXEMBOURG
8 RÉP. TCHÈQUE
9 AUTRICHE
10 SUISSE
11 SAINT-MARIN
12 LIECHTENSTEIN
13 HONGRIE
14 SLOVÉNIE
15 CROATIE
16 BOSNIE-HERZÉGOVINE
17 YOUGOSLAVIE
18 MACÉDOINE
N° PAYS
19 ALBANIE
20 JORDANIE
21 LESOTHO
22 SWAZILAND
23 BAHREÏN
24 ESTONIE
25 LETTONIE
26 LITUANIE
27 AZERBAÏDJAN
28 MOLDAVIE
29 KIRGHIZSTAN
30 GÉORGIE
31 ARMÉNIE
32 TADJIKISTAN
33 SLOVAQUIE
34 RUANDA
35 BURUNDI
36 DJIBOUTI
OCÉAN GLACIA
ANTARCT
Ouest de Greenwich 0° Est de Greenw
160° 120° 80° 40° 0°
© edigol ediciones, s.a.

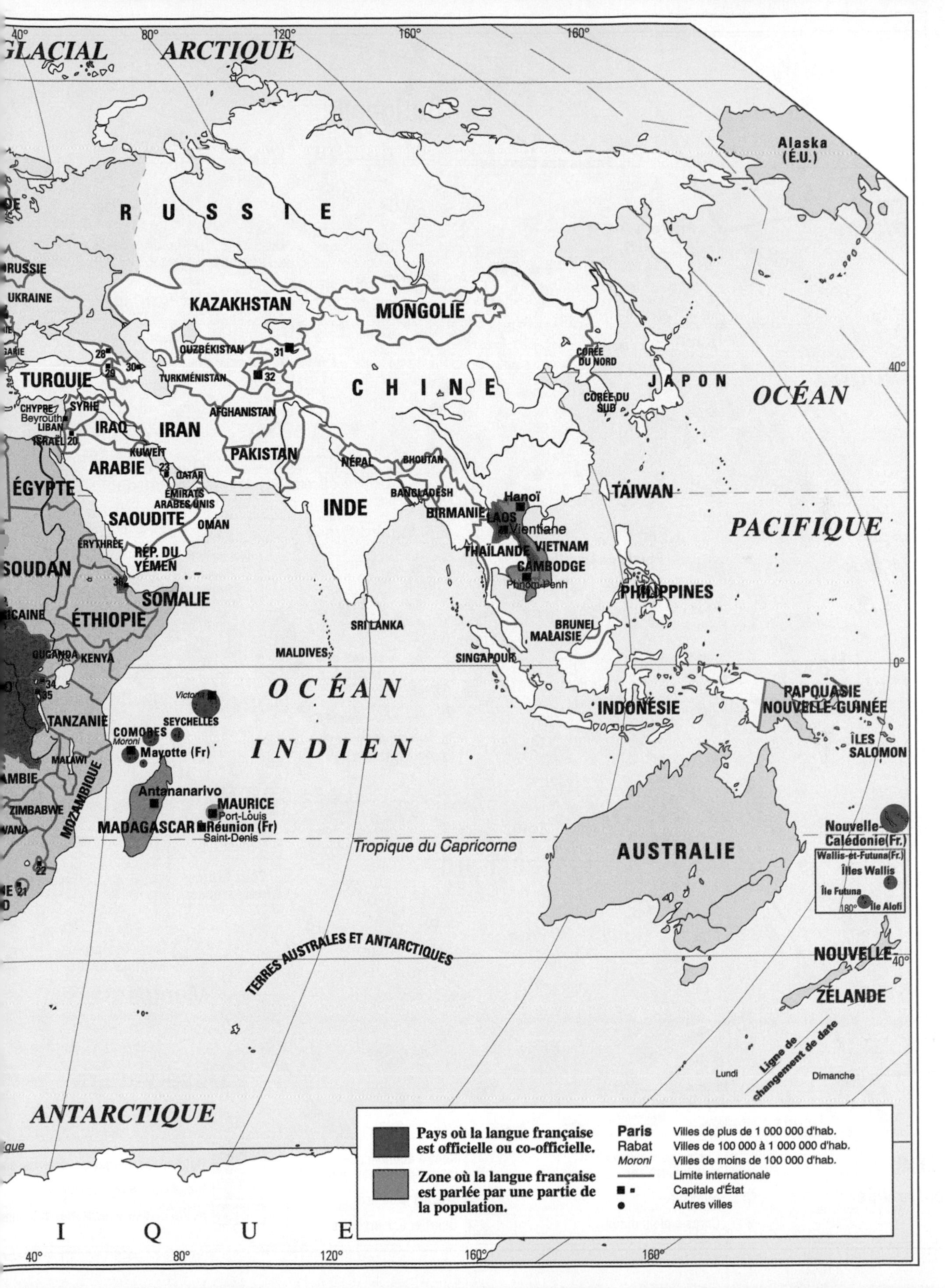
GLACIAL ARCTIQUE
RUSSIE
Alaska (É.U.)
KAZAKHSTAN
MONGOLIE
OUZBÉKISTAN
TURKMÉNISTAN
CHINE
CORÉE DU NORD
CORÉE DU SUD
JAPON
OCÉAN
TURQUIE
CHYPRE
SYRIE
Beyrouth
LIBAN
ISRAËL
IRAQ
IRAN
AFGHANISTAN
PAKISTAN
KOWEÏT
QATAR
ARABIE SAOUDITE
ÉMIRATS ARABES UNIS
OMAN
ÉGYPTE
NÉPAL
BHOUTAN
BANGLADESH
INDE
BIRMANIE
LAOS
Hanoï
Vientiane
VIETNAM
THAÏLANDE
CAMBODGE
Phnom-Penh
TAIWAN
PACIFIQUE
ÉRYTHRÉE
RÉP. DU YÉMEN
SOUDAN
SOMALIE
ÉTHIOPIE
PHILIPPINES
SRI LANKA
BRUNEI
MALAISIE
MALDIVES
SINGAPOUR
OUGANDA
KENYA
TANZANIE
OCÉAN INDIEN
Victoria
SEYCHELLES
COMORES
Moroni
Mayotte (Fr)
INDONÉSIE
PAPOUASIE NOUVELLE-GUINÉE
ÎLES SALOMON
MALAWI
MOZAMBIQUE
ZIMBABWE
Antananarivo
MADAGASCAR
MAURICE
Port-Louis
Réunion (Fr)
Saint-Denis
Tropique du Capricorne
AUSTRALIE
Nouvelle-Calédonie(Fr.)
Wallis-et-Futuna(Fr.)
Îles Wallis
Île Futuna
Île Alofi
TERRES AUSTRALES ET ANTARCTIQUES
NOUVELLE-ZÉLANDE
Lundi
Ligne de changement de date
Dimanche
ANTARCTIQUE
Pays où la langue française est officielle ou co-officielle.
Zone où la langue française est parlée par une partie de la population.
Paris — Villes de plus de 1 000 000 d'hab.
Rabat — Villes de 100 000 à 1 000 000 d'hab.
Moroni — Villes de moins de 100 000 d'hab.
Limite internationale
Capitale d'État
Autres villes
40° 80° 120° 160° 160°
0°
40°

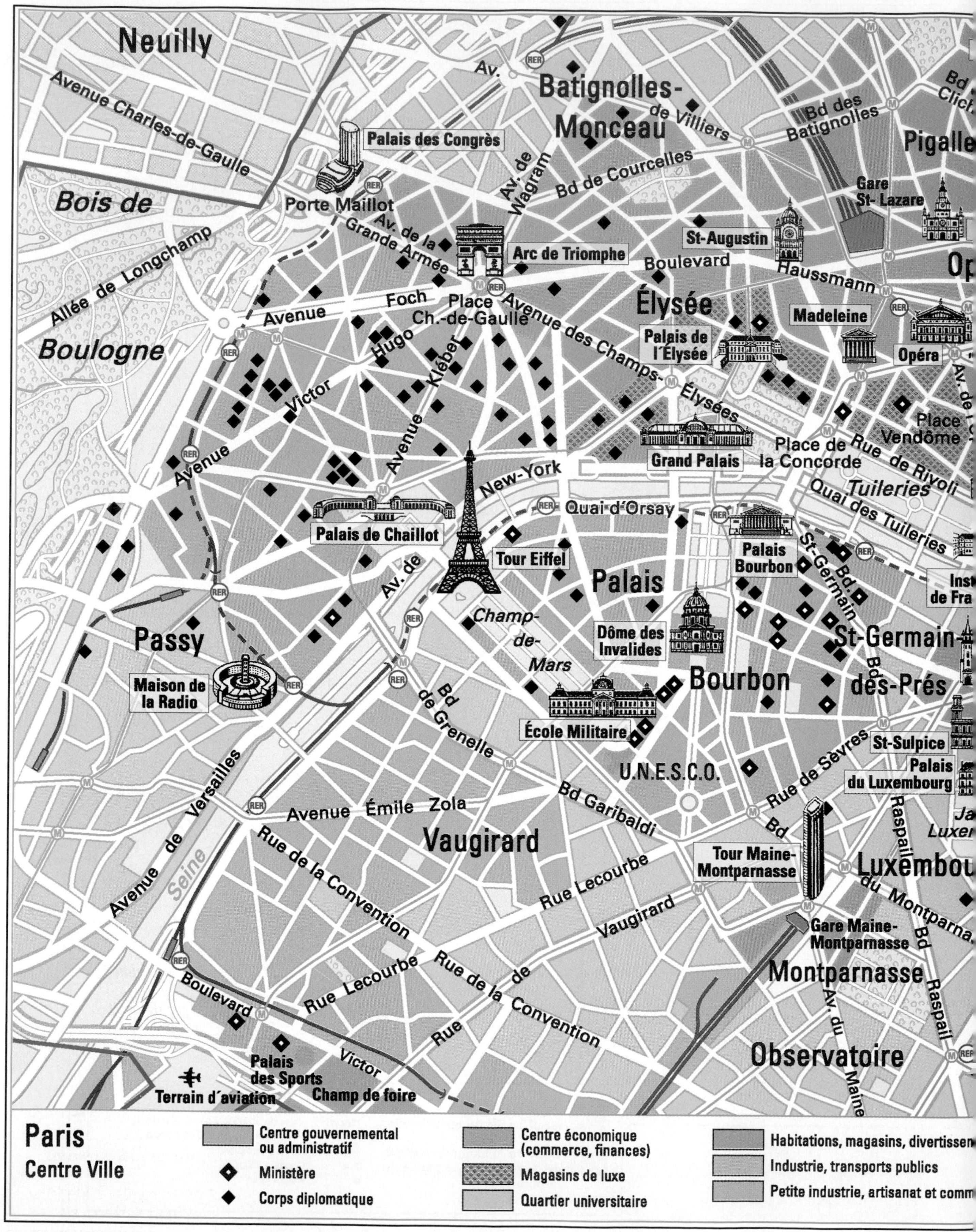

Neuilly
Avenue Charles-de-Gaulle
Palais des Congrès
Batignolles-Monceau
Av. de Villiers
Bd des Batignolles
Bd de Courcelles
Av. de Wagram
Bois de Boulogne
Porte Maillot
Av. de la Grande Armée
Arc de Triomphe
St-Augustin
Gare St-Lazare
Boulevard Haussmann
Allée de Longchamp
Avenue Foch
Place Ch.-de-Gaulle
Avenue des Champs-Élysées
Élysée
Palais de l'Élysée
Madeleine
Opéra
Avenue Victor Hugo
Avenue Kléber
Place Vendôme
Grand Palais
Place de la Concorde
Rue de Rivoli
Tuileries
Quai des Tuileries
Avenue de New-York
Quai d'Orsay
Palais de Chaillot
Tour Eiffel
Palais Bourbon
Bd. St-Germain
Av. de
Passy
Champ-de-Mars
Dôme des Invalides
St-Germain-des-Prés
Maison de la Radio
Bd de Grenelle
École Militaire
St-Sulpice
Palais du Luxembourg
U.N.E.S.C.O.
Rue de Sèvres
Avenue de Versailles
Avenue Émile Zola
Bd Garibaldi
Vaugirard
Seine
Rue de la Convention
Rue Lecourbe
Tour Maine-Montparnasse
Bd du Montparnasse
Rue de Vaugirard
Gare Maine-Montparnasse
Montparnasse
Bd Raspail
Boulevard Victor
Av. du Maine
Palais des Sports
Terrain d'aviation
Champ de foire
Observatoire
Paris
Centre Ville
Centre gouvernemental ou administratif
Ministère
Corps diplomatique
Centre économique (commerce, finances)
Magasins de luxe
Quartier universitaire
Industrie, transports publics

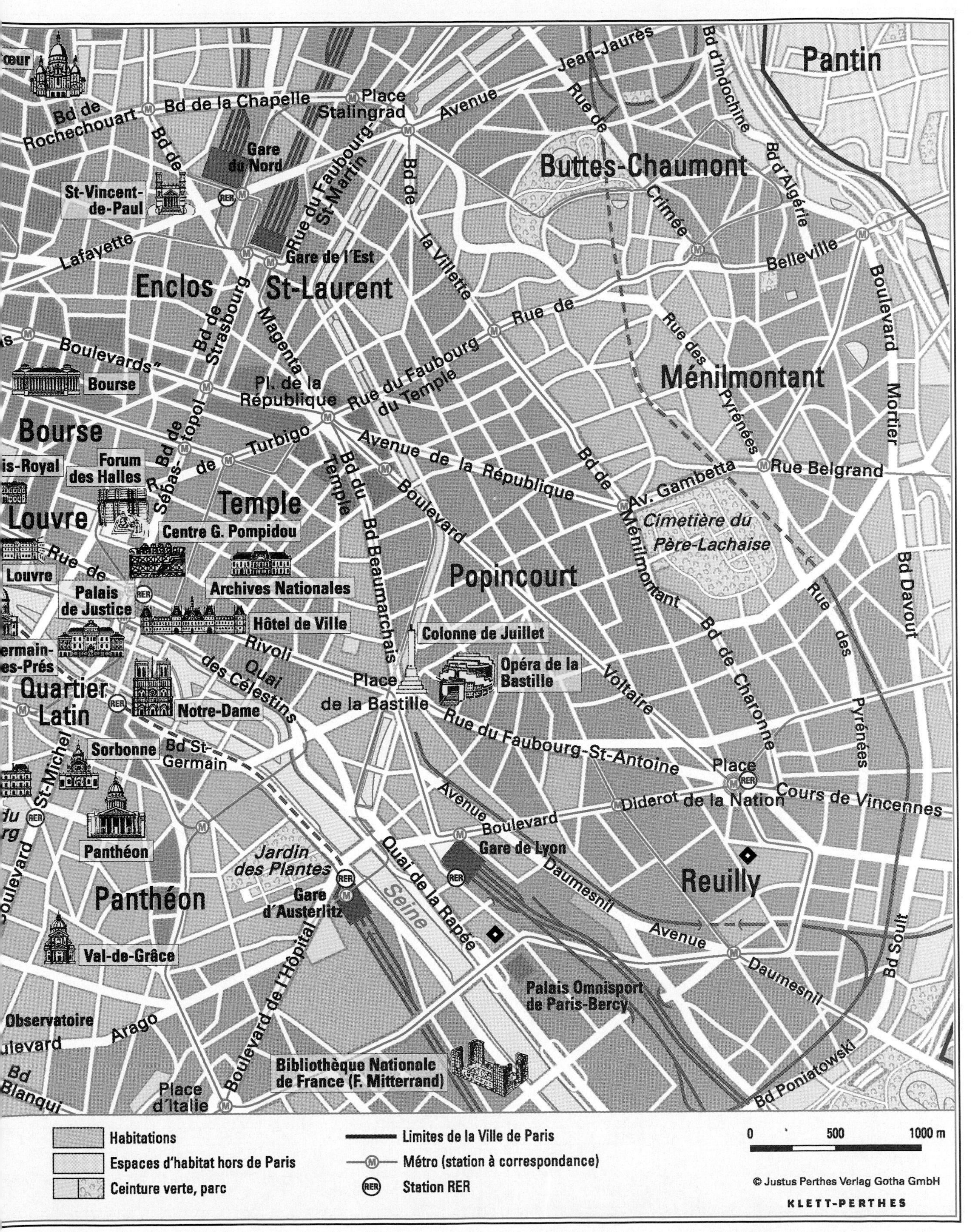

Pantin
Buttes-Chaumont
Ménilmontant
Enclos
St-Laurent
Bourse
Louvre
Temple
Popincourt
Quartier Latin
Panthéon
Reuilly
Bd de Rochechouart
Bd de la Chapelle
Place Stalingrad
Avenue Jean-Jaurès
Rue de Crimée
Bd d'Indochine
Bd d'Algérie
Gare du Nord
St-Vincent-de-Paul
Bd de Magenta
Rue du Faubourg-St-Martin
Bd de la Villette
Gare de l'Est
Lafayette
Belleville
Boulevard Mortier
Bd de Strasbourg
Rue de Belleville
"Boulevards"
Bourse
Rue des Pyrénées
Pl. de la République
Rue du Faubourg du Temple
Bd de Sébastopol
R. de Turbigo
Avenue de la République
Rue Belgrand
Forum des Halles
Bd du Temple
Boulevard Voltaire
Bd de Ménilmontant
Av. Gambetta
Cimetière du Père-Lachaise
Centre G. Pompidou
Rue de Rivoli
Louvre
Bd Beaumarchais
Archives Nationales
Palais de Justice
Bd Davout
Hôtel de Ville
Colonne de Juillet
Bd de Charonne
Quai des Célestins
Opéra de la Bastille
Place de la Bastille
Notre-Dame
Rue du Faubourg-St-Antoine
Sorbonne
Bd St-Germain
Boulevard St-Michel
Place de la Nation
Boulevard Diderot
Cours de Vincennes
Avenue Daumesnil
Panthéon
Jardin des Plantes
Gare de Lyon
Gare d'Austerlitz
Seine
Quai de la Rapée
Val-de-Grâce
Bd Soult
Palais Omnisport de Paris-Bercy
Observatoire
Arago
Boulevard de l'Hôpital
Bibliothèque Nationale de France (F. Mitterrand)
Bd Poniatowski
Bd Blanqui
Place d'Italie
Habitations
Espaces d'habitat hors de Paris
Ceinture verte, parc
Limites de la Ville de Paris
Métro (station à correspondance)
Station RER
0
500
1000 m
© Justus Perthes Verlag Gotha GmbH
KLETT-PERTHES

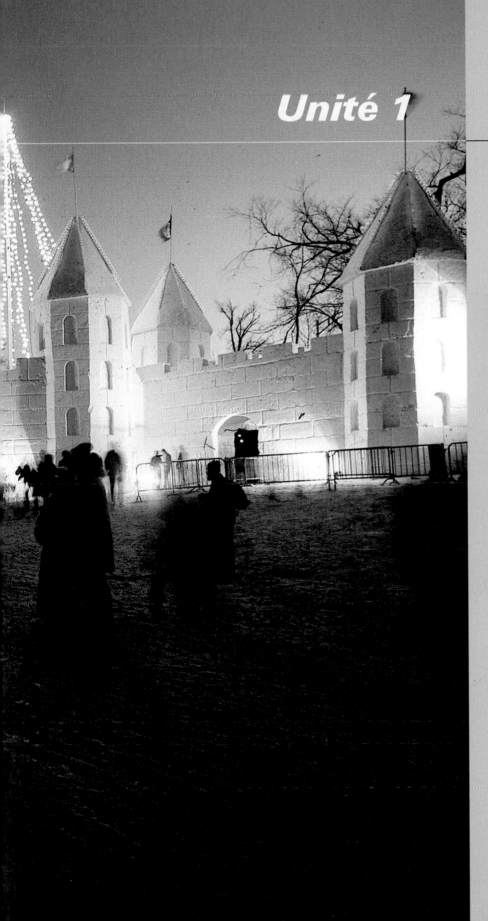

Unité 1 Les fêtes

In this unit you will be able to:

- write invitations
- give addresses
- write postcards
- express emotions
- describe character
- answer a telephone call
- ask to speak to someone
- respond to a request to speak to someone
- ask for information
- give information

Leçon A

In this lesson you will be able to:

- ➤ write invitations
- ➤ give addresses

Que la fête commence!

Laurent sends his friend Malika an invitation to a New Year's Eve party at his home.

TU VEUX...

- écouter de la musique?
- danser avec tes amis?
- manger quelque chose?
- attendre le matin du nouvel an?

VIENS CHEZ MOI:

- 47, rue La Fayette
- le 31 décembre
- Ça va commencer à 21h00.
- Ça va finir à... ?

RSVP: TEL: 01.48.45.18.57

Laurent

Enquête culturelle

What is usually served as the first course of *le réveillon de la Saint-Sylvestre?*

Le Réveillon est Servi

Celebrating **le nouvel an** *(New Year's Day)* often begins the evening of December 31 when people gather at home or in a restaurant for a midnight supper, **le réveillon de la Saint-Sylvestre**. Traditionally, the first course of this feast is often **les huîtres** *(raw oysters)*. As the clock strikes 12, people kiss under **le gui** *(mistletoe)*, a symbol of good luck. Many Parisians drive down the **Champs-Élysées**, honking their car horns to welcome the New Year.

White lights illuminate *les Champs-Élysées* during the holiday season in Paris.

Occasionally some older French teenagers stay up until early the next morning with their friends. They call this a **nuit blanche** *(white night)* because, in staying up all night, people do what they normally would during the daylight hours when it's bright or "white" outside. For a New Year's Eve party, a French teenager might write on an invitation **Nuit blanche assurée!** *(The celebration will last all night!)*

Le seul
à PARIS
qui donne des
couleurs
aux nuits blanches
B Aimez

The acronym **RSVP** is formed from the first letters of the words in the expression **Répondez s'il vous plaît** *(Please reply)*. Hosts in both French- and English-speaking countries often write this request on invitations so that they know how many guests to expect.

1 *Répondez par "vrai" ou "faux" d'après l'invitation de Laurent.*

1. Laurent invite Malika à une boum.
2. On va danser à la boum.
3. Laurent et Malika vont manger un grand repas avec leurs amis.
4. Laurent habite au 47, rue La Fayette.
5. La boum va commencer à 21h30.
6. La boum va finir à une heure du matin.
7. Malika doit téléphoner à Laurent au 01.48.45.18.57.

J'aime beaucoup danser.

2 Write an invitation to your friends in which you . . .

1. tell what kind of party you are hosting.
2. tell what you are going to do at the party.
3. give your address.
4. give the date when the party will take place.
5. give the time the party will begin.
6. give your telephone number so that your friends can R.S.V.P.

Est-ce que tu écoutes de la musique chez toi?

3 *C'est à toi!*

1. Est-ce que tu vas souvent à des boums?
2. Quand tu vas à une boum avec des amis, qu'est-ce que tu manges?
3. Est-ce que tu aimes danser avec tes amis?
4. À quelle heure est-ce que tu dois rentrer après une boum?
5. Est-ce que tu écoutes souvent de la musique chez toi?
6. Où est-ce que tu habites?

Structure

Present tense of regular verbs ending in *-er, -ir* and *-re*

To form the present tense of a regular **-er** verb, find the stem of the verb by removing the **-er** ending from its infinitive. Then add the endings **-e**, **-es**, **-e**, **-ons**, **-ez** and **-ent** to the stem of the verb depending on the corresponding subject pronouns.

danser

je	**danse**	Je ne **danse** pas.	*I don't dance.*
tu	**danses**	Tu **danses** bien?	*Do you dance well?*
il/elle/on	**danse**	Elle **danse** avec Luc.	*She is dancing with Luc.*
nous	**dansons**	Nous **dansons** à la boum.	*We dance at the party.*
vous	**dansez**	Où **dansez**-vous?	*Where do you dance?*
ils/elles	**dansent**	Ils **dansent** jusqu'à minuit.	*They dance until midnight.*

DUBOIS JEAN-PAUL

Jean-Paul Dubois

Les poissons me regardent

Roman

Vous cherchez dans la région un terrain de camping différent

To form the present tense of a regular **-ir** verb, find the stem of the verb by removing the **-ir** ending from its infinitive. Then add the endings **-is**, **-is**, **-it**, **-issons**, **-issez** and **-issent** to the stem of the verb depending on the corresponding subject pronouns.

finir			
je	**finis**	Je **finis** mes devoirs.	*I'm finishing my homework.*
tu	**finis**	Tu **finis** à quelle heure?	*At what time do you finish?*
il/elle/on	**finit**	Qui **finit** les frites?	*Who's finishing the fries?*
nous	**finissons**	Nous **finissons** le dessert.	*We're finishing dessert.*
vous	**finissez**	Vous **finissez** quand?	*When do you finish?*
ils/elles	**finissent**	Les cours **finissent** à 17h00.	*Classes end at 5:00.*

Philippe finit ses devoirs pour demain.

tous les films finissent bien

To form the present tense of a regular **-re** verb, find the stem of the verb by removing the **-re** ending from its infinitive. Then add the endings **-s**, **-s**, **—**, **-ons**, **-ez** and **-ent** to the stem of the verb depending on the corresponding subject pronouns.

attendre			
j'	**attends**	J'**attends** mes amis.	*I'm waiting for my friends.*
tu	**attends**	Tu **attends** le train?	*Are you waiting for the train?*
il/elle/on	**attend**	Qu'est-ce qu'on **attend**?	*What are they waiting for?*
nous	**attendons**	Nous **attendons** le prof.	*We wait for the teacher.*
vous	**attendez**	Où **attendez**-vous?	*Where do you wait?*
ils/elles	**attendent**	Qui **attendent**-ils?	*Whom are they waiting for?*

AVIS IMMOBILIER

Nous vendons vite et bien

à votre service

7 jours sur 7 même le dimanche

9 h à 12 h - 14 h à 19 h

45000 ORLEANS - 125, rue Bannier 02.16.38.53.43.96 + 82.01

Qui est-ce que ces étudiantes attendent? (Paris)

Pratique

Modèle:

Daniel et Paul mangent.

4 Lots of your friends get together after school at the local fast-food restaurant. Say what everyone is doing there.

Modèle:

Janine

Janine finit la pomme.

5 After school you and your friends are hungry. Tell what food everyone is finishing.

1. Malick et moi, nous

3. Jérôme et toi, vous

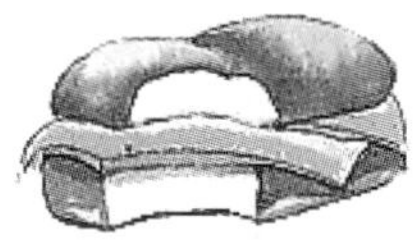

5. je

2. Isabelle

4. Michel et Louis

6. tu

6 It's an especially unlucky weekend for all of your school's athletic teams. Say by what score various team members are losing.

1. Thérèse et moi, nous/2 à 4
2. Philippe et Olivier/15 à 19
3. tu/7 à 9
4. Clarisse et toi, vous/5 à 11
5. Myriam/3 à 8
6. je/6 à 10

Modèle:

Khaled et Joël/1 à 13
Khaled et Joël perdent un à treize.

Les garçons de notre école perdent trois à sept. (Hasparren)

7 One day during lunch, Martine lets her best friend, Gilberte, read her summer diary. But Gilberte accidentally spills her beverage on one page, and most of the verb forms mysteriously disappear. Choosing from the following infinitives, write the correct form of the appropriate verb to fill in the missing information.

finir	perdre	manger	nager	adorer
jouer	arriver	attendre	parler	

le 2 août

Moi, j' ________ les vacances! Le matin Catherine et moi, nous ________ au volley avec des filles de l'école. Nous ne ________ jamais parce que nous sommes très bonnes! On commence à 10h00 et on ________ à midi. Puis j' ________ mes amis Laurent et Adja devant le fast-food. Quand ils ________, nous ________ des hamburgers et des frites. Après le déjeuner nous allons à la plage où nous ________ à nos amis. Tout le monde ________ dans la mer jusqu'à 16h00, et après ça, on rentre à la maison. L'été, c'est super!

Possessive adjectives

Possessive adjectives show ownership or relationship. They agree in gender (masculine or feminine) and in number (singular or plural) with the nouns that follow them.

	Singular				Plural	
	Masculine		Feminine before a Consonant Sound			
my	**mon**		**ma**		**mes**	
your	**ton**		**ta**		**tes**	
his, her, one's, its	**son**	chien	**sa**	maison	**ses**	devoirs
our	**notre**		**notre**		**nos**	
your	**votre**		**votre**		**vos**	
their	**leur**		**leur**		**leurs**	

Before a feminine singular word beginning with a vowel sound, **ma**, **ta** and **sa** become **mon**, **ton** and **son**, respectively.

La boum de ton amie commence à 21h00. *Your friend's party begins at 9:00.*

Pratique

8 Each year your community holds a carnival. Since it's very crowded this year, some people can't find whom they came with. Tell which family members the following people are looking for.

1. Guillaume/tante et oncle
2. les Forestier/enfants
3. M. Leclerc/filles
4. mes sœurs et moi, nous/parents
5. Béatrice et toi, vous/cousin
6. je/grand-mère
7. Bruno et Laurent/belle-mère
8. tu/beau-frère

Modèle:

Damien/frère

Damien cherche son frère.

9 The first day of class is over. Say what school supplies everyone is buying.

Modèle:

Sonia

Sonia achète son cahier et ses livres.

1. Jean-Luc

2. je

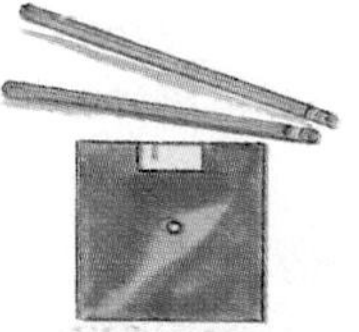

3. tu

4. Catherine et Aïcha

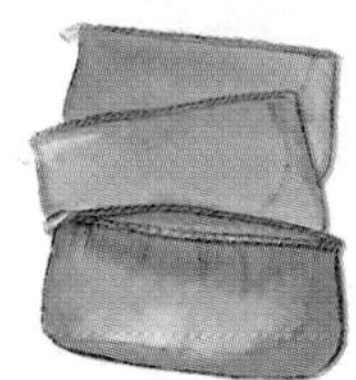

5. Valérie et moi, nous

6. Chloé

7. Marie-France et toi, vous

8. Théo et Nadine

Il est onze heures moins neuf. (Paris)

Telling time

To ask what time it is in French, say **Quelle heure est-il?** To tell what time it is, say **Il est... heure(s)**.

Il est une heure.

Il est neuf heures et quart.
Il est neuf heures quinze.

Il est huit heures.

Il est trois heures et demie.
Il est trois heures trente.

Il est midi.

Il est cinq heures moins le quart.
Il est quatre heures quarante-cinq.

Il est minuit.

Il est sept heures moins dix.
Il est six heures cinquante.

Pratique

10 Answer the question **Quelle heure est-il?** according to each clock or watch.

Modèle:

Il est trois heures.

1.

3.

5.

7.

2.

4.

6.

8.

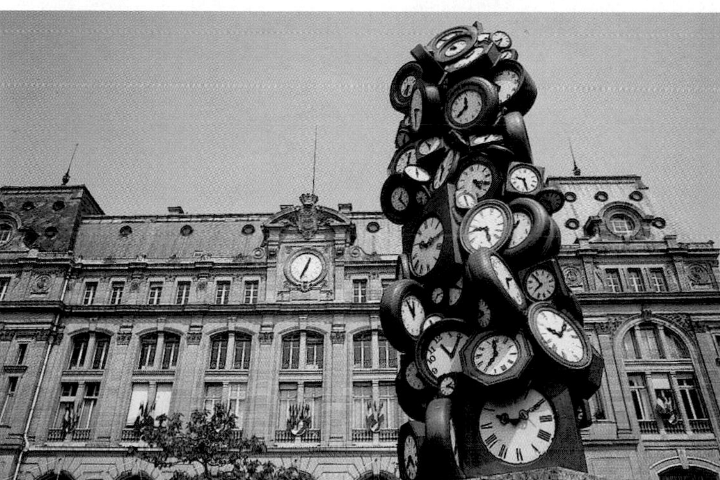

Quelle heure est-il? (Paris)

11 Amine has packed a lot of activities into his free day. Looking at his daily planner, tell what he is doing at each indicated time.

Modèle:

Il joue au tennis à sept heures et demie.

7h30	*jouer au tennis*
9h00	*étudier avec Assane*
11h15	*attendre Khadim à la gare*
12h00	*manger au café*
1h30	*visiter le musée*
2h45	*travailler*
7h05	*rentrer à la maison*
7h20	*téléphoner à Magali*
8h00	*finir les devoirs*
9h50	*regarder la télé*

Dates

To express the date in French, put **le** before the number followed by the month.

C'est le 12 août. *It's August 12.*

To say "the first" of any month, put **le premier** before the name of a month.

Nous sommes le premier juillet. *It's July first.*

Pratique

12 Looking at the calendar, say when each highlighted holiday or festival takes place.

Modèle:

Le jour de l'an est le premier janvier.

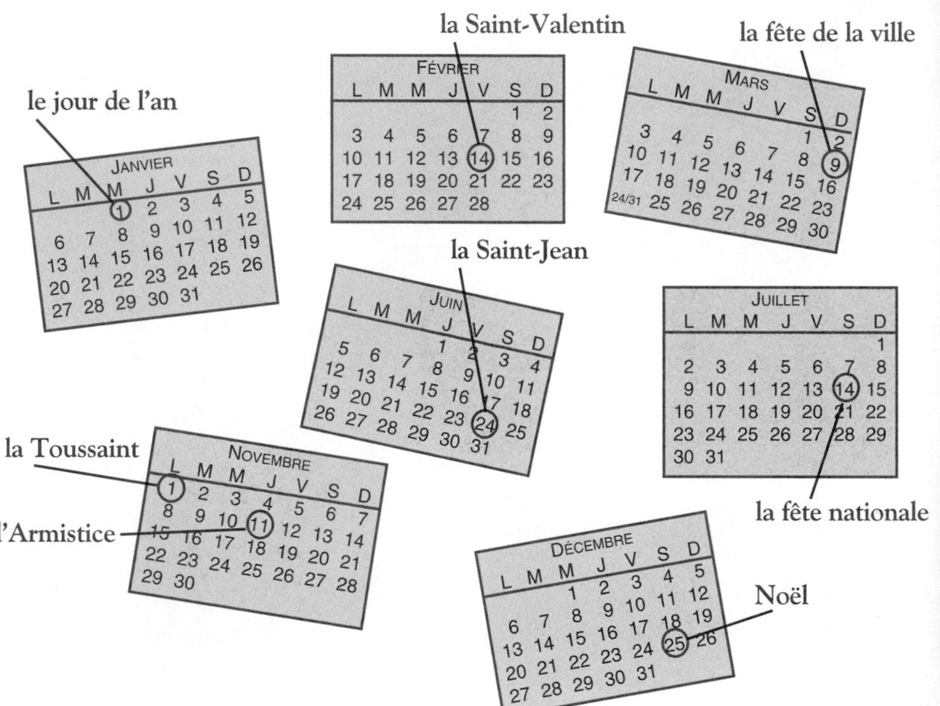

Le 14 juillet est la fête nationale.

13 Take turns with a partner asking and telling when certain events take place in Alexandre's life. Use his daily planner and follow the model.

1. 2.2/21.9
2. 8.4/23.11
3. 9.7/6.1
4. 19.8/1.5

Modèle:

15.12/3.10

Student A: C'est quoi le quinze décembre?

Student B: Ce sont les vacances de Noël. C'est quoi le trois octobre?

Student A: C'est la boum chez Frédéric.

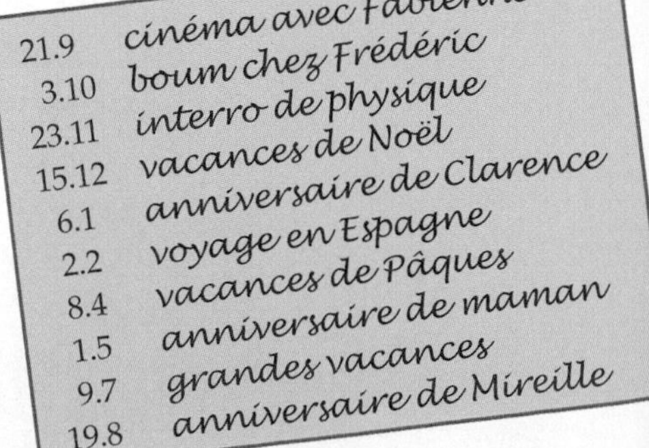

21.9 cinéma avec Fabienne
3.10 boum chez Frédéric
23.11 interro de physique
15.12 vacances de Noël
6.1 anniversaire de Clarence
2.2 voyage en Espagne
8.4 vacances de Pâques
1.5 anniversaire de maman
9.7 grandes vacances
19.8 anniversaire de Mireille

Communication

14 You have decided to give a New Year's Eve party this year and invite students in your French class. Since you don't know some of them very well, poll them in order to find out what kind of food and beverages they like and what they like to do. Draw a grid like the one that follows. In the grid copy the five questions you are going to ask each student. (You may substitute related questions that you can express in French.) Then poll ten of your classmates to determine what they like. As each classmate answers your question, make a check by the appropriate response. After you have finished asking questions, count how many people like each activity, food and beverage, and be ready to share your findings with the rest of the class.

	oui	non
Tu aimes danser?		✔
Tu aimes écouter de la musique?		
Tu aimes la pizza?		
Tu aimes le coca?		
Tu aimes la glace?		

Modèle:

Chantal: Tu aimes danser?
Jean-Claude: Non, je n'aime pas danser.

Et toi, tu aimes la glace?

15 As you plan your New Year's Eve party, you decide it would be more fun to create your own invitations than to buy them. Design your invitation, using small pictures you have clipped from the back issues of magazines, or making your own drawings. Be sure to include the following information on your invitation:

- occasion for the party
- date of the party
- time the party begins and ends
- your address
- what activities you have planned
- R.S.V.P. with your telephone number

16 During your New Year's Eve party, some of your friends start talking about Raoul, the French exchange student who was at your school last year. Since there is a video camera at the party, you decide it would be a good opportunity to make Raoul a video of what's going on with everyone contributing. Form groups of four, with one student in the group interviewing the other three. Each interviewed student answers two questions. Be sure to tell Raoul:

- the date
- the time
- the occasion for the party
- who is there
- what various people are doing (who is dancing with whom, what kind of music people are listening to, etc.)
- what there is to eat and drink

Leçon B

In this lesson you will be able to:

- write postcards
- express emotions
- describe character

Nadine, a student from Belfort, is visiting her friends in Quebec City during the Winter Carnival. She writes to her friend Élodie in Belfort to tell her about the festivities.

le 13 février

Ma chère Élodie,

J'adore la belle ville de Québec et son Carnaval! Cette grande fête de dix jours est super! J'ai un horaire chargé. Ce soir on va voir le Bonhomme Carnaval du défilé.

Il neige beaucoup, alors, je fais du sport. Samedi je vais skier avec mes amis à Saint-Sauveur dans les Laurentides au nord de Montréal. Je vais porter mon nouvel anorak bleu. Nous allons prendre beaucoup de photos. Tout le monde ici est très sympa. Il est vrai que, même en hiver, les Canadiens aiment vivre bien. À bientôt.

Grosses bises,
Nadine

On skie à Mont Tremblant dans les Laurentides. (Québec)

Enquête culturelle

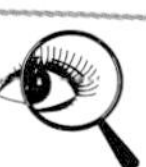

The French city of Belfort stretches along the banks of the Savoureuse River in the Franche-Comté region of eastern France close to Germany. Due to the city's location, its cuisine and architecture distinctly reflect a German influence. On one side of the river, the newer section of the city has many factories and beautiful gardens. The older area of the city, on the other side of the river, is dominated by the *Lion de Belfort*, a giant statue designed by the sculptor Bartholdi. The lion symbolizes the strength the city showed as it successfully resisted the Prussians for 103 days during the Franco-Prussian War.

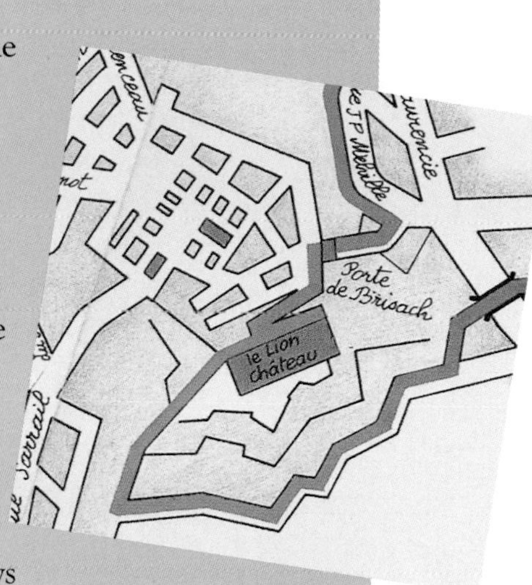

Upper Town often looks like Montmartre in Paris. (Quebec City)

Founded in 1608 by the French explorer Samuel de Champlain, the walled city of Quebec is the capital of the province of Quebec **(le Québec)**. Many buildings in Upper Town have a distinctive French influence. Visitors often stroll along the terrace built on the cliffs overlooking the Saint Lawrence River. They may stay at **le château Frontenac**, an elegant, huge hotel that looks like a Gothic castle.

Built in 1892, *le château Frontenac* was named for an eminent governor of New France. (Quebec City)

NOS PREMIERS 100 ANS
Hôtels et Villégiatures Canadien Pacifique
Le Château Frontenac
Québec
1, rue des Carrières,
Québec (Québec)
GIR 4P5
Tél.: (418) 692-3861

In Lower Town, the church of **Notre-Dame-des-Victoires** stands on the site of Champlain's first fort. Although many **Québécois** speak both French and English, French speakers constitute more than 95 percent of the city's population. Laws that require the use of French in education, government and business have been passed in Quebec Province.

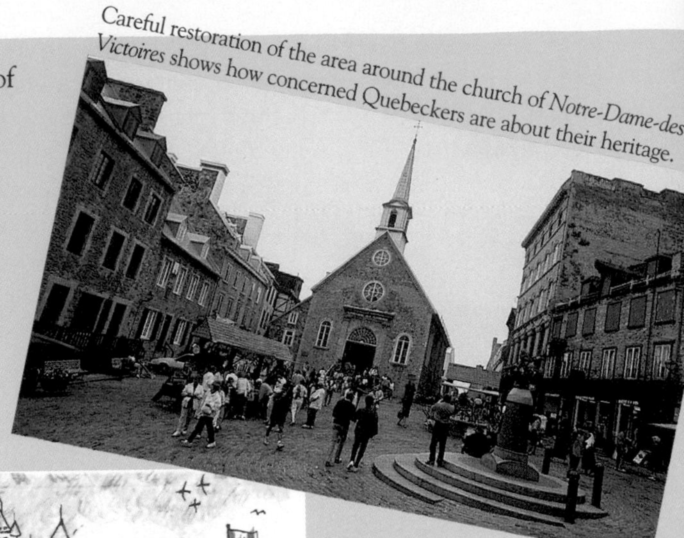

Careful restoration of the area around the church of *Notre-Dame-des-Victoires* shows how concerned Quebeckers are about their heritage.

FUNICULAIRE
ESCALIER CASSE-COU
RUE PETIT CHAMPLAIN

Since 1894 people in the city of Quebec have brightened the month of February by staging **le Carnaval**, a winter festival that includes ice canoe races across the frozen Saint Lawrence, tobogganing, dances and ice sculpting contests. **Le Bonhomme Carnaval**, a large snowman with a red cap and sash, serves as mascot for the festivities. He crowns the Carnival Queen, rides in the parades and greets carnival-goers; he even has the power to "arrest" anyone not showing the proper spirit. **Le palais de glace** *(ice palace)*, built with ice blocks cemented together with water, rises 60 feet and dominates the **Carnaval** scene.

Le Carnaval de Québec, c'est une véritable fête pour les petits et les grands.

Alors, souvenez-vous! En février, c'est à Québec que ça se passe. Planifiez vos vacances, puisque Bonhomme Carnaval vous attend au coin de la rue!

Le palais de glace is the showpiece of *le Carnaval*. (Quebec City)

1 Write a five-sentence paragraph in French that summarizes the information in Nadine's postcard to her friend Élodie. Begin by telling how Nadine likes where she is. Then say what she is going to do tonight. Next report what the weather is like. Then mention what she is going to do on Saturday. Finally, tell what she thinks of the people she is meeting.

2 Imagine that you are on vacation in another city or country. Write a postcard in French to a friend in which you . . .

1. give the date.
2. greet your friend by name.
3. tell where you are.
4. give your impressions of the place and the people.
5. report on the weather.
6. say what you are going to do or see.
7. end your postcard and sign your name.

Simone poste sa carte. (Martinique)

3 *C'est à toi!*

1. Est-ce que tu voyages beaucoup? Où?
2. Est-ce que tu aimes prendre des photos?
3. Est-ce qu'il y a une fête dans ta ville? Quand?
4. Quel temps fait-il en hiver dans ta ville?
5. Qu'est-ce que tu aimes faire en hiver?
6. Est-ce que tu préfères les sports d'hiver ou les sports d'été?

Est-ce que tu préfères les sports d'hiver... (Québec)

... ou les sports d'été? (Annecy)

Structure

Present tense of the irregular verbs *aller* and *être*

Here are the present tense forms of the irregular verbs **aller** *(to go)* and **être** *(to be)*.

Comment vas-tu?
Je vais très bien. Et toi?

		aller	
je	**vais**	Je **vais** très bien.	*I'm very well.*
tu	**vas**	Comment **vas**-tu?	*How are you?*
il/elle/on	**va**	Comment ça **va**?	*How are things going?*
nous	**allons**	Nous **allons** au défilé.	*We're going to the parade.*
vous	**allez**	Où **allez**-vous?	*Where are you going?*
ils/elles	**vont**	Mes amies **vont** au cinéma.	*My friends go to the movies.*

		être	
je	**suis**	Je **suis** à Québec.	*I'm in Quebec City.*
tu	**es**	Tu **es** beau comme ton père.	*You're handsome like your father.*
il/elle/on	**est**	Tout le monde **est** sympa.	*Everybody is nice.*
nous	**sommes**	Nous **sommes** amoureux.	*We're in love.*
vous	**êtes**	Vous **êtes** chez vous?	*Are you at home?*
ils/elles	**sont**	**Sont**-ils en solde?	*Are they on sale?*

NOUS SOMMES À VOTRE SERVICE

Pratique

4 Tell where certain people are going shopping according to what they want to buy.

Modèle:
Mme Assise veut acheter des chaussures.
Alors, elle va à la boutique.

1. Thierry veut acheter une baguette.
2. Abdou et toi, vous voulez acheter des cahiers et des livres.
3. Les Paquette veulent acheter un frigo.
4. Je veux acheter de la moutarde.
5. Tu veux acheter des poires.
6. Fabienne et Cécile veulent acheter du jambon et une quiche.
7. Mon frère et moi, nous voulons acheter des timbres.
8. M. Delacroix veut acheter des steaks.

M. Cheval veut acheter des légumes. Alors, il va au marché. (Bayonne)

5 Tell whether or not you think the following people are in Quebec City.

Modèles:

Joanne
Joanne est à Québec.

André et Gérard
André et Gérard ne sont pas à Québec.

1. M. et Mme Faucher

2. vous

3. tu

4. Mlle Desrosiers

5. Paulette et Diane

6. Jacques

De and *à* + definite articles

The preposition **de** *(of, from)* does not change before the definite articles **la** and **l'**. But **de** combines with the definite articles **le** and **les**.

de + la = de la	Où est le chien **de la** fille?	*Where is the girl's dog?*
de + l' = de l'	Voilà la porte **de l'**hôtel.	*There's the door of the hotel.*
de + le = du	On va voir le Bonhomme Carnaval **du** défilé.	*We're going to see the parade's Bonhomme Carnaval.*
de + les = des	Mark vient **des** États-Unis.	*Mark is from the United States.*

L'Aventure Sous le Signe de la Nuit.

SALON DE L'ÉTUDIANT

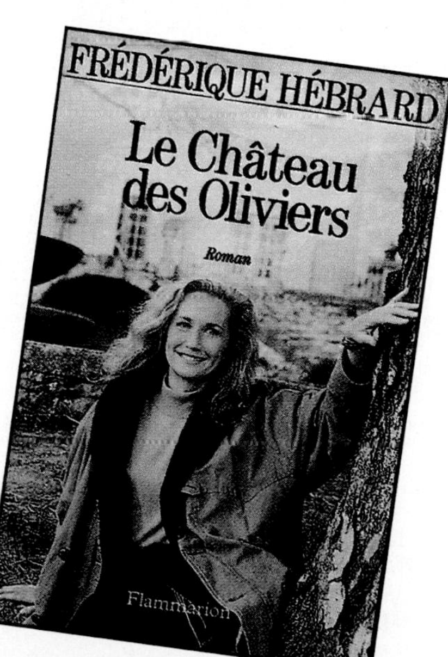

FRÉDÉRIQUE HÉBRARD
Le Château des Oliviers
Roman
Flammarion

Allons au Carnaval! (Quebec City)

Likewise, the preposition **à** (*to, at, in*) does not change before the definite articles **la** and **l'**. But **à** combines with the definite articles **le** and **les**.

à + la	= à la	Qui va **à la** fête?	*Who's going to the festival?*
à + l'	= à l'	Les élèves vont **à l'**école.	*The students are going to school.*
à + le	= au	Les Laurentides sont **au** nord de Montréal.	*The Laurentides are (to the) north of Montreal.*
à + les	= aux	J'ai mal **aux** jambes.	*My legs are sore.*

De notre envoyé spécial aux États-Unis

A L'OPERA
NEW YORK - NEW YORK STUDIO
Ambiance Karaoké-club
Anniversaires - Banquets - Réceptions
Soirée privées sur demande
jusqu'à 400 personnes
4, rue Halevy (9e). Rés. 01.42.65.89.33 - 01.47.42.62.33

BONHEUR CHANCE

DITES : "JE T'AIME" À LA VIE

QUEBEC
Au bonheur de l'hiver

Pratique

6 Your classmates are studying for college entrance exams. Say what subject each student is talking about.

Modèle:

Florence

Florence parle de la chimie.

7 You and your friends have volunteered to work at a telethon to raise money for AIDS research. Tell whom everyone is calling.

1. Nora/la prof de dessin
2. Édouard/le beau-père de Bruno
3. vous/la femme du docteur
4. je/l'oncle de Marie
5. Isabelle/le dentiste
6. Éric/les parents de Paul
7. Assia/la cuisinière de l'école
8. tu/les cousines de Salim

Isabelle téléphone au dentiste.

Modèle:

Michèle/le frère de Luc
Michèle téléphone au frère de Luc.

Agreement and position of adjectives

To form a feminine adjective, add an **e** to the masculine adjective.

Nadine porte un anorak bleu. Éric porte une veste bleue.

The following groups of adjectives have irregular feminine forms.

	Masculine	Feminine
no change	moderne	moderne
-eux → -euse	paresseux	paresseuse
-er → -ère	dernier	dernière
double consonant + **-e**	bon	bonne

La moto "verte"

Dans un cadre luxueux
Restaurant LOUBNANE

Some masculine adjectives don't change forms in the feminine: **orange**, **marron**, **super**, **sympa**, **bon marché**.

Some masculine adjectives have irregular forms in the feminine: **blanc → blanche**, **frais → fraîche**, **long → longue**.

LES PAGES BLANCHES

The adjectives **beau**, **nouveau** and **vieux** have irregular feminine forms as well as irregular forms before a masculine noun beginning with a vowel sound.

Masculine	Masculine before a Vowel Sound	Feminine
beau	bel	belle
nouveau	nouvel	nouvelle
vieux	vieil	vieille

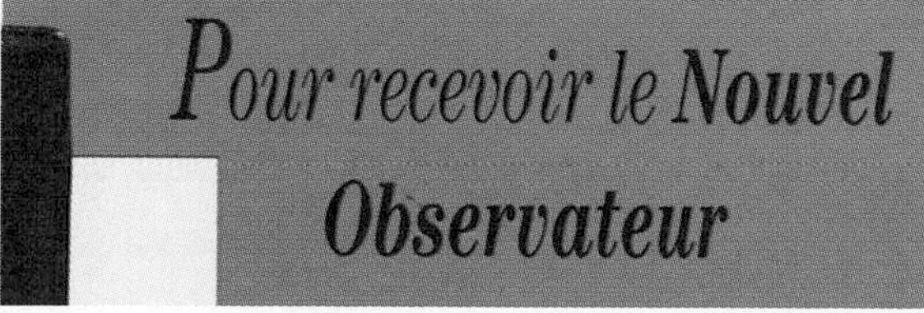
Pour recevoir le Nouvel
Observateur

J'ai un nouvel ami.

French adjectives usually follow the nouns they describe.

Je voudrais une boisson chaude.

Some short, common adjectives precede the nouns they describe. These are the "bags" adjectives that express *b*eauty, *a*ge, *g*oodness and *s*ize: **beau, joli, nouveau, vieux, bon, mauvais, grand** and **petit**.

Le Carnaval est une grande fête d'hiver à Québec.

Pratique

8 M. and Mme Diffère make an odd couple. Say that Mme Diffère is the opposite of her husband. Follow the model.

Modèle:

M. Diffère est diligent.
Mme Diffère n'est pas diligente; elle est paresseuse.

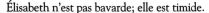

Élisabeth n'est pas bavarde; elle est timide.

1. M. Diffère est vieux.
2. M. Diffère est moche.
3. M. Diffère est grand.
4. M. Diffère est timide.
5. M. Diffère est intelligent.
6. M. Diffère est sympa.
7. M. Diffère est généreux.

9 Identify each person or object using two appropriate adjectives.

Modèle:

C'est une vieille maison grise.

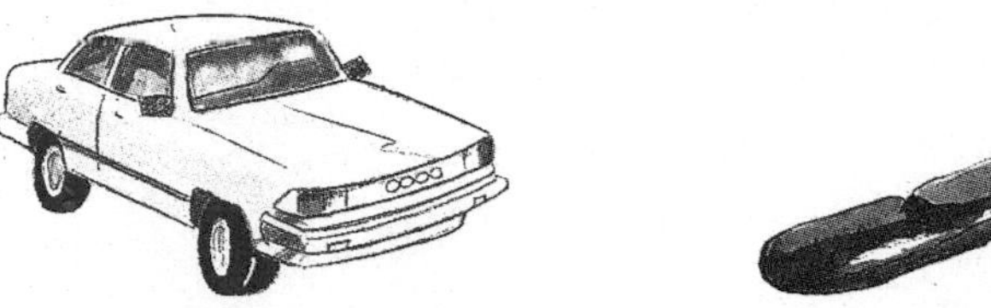

1\.

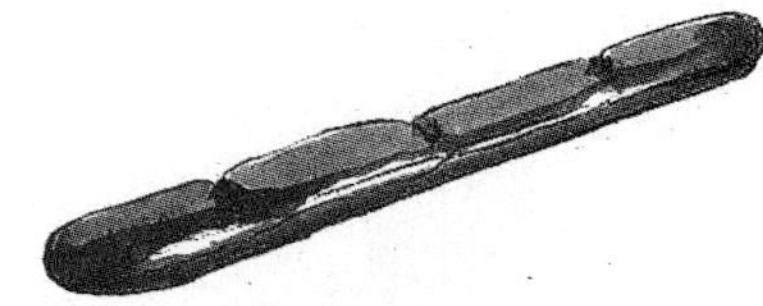

4\.

2\.

5\.

3\.

6\.

Aller + infinitive

To say what you are going to do in the near future, use the present tense form of **aller** that agrees with the subject plus an infinitive.

Qu'est-ce que tu vas faire demain? *What are you going to do tomorrow?*

To make a negative sentence, put **ne (n')** before the form of **aller** and **pas** after it.

Je ne vais pas skier. *I'm not going to go skiing.*

Chérie FM.
Ecoutez, vous allez chanter.
Pour connaître la fréquence de votre ville

Pratique

10 Say what everyone in your class is daydreaming about doing after school.

Modèle:
André va regarder la télé.

11 Imagine that your school's French club has saved enough money to go on an excursion to the Quebec Winter Carnival. Tell what the following people are going to do there.

Modèle:
tout le monde/faire du shopping
Tout le monde va faire du shopping.

1. Patricia/voir le Bonhomme Carnaval
2. Martine et moi, nous/faire du sport
3. le prof et sa femme/skier
4. Bruno et toi, vous/prendre beaucoup de photos
5. tu/visiter Notre-Dame-des-Victoires
6. je/aller au défilé
7. les élèves/parler français

On va skier à Mont Tremblant. (Québec)

Communication

12 Imagine that you and your family are visiting Quebec City during the Winter Carnival. Write a postcard to your French class back home in which you tell your friends . . .

1. the date.
2. where you are.
3. what you and your family are doing.
4. what things you like.
5. what the weather is like.
6. what food you are eating.
7. your impressions of the city and the festivities.
8. what you think about the people you have met.
9. what you are going to do.

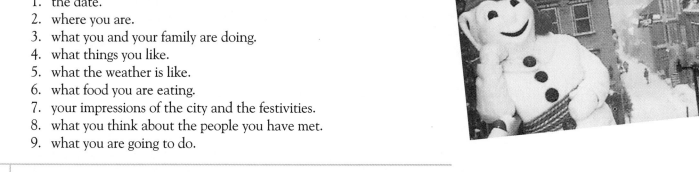

13 For this writing activity, find a place where you won't be interrupted, for example, a study hall, your room, a park, a bus stop, etc. Spend five minutes carefully observing everything and everyone around you. Then write a paragraph in which you describe what you can see, using as many descriptive adjectives as possible to make your paragraph precise and powerful. To help you organize your thoughts before you begin writing, make lists of all the adjectives of color, nationality, character, beauty, age, goodness and size that you can think of. For example, under the heading "Size" you might write **grand**, **gros**, **petit**, **long** and **court**.

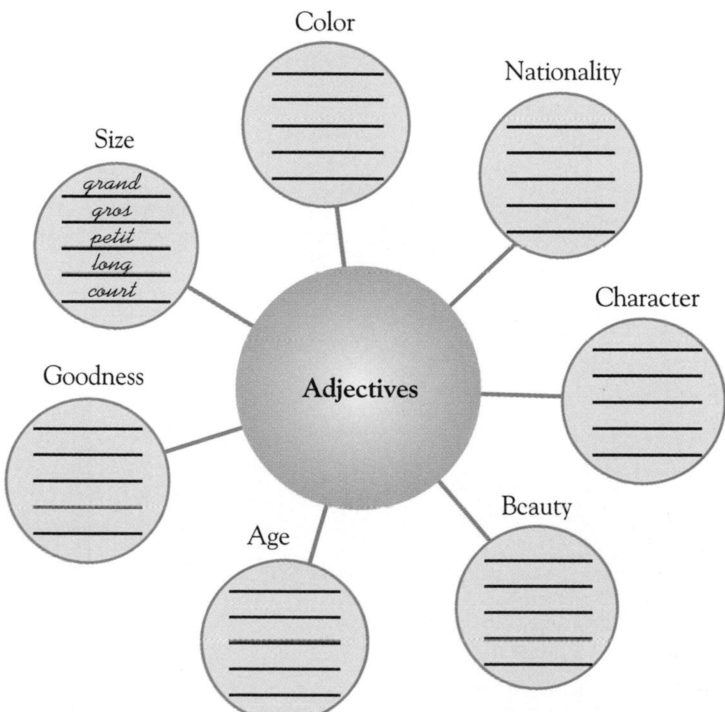

Finally, as you write your paragraph, be sure to put the adjectives in the correct position and make them agree with the nouns they describe.

14 You and your partner are planning to give a birthday party in honor of one of your mutual friends. Hold a phone conversation with your partner in which you discuss what you are going to do to prepare for the party. Name at least two things that each of you is going to do. For example, **Moi, je vais acheter le cadeau d'anniversaire. Et toi?** Then imagine some of the bizarre or silly things that might happen during the party. Each of you should mention at least two of them. For example, **Éric va danser avec son chien.**

Mise au point sur... les fêtes dans le monde francophone

One glance at a calendar from a French-speaking country reveals the numerous holidays that take place throughout the year. Some of these days are traditionally religious; others are secular. No matter what the reason for the celebration, holidays give people the opportunity to see friends and family, experience local traditions, enjoy a special meal and appreciate some time off from work or school.

Jours
de fêtes

17,53 €
Entremets jour de l'an
12/14 parts. Génoise chocolat, crème chantilly chocolatée
Rayon pâtisserie : sauf Decazeville, St Victoret, St Louis et Montargis

Many adults offer New Year's gifts to children on New Year's Day **(le jour de l'an)**. They may also give small gifts of money to people who have provided services for them during the year, such as the postal carrier. Short visits to friends and relatives, like those that take place at the end of Ramadan, are often part of the New Year's Day ritual. Instead of mailing greeting cards before Christmas, the French send New Year's cards in January.

Un gentil
souhait
pour le Nouvel An

Que cette nouvelle année
t'apporte de jolies surprises,
bien du plaisir
et beaucoup d'affection!

Bonne et Heureuse Année

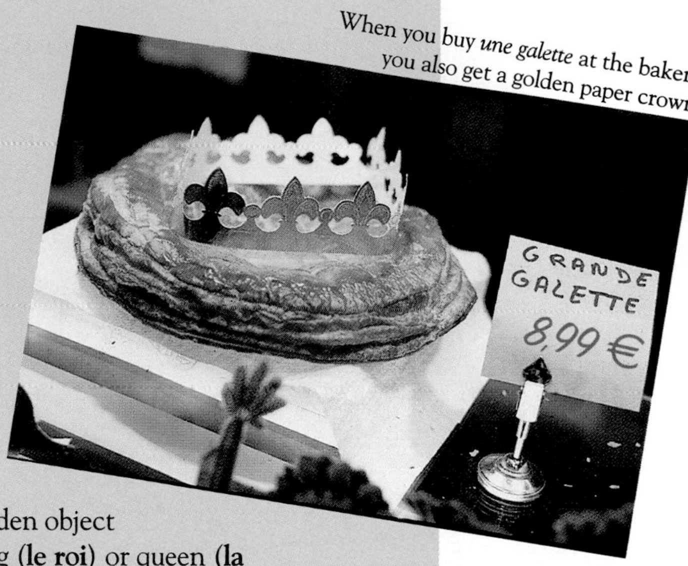

When you buy *une galette* at the bakery, you also get a golden paper crown.

The French observe Twelfth Night (**la fête des Rois**) on January 6 (12 days after Christmas) to honor the three wise men. A round, flat cake (**une galette**) contains a small object made of plastic or porcelain that resembles a king, queen or good luck symbol.

Jouez pour
GAGNER !
la Galette des Rois "CONTINENT"

Whoever finds the hidden object becomes king (**le roi**) or queen (**la reine**) and wears a golden paper crown.

Huge crowds gather in the streets to celebrate *Carnaval* in Martinique.

People in many parts of the world that have historical links to France celebrate **le Carnaval**. In Quebec City and New Orleans, as well as in Haiti and Martinique, **le Carnaval** takes place before Lent. Parades, masked balls, fireworks, singing and dancing in the streets make Carnival one of the most important holidays of the year. Mardi Gras, the last Tuesday of Carnival, literally means "Fat Tuesday." Since the 40 days before Easter were traditionally a time of fasting, this day offers the last chance to overindulge before Ash Wednesday and the beginning of Lent. In Martinique everyone wears red on Mardi Gras, which is also called Devil's Day (**le jour des diables**). The next day revelers burn a statue of Vaval, a papier-mâché figure that represents Carnival, to show that the festivities are over for another year. On this day everyone wears black and white.

Masks made of feathers are popular disguises on Mardi Gras in New Orleans.

On Easter Sunday (**Pâques**) children hunt for chocolate treats in the form of eggs, fish, hens and rabbits. French parents traditionally tell their children that church bells go to Rome on Good Friday and return on Easter Sunday with these sweets, which are then put inside a chocolate hen or bell.

For *Pâques* French children look forward to receiving baskets filled with candy treats.

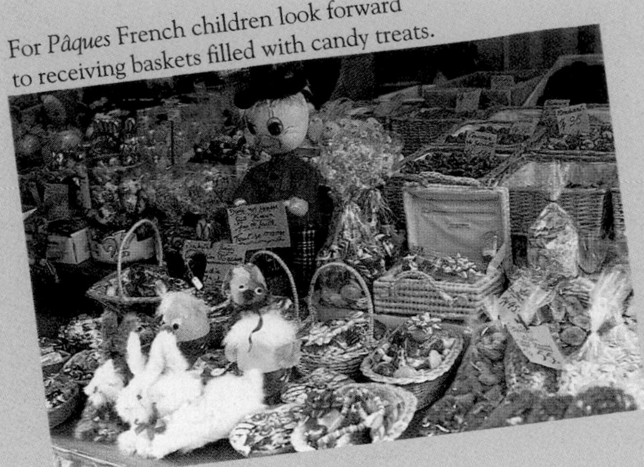

Pâques : fêtons Les Prix Bas.

PAQUES :
Soyez pas cloches...offrez-vous du chocolat

April 1 is a special day to play tricks on family and friends. Traditionally, students play a practical joke by cutting out a paper fish and attaching it to another student's back (or to the teacher's back). Once the unsuspecting person realizes he or she has been "fished," the practical joker says **Poisson d'avril**!

In France, as in many European countries, workers observe Labor Day (**la fête du travail**) on May 1 by organizing parades. On this day French people also send cards to friends and family or give them bouquets of lilies of the valley. One week later, on May 8, a public holiday commemorates the end of World War II in Europe.

In French-speaking Quebec, June 24 marks the day of an important summer festival, **la Saint-Jean**. French Canadians honor their patron saint by celebrating this day with picnics, parades, concerts and fireworks. The French also observe this holiday.

As you already know, July 14 is France's national holiday. Tahitians also celebrate their heritage in July by holding sporting events, traditional dances, parades and an important canoe race in which teams from many local villages compete for the championship.

November 11 marks the end of World War I. On this day the French president lays a wreath on the Tomb of the Unknown Soldier in Paris.

The Tomb of the Unknown Soldier is under *l'arc de triomphe* in Paris.

The French have a distinctive way of celebrating Christmas (**Noël**). On Christmas Eve many families go to midnight church services, then return home for a meal that traditionally includes goose or turkey stuffed with chestnuts. The customary dessert, **une bûche de Noël**, is a rolled chocolate cake decorated to resemble a log. Before going to bed, children place their shoes near the fireplace or the Christmas tree to be filled with presents from **le père Noël** (*Santa Claus*). To decorate their homes, the French set up a manger scene (**une crêche**) that features hand-painted, terra-cotta figurines (**les santons**). White lights adorn trees, streets and stores to signify the winter solstice and the start of longer days, but colored lights are used as well.

The French *père Noël* wears a red robe and is thinner than his American counterpart. (Paris)

Les santons (little saints) are traditional Christmas decorations made near Marseille.

Throughout the French-speaking world, both religious and civil ceremonies fill the calendar with days of celebration. These festivities bring a welcome break from daily routines and a chance to appreciate the rich cultural heritage of the francophone world.

15 Answer the following questions.

1. To whom do French-speaking adults offer New Year's gifts?
2. Do French people send holiday greeting cards before Christmas?
3. What determines who becomes king or queen of the January 6 celebration?
4. Where do French speakers observe **le Carnaval**?
5. There is no Easter Bunny in France. According to tradition, where do Easter treats come from?
6. What do French students put on their friends' backs on April 1?
7. What sports competition is one of the highlights of the July celebration on the island of Tahiti?
8. What do the French observe on November 11?
9. What is a traditional Christmas Eve meal in France?
10. What do French children hope that **le père Noël** will fill?
11. During the Christmas season, what do the white lights on trees, streets and stores symbolize?

16 The Swiss celebrate their national holiday during the summer. Look at the program for the **fête nationale** observances in the city of Neuchâtel, Switzerland, and answer the questions that follow.

FÊTE NATIONALE

PROGRAMME DE LA MANIFESTATION EN VILLE DE NEUCHÂTEL

dimanche 1er août

17h à 18h — Animation "DISCO" au QUAI OSTERVALD avec l'orchestre PACIFIC GROUP.

18h à 20h45 — Suite de l'animation au QUAI OSTERVALD avec en alternance l'orchestre PATENT OCHSNER musique "MUSETTE" et l'orchestre PACIFIC GROUP musique "DISCO".

CORTÈGE

20h45 — Place de la Gare, formation du cortège. Rassemblement des Autorités, des Sociétés de la ville de Neuchâtel et de tous les participants au cortège. Les enfants qui participent au cortège se grouperont devant l'Hôtel Terminus. Ils recevront des lampions.

21h — Départ du cortège.

CÉRÉMONIE AU QUAI OSTERVALD

Dès l'arrivée du cortège, Musique militaire.

Allocution de bienvenue par MONSIEUR OSCAR ZUMSTEG Président de l'Association des Sociétés de la Ville de Neuchâtel

Invocation par Le pasteur PIERRE-HENRI MOLINGHEN

Discours de MONSIEUR PIERRE HIRSCHY CONSEILLER D'ÉTAT

Prière par L'abbé NATALE DEAGOSTINI

Cantique suisse chant de l'assemblée avec la Musique militaire. "Sur nos monts quand le soleil - Annonce un brillant réveil - Et prédit d'un plus beau jour - Le retour - Les beautés de la patrie - Parlent à l'âme attendrie - Au ciel montent plus joyeux - Au ciel montent plus joyeux - Les accents d'un cœur pieux - Les accents émus d'un cœur pieux."

Musique militaire

FEU D'ARTIFICE

Après la manifestation officielle

FÊTE POPULAIRE AU QUAI OSTERVALD

Jusqu'à 24h danse avec en alternance les orchestres PATENT OCHSNER et PACIFIC GROUP.

Dès 24h et jusqu'à 1h30 environ, ambiance et danse "DISCO" avec l'orchestre PACIFIC GROUP.

1. What is the date of the Swiss **fête nationale**?
2. At what time does the band Pacific Group begin playing?
3. What is the name of the band that alternates with Pacific Group in playing at the celebration?
4. Where does the **cortège** (*procession*) assemble at 8:45 P.M.?
5. What kind of music do they play at the beginning and end of the ceremony on the **Quai Ostervald**?
6. What is the name of the man who is giving the welcome speech at 9:00 P.M.?
7. Is there a fireworks display after the ceremony?
8. At about what time in the morning does the dance end?

À LA MARTINIQUE

Max Carabin, a student from Annecy, calls his friend Hélène Tessier in Fort-de-France, Martinique.

Mme Tessier:	**Allô?**
Max:	**Bonjour, Madame Tessier! C'est Max. Est-ce qu'Hélène est là, s'il vous plaît?**
Mme Tessier:	**Oh, bonjour, Max! Une minute.... Elle arrive, d'accord? Ne quitte pas!**
Max:	**D'accord.**

Hélène:	**Salut, Max! Ça va?**
Max:	**Salut, Hélène! Ça va bien, mais il fait froid ici. Le Carnaval, c'est maintenant, n'est-ce pas?**
Hélène:	**Oui, il y a des défilés et beaucoup de bals.**
Max:	**Tu vas danser ce soir?**
Hélène:	**Il n'y a pas de bal ce soir, mais demain on va danser jusqu'au matin.**
Max:	**Oh, j'ai envie de venir. La Martinique est formidable!**

Leçon C

In this lesson you will be able to:

- answer a telephone call
- ask to speak to someone
- respond to a request to speak to someone
- ask for information
- give information

Enquête culturelle

Annecy, in eastern France, is the picture of Alpine charm. Both residents and visitors enjoy walking along the cobblestone streets and flower-lined canals of the medieval quarter of the city. Built on a hill, **le château d'Annecy** overlooks the city and **le lac d'Annecy**, one of the purest lakes in Europe.

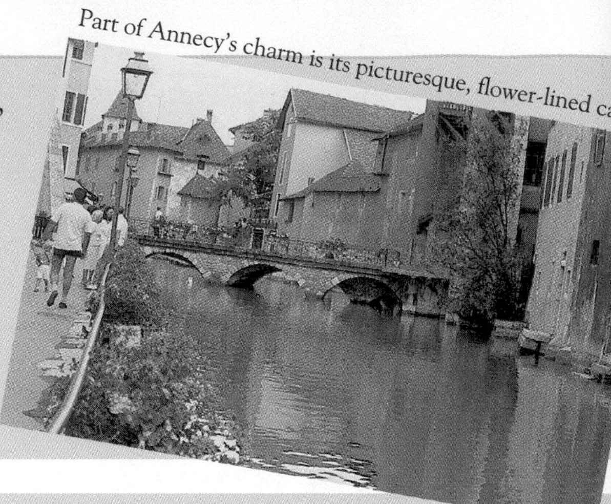

Part of Annecy's charm is its picturesque, flower-lined ca

Fort-de-France is the capital and largest city of Martinique. Located on the western coast of the island, the city has a park on the waterfront, a French naval base, lively open-air markets and many brightly colored buildings.

Vendors sell fruits, vegetables and flowers at Fort-de-France's street markets. (Martinique)

You can find public phone booths **(cabines téléphoniques)** on the streets in France as well as at post offices. Although some coin-operated pay phones still exist, most public phones now work with **une télécarte** *(phone card)* that comes in **unités** of 50 or 120. Each **unité** reflects the length of the call as well as its destination and the time of day. You can buy **une télécarte** at a post office, subway station or **tabac**. If you want to make an overseas call from France to the United States, you first dial 19 to get an international line, then the country code (1), the area code and the number. Whereas phone numbers in France are given in five groups of two numbers, phone numbers in Quebec are said digit by digit.

To use a public phone in France, you need *une télécarte*. (Angers)

1 *Répondez en français.*

1. Où est-ce qu'Hélène habite?
2. Qui téléphone à Hélène?
3. Quel temps fait-il en France?
4. Quelle fête est-ce qu'il y a maintenant à la Martinique?
5. Qu'est-ce qu'il y a au Carnaval?
6. Jusqu'à quelle heure est-ce qu'Hélène va danser demain soir?
7. Qu'est-ce que Max a envie de faire?

Hélène habite à Fort-de-France. (Martinique)

2 With two of your classmates, have a conversation on the phone. One student plays the role of an American teen, the second student plays the role of his or her French friend and the third student plays the role of the French friend's father. In the course of your conversation:

1. The father answers the phone.
2. The American teen greets the father, identifies himself or herself and asks to speak to his or her friend.
3. The father says that his son or daughter is coming to the phone.
4. The two teens greet each other.
5. The two teens ask and tell each other how things are going.
6. The French friend says what the weather is like and that tomorrow is July 14.
7. The American teen asks what his or her friend is going to do.
8. The French friend says that there is a big parade, a lot of music and a dance.
9. The American teen says that he or she wants to come.

3 *C'est à toi!*

1. Est-ce que tu préfères aller à Fort-de-France, à Annecy ou à Québec? Pourquoi?
2. Quel temps fait-il aujourd'hui?
3. Est-ce qu'il y a un défilé dans ta ville? Quand?
4. Est-ce que tu téléphones souvent?
5. À qui est-ce que tu téléphones?
6. Où est-ce que tu as envie d'être maintenant?

As-tu un téléphone portatif? (Paris)

Structure

Present tense of the irregular verbs *avoir* and *faire*

Here are the present tense forms of the irregular verbs **avoir** (*to have*) and **faire** (*to do, to make*).

avoir			
j'	**ai**	J'**ai** deux frères.	*I have two brothers.*
tu	**as**	Tu **as** quel âge?	*How old are you?*
il/elle/on	**a**	Catherine **a** faim.	*Catherine is hungry.*
nous	**avons**	Nous **avons** une interro.	*We're having a quiz.*
vous	**avez**	Vous **avez** soif?	*Are you thirsty?*
ils/elles	**ont**	Ils **ont** besoin de 100 euros.	*They need 100 euros.*

faire			
je	**fais**	Je **fais** du sport.	*I play sports.*
tu	**fais**	Tu **fais** du 42?	*Do you wear size 42?*
il/elle/on	**fait**	Il **fait** du vent.	*It's windy.*
nous	**faisons**	Nous **faisons** une quiche.	*We're making a quiche.*
vous	**faites**	Vous **faites** du shopping?	*Are you going shopping?*
ils/elles	**font**	Qu'est-ce qu'ils **font**?	*What are they doing?*

Éric fait souvent du vélo.

Pratique

4 According to what people have ordered at the restaurant, tell if they are hungry or thirsty.

Modèle:

Sandrine et Nora
Sandrine et Nora ont soif.

1. Gilbert

2. M. et Mme Grosjean

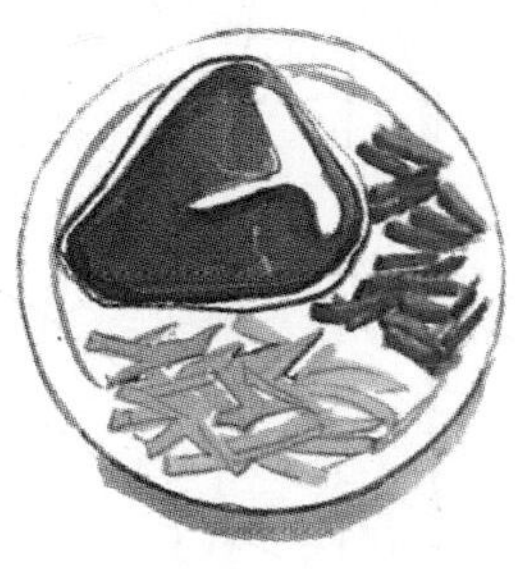

3. tu

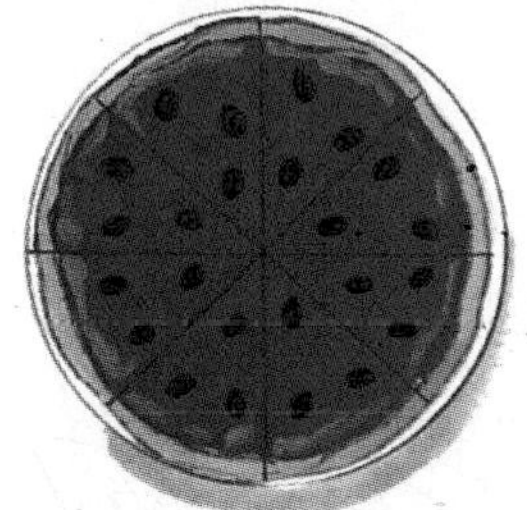

4. Salim et moi, nous

5. je

6. Myriam et toi, vous

7. Hélène

5 It's a beautiful Sunday afternoon, and the park is crowded. Tell what certain people are doing. Use a form of **faire** in each of your sentences.

Modèle:
Les Gaillot font un tour.

Forming questions

In conversational French you can make a question in three ways:

1. Make your tone of voice rise at the end of a sentence.

   Tu vas sortir avec tes amis?
2. Put **est-ce que** before the subject of a sentence.

   Est-ce que les Canadiens sont très sympa?
3. Add **n'est-ce pas** to the end of a sentence.

   Saint-Sauveur est dans les Laurentides, n'est-ce pas?

In more formal or written French you can make a question by inverting the order of the verb and its subject pronoun.

Comment vas-tu?
Neige-t-il beaucoup?

If the subject of the sentence is a noun, add the appropriate subject pronoun after the verb.

Hélène a-t-elle envie de danser au Carnaval?

FAUT-IL ENVOYER DES HOMMES DANS L'ESPACE ?

Pratique

6 Taking turns with a partner, ask and tell what you prefer doing. Follow the model.

1. jouer au foot/jouer aux jeux vidéo
2. lire/sortir avec des amis
3. danser/écouter de la musique
4. voyager en avion/prendre le train

Modèle:

étudier/aller au cinéma
Student A: Est-ce que tu préfères étudier ou aller au cinéma?
Student B: Je préfère aller au cinéma. Et toi, tu préfères étudier ou aller au cinéma?
Student A: Moi aussi, je préfère aller au cinéma.

7 With a partner, clarify the information you are given by asking and answering questions. Student A asks a question using inversion. Student B answers the question affirmatively using the information provided. Follow the model.

1. Max téléphone à son amie. (à Fort-de-France)
2. Hélène habite avec ses parents. (à la Martinique)
3. Max et Hélène vont danser. (demain soir)
4. Il neige. (beaucoup)
5. Sabrina et Michèle skient. (dans les Laurentides)
6. Nadine prend des photos. (de ses vacances)

Modèle:

On parle. (jusqu'au matin)
Student A: Parle-t-on?
Student B: Oui, on parle jusqu'au matin.

Neige-t-il beaucoup? (Quebec City)

Negation

To make a verb negative in French, put **ne (n')** before the verb and either **pas**, **jamais**, **plus**, **personne** or **rien** after it.

Hélène n'est pas là.	*Hélène isn't here.*
Il ne neige jamais à Fort-de-France.	*It never snows in Fort-de-France.*
Nous n'avons plus de place dans la voiture.	*We don't have any more room in the car.*
Il n'y a personne au défilé.	*There's no one at the parade.*
Je ne veux rien.	*I don't want anything.*

Juppé Ne Paie Plus

JE N'AI PAS DE DEVOIRS

Pratique

8 A. Compare the two drawings. Then ask a partner each of the questions that follow. Your partner will answer using either **ne... jamais, ne... plus, ne... personne** or **ne... rien**, as appropriate. Follow the model.

Modèle:

À 23h00 est-ce que les élèves étudient à la bibliothèque?

Non, à 23h00 ils n'étudient plus à la bibliothèque.

1. À 23h00 est-ce qu'il y a beaucoup d'élèves à la bibliothèque?
2. À 23h00 est-ce qu'il y a des livres sur les tables?
3. Est-ce qu'il y a des chevaux à la bibliothèque?

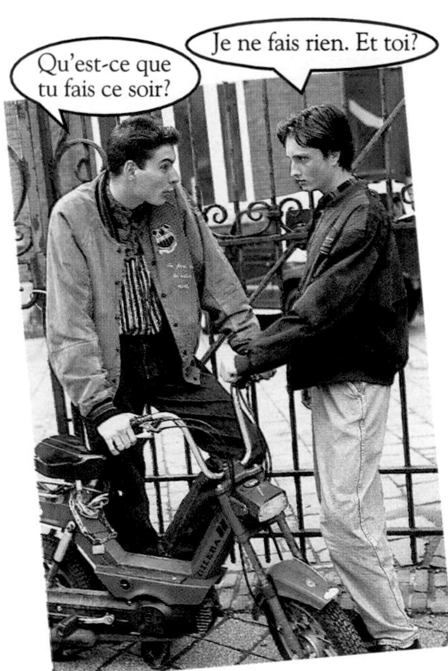

Qu'est-ce que tu fais ce soir?
Je ne fais rien. Et toi?

B. Compare the next two drawings. Then have your partner ask you each of the questions that follow. Answer him or her using either **ne... jamais, ne... plus, ne... personne** or **ne... rien**, as appropriate.

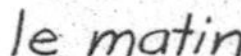

1. Est-ce qu'il fait toujours beau l'après-midi?
2. Est-ce qu'il y a quelqu'un là-bas l'après-midi?
3. Est-ce qu'il neige là-bas?

Indefinite articles in negative sentences

In a negative sentence, **un**, **une** and **des** become **de** or **d'**.

Est-ce que Max a une sœur? Non, il n'a pas de sœur.

Tu prends des photos, n'est-ce pas? Non, je ne prends pas de photos.

Pratique

9 Taking turns with a partner, ask and answer questions about the members of your family. Follow the model.

1. des sœurs
2. des beaux-frères
3. des tantes
4. une grand-mère
5. un chat
6. un chien

Modèle:

des cousins

Student A: As-tu des cousins?

Student B: Oui, j'ai cinq cousins. As-tu des cousins?

Student A: Non, je n'ai pas de cousins.

François a deux beaux-frères, mais il n'a pas de sœurs. (Martinique)

Communication

10 With two of your classmates, play the roles of a student, the student's close friend in France and the French friend's mother. The student is going to call his or her French friend to see how things are going. The friend's mother answers and passes the phone on to her son or daughter. During the course of your conversation in French, be sure to turn away from each other and talk as though you are on the phone.

1. The student dials the French friend's phone number, saying the numbers out loud in pairs.
2. The French friend's mother answers the phone.
3. The student greets the French woman, identifies himself or herself and then asks to speak to his or her friend.
4. The French woman greets the student and says that her son or daughter is coming to the phone.
5. The French friend greets the student and asks how things are going.
6. The student talks about what's happening in his or her life. Then the student asks the French friend how things are going.
7. The friend reports what he or she is doing.
8. At the end of the conversation the student and the friend tell each other good-bye.

11 While looking through a French travel magazine, you see a contest announcement that attracts your attention. If you write the winning essay in the "Describe Your Perfect Vacation" contest, you will win an all-expenses-paid trip for two to that location. Your essay can have no more than 100 words. It must include where you want to go, why you want to go there, what the weather is like and what you want to do there. Also tell with whom you are going to travel and why. Make your essay as exciting as possible so that you have a good chance of winning the contest!

"partez pour l'imaginaire"

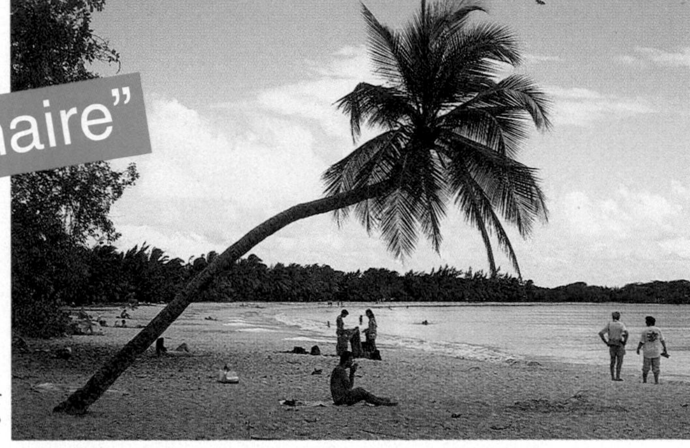

Voulez-vous aller à la Martinique?

Sur la bonne piste

In the first level of *C'est à toi!* you practiced numerous strategies to help you read in French. Let's review how to use what you already know about reading to understand information about a French city introduced in this **unité**. Remember to make use of these preliminary reading techniques:

1. Look at *headings* and *illustrations* in order to learn a lot of information even before you read the first sentence.
2. Make some preliminary *predictions* about the reading's content.
3. *Skim* (read quickly for context) and *scan* (read more purposefully for content) to grasp the general idea of a reading.
4. Ask yourself the five "W" question words (*who, what, where, when, why*).

Sometimes it's necessary to reread the selection to *digest* the material or read thoroughly for a deeper understanding. As you read, ask yourself:

1. What *cognates* do I recognize? Remember that cognates, French words you can identify from your knowledge of English, can help you guess the meaning of other new words and make sense of the reading as a whole.
2. How can my knowledge of French *culture* help me to understand this reading? Try to think with a global perspective. Remember that the culture of France and other French-speaking countries reflects traditions and values that are different from our own.
3. Are there any new words that I must look up in the *dictionary*? Even when you understand the context of a reading and have identified cognates, you may still need extra help to understand key ideas. Your French-English dictionary can help you here. Try to identify what part of speech the unknown word is (noun, verb, adjective, etc.) before you look it up. Be sure to check all possible definitions before choosing the one that makes the most sense.

Use all these strategies as you read the selection that follows.

FAITES À BELFORT

Marché aux puces: Le premier dimanche matin de chaque mois de mars à décembre en vieille ville.

Festival international de musique universitaire: en vieille ville à la Pentecôte.

Nuits d'Été: café-concert, juin et première quinzaine de juillet.

Eurockéennes: Fête Européenne de la Jeunesse, concerts (rock), Début juillet.

Tournoi d'échecs en open - Grand prix de Belfort: 26 au 31 décembre.

Mercredis du château: concerts dans les fossés du château, le mercredi à 20h30 de mi-juillet à fin août.

Montgolfiades internationales: deuxième weekend de septembre.

Foire aux vins: première quinzaine de septembre.

Semi-marathon Belfort-Montbéliard: fin septembre.

Festival de cinéma « Entrevues »: fin novembre.

MARCHÉ AUX PUCES

150 antiquaires et brocanteurs. Chaque premier dimanche matin, du mois de mars à décembre, voit confluer dans les rues de la vieille ville des badauds ou «chineur» confirmés de la grande région, y compris d'Allemagne et de Suisse.

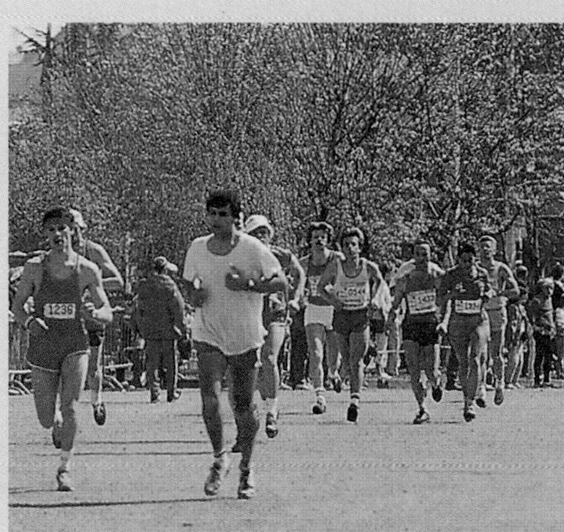

LION (Semi-marathon)

Des milliers de coureurs, purs amateurs locaux ou vedettes internationales de la discipline, se disputent chaque année en septembre les 21 km de bitume qui séparent une année Belfort de Montbéliard, l'année suivante Montbéliard de Belfort. Une «classique» du calendrier fédéral des fondeurs.

MONTGOLFIADES

Organisatrice des Championnats d'Europe de septembre 1992, la ville de Belfort possède 4 clubs aérostatiques.

12 To answer the first four questions about the preceding selection, use the preliminary reading strategies. To answer the last six questions, use the remaining techniques that help you digest the reading at a deeper level.

1. What city is being described?
2. What symbol represents this city?
3. What is listed under the heading **Faites à Belfort**?
4. For whom is this information intended?
5. What French word means "hot air ballooning"?
6. During what part of July do rock concerts take place?
7. What types of marathon runners take part in the **Lion**?
8. Is shopping at a **marché aux puces** only a French cultural tradition? What words help you arrive at your conclusion?
9. In the list of events under the heading **Faites à Belfort**, find two events that you don't understand. For each event, select the new French words that aren't clear to you, determine their parts of speech and then use your dictionary to find their meanings.
10. Which events appeal to you? Why?

Nathalie et Raoul

C'est à moi!

Now that you have completed this unit, take a look at what you should be able to do in French. Can you do all of these tasks?

- I can write an invitation.
- I can give addresses.
- I can write a postcard.
- I can express emotions.
- I can describe someone's character traits.
- I can answer the phone.
- I can ask to talk to someone on the phone.
- I can ask for and give information about various topics, including how things are going.

Here is a brief checkup to see how much you understand about French culture. Decide if each statement is **vrai** or **faux**.

1. The expression **une nuit blanche** describes a night when you don't sleep at all.
2. The abbreviation R.S.V.P. asks guests to let their hosts know if they plan to accept their invitation.
3. **Le Bonhomme Carnaval** symbolizes the strength of Belfort as the city resisted the Prussians during the Franco-Prussian War.
4. **Le Carnaval** is the winter festival in Quebec City that features many outdoor sports events.
5. **Le réveillon de la Saint-Sylvestre** is the midnight dinner on New Year's Eve.
6. Instead of sending greeting cards to friends and family before Christmas, the French generally send New Year's cards in January.
7. The French observe Mardi Gras by searching for a hidden object in **une galette**.
8. To celebrate April Fool's Day, the French take their children fishing and then prepare their catch for the evening meal.
9. Part of the Christmas celebration in France includes decorating a **bûche de Noël** and placing it in the family's manger scene.
10. To operate most public phones in France, you need une **télécarte**.

Communication orale

Imagine that your French class received an invitation today to two events during the Winter Carnival in Quebec City. With your partner, play the roles of two students: Student A, who was in class, and Student B, who was absent. Student B hears about the trip to Quebec City and calls Student A to ask for more information. During the course of your phone conversation, turn away from each other and talk as though you are on the phone.

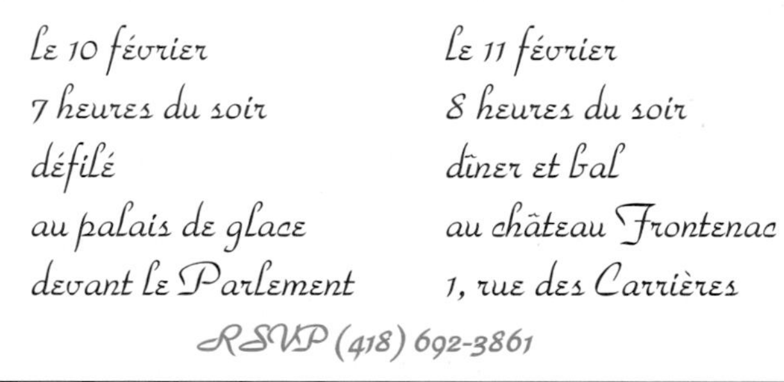

le 10 février	le 11 février
7 heures du soir	8 heures du soir
défilé	dîner et bal
au palais de glace	au château Frontenac
devant le Parlement	1, rue des Carrières

RSVP (418) 692-3861

1. Student A writes down his or her phone number and gives it to Student B.
2. Student B dials Student A's phone number, saying it out loud.
3. Student A answers the phone.
4. Student B doesn't recognize Student A's voice and asks to speak to him or her.
5. Student A greets Student B and then identifies himself or herself.
6. Both ask and tell each other how things are going.
7. Student B asks when the Winter Carnival is, and Student A responds.
8. Student B then asks what the class is going to see and do on those dates.
9. Student A responds and then tells the time and location of each event.
10. Student B says that the Carnival is going to be terrific.
11. Student B thanks Student A, and both say that they'll see each other soon.

Communication écrite

When your French class goes to Quebec City for the Winter Carnival, each of you will stay with a French Canadian family. The son of the host family to whom you have been assigned sends you a postcard telling some information about himself. Write him a postcard answering his questions, and add any information you wish. On one side of your postcard, draw an interesting place in your city or state, or you may choose to use a picture from a back issue of a newspaper or magazine. On the other side, write your response.

On aime beaucoup skier au Canada. (Estrie)

Bonjour de Québec! Québec, le 15 janvier

Je m'appelle René Dubay, et j'ai 16 ans. Je suis le fils de ta nouvelle "famille" canadienne. J'ai une mère et un beau-père. Ma demi-sœur, qui a 12 ans, est très bavarde. Est-ce que tu as une grande famille? Quel temps fait-il chez toi en février? Ici à Québec il va faire assez froid et il va neiger, bien sûr! J'aime beaucoup skier. Et toi? Moi, j'adore le Carnaval. J'aime regarder les défilés, et je trouve le Bonhomme Carnaval super! Qu'est-ce que tu veux faire à Québec? À bientôt!

Ton "frère" canadien,
René

Communication active

To write an invitation, use:

Tu veux...?	*Do you want (to) . . . ?*
Viens chez moi.	*Come to my house.*
On va commencer à....	*We'll begin at . . . .*
RSVP	*Please reply.*

To give an address, use:

47, **rue** La Fayette	*47 La Fayette Street*

To write a postcard, use:

Mon cher cousin/**Ma chère** cousine	*My dear cousin*
À bientôt.	*See you soon.*

To express emotions, use:

Cette fête **est super**!	*This festival is terrific!*

To describe character, use:

Tout le monde **est très sympa.**	*Everybody is very nice.*
Les Canadiens **aiment vivre bien.**	*Canadians really know how to live.*

To answer a telephone call, use:

Allô?	*Hello?*

To ask to speak to someone, use:

Est-ce qu'Hélène **est là, s'il vous plaît**?	*Is Hélène there, please?*

To respond to a request to speak to someone, use:

Une minute.... Elle **arrive**.	*Just a minute . . . . She's coming.*

To ask for information, use:

Ça va?	*How are things going?*

To give information, use:

Ça va bien.	*Things are going well.*

Les Canadiens aiment vivre bien. (Quebec City)

Communication électronique

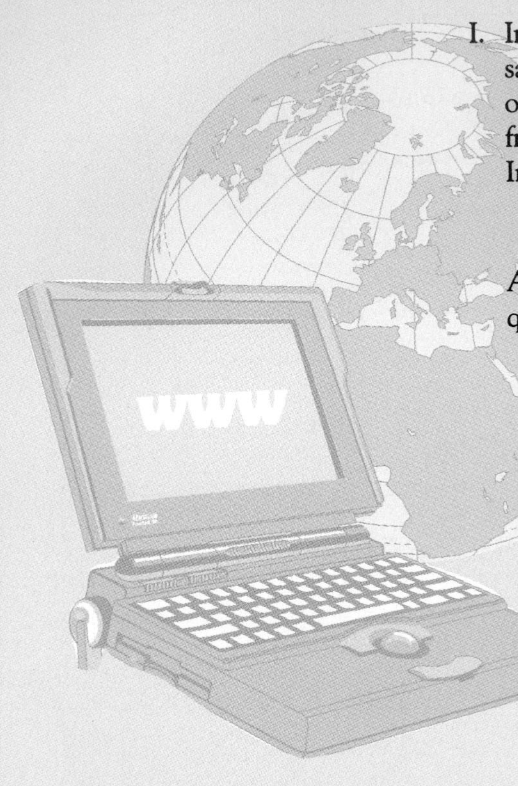

I. In this unit you learned that French speakers celebrate some of the same holidays that we do in the United States. But they also have other holidays that we don't observe. To find out more about francophone holidays and how they are celebrated, go to this Internet site:

http://www.lafete.net/

After you have finished exploring this site, answer the following questions.

1. What are the names of five French holidays that resemble their American counterparts?
2. Click on "Chandeleur." **La Chandeleur** (*Candlemas*, in English) is a religious holiday observed on February 2. What food is featured on this day?
3. Click on "Accueil" to return to the home page. Now click on "14 Juillet." **Le 14 juillet** marks the beginning of the French Revolution. What vegetable is associated with this event?
4. Click on "Accueil" and "Saint Valentin." Read the list of the nine greatest love stories. Which is the only French film on this list? How many of these films have you seen?
5. Click on "Accueil," "Fête des Mères" and "Salade Surprise." Mothers would appreciate this simple salad that a young child could make. What are its four ingredients?
6. Click on "Accueil" and "Halloween." This American holiday has recently become very popular in France. What is the word for "pumpkin" in French?

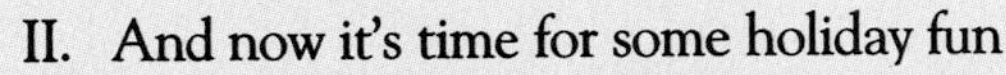

II. And now it's time for some holiday fun!

1. Click on "Accueil," "Les jeux de Lafete.net" and "Le bonhomme de neige." To dress your snowman, click on the arrows. What three features of the snowman can you change?
2. For some Halloween fun, click on "Retour" and "La citrouille d'Halloween." Then carve your own pumpkin by clicking on the arrows. How many different shapes of eyes can you choose from?

À moi de jouer!

I. Now it's your turn to put together everything you have reviewed so far by writing a postcard that demonstrates your knowledge of **les fêtes** in French-speaking countries and uses appropriate expressions from this unit. Imagine that you are one of the French teenagers at a New Year's Eve party in France, and you are writing to your pen pal in the United States. Tell him or her the date, address and time of the party, describe the character of one of your friends and tell what you and your friends are doing. (You may want to refer to the *Communication active* on page 45.)

II. With a partner, complete the dialogues on the right with expressions that you have reviewed in this unit. A travel writer is in Canada on assignment. She phones her editor in Paris to report on what she's doing. First she tells the receptionist to whom she wants to speak. Then her editor asks her how things are going, if she has photos and when she is going to return to Paris.

Unité 2

Paris

In this unit you will be able to:

- identify professions
- describe physical traits
- describe character
- compare people and things
- give opinions
- express emotions
- describe past events
- sequence events
- give orders
- make suggestions

Leçon A

In this lesson you will be able to:

- identify professions
- describe physical traits
- describe character
- express emotions
- describe past events
- sequence events

des professions et des métiers (m.)

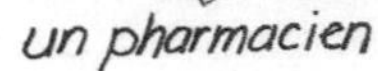
un pharmacien

une pâtissière

une bouchère

une commerçante

un charcutier

un boulanger

un fleuriste

une caissière

un pharmacien	une pharmacienne
un commerçant	une commerçante
un boulanger	une boulangère
un boucher	une bouchère
un pâtissier	une pâtissière
un charcutier	une charcutière
un fleuriste	une fleuriste
un caissier	une caissière

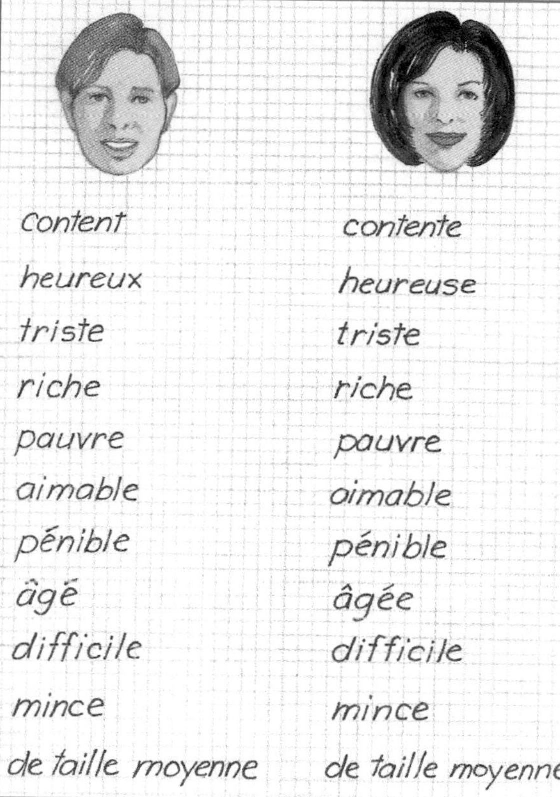

content
contente
heureux
heureuse
triste
triste
riche
riche
pauvre
pauvre
aimable
aimable
pénible
pénible
âgé
âgée
difficile
difficile
mince
mince
de taille moyenne
de taille moyenne

Il est content.
Il est heureux.

Il est triste.

Il est jeune. Il est âgé.

Il est riche.

Il est pauvre.

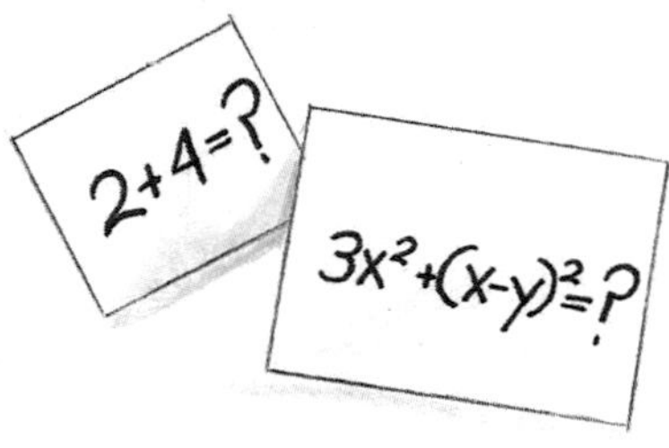

Il est facile. Il est difficile.

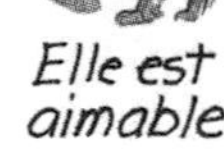

Elle est aimable.

Elle est pénible.

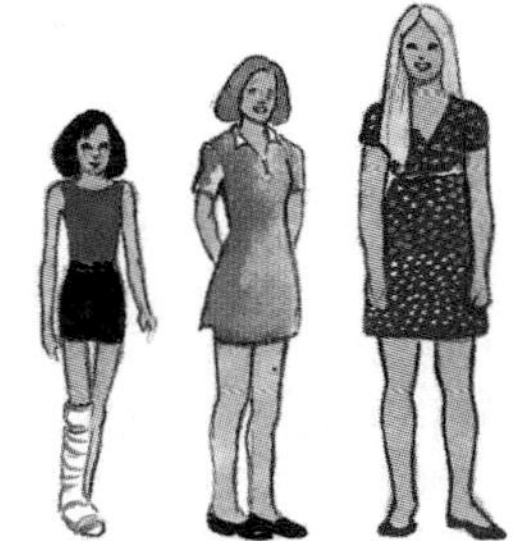

Elle est mince. Elle est de taille moyenne. Elle est grande.

Jean-Luc est en avance.

Assia est à l'heure.

Nicole est en retard.

Étienne is waiting for his friend Assia at the exit of the Champs-Élysées — Clemenceau **métro** station. They are going to see an art exhibit at the **Grand Palais**.

Étienne: **Enfin! J'ai attendu une demi-heure.**

Assia: **Désolée, mais je suis en retard parce que je viens d'aider mon oncle dans sa pâtisserie près du Panthéon. Mon oncle est très aimable, mais il est toujours trop occupé.**

Étienne: **C'est difficile d'être pâtissier. Moi, je pense devenir pharmacien. J'ai choisi de faire une première S.**

Assia: **Et moi, je voudrais travailler dans un musée; donc, j'ai envie d'aller à cette exposition. Allons-y!**

Recherche pâtissier 20/25 ans, sachant travailler seul, logé, 2 jours de repos et une apprentie vendeuse de 16 ans. 01.45.79.55.75

Enquête culturelle

The fastest and least expensive way of traveling around Paris is by **métro**. To find an entrance to the subway, look for a circled "M" or a sign that says **Métro** or **Métropolitain**. Inside the station you can buy tickets individually or more economically in groups of ten. There are 13 **métro** lines, each differentiated by color, number and name of the station at either end of the line. To navigate the **métro**, simply find your destination on a map, locate the final stop on the line going in your direction, then exit at the appropriate station. Charts inside the individual **métro** cars list all of the stops on that line to help you know when you have arrived at your destination. The **sortie** (*exit*) sign shows you the way out of the station. Colorful billboards often line the walls along the **quais** (*platforms*) of the stations.

Métro stations are marked aboveground by a big, yellow "M." (Paris)

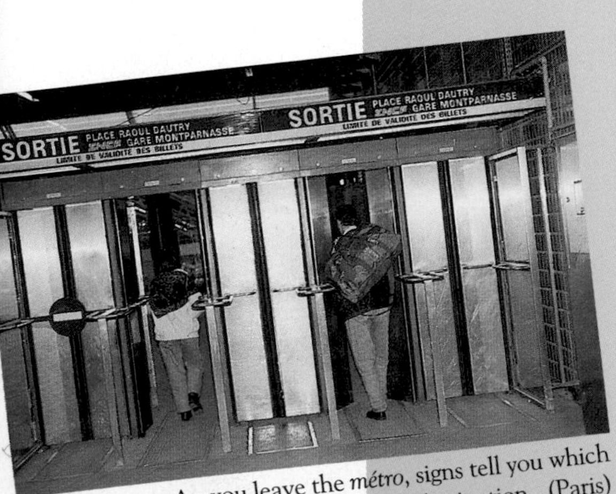

As you leave the *métro*, signs tell you which way to go to reach your destination. (Paris)

Wavy lines characterize the Art Nouveau style of design, popular at the turn of the twentieth century. The **Grand Palais** and the **Petit Palais**, both decorated with Art Nouveau wrought iron and glass, were built for the World's Fair of 1900. The **Grand Palais**, with its famous domed roof that shines at night against the Paris skyline, has temporary exhibitions. The **Petit Palais** houses the **musée des Beaux-Arts de la Ville de Paris.**

juin GRAND PALAIS 26 juin
SALON DU
DESSIN
& DE LA PEINTURE A L'EAU
TARIF RÉDUIT
avec cette annonce 3,05 € (au lieu de 5,34 €)

The roof of *le Grand Palais* is made of glass and lead. (Paris)

The **Panthéon** was built in the **Quartier latin** on the Left Bank (south of the Seine) to honor Sainte Geneviève, the patron saint of Paris. Famed for its dome and Corinthian columns, the crypt of the **Panthéon** contains the tombs of famous French people, such as the writers Voltaire, Jean-Jacques Rousseau, Victor Hugo, Émile Zola and the scientist Marie Curie.

Le Panthéon is the final resting place for famous people such as the composer Rouget de Lisle, who wrote the French national anthem. (Paris)

During their last two years in high school, French students choose areas of study based on their interests and career goals. Students interested in scientific careers (for example, medicine and pharmacy) pick the **bac S (série scientifique)** where they concentrate on earth sciences, physics and chemistry, math or industrial technology. Students in the **bac L (série littéraire)** program specialize in languages, literature, philosophy, math or art. Future teachers and interpreters often select this option. The third type of **baccalauréat** is the **bac ES (série économique et sociale)**, necessary for those studying economic and social sciences, math or languages with an eye on careers in business or law.

Many students who select the *bac L* specialize in literature and read the works of such famous French writers as Hugo, Balzac, Camus and Sartre. (La Rochelle)

Préparation au baccalauréat
et aux concours niveau baccalauréat

Mathématiques
Physique-Chimie
Langues
Français
Histoire-Géographie
Economie
Philosophie

1 *Répondez en français.*

1. Qui est-ce qu'Étienne attend?
2. Pourquoi est-ce qu'Assia est en retard?
3. D'après Assia, est-ce que son oncle est pénible?
4. Est-ce qu'Étienne pense devenir pâtissier?
5. Qu'est-ce qu'Étienne a choisi de faire?
6. Où est-ce qu'Assia veut travailler?
7. Où vont Assia et Étienne?

2 *Donnez la profession ou le métier de la personne dans l'illustration.*

Modèle:

Il est commerçant.

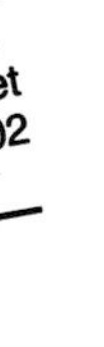

Boulangerie cherche boulanger sachant travailler seul, 22/25 ans, repos samedi et dimanche. téléphoner à partir du 09/08/02 au 01.42.72.96.79.

1.

2.

3.

4.

5.

6.

7.

3 *C'est à toi!*

1. Qu'est-ce que tu viens de faire aujourd'hui?
2. Est-ce que tu es en retard, en avance ou à l'heure pour les cours?
3. Est-ce que tu as un(e) ami(e) qui est souvent en retard?
4. Est-ce que tu vas souvent aux expositions?
5. D'après toi, est-ce qu'il faut être riche pour être content(e)?
6. Qu'est-ce que tu penses devenir?

Structure

Present tense of the irregular verb *venir* and *venir de* + infinitive

Here are the present tense forms of the irregular verb **venir** (*to come*).

venir			
je	**viens**	Je **viens** à la fête.	*I'm coming to the festival.*
tu	**viens**	Tu **viens** dans la maison?	*Are you coming in the house?*
il/elle/on	**vient**	Serge **vient** de Belgique.	*Serge is from Belgium.*
nous	**venons**	Nous **venons** chez toi.	*We're coming to your house.*
vous	**venez**	Vous ne **venez** pas demain?	*Aren't you coming tomorrow?*
ils/elles	**viennent**	Ils **viennent** d'où?	*Where do they come from?*

To express an action that has just taken place, use the appropriate form of the verb **venir** followed by **de** and an infinitive. In this situation **venir de** means "to have just."

Vous **venez de manger**?	*Did you just eat?*
Oui, je **viens de prendre** le petit déjeuner.	*Yes, I've just had breakfast.*

Pratique

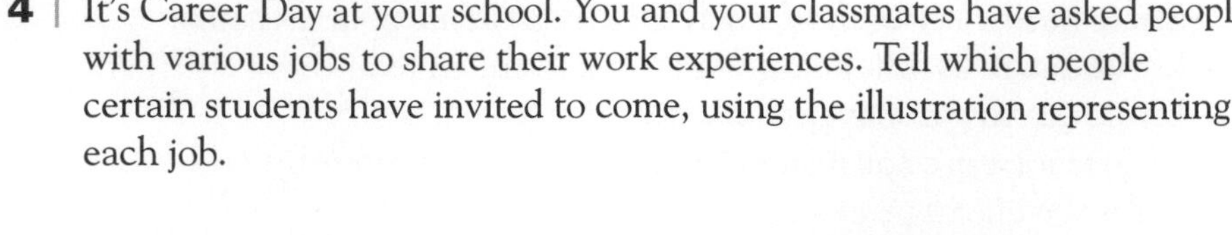

4 It's Career Day at your school. You and your classmates have asked people with various jobs to share their work experiences. Tell which people certain students have invited to come, using the illustration representing each job.

Modèle:

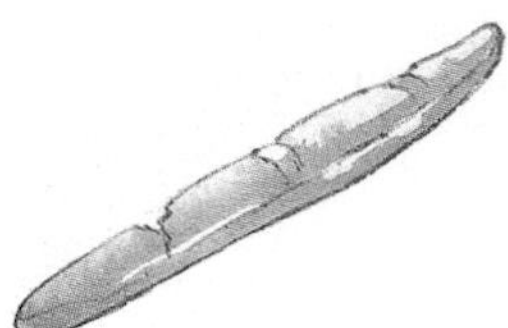

Jean-Claude
Jean-Claude vient avec un(e) boulanger/boulangère.

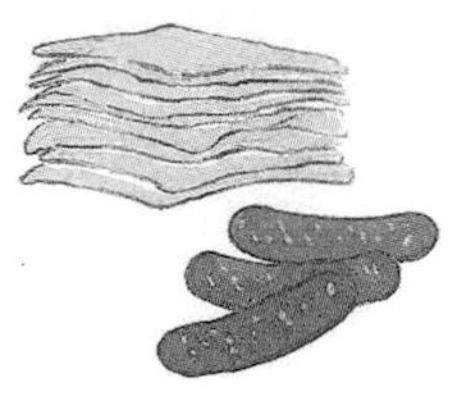

1. Marie-Hélène

2. Patrick et moi, nous

3. Albert et Adrienne

4. tu

5. Sandrine et Béatrice

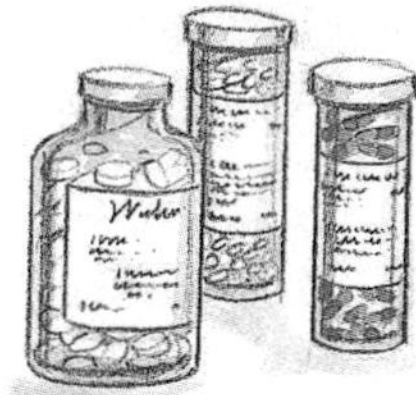

6. je

7. Étienne et Vincent

8. vous

Un homme d'affaires vient avec Étienne et Vincent.

5 In preparation for Career Day tomorrow, students and teachers signed up to work on various committees. Say which people have just completed their tasks, according to whether or not they have checked their names off the work list.

Modèle:
Sophie
Sophie vient de téléphoner.

Nom	Activité	
Sophie	téléphoner	✔
Serge	faire l'emploi du temps	✔
Marc et Aurélie	faire les courses	✔
Thérèse	finir les affiches	
M. Bouchard	inviter les parents	✔
Mlle Girard	acheter les boissons	
Mahmoud	aider les profs	
Leïla	chercher les chaises	✔
Denis et Gabrielle	vendre les billets	✔
Chantal et Nora	demander de l'argent	✔
Philippe	mettre le couvert	✔
Sabrina et Karine	travailler dans la cuisine	

Passé composé with *avoir*

The **passé composé** is a verb tense used to tell what happened in the past. It is made up of a helping verb and the past participle of the main verb. You use the appropriate present tense form of the helping verb **avoir** with most verbs.

J'ai acheté un billet. *I bought a ticket.*
(helping verb) (past participle of **acheter**)

To form the past participle of **-er** verbs, drop the **-er** of the infinitive and add an **é**. For most **-ir** verbs, drop the **-ir** and add an **i**. For most **-re** verbs, drop the **-re** and add a **u**.

	acheter	*finir*	*perdre*
j'	**ai acheté**	**ai fini**	**ai perdu**
tu	**as acheté**	**as fini**	**as perdu**
il/elle/on	**a acheté**	**a fini**	**a perdu**
nous	**avons acheté**	**avons fini**	**avons perdu**
vous	**avez acheté**	**avez fini**	**avez perdu**
ils/elles	**ont acheté**	**ont fini**	**ont perdu**

To make a negative sentence in the **passé composé**, put **n'** before the form of **avoir** and **pas** after it.

Jean-Claude n'a pas voyagé avec sa famille. *Jean-Claude didn't travel with his family.*

To ask a question in the **passé composé** using inversion, put the subject pronoun after the form of **avoir**.

As-tu travaillé cet été? *Did you work this summer?*

Pratique

6 Say what the following people did when they were in Paris.

Modèle:

Damien et Lucie
Damien et Lucie ont mangé au café.

1. M. et Mme Bouley

3. M. Johnson

5. David

2. Véro

4. Thierry et moi, nous

6. Ariane et toi, vous

7 Find out what your partner did yesterday. Take turns asking and answering questions.

Modèle:

étudier
Student A: **As-tu étudié hier?**
Student B: **Oui, j'ai étudié hier. Et toi, as-tu étudié hier?**
Student A: **Non, je n'ai pas étudié hier.**

1. attendre ton ami(e)
2. parler français
3. manger à l'école
4. visiter un musée
5. jouer aux jeux vidéo
6. finir tes devoirs

Malick et Karine ont mangé à l'école hier.

8 Tell in which order people would logically do the two activities after each sentence.

Modèle:

Thomas a perdu son CD.
trouver son CD/parler à son frère
Il a parlé à son frère, puis il a trouvé son CD.

1. Malick a mangé du pain et un croissant.
   attendre son amie devant l'école/quitter l'appartement
2. Ma belle-sœur a fini ses devoirs.
   dormir/regarder la télé
3. Les Tourandot ont acheté leurs billets.
   voyager en avion/visiter le Louvre
4. Gérard et Fatima ont téléphoné à leurs amis.
   manger de la pizza/inviter leurs amis à nager

Communication

9 Choose for yourself one of the professions you know how to express in French. In your new line of work, imagine something that you have just finished doing. For example, **Je suis boulanger. Je viens de vendre deux baguettes.** To see what professions some of your classmates have chosen and what job-related tasks they have just done, interview five students. On a separate sheet of paper, create a chart like the one that follows and copy the two questions. Write the names of the five classmates you will poll at the top of your chart. As a classmate answers each of your questions, jot down his or her answer in the appropriate column. After you have finished asking questions, be ready to share your findings with the rest of the class.

Modèle:

Céline: Quelle est ta profession?
Max: Je suis fleuriste.
Céline: Qu'est-ce que tu viens de faire?
Max: Je viens de vendre des fleurs.

	Max	Paul	Anne	Claire	Nora
Quelle est ta profession?	fleuriste				
Qu'est-ce que tu viens de faire?	vendre des fleurs				

Je suis charcutier. Je viens de vendre du saucisson.

10 Now use the results of your survey in Activity 9 to write a summary of what professions your classmates chose and what they just did.

Modèle:

Max est fleuriste, et il vient de vendre des fleurs.

11 Using the same profession that you chose for yourself in Activity 9, make six simple drawings to show what you did yesterday at six different times of the day. Under each illustration write the time and what you did. For example: **À cinq heures du matin j'ai commencé ma journée à la boulangerie.** (Try to limit your choice of verbs to those that use **avoir** as their helping verb in the **passé composé**.)

Leçon B

In this lesson you will be able to:

- compare people and things
- give opinions
- describe past events

Elle est laide.

Elle est célèbre.

C'est un sport intéressant.

Il est faible.

C'est mon sport favori.

Il est fort.

Elle est dynamique.

Il est calme.

La couleur est vive.

laid	laide
vif	vive
calme	calme
dynamique	dynamique
célèbre	célèbre
fort	forte
faible	faible
intéressant	intéressante
favori	favorite

Mathieu and Sabrina, two students from **la Réunion**, are touring art museums during a study program in Paris. Today they are in the **musée Picasso.**

Sabrina: **C'est magnifique! Quel est le nom de ce tableau?**
Mathieu: **C'est le *Portrait de Dora Maar*. Tu vois comment Picasso a mis beaucoup de couleurs vives dans le tableau pour montrer la forte personnalité de la femme?**
Sabrina: **Oui, selon Picasso, cette dame prend la vie au sérieux.**
Mathieu: **Picasso est l'un de mes artistes favoris.**
Sabrina: **Tu as vu *la Joconde* au Louvre hier, n'est-ce pas? Regarde, si on met une carte postale de *la Joconde* à côté de ce tableau...**
Mathieu: **Dora Maar est moins mystérieuse que la dame du tableau de Léonard de Vinci.**
Sabrina: **Oui, mais je trouve l'art du vingtième siècle plus dynamique que l'art de la Renaissance.**

Portrait de Dora Maar (Pablo Picasso)

la Joconde (Léonard de Vinci)

Enquête culturelle

Réunion is a volcanic island located east of Africa in the Indian Ocean. A mountain range divides the island in half, and one volcano, **le Piton de la Fournaise**, remains active. Many beaches dot the western side of the island. Réunion has been a French **Département d'Outre-Mer** since 1946. Several products for exportation include sugar cane, from which both sugar and rum are produced, vanilla, and geraniums, from which oils for making perfume are extracted. In addition to French settlers, people from Africa, India and China have made their home on Réunion.

ESCALE à l'ILE de la
REUNION et MAURICE
20, av. Mathurin Moreau (19e)
F. dim 01.42.41.82.21 M° Colonel Fabien

From 1643 to 1945, *la Réunion* was a French territory.

The **Marais** section of Paris became fashionable in the seventeenth century, when many wealthy people built luxurious mansions in the **quartier**. Several of these mansions, known as **hôtels**, have been transformed into museums. The **musée Picasso** boasts the largest collection in the world of the artist's works. This collection, given to France by Picasso's family, includes masterpieces from various periods in his long career — the blue, rose, cubist and classical periods. The museum also contains sculptures, ceramics and many portraits of the women in Picasso's life. A prolific artist, the Spanish-born Picasso (1881-1973) spent most of his life in France.

Sculptures by the artist can be found in the inner courtyard as well as inside *le musée Picasso*. (Paris)

The Renaissance, a rebirth of ideas from the classical Greek and Roman cultures, began in Italy in the fourteenth century. The *Mona Lisa (la Joconde)*, a famous Renaissance painting, was the work of the Italian artist Leonardo da Vinci. To encourage the flowering of art and literature in France, King François I invited important Renaissance scholars, such as da Vinci, to live near him in the Loire Valley.

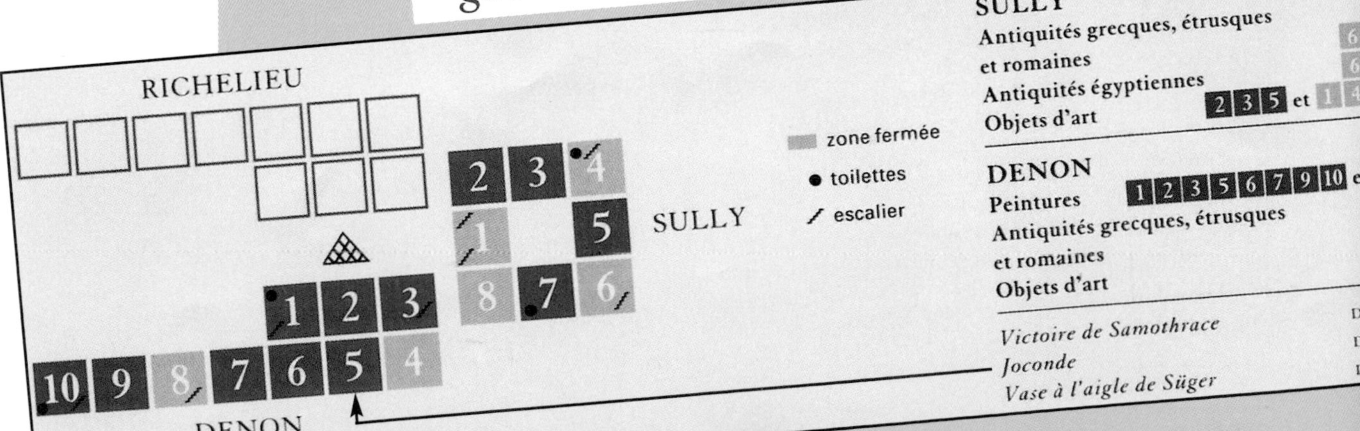

1 *Répondez par "vrai" ou "faux" d'après le dialogue.*

1. Mathieu et Sabrina habitent à Paris.
2. Aujourd'hui ils sont au Louvre.
3. De Vinci est l'artiste du *Portrait de Dora Maar*.
4. Le tableau de Dora Maar montre sa personnalité calme.
5. Mathieu aime beaucoup Picasso.
6. Mathieu trouve la dame du tableau de Léonard de Vinci plus mystérieuse que Dora Maar.
7. Sabrina pense que l'art du vingtième siècle est très dynamique.

2 *Complétez les phrases avec le mot convenable.*

vives	tableaux	favoris	sculpture
célèbre	art	laid	artiste

1. Pour regarder l'... et la... de la Renaissance, on va au Louvre.
2. *La Joconde* est un tableau... de Léonard de Vinci.
3. Toulouse-Lautrec est l'un de mes artistes....
4. Paul aime les... de Picasso.
5. André n'aime pas le *Portrait de Dora Maar*. Il trouve ce tableau assez....
6. Il y a des couleurs... dans ce tableau: le rouge, le jaune, le bleu.
7. Qui est ton... favori?

Est-ce qu'il y a des couleurs vives dans ce tableau?

3 *C'est à toi!*

1. Est-ce qu'il y a un musée d'art dans ta ville?
2. Est-ce que tu préfères les tableaux du vingtième siècle ou les tableaux de la Renaissance?
3. Est-ce que tu trouves l'art du vingtième siècle intéressant?
4. Qui est ton artiste favori?
5. Dans la salle de classe, qui a une personnalité dynamique?
6. Est-ce que tu as une personnalité forte ou calme?

J'ai une personnalité assez calme.

Structure

Present tense of the irregular verbs *mettre, prendre* and *voir*

Here are the present tense forms of the irregular verbs **mettre** (*to put, to put on, to set*), **prendre** (*to take*) and **voir** (*to see*).

Céline met un blouson parce qu'il fait frais.

mettre			
je	**mets**	Je **mets** la table?	*Shall I set the table?*
tu	**mets**	Tu **mets** la fourchette à gauche.	*You put the fork on the left.*
il/elle/on	**met**	Il **met** des couleurs vives dans le tableau.	*He puts bright colors in the painting.*
nous	**mettons**	Nous **mettons** les fleurs sur la table.	*We're putting the flowers on the table.*
vous	**mettez**	Vous **mettez** la photo à côté du dessin?	*Do you put the photo next to the drawing?*
ils/elles	**mettent**	Où est-ce qu'ils **mettent** le vase?	*Where are they putting the vase?*

prendre			
je	**prends**	Je **prends** un café.	*I'm having coffee.*
tu	**prends**	Tu **prends** le métro?	*Do you take the subway?*
il/elle/on	**prend**	Luc **prend** rendez-vous avec le médecin.	*Luc is making an appointment with the doctor.*
nous	**prenons**	Nous ne **prenons** rien.	*We're not having anything.*
vous	**prenez**	Vous **prenez** quelque chose?	*Will you have something?*
ils/elles	**prennent**	Elles **prennent** la vie au sérieux.	*They take life seriously.*

voir			
je	**vois**	Je ne **vois** jamais mon demi-frère.	*I never see my half-brother.*
tu	**vois**	Tu **vois** le sel?	*Do you see the salt?*
il/elle/on	**voit**	Claire **voit** ses amies ce soir.	*Claire is seeing her friends tonight.*
nous	**voyons**	Nous **voyons** notre train.	*We see our train.*
vous	**voyez**	Qu'est-ce que vous **voyez**?	*What do you see?*
ils/elles	**voient**	Ils **voient** la Seine.	*They see the Seine.*

Pratique

4 Tell who's putting on what article of clothing depending on the weather or on what they're going to do. Use each of the nouns in the following list.

un anorak	un short	un maillot de bain	un pull
une robe	un costume	un chapeau	des tennis

Modèle:

Djamel va nager.
Il met un maillot de bain.

1. Il neige. Nous allons skier.
2. M. Cassell et M. Robidoux sont hommes d'affaires. Ils vont travailler.
3. Sabrina et toi, vous allez jouer au tennis.
4. Il fait du soleil. Ma grand-mère va travailler dans le jardin.
5. Mme Chrétien va à l'église.
6. Il fait chaud. Tu vas faire du footing.
7. Il fait un peu frais. Je vais regarder un défilé.

Qu'est-ce que vous mettez quand il pleut?

5 There are students and teachers in the school cafeteria line. All the teachers want something warm to eat or drink; all the students want something cold. Say what the following people are having.

Modèles:

M. Leclerc
M. Leclerc prend le poulet.

Marie-Alix et Myriam
Marie-Alix et Myriam prennent la glace à la vanille.

1. Mme Richelieu

3. Élisabeth et toi, vous

5. Mme Thibault et Mlle Dufresne

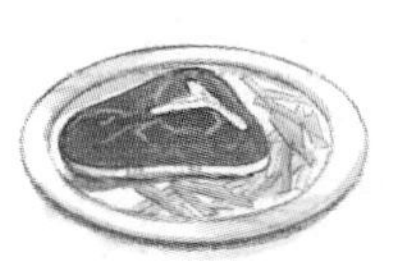

2. M. Charolais et Mlle Berry

4. Jeanne et moi, nous

6. je

Modèle:

Damien et René

Damien et René voient *LE ROI LION*.

6 Imagine that you work at a video store. Your little brother is a movie buff and wants to know what certain people are seeing this weekend. Using the grid you have made, tell him who's seeing what.

	LE PRÉSIDENT ET MISS WADE	LE ROI LION	SIXIÈME SENS	LE PROJET BLAIR WITCH
les Tremblay		✔		
Benoît	✔			
Christelle		✔		
Damien et René		✔		
Margarette				✔
moi	✔			
Éric et Virginie			✔	
les Hertault		✔		
toi		✔		
Serge	✔			

1. Éric et Virginie
2. Serge
3. moi, je
4. Christelle et toi, vous
5. les Tremblay et les Hertault
6. Benoît et moi, nous
7. toi, tu
8. Margarette

Irregular past participles

Here are the verbs you've seen in the first level of *C'est à toi!* that have irregular past participles in the **passé composé**.

Verb	Past Participle	*Passé Composé*
avoir	eu	Il y **a eu** une interro hier.
devoir	dû	J'**ai dû** penser.
être	été	On **a été** obligé de rester.
faire	fait	Jérémy **a fait** le dessert.
lire	lu	Quel livre **as**-tu **lu**?
mettre	mis	Élise **a mis** son pull.
pouvoir	pu	Ils n'**ont** pas **pu** sortir.
prendre	pris	Nous **avons pris** un taxi.
voir	vu	Qu'est-ce que tu **as vu**?
vouloir	voulu	Quand **avez**-vous **voulu** partir?

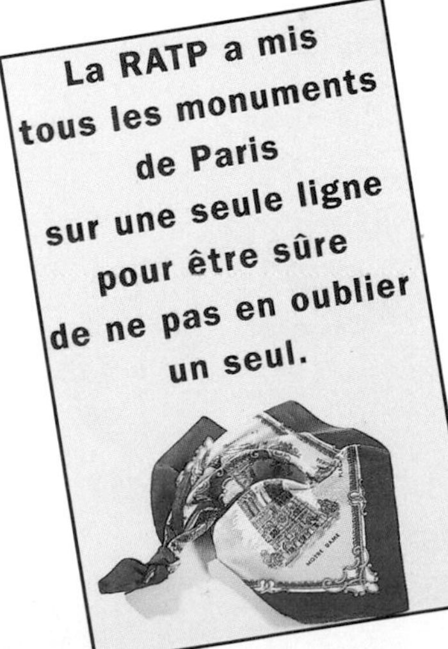

Pratique

7 With a partner, take turns asking and telling whether or not you did various things yesterday.

1. prendre le petit déjeuner
2. être en retard pour le cours de maths
3. vouloir parler français
4. faire du sport
5. avoir envie d'aller au cinéma
6. pouvoir sortir hier soir
7. voir tes amis après le dîner
8. devoir rentrer à vingt-deux heures

Modèle:

mettre un jean

Student A: As-tu mis un jean hier?
Student B: Oui, j'ai mis un jean hier./Non, je n'ai pas mis de jean hier.

8 You and some of your classmates just returned to the hotel after spending your first day in Paris sightseeing. Tell what happened by completing each sentence with the **passé composé** of the appropriate verb from the following list.

avoir	devoir	être	faire
mettre	pouvoir	prendre	vouloir

1. Le premier jour, Jacqueline, Chérie et Laurent... voir le musée Picasso parce qu'ils aiment beaucoup ses tableaux.
2. Mes amis et moi, nous... le tour des monuments célèbres avec notre prof.
3. J'... beaucoup de photos.
4. On n'... pas... prendre le métro.
5. Donc, nous... marcher de Notre-Dame jusqu'aux Champs-Élysées.
6. Après, nous... très fatigués.
7. Tout le monde... mal aux pieds.
8. Même la prof... ses tennis!

Tout le monde a eu mal aux pieds.

Demonstrative adjectives

Demonstrative adjectives point out specific people or things. They agree in gender and in number with the nouns that follow them.

Singular			Plural
Masculine before a Consonant Sound	Masculine before a Vowel Sound	Feminine	
ce tableau	**cet** objet d'art	**cette** banque	**ces** fleurs

CES MAGICIENS JONGLENT AVEC LES "MILLESIMES"

LES AVANTAGES DE CETTE OFFRE PRIMO

Pratique

9 With a partner, play the roles of a merchant in a small shop and a tourist who wants to buy certain souvenirs of Paris. Student A, the tourist, asks Student B, the merchant, how much the items cost.

Modèle:

Student A: Combien coûte ce plan de Paris?

Student B: Il coûte trois euros quatre-vingt-un.

Combien coûtent ces cartes postales de Paris?

Comparative of adjectives

To compare people and things in French, use

plus (*more*)	+	adjective	+	**que** (*than*)
moins (*less*)	+	adjective	+	**que** (*than*)
aussi (*as*)	+	adjective	+	**que** (*as*)

The adjective agrees in gender and in number with the first noun in the comparison.

La tour Eiffel est moins vieille que le Louvre.	*The Eiffel Tower is less old than the Louvre.*
Tu trouves que les jardins des Tuileries sont plus beaux que le jardin du Luxembourg?	*Do you think that the Tuileries Gardens are more beautiful than the Luxembourg Gardens?*

Le Centre Pompidou est plus moderne que le Louvre. (Paris)

Pratique

10 Compare the first person with the second, using the correct form of an appropriate adjective from the following list.

âgé	pauvre	riche	content	heureux
triste	mince	intéressant	fort	
dynamique	laid	célèbre	intelligent	

Modèle:

Diane est plus intelligente que Florence.

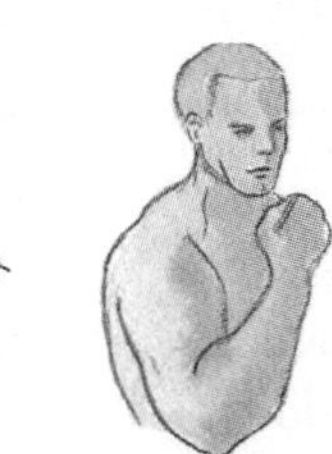

1. 4. 7.

2. 5.

3. 6.

Nadine est moins âgée que sa tante.

11 For each set of items, make an appropriate comparison. Use the indicated adjective.

1. le taxi/cher/le métro
2. l'art de la Renaissance/dynamique/l'art du vingtième siècle
3. le musée Picasso/grand/le Louvre
4. les couleurs de Picasso/vif/les couleurs de Léonard de Vinci
5. les tableaux impressionnistes/beau/les tableaux de la Renaissance
6. *Le Penseur*/célèbre/*la Joconde*
7. la Réunion/petit/la France

Modèle:

le R.E.R./moderne/le métro

Le R.E.R. est plus moderne que le métro.

Communication

12 Look through back issues of magazines or newspapers to find a picture of a famous person, such as an entertainer, a political figure or anyone who's in the news. Cut out your picture and bring it to class. Then, with a partner, compare your two celebrities. Put the two pictures side by side on a sheet of paper, and underneath them write at least six sentences using **plus, moins** or **aussi** in which you compare the two people. For example, **Les cheveux de Bill Clinton sont plus gris que les cheveux de Jerry Seinfeld.**

13 Write a paragraph in which you compare your high school with a rival high school in your area. You may want to compare the two schools in terms of size, how new they are, students, teachers, subjects offered, what sports they have, sports facilities (pool, stadium), and so on. For example, **Les cours de sciences à Smithtown East sont plus difficiles que les cours de sciences à Smithtown West.**

14 *Trouvez une personne qui....* Interview your classmates to find out who did what this past weekend. Number from 1 to 12 on a separate sheet of paper. As you walk around your classroom, ask your classmates questions one at a time based on the expressions that follow. When someone says that he or she did a specific thing, have that person write his or her name next to the number of the appropriate expression. Continue asking questions, trying to find a different person who did each activity.

Modèle:
Patrick: Tu as aidé tes parents chez toi?
Alain: Oui, j'ai aidé mes parents chez moi. (Writes his name beside number 1.)

1. aider tes parents chez toi
2. travailler
3. être occupé(e)
4. finir tes devoirs
5. pouvoir sortir
6. faire du shopping
7. acheter des vêtements
8. perdre quelque chose
9. visiter un musée
10. voir un film
11. mettre la table
12. lire un livre

Mise au point sur... l'art et les musées de Paris

Although **la tour Eiffel, Notre-Dame, l'arc de triomphe** and **l'avenue des Champs-Élysées** attract millions of visitors to Paris each year, many people also come to **la Ville lumière** to explore the city's numerous art museums. For the past two centuries Paris has represented everything that is contemporary and vibrant in the art world. When the American composer Cole Porter penned a song using superlatives to describe a special friend, he wrote "You're the top, you're the Louvre Museum."

Because so many monuments are illuminated at night, Paris is called the "City of Light."

Le musée du Louvre was originally constructed as a fortress in 1204 by King Philippe Auguste, then rebuilt as a royal palace by François I. Subsequent French rulers, such as Napoléon I, enlarged both the building and its rich art collection. However, only after the French Revolution were the art treasures opened to the public. Today **le musée du Louvre** is a symbol of art and culture for the entire world. Yet Paris has also been a center for progressive art, and movements such as impressionism and post-impressionism began and flourished in the city. Spectacular collections of impressionist and post-impressionist art can be found in **le musée d'Orsay, le musée Marmottan, le musée de l'Orangerie** and **le musée national d'art moderne** in the **Centre Pompidou.**

Le musée d'Orsay exhibits the birth of modern painting. Opened in 1986, this former train station houses artworks from 1848 to 1914. Impressionism began in Paris in the 1860s when young painters broke with the academic traditions of the past. Before this time traditional paintings depicted historical or mythological events with stiff, idealized figures. Artists from this classical school of painting relied heavily on drawing, using somber colors which were applied with long brush strokes to create a flat, polished surface. The new group of painters aimed at capturing the rapid and fleeting "impression" that the eye sees at a given moment in time. By painting outdoors **(en plein air)** and using short brush strokes and thick dabs of bright colors, these artists recorded the rapidly changing conditions of light and atmosphere on their subjects.

The main hall of *le musée d'Orsay* is spectacular — 453 feet long, 131 feet wide and 105 feet high. (Paris)

Édouard Manet paved the way for these young artists with his painting *Le Déjeuner sur l'herbe* (1862). This scene of modern life scandalized many with its main image, a nude and two fashionably dressed men enjoying a picnic together. When it was displayed at the **Salon des Refusés**, an exhibition organized for paintings which had been rejected by the French Academy, only a few people admired Manet's bold depiction of modern life.

Claude Monet's *Impression, soleil levant* provoked a hostile critic to give the painters he led the name "Impressionists."

Pierre Auguste Renoir helped to popularize impressionism with his cheerful portraits of women, children and social gatherings.

Drawn to one another by similar interests in painting, this group of "refused" artists organized eight private exhibits from 1874 to 1886. The term "impressionism" was coined from a painting by Claude Monet, *Impression, soleil levant* (1872). Monet exhibited this view of a port in the morning mist at their first unofficial show. This painting, along with many other works by Monet, is now displayed at **le musée Marmottan**. Other artists who had paintings in impressionist shows were Camille Pissarro, Pierre Auguste Renoir, Frédéric Bazille, Edgar Degas, Alfred Sisley, Paul Cézanne, Berthe Morisot and the American Mary Cassatt.

The modern techniques of using bright colors, loose brush strokes and emphasizing the two-dimensional surface of a painting were continued by post-impressionist artists, for example, Paul Gauguin, Vincent Van Gogh, Henri Rousseau and Henri de Toulouse-Lautrec. These artists often moved to exotic locations where their vivid imaginations allowed them to paint the world as they saw it.

Van Gogh's paintings, like *The Church in Auvers*, are characterized by a thick application of paint, swirls of vivid color and worm-like brush strokes.

Paul Gauguin spent a year in Martinique where he painted native women, using broad areas of lush colors.

Claude Monet, one of the only impressionist artists to be famous and commercially successful during his lifetime, often made systematic series of paintings of the same subject. In his different versions of **la cathédrale de Rouen** or **la gare Saint-Lazare** in Paris, he examined an object under various environmental conditions. He spent the last years of his life in Giverny, a small town northwest of Paris. There he painted countless series of water lilies, some of which are exquisitely displayed in **le musée de l'Orangerie**.

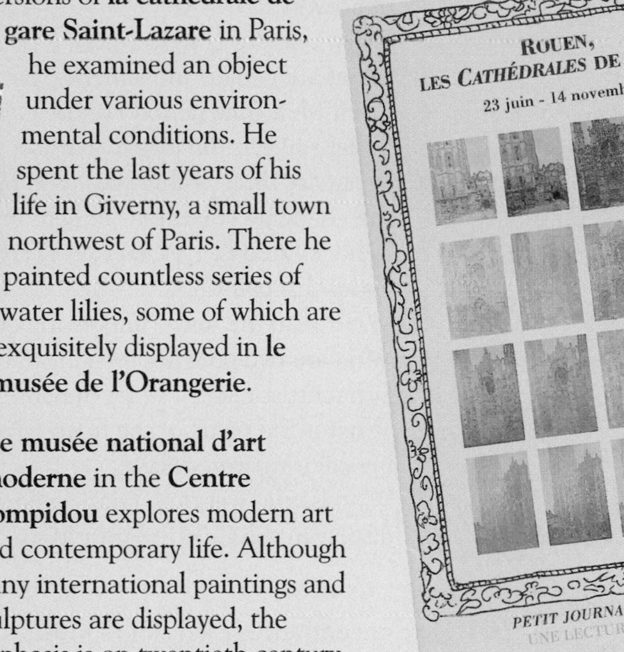

Monet's garden at Giverny has been preserved much as it was when he painted his famous series of water lilies.

Le musée national d'art moderne in the **Centre Pompidou** explores modern art and contemporary life. Although many international paintings and sculptures are displayed, the emphasis is on twentieth century works by French artists like Henri Matisse.

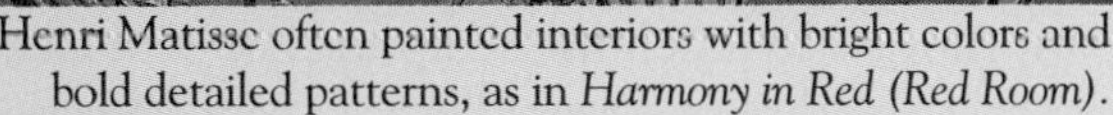

Henri Matisse often painted interiors with bright colors and bold detailed patterns, as in *Harmony in Red (Red Room)*.

Modern sculptures are even found in Parisian fountains.

Paris has scores of additional museums for every taste and interest. However, artworks aren't limited only to museums but can be seen throughout the city. Statues on street corners, frescoes on **métro** walls, fountains in parks and chalk sketches on sidewalks continue to make art in Paris "a living thing."

15 Answer the following questions.

1. Which museum in Paris has the largest and richest collection of artworks?
2. What was the Louvre before it became a museum open to the public?
3. What are two art movements that began in Paris?
4. From what time period are the paintings found in **le musée d'Orsay**?
5. What subjects did classical artists paint?
6. What are three techniques used by impressionist artists to capture the changing conditions of light and atmosphere on their subjects?
7. Who painted *Le Déjeuner sur l'herbe*? What did most critics think about this painting?
8. Where did the term "impressionism" come from?
9. Who are two post-impressionist artists?
10. What artist made a series of paintings of the same subject?
11. What is the name of the town where Monet spent the last years of his life painting water lilies?
12. Who is one twentieth century French artist whose works are on display in the **Centre Pompidou**?

16 Here are entrance tickets for **le musée du Louvre, le musée Marmottan** and **le musée Rodin**. Answer the questions that follow.

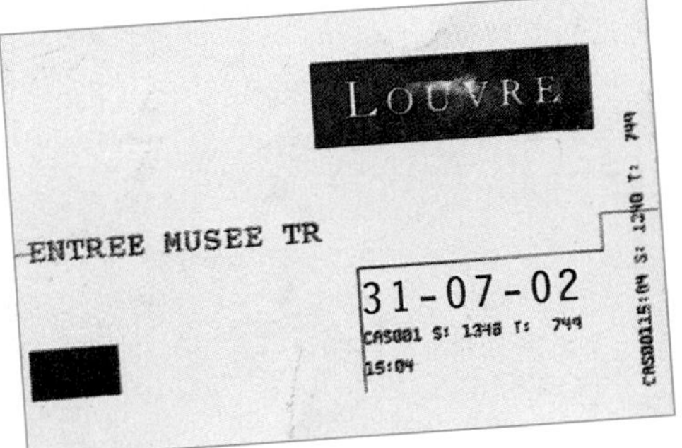

INSTITUT DE FRANCE
(ACADEMIE DES BEAUX-ARTS)
MUSÉE MARMOTTAN
2, rue Louis-Boilly
No 468387

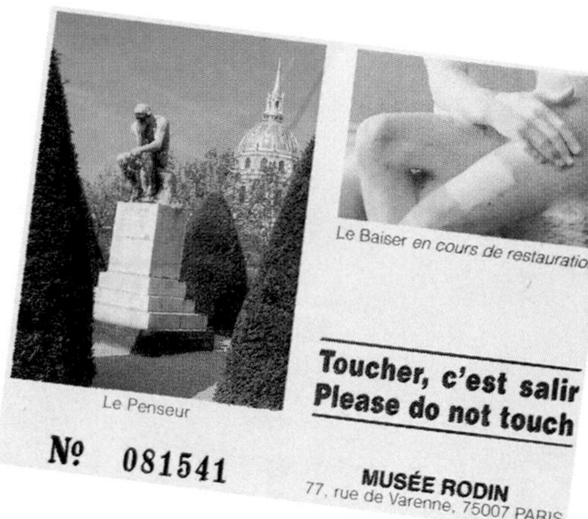

Le Penseur
Le Baiser en cours de restauration
Toucher, c'est salir
Please do not touch
№ 081541
MUSÉE RODIN
77, rue de Varenne, 75007 PARIS

1. What is the address of **le musée Rodin**?
2. What date was the ticket to the Louvre purchased? At what time was it purchased?
3. Which museum's address is 2, rue Louis-Boilly?
4. Is *Le Penseur* (*The Thinker*) located inside **le musée Rodin**?
5. What is the name of another sculpture by Rodin?
6. Are you allowed to touch the sculptures in **le musée Rodin**?
7. What artist's works are featured at **le musée Marmottan**?

des animaux (m.)

une girafe

un zèbre

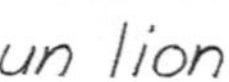

un lion

un dauphin

un tigre

un gorille

un ours

un hippopotame

un éléphant

un singe

Leçon C

In this lesson you will be able to:

- compare people and things
- give opinions
- sequence events
- give orders
- make suggestions

Monsieur and Madame Lenez and their children, Olivier and Marie, took the R.E.R. from Pontoise to Vincennes to enjoy a day at the **bois de Vincennes**.

Olivier: **Regardez les singes! Ce sont les animaux les plus drôles du zoo.**
Marie: **Et les plus intelligents aussi. Mais où sont les lions?**
Mme Lenez: **Continuons tout droit pour voir.**
Marie: **Oh, voici les lions! Comme ils sont grands et forts!**
Mme Lenez: **Ils sont en train de manger.**
Olivier: **Tiens, moi aussi, j'ai faim. Allons tout de suite pique-niquer dans le parc!**
M. Lenez: **Bonne idée. Je vais vite chercher la nourriture dans la voiture.**

OUVERT TOUS LES JOURS
de 9 h à 17 h ou 17 h 30 l'hiver - de 9 h à 18 h ou 18 h 30 l'été*
TARIF*
Entrée : 6,10 € - Tarif Réduit : 3,08 € - Groupes Scolaires : 1,52 €
ACCES
Métro : Porte Dorée, Saint-Mandé-Tourelle - Bus : 46-86-325-PC
* Sauf modification
53 Av. de Saint-Maurice - 75012 PARIS - Tél.: 01.44.75.20.10 - Fax: 01.43.43.54.73

Enquête culturelle

The **R.E.R. (Réseau Express Régional)** is a system of express trains that intersects the subway lines within Paris, then travels aboveground to areas surrounding the city. There are four main **R.E.R.** lines that provide a quick means of transportation to Roissy-Charles de Gaulle and Orly airports, Disneyland Paris and Versailles, for example. The price of fares to outlying regions varies according to the length of the trip.

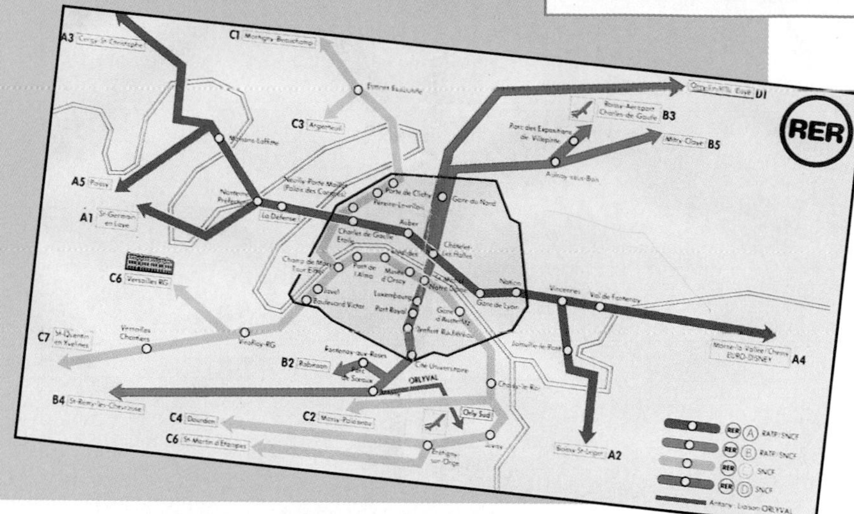

The city of Pontoise is a short drive north of Paris. Images of the small farms that dot the area became famous through the paintings of impressionists, such as Camille Pissarro, who wanted to recreate this natural, rural environment on canvas.

The two largest parks in Paris are called **bois** (*woods*). Located in the southeast corner of the city, the **bois de Vincennes** contains the largest zoo in France. Some of the other attractions in the park include a medieval fortress, an international Buddhist center, flower gardens and a popular lake for boating. On the western edge of Paris is the city's largest wooded area, **le bois de Boulogne**. Many lakes, two racetracks (Longchamp and Auteuil), a zoo, restaurants, flower gardens and areas for biking, walking, horseback riding and picnicking attract Parisians of all ages. South of the **bois** stands the Roland-Garros Stadium, where the French Open Tennis Championship takes place.

At *le bois de Vincennes* you can walk your dog, go in-line skating or biking, admire the flower gardens, play sports or visit the fortress.

At Disneyland Paris you can experience many of the same rides as at Disney theme parks in the U.S.

Other areas of interest to children in and around Paris are the American theme park Disneyland Paris, the French **parc Astérix** (based on the comic book character of the same name), the hands-on science activities and spectacular movie screen **(la Géode)** at the **parc de la Villette,**

the Guignol puppet shows in the **jardin du Luxembourg**, the merry-go-rounds near **Sacré-Cœur** and **le Forum des Halles**, the year-round flower and bird markets on the **île de la Cité** and the toy boats in the pond of the **jardin des Tuileries.**

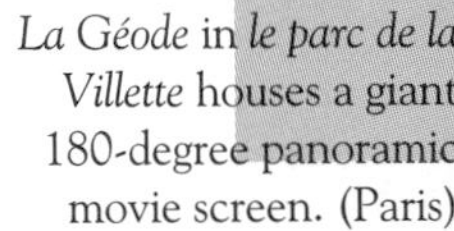

La Géode in *le parc de la Villette* houses a giant 180-degree panoramic movie screen. (Paris)

1 *Dans chaque phrase corrigez la faute en italique d'après le dialogue.* (In each sentence correct the mistake in italics according to the dialogue.)

Modèle:

Les Lenez habitent à *Paris*.
Les Lenez habitent à Pontoise.

1. Les enfants de M. et Mme Lenez sont Olivier et *Claire*.
2. Olivier pense que *les dauphins* sont les animaux les plus drôles du zoo.
3. Les Lenez continuent *à gauche* pour voir les lions.
4. Les lions sont *petits* et *faibles*.
5. Olivier a *soif*.
6. La famille Lenez va piqueniquer dans *le zoo*.
7. M. Lenez va chercher la nourriture dans *la maison*.

2 *Identifiez les animaux d'après les définitions suivantes.*

Modèle:

Cet animal nage, et il est intelligent.
Ce doit être le dauphin.

1. Cet animal nage souvent, et il habite où il fait chaud.
2. Cet animal est le plus grand des animaux.
3. Simba est l'un de ces animaux.
4. Cet animal est noir et blanc, et il ressemble à un cheval.
5. Cet animal aime dormir en hiver.
6. King Kong est l'un de ces animaux.
7. Cet animal a un cou très long.
8. Cet animal est très intelligent et drôle.

Cet animal noir et blanc doit être le zèbre.

3 *C'est à toi!*

1. Est-ce que tu vas souvent au zoo? Pourquoi ou pourquoi pas?
2. Selon toi, est-ce qu'on doit mettre et garder les animaux dans les zoos?
3. Quels animaux est-ce que tu trouves intéressants? Pourquoi?
4. Est-ce qu'il y a un parc près de ta maison ou de ton appartement?
5. Est-ce que tu préfères piqueniquer dans un parc ou manger dans un restaurant?
6. Qu'est-ce que tu es en train de faire maintenant?

Le piquenique se met à table

Structure

The imperative

Imperative verb forms are used to give commands and make suggestions. Each verb has three imperative forms that resemble the **tu**, **nous** and **vous** forms of the present tense. Here are the imperative forms of regular **-er**, **-ir** and **-re** verbs. (Note that the **tu** imperative form of **-er** verbs drops the final **s**.)

aider	***choisir***	***attendre***
Aide!	Choisis!	Attends!
Aidons!	Choisissons!	Attendons!
Aidez!	Choisissez!	Attendez!

To form the negative imperative, put **ne** (**n'**) before the verb and **pas** after it.

N'allez **pas** tout droit! *Don't go straight ahead!*

Pratique

4 According to the following situations, tell your friend Dominique whether or not she should do certain things.

Modèle:
Il fait mauvais. (entrer)
Entre!

1. Il est sept heures et demie. (prendre ton petit déjeuner)
2. Il neige. (mettre tes bottes)
3. Le cours de chimie commence maintenant. (parler français)
4. Dominique étudie l'informatique. (vendre ton ordinateur)
5. Dominique rentre de Paris. (montrer tes cartes postales au prof)
6. C'est l'anniversaire de Colette. (acheter un cadeau)
7. Il y a une boum chez Thomas. (téléphoner à tes amis)
8. Assia et Sara ont soif. (finir les boissons)

Prends ton petit déjeuner!

5 With a partner, play the roles of a first-time tourist to France who doesn't have a city map and a helpful police officer who is outside the tourist's hotel. Student A, the tourist, asks Student B, the officer, how to get to each location. Student B gives directions, always starting from the hotel.

Modèle:
la banque
Student A: Pour aller à la banque, s'il vous plaît?
Student B: Tournez à gauche à la rue Victor Hugo, continuez tout droit jusqu'à l'avenue Gambetta, tournez à droite et la banque est à votre droite à côté de la poste.

1. l'église
2. la poste
3. le parc
4. le musée
5. le Café Raspail
6. le zoo

Superlative of adjectives

To say that someone or something has the most of a certain quality compared to all others, use

le/la/les	+	plus	+	adjective

Both the definite article and the adjective agree in gender and in number with the noun they describe. If an adjective follows a noun, its superlative form also follows it. If an adjective precedes a noun, so does its superlative form.

Les singes sont les animaux les plus intelligents du zoo.	*The monkeys are the most intelligent animals in the zoo.*
Et la girafe est le plus grand animal.	*And the giraffe is the tallest animal.*

Tous les plus grands du jazz/rap actuel sont sur le "Rebirth Of Cool" volume 2.

Quel est le plus grand animal?

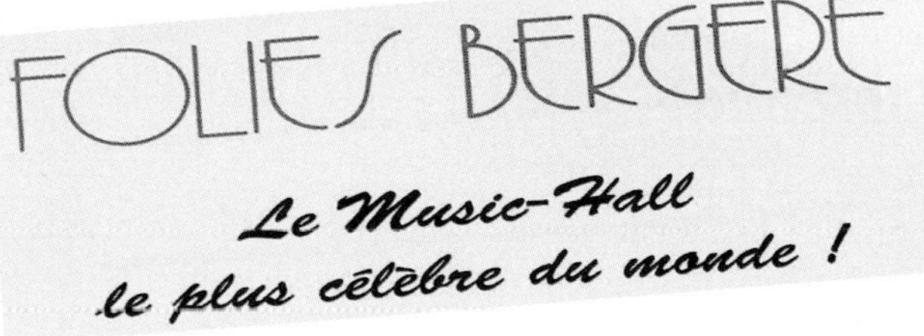

FOLIES BERGERE
Le Music-Hall
le plus célèbre du monde !

Pratique

6 Describe some of the sites of Paris you have learned about, using the superlative construction.

1. le Louvre/vieux/musée/de Paris
2. *la Joconde*/célèbre/tableau/du Louvre
3. le jardin du Luxembourg et les jardins des Tuileries/joli/parc/de Paris
4. le bois de Boulogne/grand/parc/de Paris
5. le zoo de Vincennes/intéressant/zoo/de France
6. le Forum des Halles et la Villette/moderne/quartier/de Paris

Modèles:

les Champs-Élysées/célèbre/avenue/de Paris
Les Champs-Élysées sont l'avenue la plus célèbre de Paris.

les Champs-Élysées/beau/avenue/de Paris
Les Champs-Élysées sont la plus belle avenue de Paris.

Le Forum des Halles est le quartier le plus moderne de Paris.

7 Which person in either your nuclear or extended family best exemplifies each of the characteristics listed below? Using the superlative, write a sentence for each adjective. Try to name as many different family members as possible.

Modèle:

Ma grand-mère est la plus âgée de ma famille.

âgé
aimable
calme
difficile
dynamique
heureux
intéressant
jeune
laid
pauvre
pénible
riche

Je suis le plus heureux de ma famille.

Communication

8 You're planning to give a party and invite about 20 members of your school's French Club. You have an interesting idea for a game called *Les Charades*. On each of 20 small note cards, write one command that you want a guest to act out. Here are five commands that you have already thought of. Write 15 more commands that would be interesting and fun to see your guests act out.

1. Prends le déjeuner avec une girafe.
2. Danse avec un gorille.
3. Marche comme un lion.
4. Fais un tableau.
5. Piquenique dans le parc.

9 Your class is going to have a contest to determine who was the "Best Baby." Bring to class one of your most adorable baby pictures. (If you don't have any old pictures of yourself, you may use any picture of a baby or a young child that you can find in the back issue of a magazine.) Then under your picture write a caption describing your superior quality. Remember to use the superlative form of the adjective, for example, **Je suis l'enfant le plus dynamique du monde**. After all the pictures and accompanying captions have been displayed for everyone to see, you and your classmates may want to vote on who was the "Best Baby."

Sur la bonne piste

So that you can remember what you read, it's often helpful to take informal notes. Taking notes will help you summarize the information in the reading, increase your understanding of the content and make it easier to reread. Here are some hints to sharpen your skills at note taking. Your notes should resemble an outline, with a heading for each important idea and related details indented and placed underneath. Or if you recall information more easily in visual form, you may want to use a graphic organizer for your note taking. (See the accompanying model on page 87.) In your drawing put the main topic at the center, headings at the top of each element and supporting details under each heading.

Now try your skill at note taking as you read about a French theme park. One of the most frequently visited in France, the **Parc Astérix** is about 19 miles north of Paris. (**Astérix** and **Obélix** are characters in a popular French cartoon series that takes place 2,000 years ago when France, then called **la Gaule**, was ruled by the Romans.) Before you take notes on the **Parc Astérix**, review some of the reading techniques that you have already practiced:

1. Pay particular attention to different parts of speech.
    a. Remember that French verbs have different endings depending on the subject.
    b. Recall that nouns are usually preceded by articles that show gender (for example, **le**, **la**, **un(e)**, **ce**, **cette**).
    c. Note that the masculine form of adjectives frequently ends in **-é**, **-eux**, **- eau**, **-i** or **-ant**.
2. Recognize cognates to understand new vocabulary words. However, false cognates can be deceiving because they look like a word you know in English but have a completely different meaning in French. For example, the French verb **assister** doesn't mean "to assist" but "to be present at."
3. Use known French words to guess the meanings of new words that are in the same family. For example, knowing that **rue** means "street," you can guess that a **ruelle** is a "little street" or "alley."

Even when you use the reading techniques that you have learned, you will still find many words and expressions that you don't understand. Now as you skim and scan the map of the park and the accompanying reading, focus on the main attractions for each area of the **Parc Astérix**. Take notes that include a heading for each area of the park and supporting details (what you can see and do there). Your notes may take the form of an outline or a graphic organizer. If you choose to use a graphic organizer like the sample on page 87, note that the first section has been done for you.

La Grèce Antique

Astérix et Obélix sont heureux de vous annoncer une grande nouvelle: leurs cousins grecs se sont installés dans un quartier tout neuf. Laissez-vous transporter dans ce nouveau quartier de la Grèce Antique, plein de surprises et de soleil. Le dépaysement est assuré ainsi que l'émotion et l'humour. Envolez-vous donc à bord de notre nouvelle attraction, le vol d'Icare, applaudissez les dauphins du Théâtre de Poséidon, flânez devant les échoppes et architectures typiques, et prenez le temps de vous asseoir sous la tonnelle accueillante de la Taverne de Dionysos. Ah! Qu'il fait bon vivre dans le pays de la mythologie!

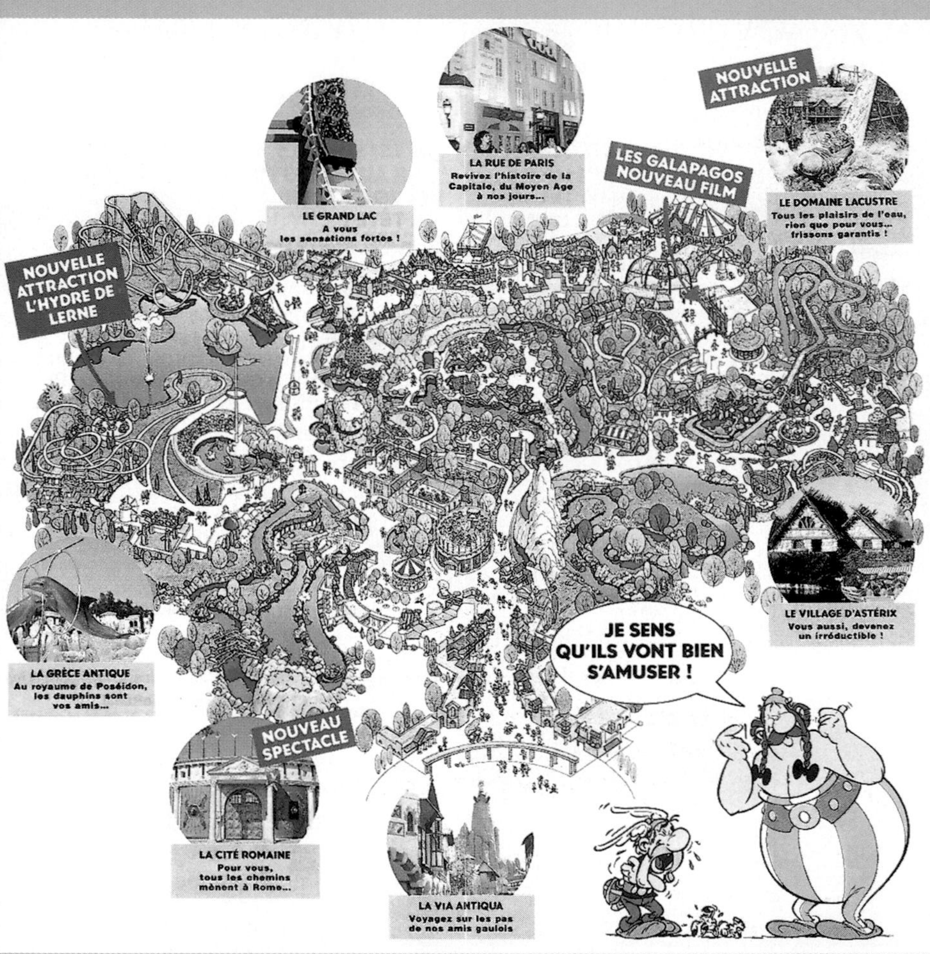

La Via Antiqua

Vous voilà prêt à partir à la découverte de tous les pays visités par nos amis Astérix et Obélix... Architecture et humour jallonnent cette très belle Via Antiqua. Regardez cette Tour Eiffel en bois de 7 mètres faire un clin d'œil à... Big Ben! Pas de doute, votre visite au Parc Astérix est bien commencée!

La Cité Romaine

Entrez dans les arènes pour assister à une course de chars et au combat des gladiateurs... version humoristique! Tout près, admirez le Carnaval des Petits Gaulois, conduit par Astérix et Obélix et commenté par la radio Menhir FM qui vous dit tout. Plus loin, c'est la descente du Styx avec ses courants bouillonnants.

Le Village d'Astérix

Voici le charmant petit village gaulois vert et fleuri. Découvrez à pied ses maisons typiques et rencontrez les irréductibles gaulois. Vous pouvez aussi découvrir le village sur l'eau, en bateau, au cours d'une promenade pleine de surprises!

La Place de Gergovie

L'aventure, c'est le Grand Splatch où les passagers s'amusent autant que les spectateurs, attention aux éclaboussures!... et les Chaudrons Magiques qui vous tournent la tête dans tous les sens... le Trans'Arverne, des petits wagonnets très remuants... Après ces émotions, le Relais Gaulois... un havre de verdure et de calme où se restaurer tranquillement.

Le Grand Lac

Un lac en pleine nature où cygnes et canards s'ébattent joyeusement. Tout près vous découvrirez le delphinarium du Parc, les dauphins vous attendent pour un très beau spectacle où la complicité et l'amitié avec l'homme étonnent toujours. Après cette pause-tendresse, voici les émotions fortes avec Goudurix, le Grand Huit très renversant. Accrochez-vous!

La Rue de Paris

Découvrez Paris au temps de la construction de Notre Dame... Regagnez le 17ème siècle et laissez vous emporter par le rythme des combats de d'Artagnan. Parcourez les ruelles du vieux Paris puis prenez la RN 7 au volant de vieux "tacots" qui vous rappellent les débuts de l'automobile... et assistez enfin à une séance de cinéma en 3 dimensions...

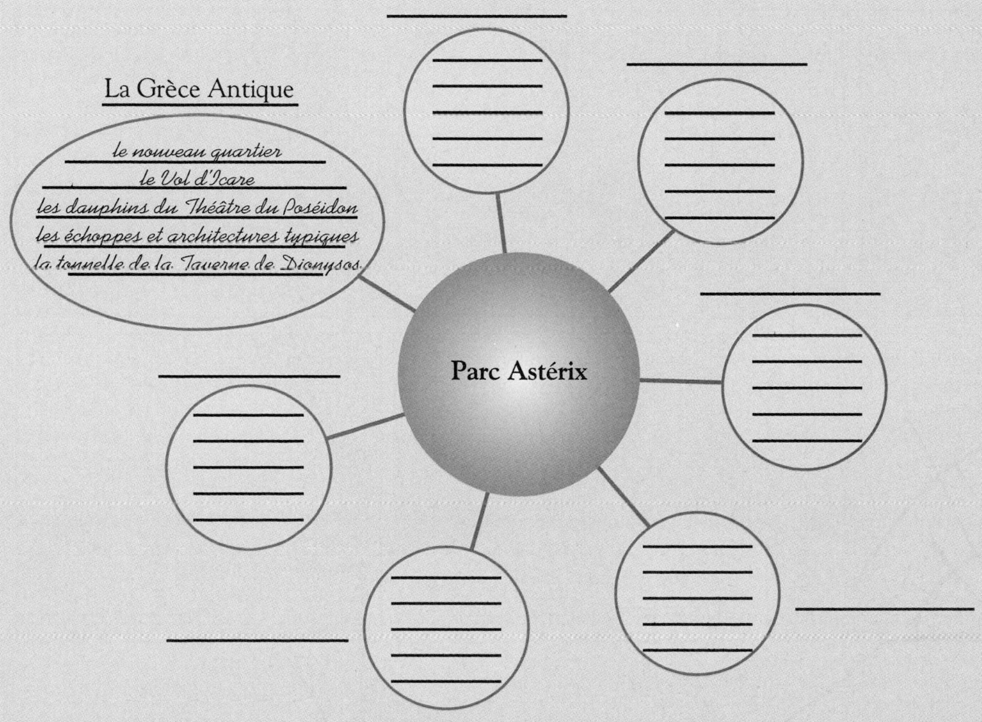

10 Now check your skill at note taking. Using only your notes, answer the following questions.

1. How many areas are there to visit in the **Parc Astérix**?
2. What is the unifying theme of **la Grèce Antique**?
3. What two famous monuments are recreated in wood in **la Via Antiqua**?
4. What is one action-packed event that takes place in the arena of **la Cité Romaine**?
5. What are two ways in which you can discover **le Village d'Astérix**?
6. What are the names of the three rides in **la Place de Gergovie**?
7. What animal performers entertain you in the **delphinarium** at **le Grand Lac**?
8. What kind of movie can you see at **la Rue de Paris**?
9. How does the **Parc Astérix** compare with any of the American theme parks you are familiar with?
10. If you had time to visit only two areas of the **Parc Astérix**, which ones would you choose? Why?

If you were unable to answer any of the first eight questions, perhaps your notes are incomplete. Reread the descriptions of the park, adding to your notes as you keep the unanswered questions in mind.

Nathalie et Raoul

C'est à moi!

Now that you have completed this unit, take a look at what you should be able to do in French. Can you do all of these tasks?

- ➤ I can identify someone's profession and tell what profession interests me.
- ➤ I can describe someone's physical and character traits.
- ➤ I can compare people and things and say who or what has the most of a certain quality.
- ➤ I can give my opinion by saying what I think.
- ➤ I can express emotions.
- ➤ I can talk about what happened in the past.
- ➤ I can talk about things sequentially.
- ➤ I can tell someone to do something.
- ➤ I can suggest what people can do.

Here is a brief checkup to see how much you understand about French culture. Decide if each statement is **vrai** or **faux**.

1. Each of the Parisian **métro** lines is named according to the stations at either end of it.
2. Located in the **Quartier latin**, the **Panthéon** houses the tomb of Napoléon.
3. French students select specific areas of study, based on their career goals, during their last two years in high school. Two choices are **le bac S** and **le bac L**.
4. Réunion is a volcanic island in the Indian Ocean just east of Africa.
5. The **musée Picasso** has the largest collection in the world of the artist's works.
6. For someone who likes impressionist art, the **musée du Louvre** is the best museum to visit in Paris.
7. The term "impressionism" was derived from a painting by Manet called *Le Déjeuner sur l'herbe.*
8. The impressionist artist Renoir is famous for his series of paintings of the same subject.
9. You can take the **R.E.R.** from the center of Paris to Roissy-Charles de Gaulle and Disneyland Paris.
10. The two largest parks in Paris are the **jardin du Luxembourg** and the **jardin des Tuileries**.

On what line is the Bastille *métro* station? (Paris)

Le Louvre est le plus grand musée du monde.

Communication orale

With a partner, play the roles of two students responsible for an article in the next issue of the French Club newsletter. The first student has just returned from a trip to Paris; the second student, the reporter, is going to interview the traveler. During the interview, the reporter asks specific questions about the traveler's trip to gather as much information as possible for an interesting article. The traveler answers each question with detailed information.

First the reporter and the traveler greet each other. Then the reporter asks the traveler which sites he or she saw in Paris and why, his or her opinion of each one and how each site compares to something similar (either in Paris or your area). Be sure the interview also includes the traveler's opinions of the various museums that he or she visited. At the end of the interview the reporter thanks the traveler and states why he or she now wants to go to Paris.

Communication écrite

Based on the information exchanged in the interview between the newsletter reporter and the student traveler, write the article that will appear in the next issue. If you played the role of the reporter, summarize the information that you gathered about the traveler's experiences and opinions. If you played the role of the traveler, write the article in the third person singular form (**il** or **elle**), as if you were now the reporter.

Communication active

To tell what profession interests you, use:

Je pense devenir pharmacien. *I think I'll become a pharmacist.*

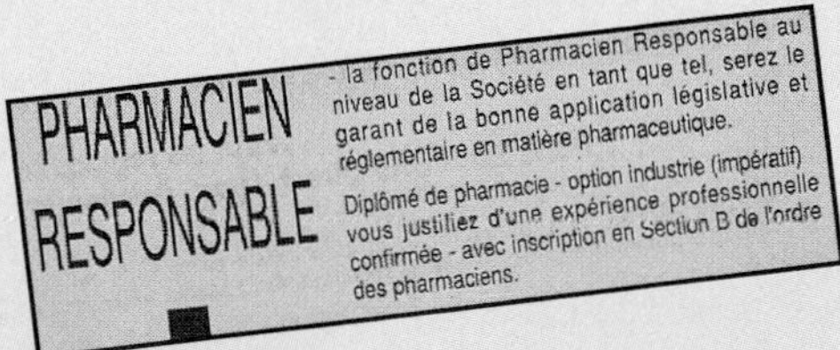

PHARMACIEN RESPONSABLE
- la fonction de Pharmacien Responsable au niveau de la Société en tant que tel, serez le garant de la bonne application législative et réglementaire en matière pharmaceutique.
Diplômé de pharmacie - option industrie (impératif) vous justifiez d'une expérience professionnelle confirmée - avec inscription en Section B de l'ordre des pharmaciens.

To describe physical traits, use:

Je suis de taille moyenne. *I am of average height.*

To describe someone's character, use:

Il est très aimable. *He's very nice.*

To compare things, use:

Dora Maar est **moins mystérieuse que** *la Joconde.*	*Dora Maar is less mysterious than the* Mona Lisa.
L'art du vingtième siècle est **plus dynamique que** l'art de la Renaissance.	*Twentieth century art is more dynamic than Renaissance art.*
Ce sont les animaux **les plus drôles** du zoo.	*They are the funniest animals in the zoo.*

To give opinions, use:

C'est magnifique!	*It's magnificent!*

Le musée d'Orsay, c'est magnifique! (Paris)

Picasso **est l'un de mes** artistes **favoris.**	*Picasso is one of my favorite artists.*
Je trouve Picasso plus dynamique que de Vinci.	*I think Picasso is more dynamic than da Vinci.*
Comme ils sont grands et forts!	*How big and strong they are!*
Bonne idée!	*That's a good idea!*

To express emotions, use:

Désolé(e).	*Sorry.*

To describe past events, use:

Je viens d'aider mon oncle.	*I've just helped my uncle.*
Picasso **a mis** beaucoup de couleurs dans le tableau.	*Picasso put a lot of colors in the painting.*

To sequence events, use:

Enfin....	*Finally . . . .*
Tout de suite....	*Right now . . . .*

To give orders, use:

Regardez les singes!	*Look at the monkeys!*

To make suggestions, use:

Continuons tout droit.	*Let's continue straight ahead.*

Communication électronique

Many of the French paintings that Americans want to see are housed in **le musée d'Orsay**. To enjoy a virtual tour of the art museum's treasures, go to this Internet site:

http://www.smartweb.fr/fr/orsay/page.htm

After you have finished exploring this site, answer the following questions.

1. Click on the photo next to "Histoire." For what purpose was the building originally used?
2. Click on the blue arrow. In what year did this service cease?
3. Now click on "Visite." How many floors does this museum have?
4. Click on "niveau supérieur" and line 34. Then click on "photo 360°" to see all the impressionist paintings. To stop at a certain painting, click on it. Stop at the painting the artist is copying. Who painted it? (For help, click on "commentaires.")
5. The artist Monet did a systematic series of paintings of the Rouen Cathedral. How many of them are there in this room? (Hint: They are all on one wall.)
6. Finally click on "la carte," line 35 and "photo 360°." Which specific Van Gogh paintings do you recognize in this room?

À moi de jouer!

Let's see how much French you have learned in this unit! Write a paragraph that tells where M. Delapierre went grocery shopping this morning, whom he saw and what he bought at each store. Be sure to describe the height of the shopkeepers, give your opinion about their character or other physical traits, and compare them with each other. Use the **passé composé** to tell what M. Delapierre saw and bought and the present tense to describe the shopkeepers. (You may want to refer to the *Communication active* on pages 90-91 and the vocabulary list on page 93.)

Vocabulaire

	à côté (de) beside, next to
	à l'heure on time
	âgé(e) old
	aider to help
	aimable nice
un	**animal** animal
l'	**art (m.)** art
un(e)	**artiste** artist
	avance: en avance early
un	**boucher, une bouchère** butcher
un	**boulanger, une boulangère** baker
un	**caissier, une caissière** cashier
	calme quiet
une	**carte postale** postcard
	célèbre famous
un	**charcutier, une charcutière** delicatessen owner
	choisir to choose
	comme how
un(e)	**commerçant(e)** shopkeeper
	content(e) happy
	côté: à côté (de) beside, next to
une	**dame** lady
un	**dauphin** dolphin
une	**demi-heure** half an hour
	désolé(e) sorry
	devenir to become
	difficile hard, difficult
	drôle funny
	dynamique dynamic
un	**éléphant** elephant
	en avance early
	en retard late
	enfin finally
	être en train de (+ *infinitive*) to be busy (doing something)
une	**exposition** exhibit, exhibition
	faible weak
	favori, favorite favorite
un(e)	**fleuriste** florist
	fort(e) strong
une	**girafe** giraffe
un	**gorille** gorilla
	heure: à l'heure on time
	heureux, heureuse happy
un	**hippopotame** hippopotamus
une	**idée** idea
	intéressant(e) interesting
	laid(e) unattractive
un	**lion** lion
	magnifique magnificent
un	**métier** trade, craft
	mince slender
	moyen, moyenne medium
	mystérieux, mystérieuse mysterious
un	**nom** name
la	**nourriture** food
un	**objet d'art** objet d'art
	occupé(e) busy
un	**ours** bear
un	**parc** park
un	**pâtissier, une pâtissière** pastry store owner
	pauvre poor
	pénible unpleasant
une	**personnalité** personality
un	**pharmacien, une pharmacienne** pharmacist
	piqueniquer to have a picnic
	retard: en retard late
	riche rich
la	**sculpture** sculpture
	selon according to
	sérieux: au sérieux seriously
	si if
un	**siècle** century
un	**singe** monkey
un	**tigre** tiger
	tout de suite right away, right now
	train: être en train de (+ *infinitive*) to be busy (doing something)
	triste sad
	venir de (+ *infinitive*) to have just
la	**vie** life
	vif, vive bright
	vite fast, quickly
un	**zèbre** zebra
un	**zoo** zoo

TIBERIADE
NICE
Lou Roucas
LE DAUPHIN

Unité 3 En France

In this unit you will be able to:

- describe past events
- sequence events
- describe character
- express concern
- express astonishment and disbelief
- make suggestions
- point out something
- choose and purchase items
- order food and beverages

Leçon A

In this lesson you will be able to:

- ➤ describe past events
- ➤ sequence events
- ➤ describe character
- ➤ express concern

On fait une excursion ...

en voiture

en autobus
en bus

en bateau

en train

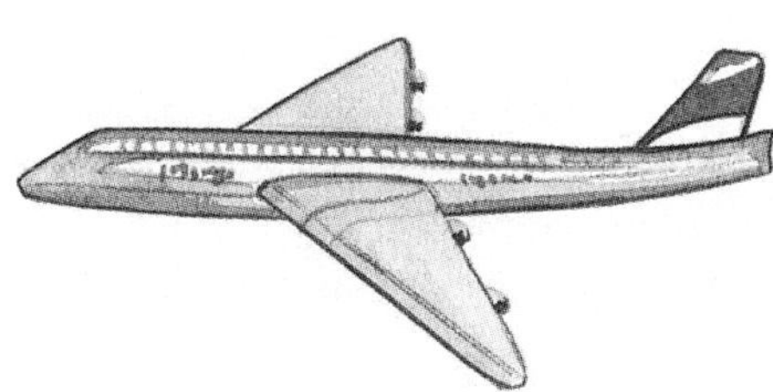
en avion

à pied

à vélo

M. Chouinard, a French teacher from Boston, is meeting his American students at the train station in Marseille to go to Paris after a month-long family stay in Provence. The students are so eager to share their experiences that they all want to talk at once.

Sarah a traversé le pont du Gard. (Remoulins)

M. Chouinard:	**Bonjour! Est-ce que vous avez passé un bon séjour en famille? Qu'est-ce que vous avez fait?**
Rachel:	**La première semaine j'ai fait une promenade en bateau au château d'If....**
Sarah:	**On a traversé le pont du Gard à pied....**
Tim:	**Nous sommes allés voir la montagne Sainte-Victoire....**
Jodi:	**Je suis sortie chaque weekend avec ma correspondante, Éliane. Elle sort souvent avec ses copains. Les ados en France sont vachement sympa....**
Steve:	**On est allé en voiture passer le dernier weekend à Aix-en-Provence....**
M. Chouinard:	**Attention! Notre train pour Paris part bientôt. Allons attendre au quai numéro deux. Puis, pendant le voyage je vais écouter vos histoires une par une.**

Enquête culturelle

Many French people take the train. The **SNCF**, the French national railway company, has been working hard in recent years to upgrade its already efficient train system. **Les grandes lignes** (*main lines*) provide rail service throughout France. In larger cities there are also local trains which serve **la banlieue** (*suburbs*). The price of a train ticket varies according to such factors as what class it is (first or second), the date and time of day, the type of train, the age of the traveler and the distance traveled. Rail passes which allow unlimited travel may be purchased for a three-, five- or ten-day period. An orange machine stamps tickets with the time and date before passengers board the train. Inspectors on the train verify that tickets have been purchased and stamped.

From the Gare Saint-Lazare in Paris travelers purchase tickets for *les grandes lignes* to reach northern destinations in France.

Fishermen in *le Vieux Port* of Marseille prepare their nets.

Located on the Mediterranean Sea, the lively city of Marseille is France's largest port. It harbors ships from around the world while maintaining especially close ties to North Africa and the Middle East. The city's other transportation needs are served by a **métro** and an airport as well as by buses, trains and highways. Made famous by Alexandre Dumas' novel *The Count of Monte-Cristo*, the **château d'If** perches on a small island in the Mediterranean about two kilometers from the city. Built in 1524, the fortress was intended to store artillery, but it eventually became a prison.

On the ground floor of *le château d'If* you can visit the cells where the fictional characters Edmond Dantès and Abbé Faria were imprisoned in *The Count of Monte-Cristo*. (Marseille)

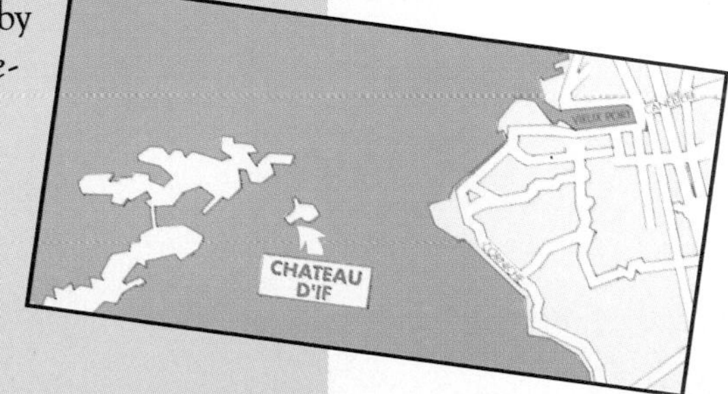

For many people the southern province of **Provence** brings to mind an image of dramatic landscapes, luminous sunshine, flavorful herbs, beautiful flowers, regional dialects and the strong **mistral** wind. Many of its major cities were once occupied by the Romans and still have monuments dating from that era.

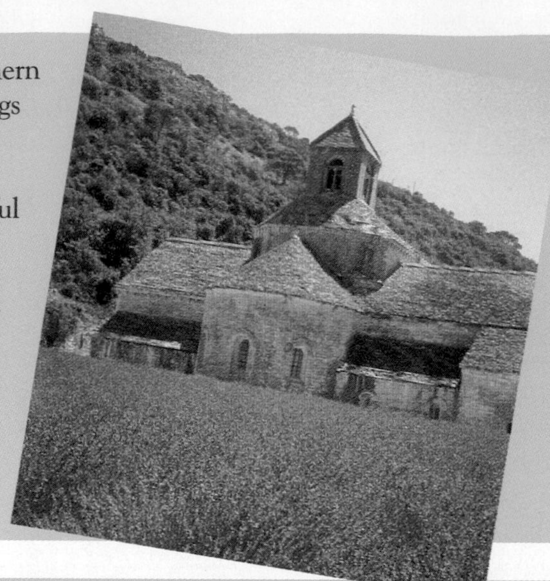

Fields of lavender color the countryside in Provence.

Constructed by the Romans about 19 B.C., the spectacular, three-tiered **pont du Gard** forms part of a 32-mile aqueduct which used to carry water from two rivers to the city of Nîmes.

The shimmery, gray limestone rock of the **montagne Sainte-Victoire** can be recognized immediately by anyone familiar with Paul Cézanne's paintings. He spent most of his life near the mountain in Aix-en-Provence, his native city. There he painted local landscapes, cafés, still lifes, bathers and portraits in an innovative style which influenced many contemporary artists. Aix-en-Provence is known as the "city of a thousand fountains" and hosts an annual international music festival.

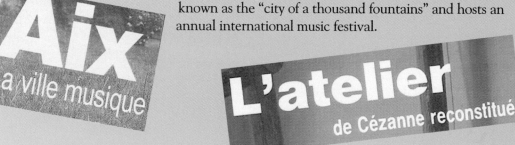

Aix
La ville musique

1 *Répondez en français d'après le dialogue.*

1. Comment s'appelle le professeur de français?
2. Où est-ce que le professeur a vu ses élèves après leur séjour en famille?
3. Quand est-ce que Rachel est allée au château d'If?
4. Est-ce que Sarah a traversé le pont du Gard en bus?
5. Avec qui est-ce que Jodi est sortie chaque weekend?
6. Selon Jodi, est-ce que les ados sont pénibles en France?
7. Comment est-ce que Steve est allé à Aix-en-Provence?
8. Où est-ce qu'on va attendre le train pour Paris?

2 *Comment est-ce que chaque personne va à sa destination?*

Modèle:
Antonine/de la gare à l'hôtel
Elle va de la gare à l'hôtel en bus.

1. Françoise/de Paris à Marseille
2. mon père/de la maison au supermarché
3. Nicolas/de Marseille au château d'If
4. Zakia/de Paris à Chicago
5. l'enfant/de la maison au jardin
6. Benjamin/de l'appartement à l'école

On va de Paris à Marseille en train.
SNCF

3 *C'est à toi!*

1. Est-ce que tu es sorti(e) le weekend dernier avec tes copains?
2. Est-ce que tu préfères nager dans une piscine, dans un lac ou dans un océan?
3. Habites-tu près d'un lac? Près de la montagne?
4. Comment est-ce que tu vas de ta maison ou de ton appartement à l'école?
5. Est-ce que tu préfères voyager en voiture, en avion ou en train?
6. Est-ce que tu préfères passer une journée à la campagne ou à la ville? Pourquoi?

À la campagne il y a un fleuve et des montagnes. (Ustaritz)

Structure

Present tense of the irregular verbs *partir* and *sortir*

Here are the present tense forms of the irregular verbs **partir** (*to leave*) and **sortir** (*to go out*).

partir			
je	**pars**	Je **pars** aujourd'hui.	*I'm leaving today.*
tu	**pars**	Tu **pars** tout de suite?	*Are you leaving right now?*
il/elle/on	**part**	Le train **part** bientôt.	*The train is leaving soon.*
nous	**partons**	Nous **partons** pour Paris.	*We're leaving for Paris.*
vous	**partez**	Vous **partez** d'où?	*Where do you leave from?*
ils/elles	**partent**	Ils **partent** de Marseille.	*They leave from Marseille.*

Le train part bientôt pour Lyon.

sortir			
je	**sors**	Je **sors** avec mes copains.	*I go out with my friends.*
tu	**sors**	Avec qui **sors**-tu?	*Whom are you going out with?*
il/elle/on	**sort**	Il **sort** avec Mireille.	*He's going out with Mireille.*
nous	**sortons**	Nous ne **sortons** pas ce soir.	*We're not going out tonight.*
vous	**sortez**	Vous **sortez** souvent?	*Do you go out often?*
ils/elles	**sortent**	Ils **sortent** ensemble.	*They're going out together.*

Michel et Sophie sortent ensemble.

Pratique

4 Many people are leaving Paris at the end of July to begin their vacations. Tell the time when the following people are leaving the **gare de Lyon**, depending on which train they are taking.

Modèle:

David et Thierry/2358

David et Thierry partent à 15h10.

839	947	1613	2358	755	5009	524	4405
12.42	13.05	14.13	15.10	16.21	17.57	18.18	19.19

1. Assia/947
2. vous/5009
3. Étienne et son beau-père/839
4. Charles et moi, nous/4405
5. tu/1613
6. Isabelle et Karine/755

5 Imagine that you attend a French boarding school near Lyon. Report cards have just come out. To go out on weeknights, students must have an overall average of "12." Tell whether or not you and your classmates can go out during the week.

Modèles:

Abdoul et Mahmoud
Abdoul et Mahmoud sortent.

Sandrine et Alexandre
Sandrine et Alexandre ne sortent pas.

Patricia	17	Nora	13
Dikembe	16	Valérie	13
Sandrine	11	Victor	15
Mahmoud	14	toi	11
Marie-Alix	9	Paul	8
Abdoul	15	Alexandre	10
Élisabeth	12	Chantal	14
moi	14	Delphine	9
Jean-Christophe	7	Robert	19

1. Marie-Alix et Paul
2. toi, tu
3. Élisabeth
4. moi, je
5. Delphine et toi, vous
6. Victor et Dikembe
7. Valérie et moi, nous
8. Patricia et Chantal

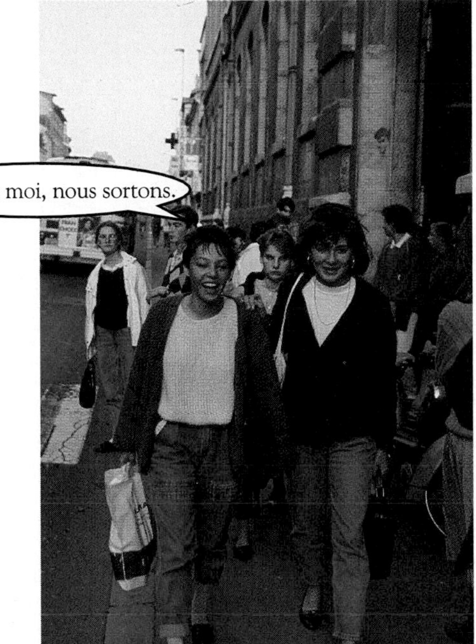

Passé composé with *être*

You have learned that the **passé composé** is made up of a helping verb and the past participle of the main verb. With most verbs you use the appropriate present tense form of the helping verb **avoir**. But certain verbs form their **passé composé** with the helping verb **être**.

Marc est sorti chaque weekend. *Marc went out every weekend.*
(helping verb) (past participle of **sortir**)

To form the past participle of **-er** verbs, drop the **-er** of the infinitive and add an **é**. For most **-ir** verbs, drop the **-ir** and add an **i**. The past participle of the verb agrees in gender and in number with the subject. Here are the **passé composé** forms of **aller** and **sortir**. Note in the chart that both the form of **être** and the ending of the past participle agree with the subject.

aller			***sortir***		
je	**suis**	**allé**	je	**suis**	**sorti**
je	**suis**	**allée**	je	**suis**	**sortie**
tu	**es**	**allé**	tu	**es**	**sorti**
tu	**es**	**allée**	tu	**es**	**sortie**
il	**est**	**allé**	il	**est**	**sorti**
elle	**est**	**allée**	elle	**est**	**sortie**
on	**est**	**allé**	on	**est**	**sorti**
nous	**sommes**	**allés**	nous	**sommes**	**sortis**
nous	**sommes**	**allées**	nous	**sommes**	**sorties**
vous	**êtes**	**allé**	vous	**êtes**	**sorti**
vous	**êtes**	**allée**	vous	**êtes**	**sortie**
vous	**êtes**	**allés**	vous	**êtes**	**sortis**
vous	**êtes**	**allées**	vous	**êtes**	**sorties**
ils	**sont**	**allés**	ils	**sont**	**sortis**
elles	**sont**	**allées**	elles	**sont**	**sorties**

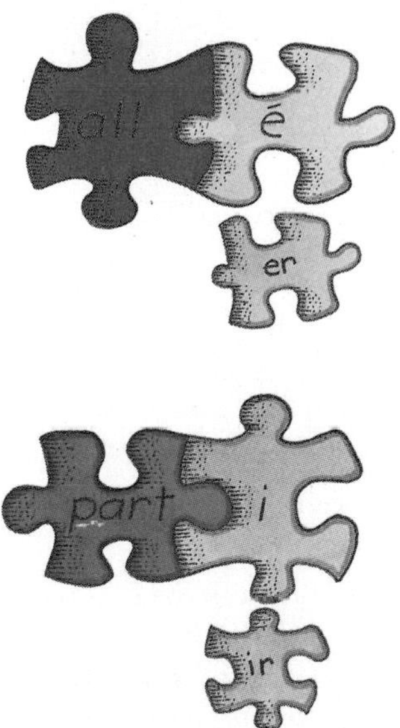

Most verbs that use **être** in the **passé composé** *express motion or movement* of the subject from one place to another. Here are the verbs you have already learned that use the helping verb **être**, along with their past participles. (You will learn more of these verbs later.)

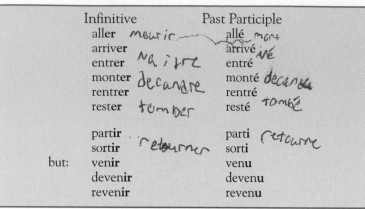

	Infinitive	Past Participle
	aller	allé
	arriver	arrivé
	entrer	entré
	monter	monté
	rentrer	rentré
	rester	resté
	part**ir**	parti
	sort**ir**	sorti
but:	ven**ir**	ven**u**
	deven**ir**	deven**u**
	reven**ir**	reven**u**

Voilà pourquoi Monet n'est pas entré à l'Institut...

To make a negative sentence in the **passé composé**, put **ne (n')** before the form of **être** and **pas** after it.

Nous **ne** sommes **pas** allés en Angleterre. *We didn't go to England.*

To ask a question in the **passé composé** using inversion, put the subject pronoun after the form of **être**.

Quand **êtes-vous rentrée**, Nora? *When did you return, Nora?*

Pratique

6 Complete each of the following sentences using **Il est**, **Elle est**, **Ils sont** or **Elles sont**. Remember to look at the ending of the past participle.

1. ... sorti chaque weekend avec son correspondant.
2. ... arrivées à la gare.
3. ... venue en retard.
4. ... parti pour le château d'If.
5. ... allés voir la montagne Sainte-Victoire.
6. ... devenues malades pendant leur séjour.
7. ... rentrés à pied.
8. ... restée à la maison.

7 Take turns asking and telling your partner what you did yesterday.

Modèle:

aller en boîte hier soir

Student A: **Es-tu allé(e) en boîte hier soir?**

Student B: **Non, je ne suis pas allé(e) en boîte hier soir. Et toi, es-tu allé(e) en boîte hier soir?**

Student A: **Oui, je suis allé(e) en boîte hier soir.**

1. venir à l'école à pied
2. arriver au cours à l'heure
3. aller au fast-food après les cours
4. rester à la maison hier soir
5. sortir avec tes amis après le dîner
6. rentrer après 22 heures

8 The following people went on vacation. Use the illustrations to say where they went and what they did.

Modèle:

Thomas
Thomas est allé à la montagne où il a skié.

1. je

2. Patrick et toi, vous

3. mes amis et moi, nous

4. tu

5. les Morel

Ces ados sont allés à la campagne où ils ont piqueniqué. (La Rochelle)

Prepositions before cities, countries and continents

Use **à** before the names of cities.

On est allé à Aix-en-Provence.	*We went to Aix-en-Provence.*

Use **en** before countries or continents with feminine names.

Je vais **en** Italie **en** Europe.	*I'm going to Italy in Europe.*

Use **au** before countries with masculine names and **aux** before countries with masculine plural names.

Fernando va en vacances **au** Canada?	*Is Fernando going on vacation to Canada?*
Non, il va en vacances **aux** États-Unis.	*No, he's going on vacation to the United States.*

Pratique

9 Tell in which city and country each person works.

Modèle:

M. Barrault/Marseille

M. Barrault travaille à Marseille, en France.

1. Mlle Martinelli/Rome
2. M. Carlson/Atlanta
3. Mme Osaki/Tokyo
4. M. Clark/Toronto
5. M. Boigny/Abidjan
6. Mlle Tissot/Genève
7. M. Diouf/Dakar
8. Mme Aknouch/Rabat

M. Barrault travaille pour la SNCF à Marseille, en France.

Communication

10 As part of your French class's correspondence with a high school in a French-speaking country, you periodically exchange videos on various topics. Your upcoming video focuses on what American students do on Saturdays. In preparation, write a series of phrases in outline form describing what you did recently on an interesting Saturday. Organize your activities according to morning, afternoon and evening.

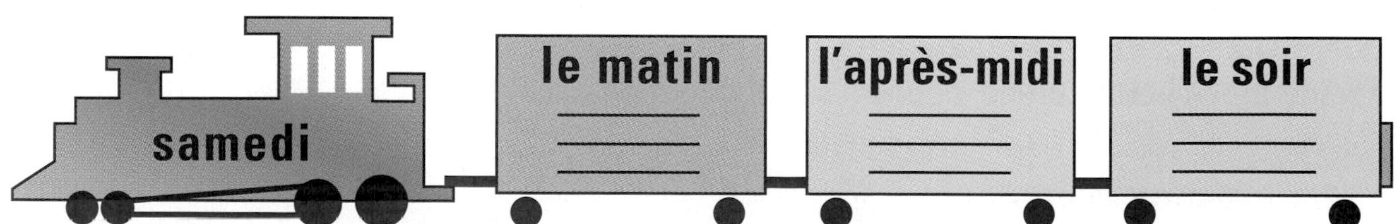

Then write your presentation, using complete sentences in the **passé composé** with the appropriate helping verb. Remember to include sequencing expressions like **d'abord**, **puis** and **alors**.

11 Take a survey of your classmates to find out what some of them did last night. On a separate sheet of paper, create a chart like the one that follows and copy the eight indicated expressions. Then interview five of your classmates to determine whether or not they did any of these activities. Write the names of the five classmates at the top of your chart. As a classmate answers each of your eight questions, make a check in the appropriate column if he or she answers affirmatively. After you have finished asking questions, count how many people answered each question affirmatively and be ready to share your findings with the rest of the class.

Modèle:

Assia: Est-ce que tu as téléphoné à tes amis?

Laurent: Oui, j'ai téléphoné à mes amis.

Assia: Trois élèves ont téléphoné à leurs amis.

	Thierry	Sophie	Bruno	Laurent	Rachel
téléphoner à tes amis			✔	✔	✔
écouter de la musique					
manger chez toi					
rester chez toi après le dîner					
faire tes devoirs					
sortir avec des amis					
regarder la télé					
rentrer après 22 heures					

12 Use the results of your survey in Activity 11 to write a report on what your classmates did last night. Also include information about your own activities in your report. For each question you asked, specify who answered affirmatively and who answered negatively.

Modèle:

Bruno, Laurent, Rachel et moi, nous avons téléphoné à nos amis. Thierry et Sophie n'ont pas téléphoné à leurs amis....

13 Think of a special vacation you took with your family or friends. If you prefer, you may create an imaginary vacation. Make a series of drawings that show, in order, the highlights of your trip. (Instead, you may want to illustrate your vacation with pictures clipped from the back issues of magazines.) Then, under each drawing, write a caption in the **passé composé** that describes where you went and what you did.

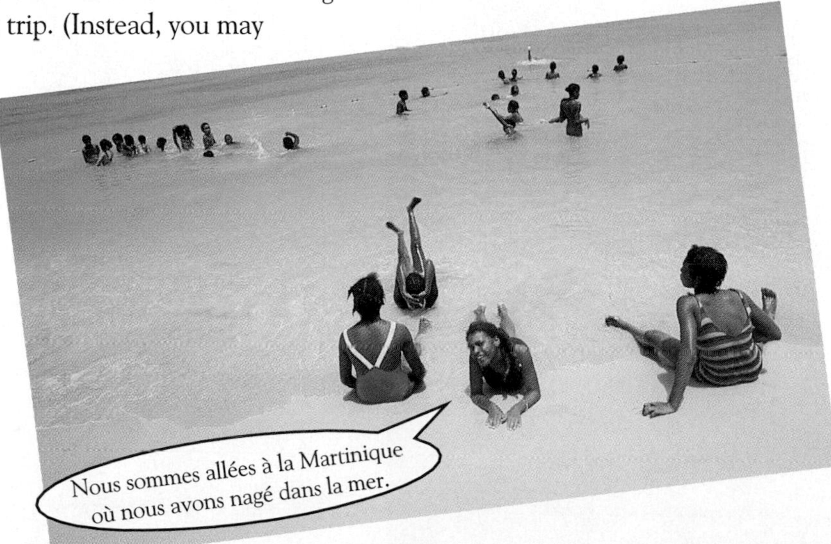

Nous sommes allées à la Martinique où nous avons nagé dans la mer.

Leçon B

In this lesson you will be able to:

- describe past events
- sequence events
- express astonishment and disbelief

un journal

un magazine

une bande dessinée

une carte

une lettre

un message

un roman

Isabelle Bernard's parents have just received a letter from their daughter, who is spending a few weeks on a farm near Lille with a friend.

M. Bernard:	**Qu'est-ce que tu lis?**
Mme Bernard:	**Une lettre d'Isabelle. Elle est très contente chez son amie Béatrice.**
M. Bernard:	**Qu'est-ce qu'elles font?**
Mme Bernard:	**Elles sont très occupées. Le premier jour elles ont fait du cheval, le deuxième jour elles ont nettoyé la grange, et le troisième jour elles ont envoyé des cartes postales et des lettres.**
M. Bernard:	**Donc, elles aident les parents de Béatrice? Le travail de fermier est dur.**
Mme Bernard:	**Oui, elles prennent le petit déjeuner très tôt, puis elles nourrissent les animaux. Dans la ferme il y a beaucoup de vaches, de chevaux et de cochons.**
M. Bernard:	**Ma fille qui travaille dans une ferme, qui ne dort pas jusqu'à dix heures du matin et qui est heureuse! La vie est pleine de surprises!**

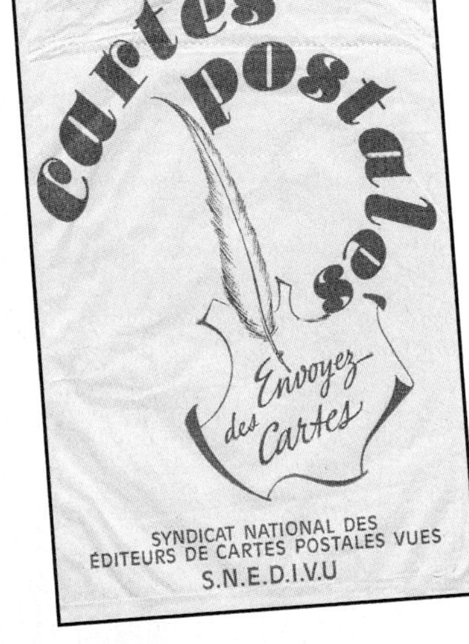

cartes postales
Envoyez des Cartes
SYNDICAT NATIONAL DES
ÉDITEURS DE CARTES POSTALES VUES
S.N.E.D.I.V.U

Est-ce que tu aimes faire du cheval? (Itkassou)

Enquête culturelle

If you send a letter to a person in a French-speaking country by post, fax or e-mail, you will want to begin and close your letter appropriately. To start a letter to a friend or family member, you have already learned expressions such as **Chère Isabelle** or **Mon cher Jérémy**. To begin a business letter, write the heading **Madame** or **Monsieur**. To end a letter to someone you know well, use **Amicalement** (*Love*), **Je t'embrasse** (*With love*) or **Amitiés** (*Best wishes*). To close a business letter, write a formal sentence such as **Je vous prie de croire, Monsieur, à l'expression de mes sentiments les meilleurs.** (*Please believe, Sir, that I am sending you my best wishes.*)

VISITEZ LILLE

Situated amid the textile plants, windmills and farms of **Flandre** is northeastern France's most important city, Lille. Like most cities, Lille has both historic and high-tech sections.

BRASSERIE FLOTTES
CUISINE TRADITIONNELLE
Formule 23,63 € - Midi et Soir
Ouvert tous les jours • Service continu de 11h30 à 23h30

Throughout the city are famous **brasseries** (*taverns*) that serve a variety of local food and beer. Travelers who ride the train under the English Channel often pass through Lille on their way to Paris and other cities. In fact they may go directly from the tunnel through Lille and on to Roissy-Charles de Gaulle Airport without having to enter the city of Paris itself.

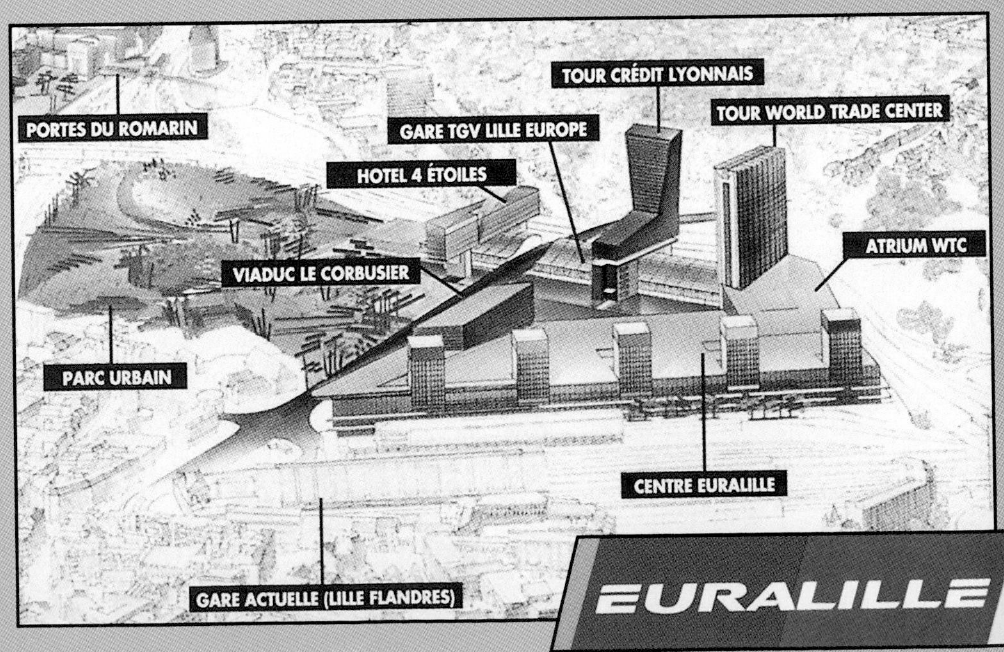

1 *Répondez par "vrai" ou "faux" d'après le dialogue.*

1. M. et Mme Bernard viennent de lire une lettre de leur fille.
2. M. et Mme Bernard sont en train de téléphoner à Isabelle.
3. Isabelle et son amie Béatrice sont très occupées.
4. Isabelle a peur des chevaux.
5. Selon M. Bernard, le travail de fermier est facile.
6. Il y a beaucoup de lapins, de chiens et de chevaux dans la ferme de Béatrice.
7. Chez Béatrice, Isabelle dort jusqu'à dix heures du matin.

Est-ce que le travail à la ferme est dur ou facile? (Mouguerre)

C'est quel animal? Complétez chaque phrase avec le mot convenable de la liste suivante.

vache poule lapin dindon
canard cochon chèvre

1. Le... a de grandes oreilles et aime manger des carottes.
2. La... donne des œufs.
3. Le... aime nager dans les étangs.
4. Le... est rose et il mange beaucoup.
5. La... habite souvent dans les montagnes.
6. La... donne du lait.
7. Les Américains mangent du..., surtout en novembre.

3 *C'est à toi!*

1. Quand tu voyages, est-ce que tu achètes beaucoup de cartes postales?
2. As-tu passé une journée dans une ferme? Si oui, où?
3. Est-ce que tu aimes faire du cheval?
4. Est-ce que tu donnes une carte à ton ami(e) pour son anniversaire?
5. Est-ce que tu préfères lire des romans, des journaux ou des magazines?
6. La bande dessinée que tu préfères s'appelle comment?

Quand tu voyages, est-ce que tu envoies des cartes postales? (Paris)

Structure

Present tense of the irregular verbs *dormir* and *lire*

Here are the present tense forms of the irregular verbs **dormir** (*to sleep*) and **lire** (*to read*).

Hélène et Diane dorment dans le train.

dormir			
je	**dors**	Je ne **dors** pas bien.	*I don't sleep well.*
tu	**dors**	Tu **dors** en cours?	*Do you sleep in class?*
il/elle/on	**dort**	Luc **dort** devant la télé.	*Luc sleeps in front of the TV.*
nous	**dormons**	Nous **dormons** au soleil.	*We sleep in the sun.*
vous	**dormez**	Jusqu'à quelle heure **dormez**-vous le samedi?	*Until what time do you sleep on Saturday?*
ils/elles	**dorment**	Les enfants ne **dorment** plus.	*The children aren't sleeping anymore.*

The past participle of **dormir** is **dormi**.

Isabelle a **dormi** jusqu'à dix heures. *Isabelle slept until 10:00.*

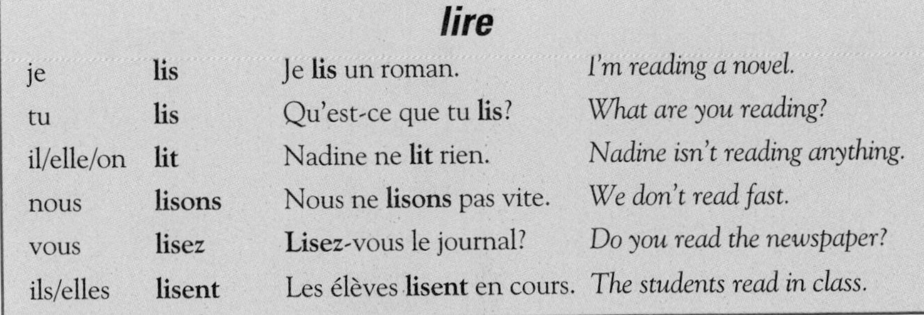

lire			
je	**lis**	Je **lis** un roman.	*I'm reading a novel.*
tu	**lis**	Qu'est-ce que tu **lis**?	*What are you reading?*
il/elle/on	**lit**	Nadine ne **lit** rien.	*Nadine isn't reading anything.*
nous	**lisons**	Nous ne **lisons** pas vite.	*We don't read fast.*
vous	**lisez**	**Lisez**-vous le journal?	*Do you read the newspaper?*
ils/elles	**lisent**	Les élèves **lisent** en cours.	*The students read in class.*

18 HEURES JE LIS MES JOURNAUX

Elle a aussi lu

The past participle of **lire** is **lu**.

Les Bernard ont **lu** la lettre de leur fille. *The Bernards read the letter from their daughter.*

Pratique

4 No matter how hard people tried to stay awake, they have fallen asleep. Tell where they are sleeping.

Modèle:

M. Michelet
M. Michelet dort au travail.

1. tu

2. Sara

3. Édouard et toi, vous

4. Chloé et Denis

5. je

6. Fabienne et moi, nous

7. mon grand-père

M. Ducroux dort dans le jardin du Luxembourg à Paris.

Modèle:

Luc

Luc lit une carte postale.

Qu'est-ce que tu lis? (Paris)

5 Your class has been assigned to the library to do a research project. Some students are on task; some aren't. Say what the following students are reading.

Modèles:

Dominique **a lu** une lettre.

Le chien **a dormi** avec la chèvre.

6 Complete each sentence with the appropriate form of **lire** or **dormir** in the **passé composé.**

1. Mes petits frères... des bandes dessinées.
2. L'élève diligent n'... jamais... en cours.
3. Tu... un magazine de sports au cabinet du docteur Valois?
4. Papa et Claudette... la lettre de notre tante.
5. ... -vous... le journal hier?
6. J'... chez mes cousins hier soir.
7. Maman... un roman à ses enfants.
8. Jean-Claude et moi, nous... jusqu'à neuf heures ce matin.

Martine et Dominique ont lu des magazines au café.

Ordinal numbers

Ordinal numbers show the order in which things are placed, for example, "first," "second" and "third." All ordinal numbers in French (except **premier** and **première**) are formed by adding **-ième** to the cardinal number.

deux → deux**ième**

Le **deuxième** jour elles ont nettoyé la grange. *The second day they cleaned the barn.*

If a cardinal number ends in **-e**, drop this **e** before adding **-ième**.

onze → onz**ième**

Some ordinal numbers are formed irregularly.

un, une → **premier, première**

cinq → cinq**u**ième

neuf → neu**v**ième

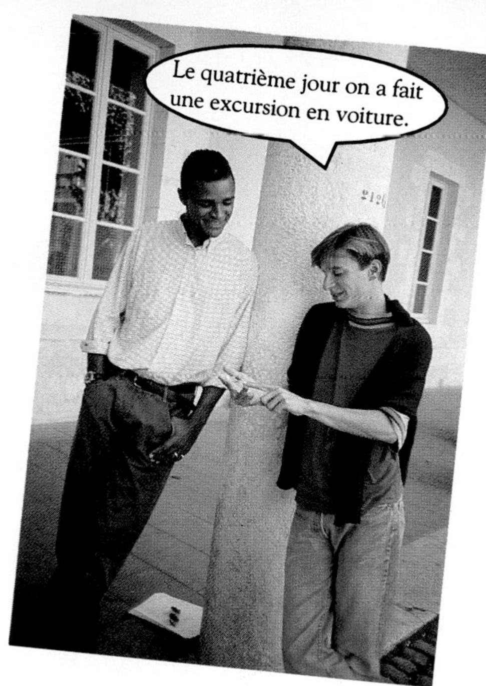

Le quatrième jour on a fait une excursion en voiture.

Pratique

7 It's the last day of the county fair, and all the prize-winning animals are invited to the awards presentation. Say what place each animal won, according to its ribbon.

Modèle:

Le coq est troisième.

Irregular plural forms of nouns and adjectives

You already know that most plural nouns or adjectives are formed by adding an **s** to singular nouns or adjectives.

J'envoie une **carte postale**. J'envoie des **cartes postales**.

The following groups of nouns and adjectives have irregular plural forms.

	Singular	Plural
no change	autobus	autobus
	frais	frais
-eau → -eaux	bateau	bateaux
	beau	beaux
	nouveau	nouveaux
-al → -aux	animal	animaux
	journal	journaux
	national	nationaux

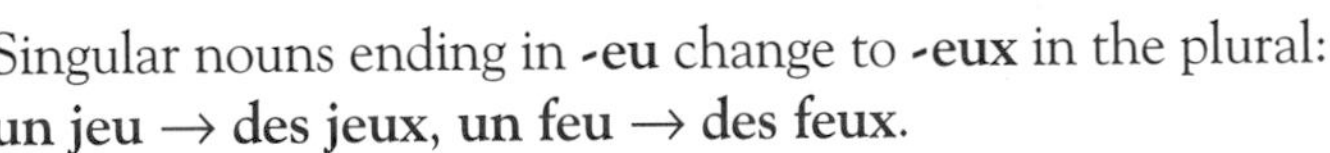
Singular nouns ending in **-eu** change to **-eux** in the plural: **un jeu → des jeux, un feu → des feux.**

Singular adjectives ending in **-eux** don't change in the plural: **vieux, amoureux, heureux, paresseux.**

Some irregular adjectives don't change form in the plural: **orange, marron, super, sympa, bon marché.**

Pratique

8 One Saturday at the mall you run into a lot of people you know. Tell what everyone is looking for by combining each subject in column A with the plural form of one of the expressions in column B.

Modèle:

Tu cherches des tableaux.

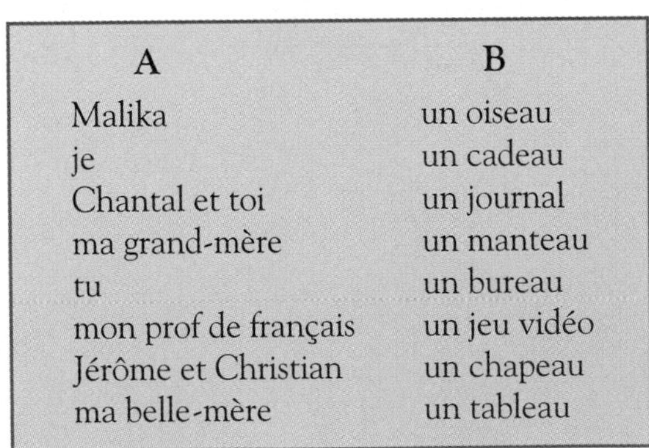

A	B
Malika	un oiseau
je	un cadeau
Chantal et toi	un journal
ma grand-mère	un manteau
tu	un bureau
mon prof de français	un jeu vidéo
Jérôme et Christian	un chapeau
ma belle-mère	un tableau

Qui cherche des journaux? (Bayonne)

9 Your friend tells you something about certain people or things. You respond with a generalization, using the correct plural form of the appropriate adjective from the following list.

paresseux	frais	beau	vieux	heureux
sympa	bon marché	nouveau	amoureux	

Modèle:

Les bananes coûtent 1,52 euros le kilo; les pêches coûtent 0,76 euros le kilo.

Ah, les fruits sont **bon marché**!

1. Les baguettes et les croissants sont toujours chauds.
   Ah, ils sont...!
2. Marie-Claire aime José, et José adore Marie-Claire.
   Ah, ils sont...!
3. Le chat Mistigris a 19 ans, et le chien Hector a 15 ans.
   Ah, les animaux sont...!
4. Grégoire et son frère aident souvent leurs amis.
   Ah, ils sont très...!
5. Patrick vient d'acheter un pull et un pantalon.
   Ah, ses vêtements sont...!
6. Mes cousins ne font jamais leurs devoirs.
   Ah, ils sont...!
7. Adèle aime les films de Brad Pitt et de Tom Cruise.
   Ah, ces deux hommes sont...!
8. Jean-Marc et Christiane ont eu 18/20 en histoire.
   Ah, ils sont...!

Mon jean et ma chemise sont nouveaux.

Communication

10 You want to know about your classmates' reading habits. On a separate sheet of paper, copy the seven indicated questions. Write the names of five classmates you want to survey at the top of your chart. Then poll these classmates, asking each one all seven questions. As a classmate answers each of your questions, write his or her response in the appropriate column. After you have finished asking questions, compile the results of your survey and be ready to share your findings with the rest of the class.

Modèle:

Hélène: **Lis-tu le journal chaque jour?**

Max: **Oui, je lis le journal chaque jour.**

Hélène: **Trois élèves lisent le journal chaque jour.**

	Max	Claire	Paul	Anne	Ahmed
Lis-tu le journal chaque jour?	oui	oui		oui	
Quelle(s) bande(s) dessinée(s) aimes-tu?					
Quel est ton magazine favori?					
Vas-tu souvent à la bibliothèque?					
Lis-tu un roman maintenant?					
As-tu lu un roman de Stephen King?					
Qu'est-ce que tu as lu hier soir?					

Moi, je préfère lire les bandes dessinées.
TINTIN ET LES PICAROS

11 Now use the results of your survey in Activity 10 to write a summary of your classmates' reading habits. Also include information about your own reading habits. For each question you asked, specify how each person responded.

Modèle:

Max, Claire, Anne et moi, nous lisons le journal chaque jour.

Paul et Ahmed ne lisent pas le journal chaque jour.

12 Imagine that you're Minette, a Parisian cat. Your owner is away on business and had to leave you on a farm in Normandy for a week. Write a postcard to Félix, your next-door neighbor cat back in Paris. Tell your feline friend what you've seen and done on the farm, what things have surprised you and how you like rural life.

Mise au point sur... les provinces et les produits de France

Automobiles, airplanes, food, beverages, perfume and fashions are among the variety of products from France that customers throughout the world can buy. Each of France's 22 regions proudly produces its own specialties. These regions closely resemble the former French provinces both in name and location.

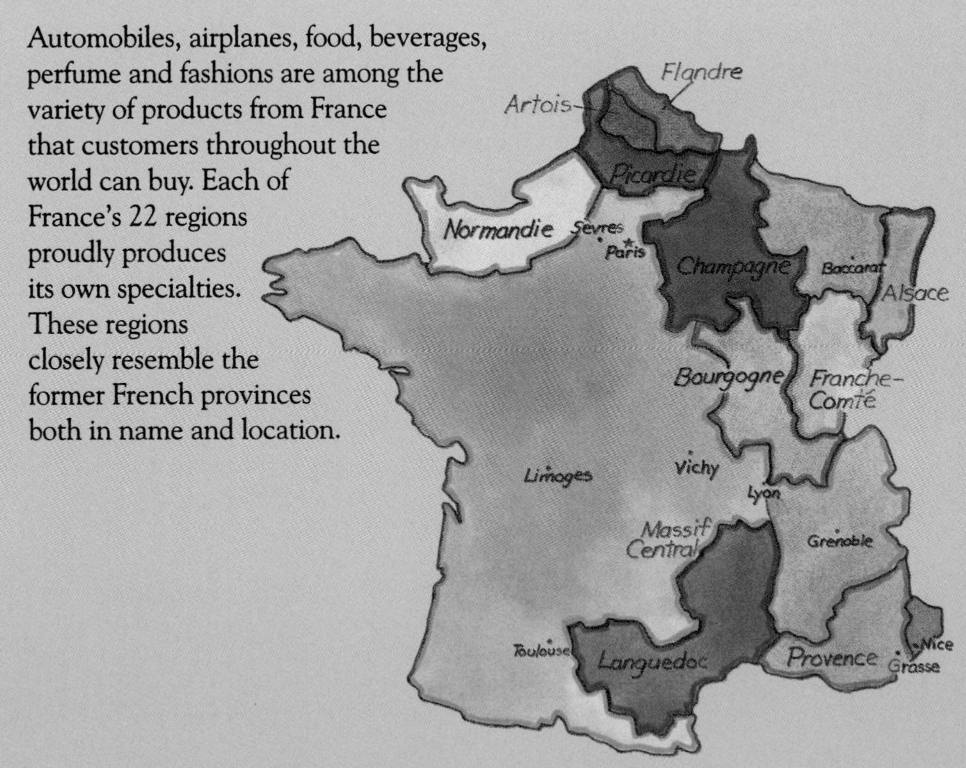

A mild climate and fertile soil over almost half of France's surface give the country an agricultural surplus that allows it to export many foods. Chestnuts and garlic come from the southern province of **Languedoc**. **Truffes** (*truffles*), similar to mushrooms with black interiors, grow underground attached to the roots of oak trees in southwestern France. Dogs or pigs are trained to find (but not eat) this delicacy. In **Normandie** apple trees, used for jelly, cider and **calvados** (*brandy*), dot the landscape. The province that surrounds Paris has bountiful fields of sugar beets and wheat. The vineyards in **Bourgogne**, **Champagne** and **Alsace** account for a major portion of the wines produced in France.

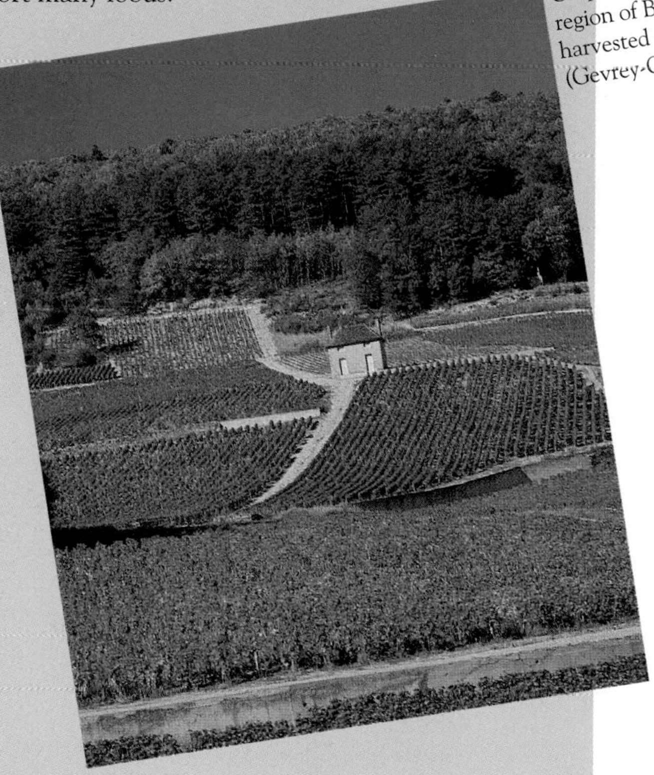

Grapes in the Côte-d'Or region of Burgundy are harvested in September. (Gevrey-Chambertin)

Almost 50 percent of farm income comes from raising livestock—cattle in the north and west, sheep and goats in the south and east. Most French farms have pigs and chickens, while sheep are raised on the salt marshes in **Normandie**.

A VIMOUTIERS (61)
visitez le
MUSÉE DU CAMEMBERT
ouvert au public de mars à décembre

Camembert cheese, also from **Normandie**, has a world-wide reputation. They say that Napoléon kissed the waitress who first served it to him. Munster is produced in the largely agricultural province of **Alsace**, and Brie comes from the Parisian area. The principal alpine cheese, Gruyère, originates in **Franche-Comté** near Switzerland. Dishes such as **fondue savoyarde** (*cheese fondue*), **soupe à l'oignon gratinée** (*onion soup*) and cheese soufflé owe their distinctive flavor to this mild cheese.

Brie de Meaux is one of the most well-known French cheeses.

One-third of French bottled water comes from the **Massif Central**. Badoit, Volvic, Évian and Perrier are distributed throughout the country. The best-known water of all is Vichy, site of a fashionable spa and several springs.

In Provence the ocher-colored buildings reflect the hot sun. Local clay is used to make orange-tiled roofs. (La Verdière)

The products of **Provence** are as colorful as the countryside. This region is famous for its olive trees, herbs, fish soups and **tisanes** (*herbal teas*).

But France is famous for many products other than food. Diverse economic activities are concentrated in Paris. For example, **couturiers** (*fashion designers*), such as St. Laurent, Chanel and Cardin, bring French clothing designs to the attention of fashion lovers around the world.

YVES SAINT LAURENT
rive gauche

France is the world's fourth largest producer of passenger cars. The two major French automobile companies, Renault and the Peugeot Citroën group, maintain global reputations for their innovative designs.

The inflatable, removable bicycle tire was the invention of Édouard Michelin, born in the **Massif Central**. Today the Michelin tire company is the second largest producer of automobile tires in the world.

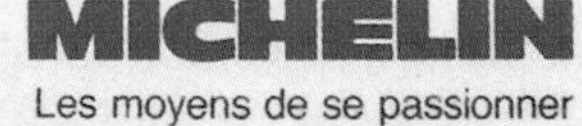

The French aerospace industry also has a worldwide reputation. France's state-owned company, Aérospatiale, joined forces with aviation companies from Germany, England and Spain to form Airbus Industrie, which is headquartered in Toulouse. The Airbus aircraft are built in segments in different parts of the world and then assembled in Toulouse or in Germany. By using the latest technologies to make its planes quieter and less expensive to run, Airbus has become one of the two leading airplane manufacturers in the world. France also produces the Ariane space rockets in cooperation with other European companies.

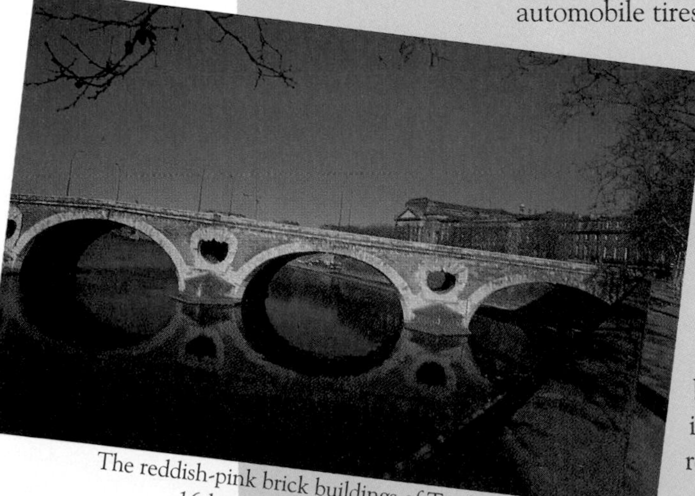

The reddish-pink brick buildings of Toulouse rise above the 16th century bridge that spans the Garonne River.

Grasse, situated near Nice, is the world's perfume capital. Jasmine, roses, jonquils, mimosa, lavender and a multitude of other flowers bloom on the hillsides around this city. Many companies in the fragrance industry have research laboratories here where the great perfume formulas are created.

In Grasse oils are extracted from jasmine blossoms to create the famous perfume Chanel N° 5.

Many French and foreign companies work in the immense high-tech industrial park of Sophia-Antipolis near Nice. Companies such as Dow Chemical France, Air France, IBM and Texas Instruments bring many scientists and engineers to the area.

Concorde AIR FRANCE

The cities of Limoges and Sèvres are known for their fine porcelain, Baccarat for its beautiful crystal, Grenoble for its gloves and Lyon for its silk. The many large factories in **Flandre**, **Artois** and **Picardie** produce a variety of industrial products, thanks to the area's rich iron mines. From Camembert to Citroën, it is easy to see why France ranks among the top exporting countries in the world.

3 Answer the following questions.

1. Currently, France is divided into regions. What did these regions used to be called?
2. How are truffles located?
3. What provinces are responsible for a major portion of the wines produced in France?
4. What are the names of three famous French cheeses?
5. What region of France produces one-third of France's bottled water?
6. Who are three famous French fashion designers?
7. What are two of the major French automobile companies?
8. In what city is the French aerospace industry headquartered?
9. What is the name of the space rockets that are made in France?
10. What city in southern France is famous for perfume?
11. For what product are the cities of Limoges and Sèvres known?
12. Why are there many large factories in northeastern France?

In France cheese is served as a separate course, and each region provides unique varieties.

14 Rated at the top of France's three-star eating establishments for more than 30 years, the Restaurant Paul Bocuse is in a suburb of Lyon. Look at this famous restaurant's **à la carte** menu, and answer the questions that follow.

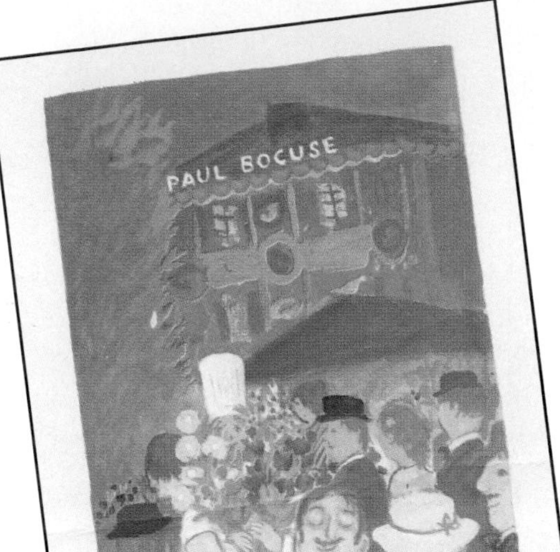

C·A·R·T·E

ENTREES

Soupe aux truffes noires V.G.E. (plat créé pour l'Elysée en 1975). 44,97 €.
Saumon frais mariné à l'aneth, pain de campagne grillé. 25,92 €.
Salade de homard au vinaigre de xérès. 47,26 €.
Foie gras frais maison cuit en terrine. 28,97 €.
Salade de haricots verts. 13,72 €.
Terrine de canard pistachée et terrine de foie gras frais maison. 27,44 €.
Soupe de grenouilles cressonnière. 27,44 €.
Soupe de légumes aux petits croûtons dorés. 9,15 €.
Cassolette d'escargots à la bourguignonne. 25,92 €.
Asperges vertes, vinaigrette beaujolaise. 22,11 €.

POISSONS

Loup en croûte à la mousse de homard, sauce Choron. 44,97 €.
Filets de sole aux nouilles Fernand Point. 31,25 €.
Rouget barbet en écailles de pommes de terre croustillantes. 32,78 €.
Tronçon de turbot rôti à l'arête. 36,59 €.
Fricassée de homard aux légumes nouveaux. 51,83 €.
Homard grillé aux deux sauces. 54,88 €.
Assiette des pêcheurs au beurre de nage. 36,59 €.
Lavaret du lac ou Sandre à la marinière *(selon la pêche)*. 24,39 €.
Filet de Saint-Pierre aux épices. 32,01 €.

VIANDES

Filet de boeuf à la moelle et à l'échalote, sauce marchand de vin. 32,78 €.
Côte de veau poêlée, champignons à la crème *(à partir de 2 pers.)*. 29,73 €.
Rognon de veau en cocotte, sauce madère. 36,59 €.
Carré d'agneau persillé à la fleur de thym. 33,54 €.
Pigeon en feuilleté au chou nouveau et au foie gras. 32,01 €.
Pigeon rôti à la broche. 35,06 €.
Canette rôtie à la broche *(à partir de 2 pers.) par pers.* 32,01 €.
Volaille de Bresse rôtie à la broche *(à partir de 2 pers.) par pers.* 33,54 €.
Volaille de Bresse en soupière aux petits pois *(à partir de 2 pers.) par pers.* 35,06 €.
Poulet de Bresse au vinaigre d'estragon. 29,73 €.

Toutes nos viandes et volailles sont accompagnées de légumes de saison

FROMAGES

Sélection de fromages frais et affinés "Mère Richard". 12,96 €.
Fromage blanc à la crème. 7,62 €.

DELICES & GOURMANDISES

Glace à la vanille Bourbon, sorbet aux fruits rouges et coulis de framboise
Glaces et sorbets maison
Tarte sablée aux fruits frais
Oeufs à la neige Grand-Mère Bocuse
Gâteau Président Maurice Bernachon
Crème brûlée à la cassonade Sirio
Soufflé au chocolat
Petits fours, mignardises et chocolats

Chariot de desserts. 13,72 €.

Les plats que nous vous proposons sont soumis aux variations d'approvisionnement du marché et peuvent, par conséquent, nous faire défaut.
PRIX NETS, TVA COMPRISE (18,60 %) ET SERVICE COMPRIS (15 % sur le hors taxe)

1. How much does the most expensive soup cost? What is its main ingredient?
2. How much does the least expensive soup cost? What are its main ingredients?
3. What **entrée** can you order for 13,72 euros?
4. How many choices of fish are there?
5. What comes with the beef filet and all the other meat and fish dishes?
6. Is chicken on this menu? How much does it cost?
7. What flavor of ice cream can you order for dessert?
8. If you could eat at this renowned restaurant, what would you order from each category?

Au restaurant

le thé

le vin

les crudités (f.)

la crème caramel

la mousse au chocolat

les moules (f.)

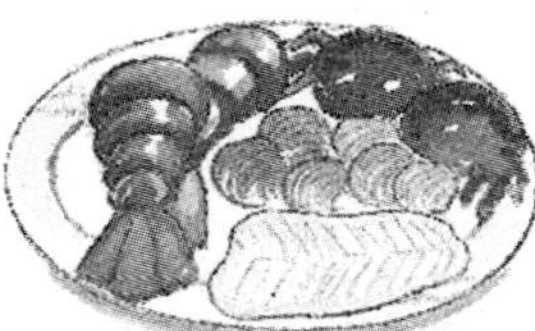
les fruits de mer

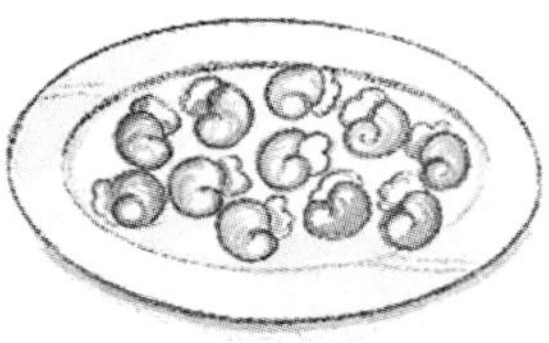
les escargots (m.)

le coq au vin

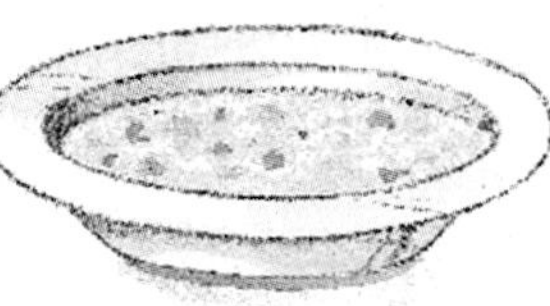
le potage

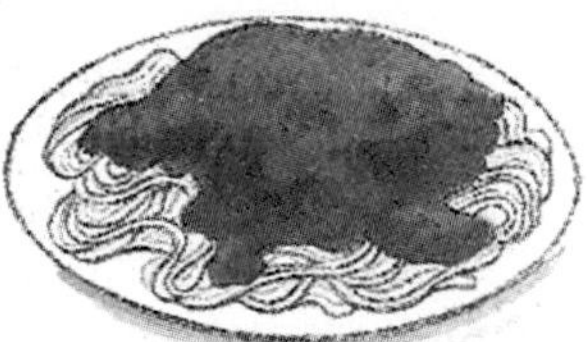
l'entrée (f.)

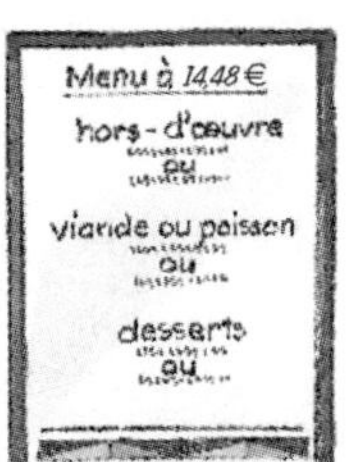

le menu

le plat

l'addition (f.)

Leçon C

In this lesson you will be able to:

- ➤ make suggestions
- ➤ point out something
- ➤ choose and purchase items
- ➤ order food and beverages

Mme Monterrand is taking her niece Zohra out to lunch in Lyon.

Zohra: **Dis donc, il y a beaucoup de monde!**
Mme Monterrand: **Oui, il faut avoir une réservation.**
Zohra: **Peux-tu me recommander quelque chose?**
Mme Monterrand: **J'aime toujours le menu à 12,20 euros. Voyons, en entrée aujourd'hui on a le choix entre des moules, du potage ou des crudités. Comme plat principal, tu dois prendre le coq au vin ou le saumon à la sauce hollandaise.**
Zohra: **Ah oui, j'adore les fruits de mer. Mais je veux aussi goûter la mousse au chocolat.**
Mme Monterrand: **D'accord, je vais choisir la crème caramel. On va terminer avec un café.**

Le serveur: **Voici l'addition, Mesdames.**
Mme Monterrand: **Merci beaucoup. On mange vraiment bien dans ce restaurant.**

Mme Monterrand va choisir la crème caramel.

Enquête culturelle

France's second largest city, Lyon has been thriving since its days under the Roman rule of Julius Caesar. Located along the banks of the Rhône and Saône rivers, it serves as a junction between northern and southern France.

LYON

Rendez-vous avec la France !

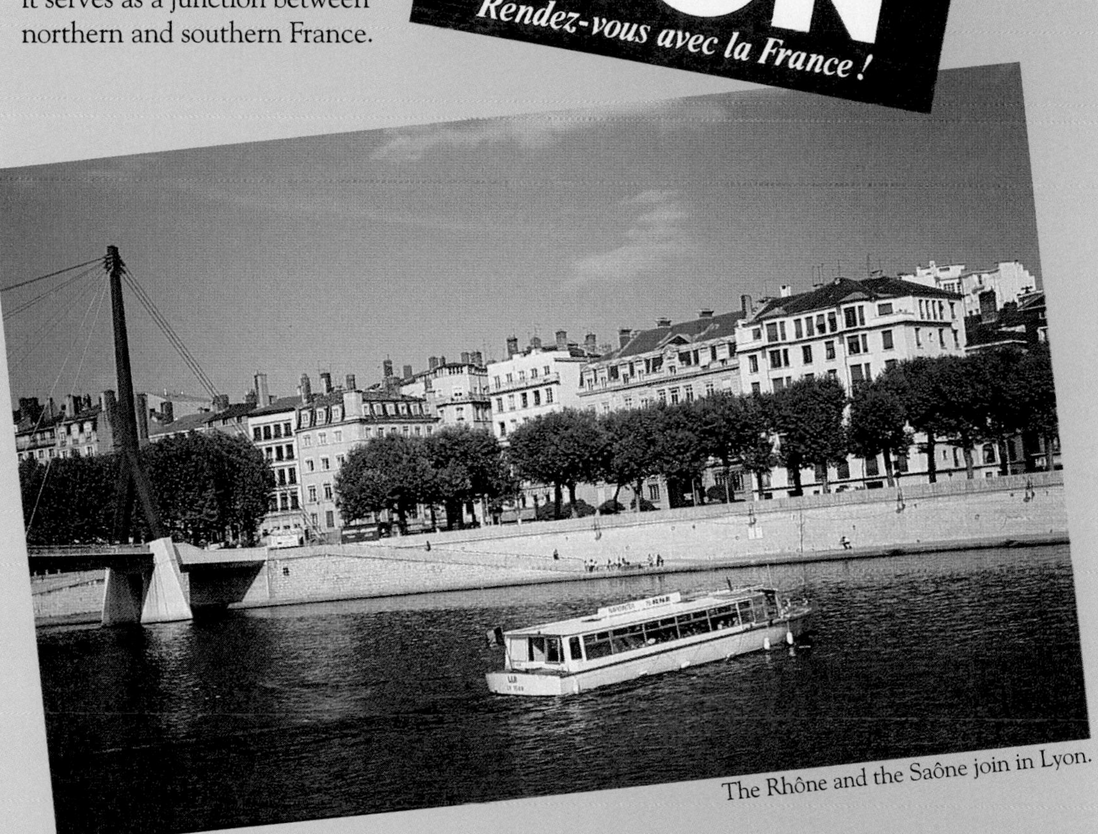

The Rhône and the Saône join in Lyon.

Lyon is known as a gastronomical, silk, banking and pharmaceutical hub. There are many spectacular sites to see in Lyon: important fine arts and historical museums, a puppet museum, numerous **bouchons** (*bistros*) and restaurants, two Roman amphitheaters which are still used for concerts, the **basilique Notre-Dame de Fourvière** and many opulent Renaissance mansions.

In Lyon food is taken seriously. Cooks in the city's many restaurants and bistros, like those in other regions of France, prepare their recipes with the freshest possible ingredients, cooked at the last possible minute. Originally, the women cooks of Lyon (**les mères**) created many of the famous regional dishes. Today, chefs such as Paul Bocuse carry on the tradition of fine cuisine in their sophisticated restaurants. However, instead of preparing food in **la haute cuisine** method of enhancing flavor with rich sauces, Bocuse and other chefs use light sauces to bring out the texture and flavor of the ingredients. This latter method of preparing food is called **la nouvelle cuisine.**

BOCUSE
met les pieds dans le plat

M·E·N·U·S

PRINTEMPS

MENU

Soupe aux truffes noires V.G.E.
(Plat créé pour l'Elysée en 1975)
ou
Foie gras frais maison cuit en terrine
•
Rouget barbet en écailles de pommes de terre croustillantes
ou
Filets de sole aux nouilles Fernand Point
•
Granité des vignerons du Beaujolais
•
Carré d'agneau persillé à la fleur de thym
ou
Filet de boeuf à la moelle et à l'échalote, sauce marchand de vin
ou
Volaille de Bresse en soupière aux petits pois *(à partir de 2 pers.)*
•
Sélection de fromages frais et affinés "Mère Richard"
•
Crème brûlée à la cassonade Sirio
Délices et gourmandises
Petits fours et chocolats

MENU

Terrine de canard pistachée et terrine de foie gras frais maison
ou
Saumon frais mariné à l'aneth, pain de campagne grillé
•
Filet de Saint-Pierre aux épices
ou
Tronçon de turbot rôti à l'arête
•
Granité des vignerons du Beaujolais
•
Pigeon en feuilleté au chou nouveau et au foie gras
ou
Côte de veau poêlée, champignons à la crème *(à partir de 2 pers.)*
ou
Canette rôtie à la broche *(à partir de 4 pers.)*
•
Sélection de fromages frais et affinés "Mère Richard"
•
Crème brûlée à la cassonade Sirio
Délices et gourmandises
Petits fours et chocolats

POUR NOS JEUNES CONVIVES

Moins de 12 ans
Suggestion d'une entrée et d'un poisson ou d'une viande
Desserts

PAUL BOCUSE

PAUL BOCUSE ET SES MEILLEURS OUVRIERS DE FRANCE
ROGER JALOUX 1976 - JEAN FLEURY 1979 - CHRISTIAN BOUVAREL 1993
FRANCOIS PIPALA 1993 MAITRE D'HOTEL

Diners in France can read the menu posted outside a restaurant to decide if the food, method of preparation and prices appeal to them. **Service compris** written on a menu means that the price of a meal includes the tip; however, people often leave something in addition for good service. There are two ways of ordering meals in France: **à la carte**, where each item is ordered and priced separately, and **à prix fixe**, where one set price includes a limited choice of courses, for example, appetizer, main dish and dessert.

1 Write a five-sentence paragraph in French that summarizes Zohra and her aunt's lunch together. Begin by saying why it is necessary to have a reservation at the restaurant they have chosen. Then tell which menu Mme Monterrand likes. Next report the three entrée choices. Then mention what main courses Mme Monterrand suggests for her niece. Finally, say what each person is going to have for dessert.

Comme dessert, Zohra choisit la mousse au chocolat.

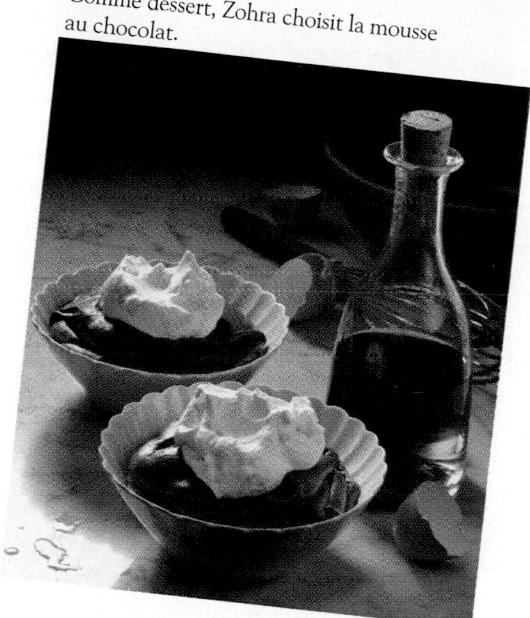

2 Using vocabulary words from this or previous lessons, list three items in each of the following categories.

meat fish or seafood dairy products fruits
desserts vegetables beverages

3 You are planning to give a formal dinner party. At each guest's plate, you intend to put a copy of your menu. Indicate what you will be serving for each course as well as what beverages you will offer your guests. You may use any vocabulary words you have learned in this book or in the first-level book, including the names of specialty dishes.

Menu
hors-d'œuvre
entrée
plat principal
salade
fromages
dessert ou fruit
boissons

4 *C'est à toi!*

1. Est-ce que tu manges souvent au restaurant avec ta famille?
2. Est-ce que tu aimes goûter de nouveaux plats?
3. Pour commencer, est-ce que tu préfères le potage ou la salade?
4. Est-ce que tu aimes les fruits de mer?
5. Quel est ton dessert favori?
6. Qu'est-ce que tu prends au petit déjeuner, du café, du thé, du lait ou du jus de fruit?

Structure

Present tense of the irregular verbs *vouloir, pouvoir, devoir* and *falloir*

Voulez-vous goûter le saumon?

Here are the present tense forms of the irregular verbs **vouloir** (*to want*), **pouvoir** (*to be able to*) and **devoir** (*to have to*).

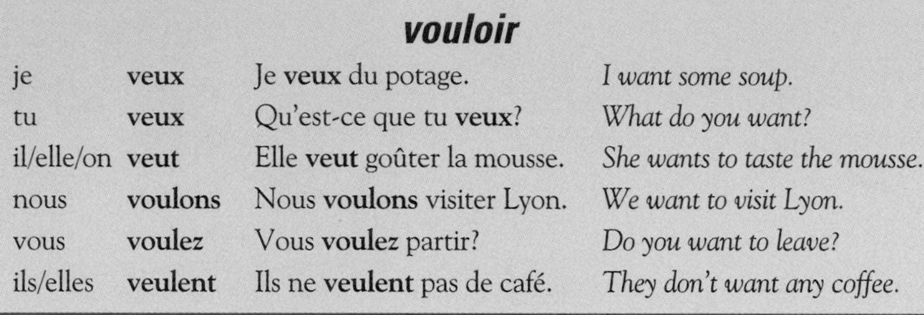

vouloir			
je	**veux**	Je **veux** du potage.	*I want some soup.*
tu	**veux**	Qu'est-ce que tu **veux**?	*What do you want?*
il/elle/on	**veut**	Elle **veut** goûter la mousse.	*She wants to taste the mousse.*
nous	**voulons**	Nous **voulons** visiter Lyon.	*We want to visit Lyon.*
vous	**voulez**	Vous **voulez** partir?	*Do you want to leave?*
ils/elles	**veulent**	Ils ne **veulent** pas de café.	*They don't want any coffee.*

The French often use **je voudrais** (*I would like*) instead of **je veux** to politely ask for something. For example, **Je voudrais une mousse au chocolat, s'il vous plaît.**

pouvoir			
je	**peux**	Je ne **peux** pas choisir.	*I can't choose.*
tu	**peux**	**Peux**-tu me recommander quelque chose?	*Can you recommend something to me?*
il/elle/on	**peut**	Chloé ne **peut** pas manger des fruits de mer.	*Chloé can't eat seafood.*
nous	**pouvons**	Nous **pouvons** acheter des escargots.	*We can buy snails.*
vous	**pouvez**	Vous **pouvez** venir chez moi.	*You can come to my house.*
ils/elles	**peuvent**	Ils ne **peuvent** pas téléphoner.	*They aren't able to call.*

Barre : "Seul, je ne peux rien faire. Donc, pour l'instant, je ne veux rien faire"

devoir			
je	**dois**	Je ne **dois** pas manger beaucoup de chocolat.	*I shouldn't eat a lot of chocolate.*
tu	**dois**	Tu **dois** prendre le saumon.	*You should have the salmon.*
il/elle/on	**doit**	Luc **doit** aider sa sœur.	*Luc has to help his sister.*
nous	**devons**	Nous **devons** partir maintenant.	*We have to leave now.*
vous	**devez**	Qu'est-ce que vous **devez** faire?	*What do you have to do?*
ils/elles	**doivent**	Les élèves **doivent** étudier.	*The students must study.*

Pte des Lilas 96
96
M. et Mme Daguin doivent prendre l'autobus. (Paris)

The only present tense form of the verb **falloir** (*to be necessary, to have to*) is **il faut** (*it is necessary, one has to/must, we/you have to/must*).

falloir			
il	**faut**	Il **faut** avoir une réservation.	*You must have a reservation.*

Pratique

5 People you know are at a French restaurant that features a buffet of interesting things to eat and drink. Say what items the following people want to sample, according to the illustrations.

Modèle:

Magali et moi
Magali et moi, nous voulons goûter les moules.

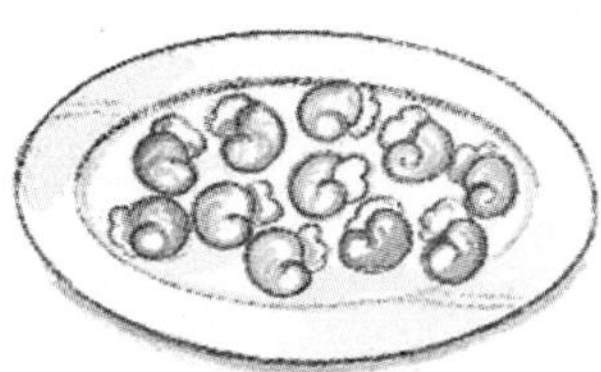

1. M. Prévert

2. Sophie et toi

3. M. et Mme Grammont

4. je

5. Nathalie et Sylvie

6. Mme Berbonde

7. Maurice et moi

8. tu

Est-ce que tu veux goûter les escargots? (Paris)

6 It's now 10:00 P.M. at the French restaurant. Many people at the buffet in Activity 5 must go to school or work tomorrow and can't stay for the dance afterward. The names of the people who have to return home are checked on the following list. Say which people are able to stay for the dance and which ones have to return home. Follow the models.

Modèles:

M. Prévert
M. Prévert doit rentrer.

Maurice
Maurice peut rester.

Je n'ai pas cours demain.
Alors, je peux rester.

toi	✔
M. Prévert	✔
Sylvie	
Sophie	✔
Nathalie	
M. et Mme Grammont	✔
moi	
Mme Berbonde	
Maurice	
Magali	

1. Sophie et toi
2. je
3. Nathalie et Sylvie
4. Mme Berbonde
5. Magali et moi
6. M. et Mme Grammont
7. tu

7 Get to know your partner better. Take turns asking and answering questions using the verbs **vouloir**, **pouvoir**, **devoir** and **falloir**.

Modèle:

devoir/rentrer tôt lundi soir

Student A: **Est-ce que tu dois rentrer tôt lundi soir?**
Student B: **Oui, je dois rentrer tôt lundi soir. Et toi, est-ce que tu dois rentrer tôt lundi soir?**
Student A: **Non, je ne dois pas rentrer tôt lundi soir.**

1. devoir/nettoyer ta chambre chaque semaine
2. devoir/nourrir les animaux chez toi
3. pouvoir/me recommander un bon restaurant
4. vouloir/goûter les escargots
5. vouloir/prendre du lait, de l'eau minérale ou du coca
6. falloir/avoir une réservation à ton restaurant favori

The partitive article

The partitive article indicates a part, a quantity or an amount of something. To form the partitive article, combine **de** with a singular definite article (**le**, **la** or **l'**). In English the partitive article means "some" or "any."

Masculine before a Consonant Sound	Feminine before a Consonant Sound	Masculine or Feminine before a Vowel Sound
du thé	**de la** sauce	**de l'**eau minérale

Tu veux **du** vin?	*Do you want (some) wine?*
Donne-moi **de la** glace.	*Give me some ice cream.*
Vous avez **de l'**argent?	*Do you have (any) money?*

Des, the plural of the indefinite article **un(e)**, is also used to express "some" or "any."

On achète des escargots.	*We're buying (some) snails.*

Remember to use partitive articles after certain verbs and expressions to indicate quantity: **vouloir**, **acheter**, **manger**, **donner**, **prendre**, **désirer**, **avoir**, **voici**, **voilà** and **il y a**. But when referring to whole items, use definite articles after these verbs and expressions.

Tu as le choix entre du potage ou des crudités.	*You have a choice between soup and raw vegetables.*
Je vais prendre la crème caramel.	*I'm going to have the caramel custard.*

When referring to things in general, use definite articles after these verbs: **aimer**, **adorer** and **préférer**.

J'adore les fruits de mer.	*I love seafood.*

In negative sentences **du**, **de la**, **de l'** and **des** change to **de** or **d'**.

Il n'y a pas de saumon.	*There isn't any salmon.*

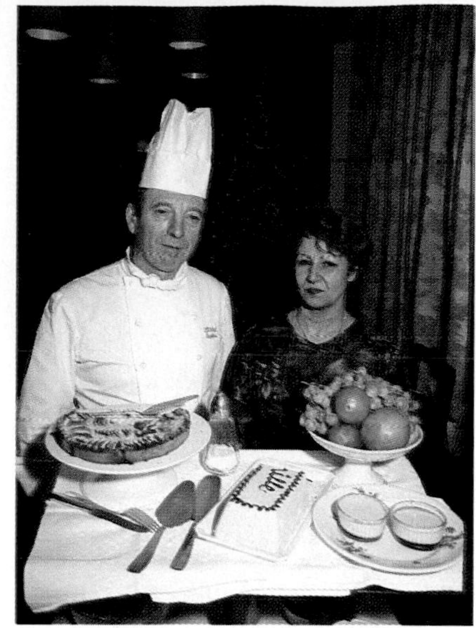

On a le choix entre du gâteau ou des fruits. (Nancy)

Pratique

8 It's your parents' wedding anniversary. Your gift to them is a home-cooked French dinner. Ask them to make a choice between the two illustrated items.

Modèle:

Vous voulez des crudités ou du saucisson?

1.

2.

3.

4.

5.

6.

7.

8.

9 M. and Mme Sandoval are strict vegetarians. Tell whether or not they eat the foods that are indicated.

Modèles:

melon
Ils prennent du melon.

crème caramel
Ils ne prennent pas de crème caramel.

1. fruits de mer
2. coq au vin
3. jus de raisin
4. crudités
5. œufs
6. jambon
7. escargots
8. bouillabaisse
9. pâté
10. confiture

10 With a partner, play the roles of a nine-year-old boy and his mother who are eating dinner at home. Student A, the boy, says what he wants to eat. Student B, his mother, tells him that he should have the item that she already has in mind.

Modèle:

la glace au chocolat/le yaourt

Student A: **Je veux de la glace au chocolat.**

Student B: **Mais non, tu dois prendre du yaourt.**

1. la pizza/les crudités
2. la quiche/le potage
3. le steak/le saumon
4. les frites/les haricots verts
5. le pain/la salade
6. la tarte aux fraises/le fromage
7. le coca/le lait

Qui a de la glace au chocolat?

Communication

11 Imagine what the fixed price menu of a nice French restaurant would look like. With several of your classmates, create this menu in French, remembering to give the French heading for each course in your prix fixe menu:

entrées

viandes ou poissons

desserts

List at least five choices for each course and give the menu's price in euros. Select a distinctive name for your restaurant and then illustrate the cover of your menu as well as each of the course headings. (To review what a **prix fixe** menu looks like, refer back to page 126.)

2 With a partner, play the roles of a customer and a server at a medium-priced French restaurant. This restaurant has both **à la carte** specialties and a **prix fixe** menu. The customer asks for recommendations and the server makes some suggestions. Finally, the customer orders a complete meal. In the course of your conversation:

1. Greet each other.
2. The server asks what the customer would like.
3. The customer asks what the server recommends.
4. The server says what he or she recommends for each course of the **prix fixe** menu.
5. The customer tells the server some things he or she likes that aren't on the **prix fixe** menu.
6. With this in mind, the server lists some of the **à la carte** specialties.
7. The customer decides what he or she wants to eat and orders a complete meal, including dessert and a beverage.
8. After the customer finishes eating, the server brings the bill.
9. The customer pays the bill and thanks the server.
10. The server says you're welcome.
11. Tell each other good-bye.

3 You've become very health conscious and concerned about eating the right foods. Make a list of things you should or should not do in order to maintain a healthy diet. Write at least ten sentences that begin with **Je dois, Je ne dois pas, Il faut** or **Il ne faut pas.**

Modèles:

Je dois manger cinq fruits ou légumes chaque jour.

Il ne faut pas manger entre les repas.

Sur la bonne piste

Previously in **Sur la bonne piste**, you learned specific strategies to help you read and understand French. In this unit you will learn how to perform a useful task in French: how to write a business letter.

When you write a letter in English to a friend or relative, you probably write in much the same way as you speak. The French express themselves in the same informal way when writing to people they know well. However, when they write a business letter, they observe very strict rules of formal letter writing. As you read the letter that follows, note what the headings include and how they are positioned. Also notice the expressions that begin and end the letter. In the body of the letter, look for examples of formal language and how to politely ask for information.

Sandrine Choffrut
86, rue St.-Pierre
84200 Carpentras

Carpentras, le 29 juin 2002

Office de Tourisme
place Bellecour
69000 Lyon

Monsieur ou Madame,

Je vais passer quelques jours à Lyon au mois d'octobre quand je vais assister à un meeting professionnel. Parce que je vais être très occupée pendant mon séjour, je voudrais des informations bien à l'avance pour pouvoir profiter au maximum de mes heures libres.

Je voudrais des brochures touristiques, une liste d'événements culturels et un plan de la ville. Pouvez-vous aussi me recommander un bon hôtel situé au centre-ville et une liste de bons restaurants? Merci d'avance de votre aide.

Veuillez agréer, Monsieur ou Madame, mes salutations distinguées.

Sandrine Choffrut

Now take a closer look at this letter. Note that in a French business letter, the writer begins on the top right side of the page with the name of the city where the letter is being written and the date, separating the two with a comma. Notice that in French, a comma is omitted before the year. Two lines under the date are the name and address of the company or individual being written to. The postal code precedes the name of the city, and **France** is not necessary since the letter originates and is being sent within the same country. On the top left side of the page, the writer gives his or her name and return address. Note that a comma separates the street number and name. The words for "street," "boulevard," "square," etc., are typically not capitalized in French.

When the gender of the person who will read the letter is unknown, begin with **Monsieur ou Madame**. If the letter is being written by hand, indent each paragraph. If not, use block paragraphs. The first sentence gives the purpose for writing and some background information. When making requests, be brief, clear and polite. You are asking for a favor, and it's more likely that your request will be granted if you are courteous. Be sure to use the polite form **je voudrais** instead of **je veux**. Helpful expressions when asking for information include **des informations** (*information*), **à l'avance** (*in advance*), **des brochures touristiques** (*tourist brochures*), **une liste** (*list*), **un plan** (*map*) and **Pouvez-vous me recommander...?** (*Can you recommend . . . to me?*) A polite expression used to thank someone for his or her help is **Merci d'avance de votre aide**. End a business letter with a polite closing, such as **Veuillez agréer, Monsieur ou Madame, mes salutations distinguées.** (*Please accept, Sir or Ma'am, my distinguished greetings.*) A similar closing is **Croyez, Monsieur ou Madame, à l'expression de ma considération distinguée.**

4 Imagine that you are doing a research project on a French city in one of the regions that you read about in this **unité**. Write a business letter in French to the **Office de Tourisme** in that city requesting some information. Also prepare the envelope, transferring both the mailing and return addresses from the top of your letter. Give your complete return address in the U.S., but be sure to add **France** after the name of the French city in both your letter and on the envelope. To find the address you need, use the resources in your classroom or your school's instructional materials center. Sandrine's letter can serve as a model for yours. Begin the body of your letter by explaining why you are writing and what you would like. Remember to be as polite as possible in making your request.

Nathalie et Raoul

C'est à moi!

Now that you have completed this unit, take a look at what you should be able to do in French. Can you do all of these tasks?

- ➤ I can talk about what happened in the past.
- ➤ I can talk about things sequentially.
- ➤ I can describe someone's character traits.
- ➤ I can express concern.
- ➤ I can express astonishment.
- ➤ I can suggest what people can do.
- ➤ I can point out something.
- ➤ I can choose various things to eat.
- ➤ I can order something to eat and drink.

Here is a brief checkup to see how much you understand about French culture. Decide if each statement is **vrai** or **faux**.

1. Lyon, France's largest port, is on the Mediterranean Sea.
2. There are many Roman ruins in **Provence** because the Romans once occupied much of southern France.

The 2,000-year-old amphitheater in Arles is still used for theatrical and musical performances.

3. To close a business letter, you should write **Je t'embrasse**.
4. Lille is an important city in the northeastern French province of **Flandre**.
5. Most French wines originate in the vineyards of **Bourgogne**, **Champagne** and **Alsace**.
6. Badoit, Perrier and Vichy are all names of French bottled water.
7. Renault and Peugeot Citroën are the two major French automobile companies.
8. A number of American companies have headquarters in the high-tech industrial park of Sophia-Antipolis near Nice.
9. The French chef Paul Bocuse is known for his use of heavy, rich sauces to bring out the texture and flavor of the ingredients he uses in preparing food in the **haute cuisine** method.

10. **Service compris** written on a menu means that each item is ordered and priced separately.

The new Renault Mégane with its elliptical shape boasts low operating costs.

Communication orale

With a partner, play the roles of an American student who is going to visit a farm in southern France next summer and the French host student with whom the American will stay. The American calls the host student to find out about life on a French farm, the points of interest in the region and the local food. During the course of your phone conversation, turn away from each other and talk as though you are on the phone.

1. Greet each other and introduce yourselves.
2. Ask each other about what you like to do in your free time.
3. The American asks the host student if there are horses on his or her farm.
4. The host student says that there aren't any horses but tells what animals there are on the farm. Then he or she asks if the American has visited a farm.
5. The American says that he or she has never been on a farm and asks what work has to be done every day.
6. The host student says that the work is hard and tells what he or she does every day.
7. The American asks what interesting things there are to see in southern France.
8. The host student lists some of the points of interest that the American must see. Then he or she asks what foods the American likes to eat.
9. The American tells what he or she likes to eat and asks the host student if he or she eats a lot of seafood.
10. The host student says whether or not he or she eats a lot of seafood and then talks about some special dishes from southern France.
11. The American says that he or she will send the host student a letter soon.
12. The host student thanks the American.
13. Say good-bye to each other.

Communication écrite

After the phone conversation between the American and French students, play the role of the American who will be staying on the French host student's farm in southern France next summer. Write your host a follow-up letter. Begin by telling him or her what you've done during the past week. Ask some further questions about the farm in France, including what you will have to do to help out. Then mention what foods and specific dishes you want to taste during your family stay. Also mention that you would like to take trips to see certain sites in southern France. Remember to begin and end your letter with one of the appropriate French expressions that you learned on page 110.

Communication active

To describe past events, use:

J'ai passé un bon séjour en famille.	*I had (spent) a good family stay.*
On a traversé le pont du Gard.	*We crossed the* pont du Gard.
Elles ont nettoyé la grange.	*They cleaned the barn.*
Elles ont envoyé des cartes postales.	*They sent (some) postcards.*
J'ai fait une promenade en bateau.	*I went for a boat ride.*

As-tu fait une promenade sur la Seine? (Paris)

To sequence events, use:

La première semaine....	*The first week . . . .*
Le deuxième jour....	*The second day . . . .*
Le troisième jour....	*The third day . . . .*
Le dernier weekend....	*The last weekend . . . .*
Bientôt....	*Soon . . . .*
Très tôt....	*Very early . . . .*

To describe character, use:

Les ados en France **sont vachement sympa.**	*Teenagers in France are really nice.*

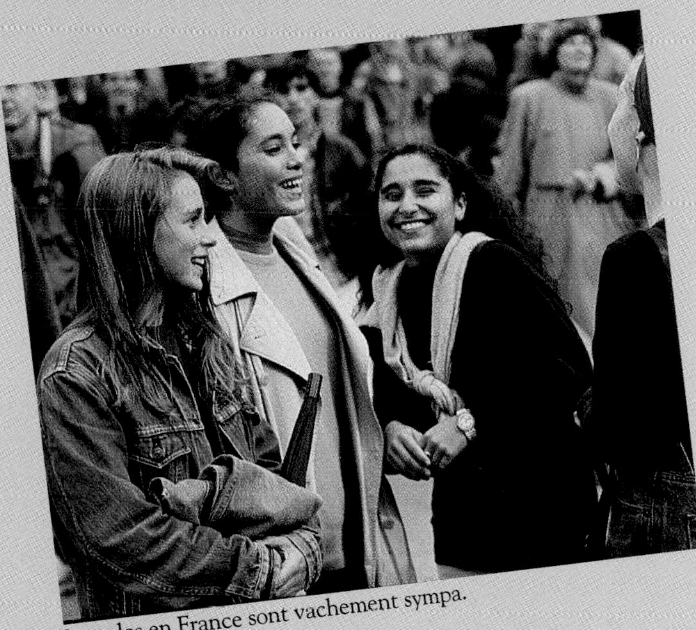

Les ados en France sont vachement sympa.

To express concern, use:

Attention!	*Watch out!*

To express astonishment, use:

La vie est pleine de surprises!	*Life is full of surprises!*

To make suggestions, use:

Tu dois prendre le coq au vin.	*You ought to have the chicken cooked in wine.*

To point out something, use:

Voici l'addition.	*Here's the check.*

To choose items, use:

On a le choix entre des moules, du potage ou des crudités.	*You have a choice among mussels, soup or raw vegetables.*
Je vais choisir la crème caramel.	*I'm going to choose the caramel custard.*

To order food and beverages, use:

Peux-tu me recommander quelque chose?	*Can you recommend something to me?*
On va terminer avec un café.	*We're going to end with coffee.*

L'OLIVIER RESTAURANT
9, Place saint Louis METZ
(sous les arcades)
TEL:03-87-37-05-82

TABLE 135
NOTE 2262 DU 08 JUIN 2002. 1 Client

VOUS AVEZ ETE SERVI PAR MICHEL

1 SALADE DE BRESSE
1 1/2 BADOIT 4,88
1 DESSERT 2,13
1 CAFE 3,35
1,14

TOTAL 11,50

MERCI A BIENTOT...

Communication électronique

What is life like on a French farm? Do French farmers raise the same kinds of animals and sell the same types of products as American farmers? What interesting services are offered on some French farms? To learn more, go to this Internet site:

http://perso.wanadoo.fr/ferme.auberge.buisson/index/

After you have finished exploring this site, answer the following questions.

1. What is the name of the family who lives on this farm?
2. In what province is this family's farm located?
3. Click on "La Ferme Auberge." Which of the animals whose names you learned on page 108 of your textbook are pictured here?
4. Click on "Nos Produits" and "notre liste de tous nos produits fermiers." Under "Volailles" (*poultry*), what meat can you purchase at this farm that most Americans have never eaten?
5. Return to the home page and click on "Notre Carte." If you visit this farm, you can choose a theme for your "day of discovery." Click on "choisir un thème." If you were hosting a party for children interested in nature or ecology, which two of the seven activities would you select?
6. Return to "Notre Carte" and click on "types de repas." How many courses are served at the farm for a special dinner? From the choices given, what would you select as an entrée, a main dish and a dessert?
7. Click on "offre spéciale INTERNET." What do you get free upon presentation of the Internet coupon?

À moi de jouer!

Work with a partner to complete the dialogue on the left with appropriate expressions that you have learned so far. Play the roles of two students traveling by train to Paris. They are discussing the family stay experiences that they have just had in France. Remember to use the **passé composé** to tell where they went and what they did. (You may want to refer to the *Communication active* on pages 138-39 and the vocabulary list on page 141.)

Vocabulaire

	à pied on foot
une	**addition** bill, check (at a restaurant)
un(e)	**ado** teenager
	Attention! Watch out! Be careful!
un	**autobus** (city) bus
une	**bande dessinée** comic strip
	bientôt soon
un	**bus** (city) bus
la	**campagne** country, countryside
un	**canard** duck
une	**carte** card
une	**cascade** waterfall
un	**champ** field
	chaque each, every
un	**château** castle
une	**chèvre** goat
un	**choix** choice
un	**cochon** pig
un	**copain, une copine** friend
un	**coq** rooster
	le coq au vin chicken cooked in wine
un(e)	**correspondant(e)** host brother/sister
une	**crème caramel** caramel custard
des	**crudités (f.)** raw vegetables
	dans on
un	**dindon** turkey
	dur(e) hard
	en by, as
	entre between, among
une	**entrée** entrée (course before main dish)
	envoyer to send
un	**escargot** snail
un	**étang** pond
une	**excursion** trip
	faire du cheval to go horseback riding
	faire une promenade to go for a ride
une	**ferme** farm
un	**fleuve** river
des	**fruits de mer (m.)** seafood
	goûter to taste
une	**grange** barn
une	**histoire** story
une	**île** island
un	**journal** newspaper
un	**lac** lake
un	**lapin** rabbit
une	**lettre** letter
un	**magazine** magazine
un	**menu** fixed-price meal
	Mesdames ladies
un	**message** message
le	**monde** people
une	**montagne** mountain
une	**moule** mussel
une	**mousse** mousse
	une mousse au chocolat chocolate mousse
un	**mouton** sheep
	nettoyer to clean
	nourrir to feed
un	**numéro** number
un	**océan** ocean
	par by
	pendant during
	pied: à pied on foot
un	**plat** dish
le	**plat principal** main course
	plein(e) full
un	**pont** bridge
le	**potage** soup
une	**poule** hen
	principal(e) main
une	**promenade** ride
un	**quai** platform
	recommander to recommend
une	**réservation** reservation
une	**rivière** river
un	**roman** novel
une	**route** road
la	**sauce hollandaise** hollandaise sauce
un	**saumon** salmon
un	**séjour en famille** family stay
une	**surprise** surprise
	terminer to finish
le	**thé** tea
	tôt early
le	**travail** work
	traverser to cross
une	**vache** cow
	vachement really, very
le	**vin** wine
un	**weekend** weekend

SKI
JET SKI
PLONGEE

Unité 4

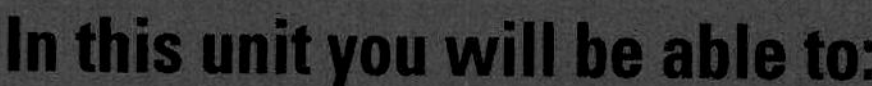

La vie quotidienne

In this unit you will be able to:

- describe daily routines
- give orders
- ask someone to hurry
- make suggestions
- express likes and dislikes
- state a preference
- give opinions
- express emotions
- describe past events

Leçon A

In this lesson you will be able to:

- describe daily routines
- make suggestions
- give opinions

Didier se réveille.

Il se lève.

Il se lave.

Il se brosse les dents.

Il s'habille.

Il se regarde.

Il se déshabille.

Il se couche.

Catherine est étudiante à l'université d'Haïti à Port-au-Prince, la capitale du pays. Elle cherche une camarade de chambre. Latifa, une autre étudiante, vient voir l'appartement.

Catherine: **Voici la chambre.**
Latifa: **Ce n'est pas mal. Il y a une grande glace et une armoire haute pour mes vêtements.**
Catherine: **Tu peux mettre tes affaires de toilette... ton dentifrice, ton shampooing... dans la salle de bains au fond du couloir.**
Latifa: **D'accord. Écoute, je me lève tôt le matin.**
Catherine: **Moi aussi. Je me réveille à cinq heures et demie, puis je me lave et je m'habille. Je pars à six heures prendre le bus pour aller à la fac.**
Latifa: **Oui, c'est la course le matin! Mais j'ai une voiture. On peut partir ensemble.**
Catherine: **Super! Je pense qu'on va bien sympathiser.**

Enquête culturelle

Christophe Colomb a découvert une belle île tropicale dans la mer des Antilles en 1492. Il a donné le nom d'Hispaniola à cette île. Au XVIIe siècle l'île est devenue une colonie française, Saint-Domingue. Toussaint-Louverture (1743-1803) a encouragé les esclaves africains à être indépendants de la France. Ils ont obtenu leur liberté en 1804. On a changé le nom de Saint-Domingue à la république d'Haïti.

Haïti est une île tropicale avec beaucoup de belles plages.

Les tableaux haïtiens sont d'un style assez primitif.

Haïti occupe la partie ouest de l'île. La république Dominicaine est à l'est de l'île. Haïti est aussi grande que l'état de Maryland aux États-Unis. Les Haïtiens parlent français et créole. Ils cultivent le café, la canne à sucre, le tabac, le coton et la banane. Port-au-Prince est un port et la plus grande ville de la république d'Haïti. Là, il y a une université nationale avec une célèbre faculté de médecine. Haïti est un pays pauvre, mais l'art, la littérature et la musique de la région sont très riches.

Ka ou Fé?
(Comment vas-tu?)

1 *Répondez par "vrai" ou "faux" d'après le dialogue.*

1. Catherine est étudiante à Port-au-Prince.
2. Catherine cherche un nouvel appartement.
3. Latifa n'aime pas la chambre de Catherine.
4. La salle de bains est au fond du couloir.
5. Catherine part à huit heures prendre le bus pour aller à l'université.
6. Latifa a une voiture.
7. Catherine pense que Latifa est sympathique.

Comment Catherine va-t-elle à l'université? (Port-au-Prin

2 *C'est à toi!*

1. Est-ce qu'il y a une grande glace dans ta chambre?
2. Qui achète tes affaires de toilette?
3. Est-ce que c'est la course le matin chez toi?
4. À quelle heure est-ce que tu pars le matin?
5. Est-ce que tu as une voiture?
6. Avec qui est-ce que tu sympathises bien?
7. Selon toi, à quel âge peut-on avoir son premier appartement?

Je sympathise bien avec Mireille.

3 *Quand est-ce que vous faites les choses suivantes? Mettez ces verbes dans l'ordre chronologique et indiquez à quelle heure vous faites chaque chose. (On a déjà commencé pour vous.)*

se lever	prendre le petit déjeuner	se brosser les dents	
se coucher	se réveiller	aller à l'école	s'habiller	étudier
se laver	se déshabiller	regarder la télé	rentrer à la maison

Modèle:

1. se réveiller - 6h00

Sophie et Bertrand regardent la télé à huit heures.

Comment
s'habiller
cet été

Structure

Reflexive verbs

To describe their daily routines, such as waking up, getting dressed and going to bed, French speakers use reflexive verbs.

Catherine se réveille à 5h30.	*Catherine wakes up at 5:30.*
Je m'habille dans ma chambre.	*I get dressed in my bedroom.*
Nous nous couchons à minuit.	*We go to bed at midnight.*

maintenant
je me lève
sans difficulté

In the sentences above, note that the action of the reflexive verb is performed on or "reflected" back on the subject. Reflexive pronouns (**me**, **te**, **se**, **nous**, **vous**) are used with a reflexive verb. These pronouns represent the same person as the subject. Here are the present tense forms of the reflexive verb **se laver**, meaning "to wash (oneself)." Note that a reflexive pronoun precedes each verb form.

se laver			
je	**me lave**	Je **me lave** la figure.	*I'm washing my face.*
tu	**te laves**	Tu **te laves** maintenant?	*Are you washing up now?*
il/elle/on	**se lave**	Elle **se lave** les mains.	*She washes her hands.*
nous	**nous lavons**	Nous ne **nous lavons** pas.	*We don't wash.*
vous	**vous lavez**	**Vous lavez**-vous les cheveux?	*Are you washing your hair?*
ils/elles	**se lavent**	Les enfants **se lavent** dans la salle de bains.	*The children are washing up in the bathroom.*

Reflexive verbs often express the action of doing something to a part of one's own body. In this case the definite article (**le**, **la**, **l'**, **les**) is used instead of the possessive adjective.

Je me brosse **les** dents. *I'm brushing my teeth.*

Anne regarde la télé.
Elle se regarde dans la glace.

Many verbs may be either reflexive or non-reflexive, depending on whether the subject is performing an action on itself or on someone or something else. (Reflexive verbs are preceded by **se** (**s'**) in the dictionary.)

Est-ce que Gilberte se lave ou lave le chien?

To make a negative sentence, put **ne** in front of the reflexive pronoun and put **pas** after the verb.

Nous **ne nous** levons **pas** tôt le samedi. *We don't get up early on Saturday.*

To ask a question using inversion, put the subject pronoun after the form of the verb, keeping the reflexive pronoun in front of the verb.

À quelle heure vous couchez-**vous**? *What time do you go to bed?*

Pratique

4 *Complétez chaque phrase avec le pronom réfléchi* (reflexive) *convenable.*

Modèle:

Chantal se regarde dans la glace.

1. Jean-Paul... réveille tôt ce matin.
2. Les étudiants... couchent après minuit le samedi soir.
3. ... déshabilles-tu dans la salle de bains ou dans ta chambre?
4. Nous... lavons les mains parce que nous allons manger.
5. Je... lève à sept heures.
6. Quand est-ce que tu... habilles pour la boum?
7. ... brossez-vous les dents après le petit déjeuner?

Est-ce que tu te brosses les dents après le petit déjeuner?

5 *C'est samedi soir. Dites* (Tell) *à quelle heure tout le monde se couche.*

Modèle:

Martin
Martin se couche à onze heures.

1. mon père

2. mes petites sœurs

3. mes amis et moi

4. tu

5. le prof d'histoire

6. ma grand-mère

6 *Formez huit phrases logiques. Choisissez un élément des colonnes A, B et C pour chaque phrase.*

A	B	C
mon chien	se laver	dans la glace
je	se lever	à minuit
les médecins	se déshabiller	les mains
Philippe	se brosser	dans la salle de bains
mes copains et moi	se regarder	les cheveux
tu	se coucher	à sept heures
Hélène	s'habiller	le matin
le prof et toi	se réveiller	les dents

Modèle:

Mon chien se couche dans la salle de bains.

7 *Avec un(e) partenaire, posez* (ask) *des questions sur* (about) *votre vie quotidienne. Puis répondez aux questions. Suivez* (Follow) *le modèle.*

1. se lever/à quelle heure
2. se laver/avec quoi
3. se brosser les dents/avec quoi
4. s'habiller bien/quand
5. se déshabiller/où
6. se coucher tôt/pourquoi

je m'habille comme je pense

Modèle:

se réveiller/à quelle heure

Élève A: À quelle heure est-ce que tu te réveilles?

Élève B: Je me réveille à sept heures. Et toi, à quelle heure est-ce que tu te réveilles?

Élève A: Je me réveille à six heures et demie.

Communication

8 *Est-ce que vous faites certaines activités quotidiennes à la même* (same) *heure pendant la semaine et pendant le weekend? Avec un(e) partenaire, faites une enquête* (survey). *Préparez une grille* (grid) *comme la suivante. Posez des questions à votre partenaire. Quand il/elle répond* (answers), *mettez ses réponses dans la grille. Puis changez de rôles.*

Activités	Heure—Semaine	Heure—Weekend
se lever	7h00	9h00
s'habiller		
prendre le petit déjeuner		
faire les devoirs		
rentrer à la maison		
se coucher		

Modèle:

se lever

Luc: À quelle heure est-ce que tu te lèves pendant la semaine?

Paul: Je me lève à 7h00 pendant la semaine.

Luc: Et à quelle heure est-ce que tu te lèves pendant le weekend?

Paul: Je me lève à 9h00 pendant le weekend.

9 *Maintenant écrivez* (write) *le résultat* (results) *de l'enquête que vous avez faite sur les activités de votre partenaire. Donnez l'heure à laquelle* (which) *il ou elle fait chaque activité pendant la semaine et pendant le weekend. Faites des phrases complètes.*

Modèle:

Paul se lève à 7h00 pendant la semaine mais à 9h00 pendant le weekend.

10 *Des amis français vont rester chez vous pendant le weekend. Ils vont arriver cet après-midi, mais votre famille ne va pas être à la maison. Alors, écrivez un petit message à vos amis. Dites où ils peuvent mettre leurs affaires de toilette (dentifrice, brosse à dents) et leurs vêtements. Dites aussi où ils peuvent trouver les choses dont* (that) *ils vont avoir besoin (savon, shampooing, gant de toilette, serviette). Indiquez à quelle heure vous allez rentrer.*

11 *Imaginez que vous travaillez pour une agence de publicité* (advertising agency). *Vous êtes responsable de créer* (create) *un nouveau produit* (product). *(Vous pouvez choisir entre un shampooing, un dentifrice ou un savon.) Dessinez* (Design) *une affiche pour ce nouveau produit. Donnez un nom original à votre produit et dites pourquoi il faut acheter ce produit.*

Leçon B

In this lesson you will be able to:

- ➤ describe daily routines
- ➤ give orders
- ➤ ask someone to hurry
- ➤ express likes and dislikes
- ➤ state a preference
- ➤ express emotions

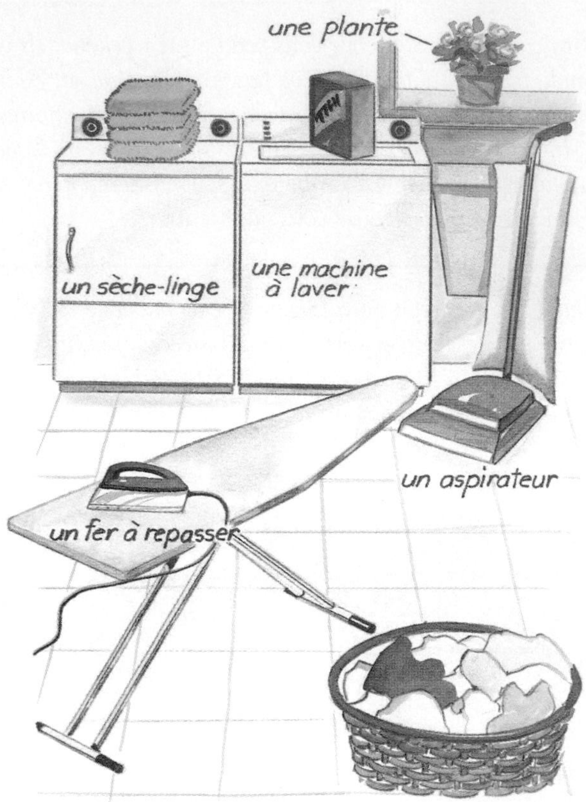

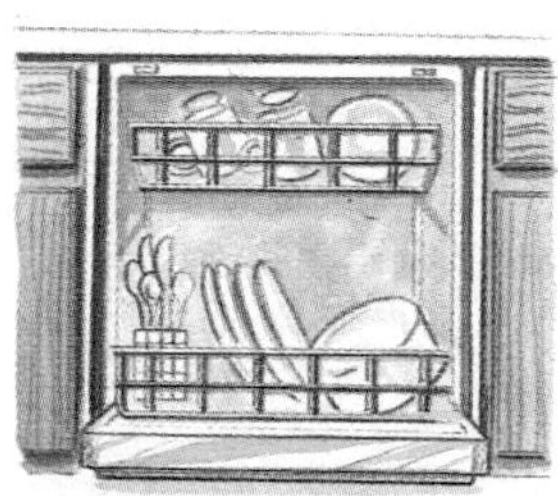

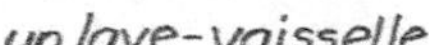
un lave-vaisselle

une tondeuse

Les Perrin font le ménage.

On fait le ménage.

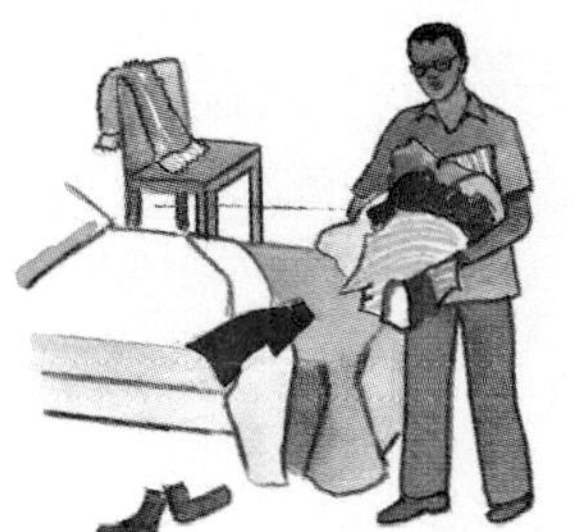
Patrick range sa chambre.

Patrick change ses draps.

Mme Perrin fait la lessive.

Mme Perrin fait sécher le linge.

Renée repasse sa chemise.

Patrick arrose les plantes.

M. Perrin tond la pelouse.

Patrick sort la poubelle.

Patrick passe l'aspirateur.

M. Perrin enlève la poussière.

Mme Perrin fait la vaisselle.

Les Perrin habitent à Basse-Terre à la Guadeloupe. Chaque samedi après-midi les enfants, Patrick, Renée et Myriam, aident leurs parents à faire le ménage.

Mme Perrin:	**Ne t'assieds pas, Patrick. Donne-moi un coup de main avec la vaisselle.**
Patrick:	**Mais je viens de ranger ma chambre et de changer mes draps. Je suis fatigué.**
Mme Perrin:	**Dommage, mon petit! Il faut encore passer l'aspirateur, arroser les plantes et sortir la poubelle. Dépêche-toi!**
Patrick:	**Mais qu'est-ce que Renée et Myriam font? Est-ce qu'elles s'asseyent devant la télé comme d'habitude?**
Mme Perrin:	**Patrick, arrête! Renée repasse les chemises et Myriam range les autres vêtements. Tu veux échanger ta place avec tes sœurs?**
Patrick:	**Non, ce sont des corvées que je n'aime pas du tout. Je préfère passer l'aspirateur.**

Enquête culturelle

Comme la Martinique et Haïti, la Guadeloupe est située dans la mer des Antilles. Christophe Colomb a découvert la Guadeloupe en 1493. Au XVIIe siècle les Français ont commencé à coloniser la Guadeloupe. Elle est devenue un département français d'outre-mer en 1946.

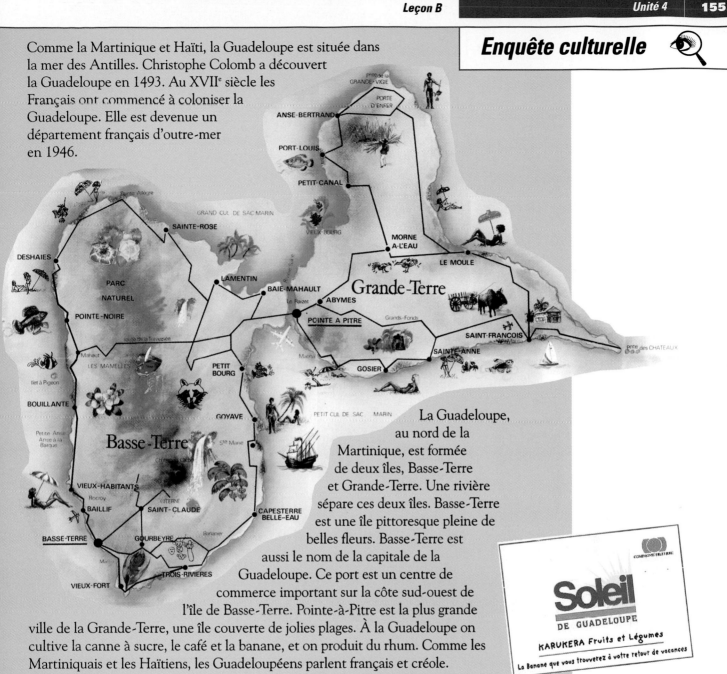

La Guadeloupe, au nord de la Martinique, est formée de deux îles, Basse-Terre et Grande-Terre. Une rivière sépare ces deux îles. Basse-Terre est une île pittoresque pleine de belles fleurs. Basse-Terre est aussi le nom de la capitale de la Guadeloupe. Ce port est un centre de commerce important sur la côte sud-ouest de l'île de Basse-Terre. Pointe-à-Pitre est la plus grande ville de la Grande-Terre, une île couverte de jolies plages. À la Guadeloupe on cultive la canne à sucre, le café et la banane, et on produit du rhum. Comme les Martiniquais et les Haïtiens, les Guadeloupéens parlent français et créole.

Soleil
DE GUADELOUPE
KARUKERA Fruits et Légumes
La Banane que vous trouverez à votre retour de vacances

La Guadeloupe est la plus grande île des Antilles françaises. (Pointe-à-Pitre)

1 *Complétez chaque phrase avec le mot convenable d'après le dialogue.*

Renée	aspirateur	plantes	Guadeloupe
ménage	vêtements	vaisselle	rangé

1. Les Perrin habitent à la....
2. Chaque samedi après-midi les Perrin font le....
3. Mme Perrin veut un coup de main avec la....
4. Patrick a déjà... sa chambre.
5. Patrick doit encore arroser les....
6. ... repasse les chemises.
7. Myriam range les autres....
8. Patrick préfère passer l'....

2 *De quoi est-ce qu'on a besoin pour faire les corvées suivantes?*

Modèle:

faire la lessive

Pour faire la lessive, on a besoin d'une machine à laver.

1. repasser les vêtements
2. tondre la pelouse
3. passer l'aspirateur
4. faire la vaisselle
5. faire sécher le linge

Aspirateurs traîneaux

CALOR 4609.02
1300 W, dépression 16 kPa, débit d'air 28 dm³/s, accroche-tube, puissance acoustique 69 dBA, sac Carrefour n° 120.
105,95 €

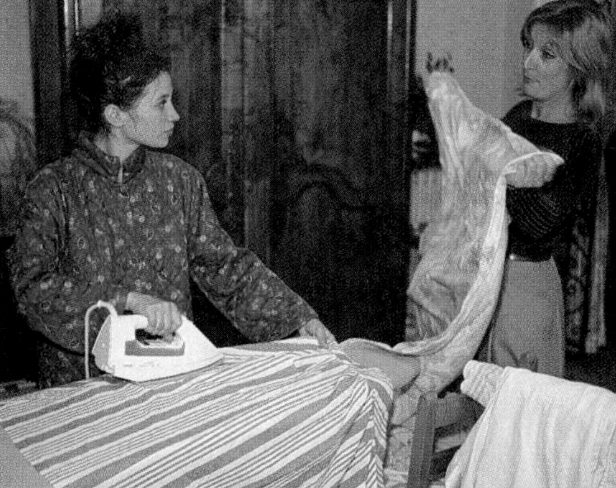
Aurélie repasse ses vêtements avec un fer à repasser. (La Rochelle)

3 *C'est à toi!*

1. Quelles corvées est-ce que tu dois faire chez toi?
2. Quelles corvées est-ce que tu n'aimes pas du tout faire?
3. Quel jour est-ce qu'on fait le ménage chez toi?
4. Qui sort la poubelle chez toi?
5. Qui change tes draps?
6. Est-ce que tu repasses souvent tes vêtements?
7. Est-ce que tu as des plantes dans ta chambre?

Marie-Louise change ses draps.

Structure

Present tense of the irregular verb *s'asseoir*

The verb **s'asseoir** (*to sit down*) is irregular.

s'asseoir			
je	**m'assieds**	Je **m'assieds** ici.	*I'm sitting here.*
tu	**t'assieds**	Où **t'assieds**-tu?	*Where are you sitting?*
il/elle/on	**s'assied**	Patrick ne **s'assied** pas.	*Patrick doesn't sit down.*
nous	**nous asseyons**	Nous **nous asseyons** ou pas?	*Shall we sit down or not?*
vous	**vous asseyez**	**Vous asseyez**-vous?	*Are you sitting down?*
ils/elles	**s'asseyent**	Les filles **s'asseyent** devant la télé.	*The girls sit in front of the TV.*

M. Lambert s'assied près de la piscine de son hôtel à la Guadeloupe. (Saint-François)

Pratique

4 *La famille Morel invite ses amis au réveillon* (midnight supper) *de la Saint-Sylvestre. Selon l'illustration, dites où les personnes suivantes s'asseyent. Utilisez ces expressions: à gauche de, à droite de, à côté de, entre.*

Modèle:

M. Sautet

M. Sautet s'assied à côté de toi.

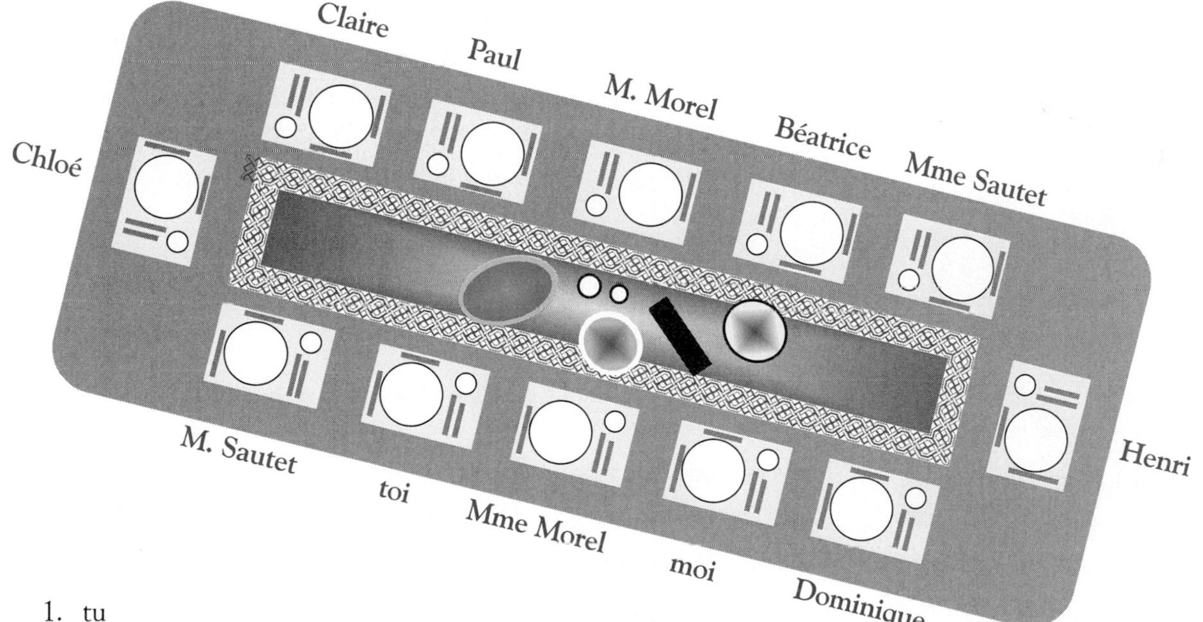

1. tu
2. Mme Sautet
3. Dominique et moi
4. M. Sautet et toi
5. Claire et Paul
6. je
7. Chloé

5 *Dites si les personnes indiquées s'asseyent ou pas dans le métro.*

Modèles:

Mme Lafarge
Mme Lafarge s'assied.

M. Dufour
M. Dufour ne s'assied pas.

Les grands-parents d'Aurélie s'asseyent dans le salon. (La Rochelle)

The imperative of reflexive verbs

To form an affirmative command with a reflexive verb, drop the subject pronoun and attach the reflexive pronoun to the verb with a hyphen.

Réveillez-vous!	*Wake up!*
Asseyons-nous!	*Let's sit down!*

Te becomes **toi** after the verb.

Brosse-toi les dents!	*Brush your teeth!*
Couche-toi!	*Go to bed!*

To form a negative command, put the reflexive pronoun in front of the verb.

Ne vous dépêchez pas!	*Don't hurry!*
Ne te lève pas tôt!	*Don't get up early!*

Couche-toi si tu as mal à la tête!

"Asseyez-vous, on s'occupe de tout".L'Univers Du Cuir.

Pratique

6 *C'est vendredi soir et vous faites du baby-sitting. Dites à votre petit frère de faire les choses suivantes.*

Modèle:

Brosse-toi les dents!

1.

2.

3.

4.

5.

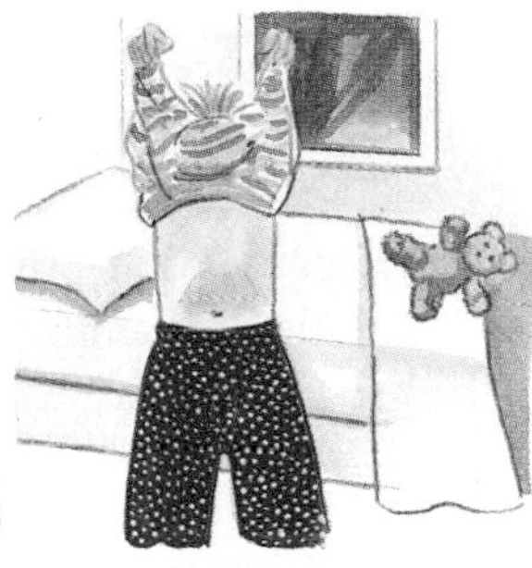

6.

7.

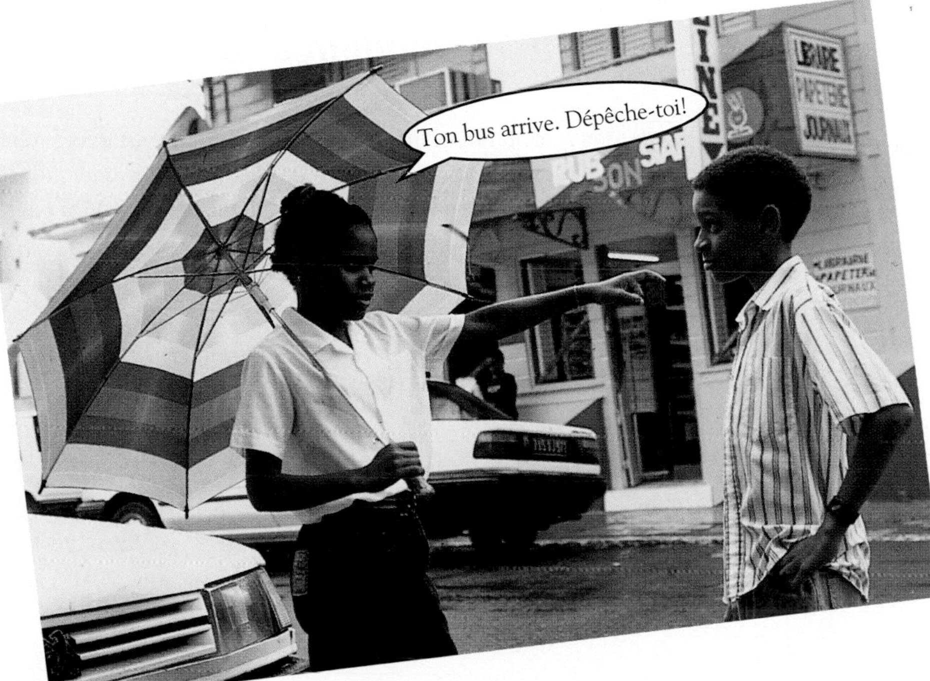
Ton bus arrive. Dépêche-toi!

7 *Vous parlez à votre petite sœur, Marie-Alix, qui a huit ans. Selon la situation, dites à Marie-Alix de faire ou de ne pas faire les choses indiquées.*

Modèles:

On va partir. (s'asseoir)
Ne t'assieds pas!

Il est dix heures du soir. (se coucher)
Couche-toi!

1. Tu n'as pas cours aujourd'hui. (se lever)
2. Oh là là! (se regarder dans la glace)
3. Nous ne sommes pas en retard. (se dépêcher)
4. On va prendre ta photo. (se brosser les cheveux)
5. C'est le fauteuil de ton père. (s'asseoir)
6. Regarde tes mains! (se laver les mains)
7. Tu ne vas pas à la plage. (se déshabiller)
8. Tu n'as pas fini tes devoirs. (se coucher)

8 *Selon la situation, donnez à vos ami(e)s des conseils* (advice) *logiques. Choisissez l'expression convenable dans la liste suivante.*

Modèle:

L'autobus arrive dans une minute.
Dépêchez-vous!

s'asseoir	se dépêcher	se laver les mains
s'habiller bien	se coucher tôt	se brosser les dents
se réveiller	se déshabiller	se lever à dix heures

1. Nous sommes très fatigués après nos corvées.
2. C'est l'heure de manger.
3. On va à l'église.
4. Il faut se lever à cinq heures demain matin.
5. Nous venons de manger trop d'oignons.
6. Il est sept heures du matin.
7. On va nager.
8. On n'a pas cours aujourd'hui.

"Déshabillez-vous..."

Communication

9 *Faites une liste des corvées que vous devez faire régulièrement* (regularly) *chez vous. Puis, à côté de chaque corvée, indiquez si vous aimez cette corvée ou pas. Si vous aimez la corvée, mettez un ☺. Si vous n'aimez pas la corvée, mettez un ☹.*

Modèle:

enlever la poussière dans ma chambre ☹

Qui doit nettoyer la salle de bains chez toi?
MIR

10 *Quelles sont vos obligations familiales? Copiez la grille suivante. Puis complétez la grille selon les réponses de votre partenaire. Demandez* (Ask) *à votre partenaire s'il ou elle doit faire les corvées indiquées. Si la réponse est "oui," mettez un ✓ dans l'espace blanc. Si la réponse est "non," demandez à votre partenaire qui doit faire cette corvée, et mettez le nom de cette personne dans l'espace blanc. Puis changez de rôles.*

Corvées	Oui	Non
ranger sa chambre	✓	
faire la vaisselle		*sa sœur*
mettre la table		
passer l'aspirateur		
enlever la poussière		
changer ses draps		
faire son lit		
faire la lessive		
faire sécher le linge		
repasser		
nettoyer la salle de bains		
tondre la pelouse		
arroser les plantes		
sortir la poubelle		

Modèles:

ranger sa chambre
Élève A: **Tu dois ranger ta chambre?**
Élève B: **Oui, je dois ranger ma chambre.**

faire la vaisselle
Élève A: **Tu dois faire la vaisselle?**
Élève B: **Non, je ne dois pas faire la vaisselle.**
Élève A: **Alors, qui doit faire la vaisselle?**
Élève B: **Ma sœur doit faire la vaisselle.**

11 *Maintenant utilisez les réponses que votre partenaire a données dans l'Activité 10 pour écrire* (write) *le résultat de l'enquête. Dites quel membre de sa famille doit faire chaque corvée.*

Modèle:

Mon partenaire doit ranger sa chambre. Sa sœur doit faire la vaisselle.

Mise au point sur... Haïti, la Guadeloupe et la Martinique

With shores bathed on one side by the Caribbean Sea and on the other by the Atlantic Ocean, the islands of the West Indies form a vast semicircle from Florida to Venezuela. Two groups of islands in the West Indies share the name **les Antilles** (from the prefix "ante-" meaning "before") because they are the first land one sees when traveling from Europe to the Americas. Haiti is part of the island of Hispaniola in the Greater Antilles. Guadeloupe and Martinique, farther to the southeast, belong to the Lesser Antilles. Together, Haiti, Guadeloupe and Martinique comprise the French West Indies.

Terre-de-Haut is an island in *les Antilles* belonging to an archipelago off the coast of Basse-Terre. (Guadeloupe)

The people of **les Antilles** often have European, African and/or Asian ancestry. The peaceful Arawak Indians first settled **les Antilles**. They raised crops and crafted pottery for use in everyday life. Next came the warlike, conquering Caribs who hunted and fished for food.

In the 16th century Europeans began colonizing the area. Many native inhabitants died of disease or left when the settlers arrived, so African slaves were brought to work in the vast sugarcane plantations. Louis XV considered the islands to be so valuable that he chose to give England a "few acres of snow" in Canada at the end of the French and Indian Wars in 1763, rather than to lose Guadeloupe and Martinique. When slavery was permanently abolished in 1848, workers from China and India came to the islands to fill the need for cheap labor. Eventually Guadeloupe (nicknamed the **Île aux Belles Eaux** because of the beautiful color of the water) and Martinique (called the **Île aux Fleurs** due to its abundant flowers) became two of France's **départements d'outre-mer**.

At Balata, a botanical garden in Martinique, you can see exotic tropical flowers.

Haiti means "land of mountains," in fact, they cover two-thirds of the country. The world's oldest black republic, the island has a complex and tumultuous history. Although France freed all slaves in 1793, Napoléon reestablished slavery in 1802. Born the son of black slaves, Toussaint-Louverture rose to a position of leadership on the island. He encouraged blacks to revolt for freedom. By 1804 the French were driven from the island and it declared its independence. More recently, a military **coup d'État** forced President Jean-Bertrand Aristide to flee the country, but he was reinstated in 1994. After national elections in 1996, René Préval was elected president. In 2000 Aristide became president once again.

The Republic of Haiti occupies the western half of the island of Hispaniola. (Deschapelles)

Haiti's presidential palace is located in Port-au-Prince, the capital.

Today the majestic mountains, colorful flowers and beautiful water still draw people to the French West Indies. Tourism is important to the region's economy, and many cruise ships stop at these islands. Popular sports include sailing, canoe racing, soccer, and track and field. Cockfights attract many spectators. Outdoor markets specialize in local seafood. Here merchants offer lobster, clams, crabs and tuna, which are used to prepare many spicy dishes: **crabes farcis** (*stuffed land crabs*), **langouste** (*lobster*), **boudin** (*creole blood sausage*) and foods seasoned with curry.

Salade de langouste

At this open-air market in the French West Indies you can find a variety of fresh vegetables. (Basse-Terre)

While these three islands share a common language with France, most residents also speak creole. This poetic and rhythmic language is a blend of French, Spanish and several African dialects. It originated as a means for landowners to communicate with their slaves, but its rich vocabulary and historical significance have made it a popular means of artistic expression. Several examples of the creole language are **lanmé** (*sea*), **mome** (*mountain*) and **Kisa ou ka fè là?** (*What are you doing?*)

In Haiti, Guadeloupe and Martinique, a lifestyle which stems from the African and native heritage of many of the people coexists with traditional French customs. Zesty foods, folk dances, the festive **zouk** music and the yearly Carnival keep the creole spirit alive. Contemporary writers, such as Aimé Césaire and Maryse Condé, describe the creole soul which combines contemporary French culture with the search for African roots.

Dancers in Martinique perform a folkloric ballet in traditional costumes.

Zouk, the Creole word for "party," is a type of music that blends African rhythms and disco.

"Là, tout n'est qu'ordre et beauté, Luxe, calme et volupté," wrote Charles Baudelaire. While it is true that in the tropical landscape of **les Antilles** one can seek order and beauty, tranquility and pleasure, much of the charm of these islands also lies in the inhabitants' vibrant, yet sometimes volatile, diversity.

12 *Répondez aux questions suivantes.*

1. What two bodies of water surround the West Indies?
2. How did **les Antilles** get its name?
3. Where do ancestors of the people of **les Antilles** come from?
4. Who was brought to work in the sugarcane plantations after many natives left **les Antilles** or died?
5. What land did Louis XV give up after the French and Indian Wars in order to keep Guadeloupe and Martinique?
6. What is the nickname of Guadeloupe?
7. Which country is the world's oldest black republic?
8. Who governs Haiti today?
9. What sports are popular in the French West Indies?
10. What are two spicy seafood dishes in the Caribbean?
11. What is creole?
12. What is the name of a type of festive creole music?

The Caribbean Sea and the Atlantic Ocean surround *les Antilles.* (Îles des Saintes)

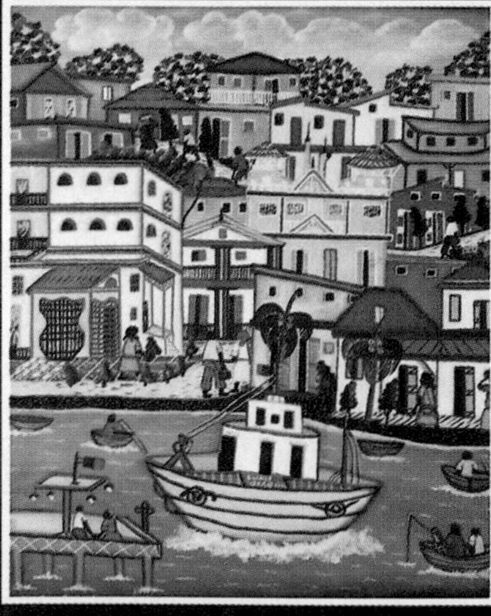

13 *Regardez la publicité* (advertisement) *pour une galerie d'art à La Rochelle en France. Cette galerie montre des tableaux haïtiens. Répondez aux questions.*

1. What are the names of the five Haitian artists whose paintings are being shown?
2. What is the address of the art gallery?
3. Where can you leave your car while you're at the gallery?
4. With the exception of Sunday and Monday morning, at what time does the gallery open? At what time does it close?
5. Is the gallery open during the noon hour?
6. What is the gallery's telephone and fax number?
7. By looking at the paintings in the ad, what two observations can you make about the Haitian lifestyle?

les affaires de toilette (f.)

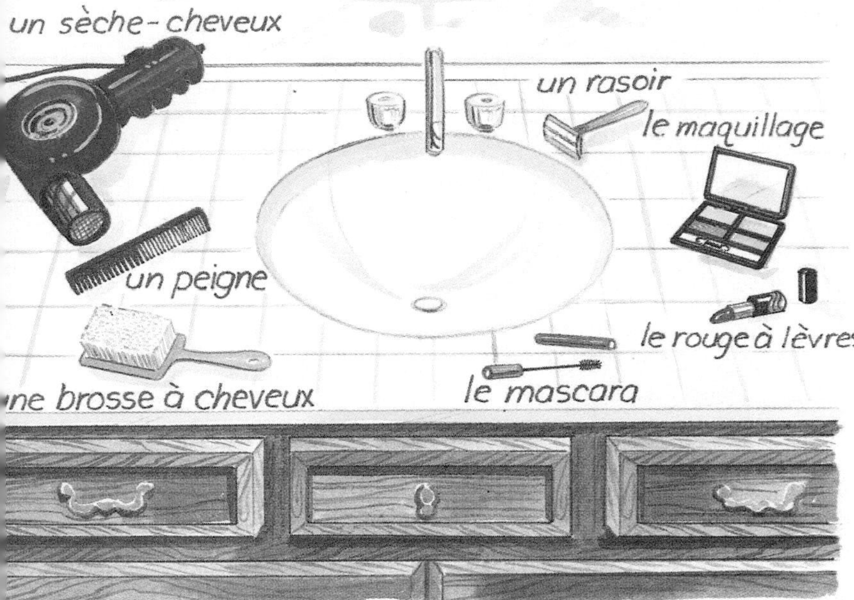

Jean se peigne.

Claude se rase.

Sylvie se maquille.

Leçon C

In this lesson you will be able to:

- ➤ describe past events
- ➤ give opinions
- ➤ express emotions

Chloé arrive chez David. Ils se préparent pour un mariage burlesque le lundi du Carnaval à la Martinique. Pour ces mariages le marié se déguise en femme et la mariée se déguise en homme.

Chloé: **C'est marrant! J'adore ta longue robe blanche. Mais tu t'es rasé!**

David: **Je ne peux pas être la mariée avec une barbe! Est-ce que je me suis bien maquillé?**

Chloé: **Tu as trop de rouge à lèvres. Et tu dois mettre du mascara.**

David: **Et toi, tu es prête? Tu t'es habillée d'un joli costume noir, mais pourquoi est-ce que tu t'es peignée comme ça?**

Chloé: **Parce que je vais porter un chapeau.**

David: **Voilà! Nous allons être le plus beau couple du Carnaval!**

Enquête culturelle

«Bienvenue à la Martinique»

Christophe Colomb est arrivé à la Martinique en 1502. La montagne Pelée, au nord de l'île, est un volcan de la Martinique. Il y a eu une éruption violente de la montagne Pelée en 1902. Cette éruption a détruit la ville de Saint-Pierre. Trente mille personnes ont perdu la vie. Comme la Guadeloupe, la Martinique est devenue un département français d'outre-mer en 1946.

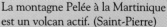

La montagne Pelée à la Martinique est un volcan actif. (Saint-Pierre)

LE DAUPHIN
RESTAURANT CRÉOLE

Dans la fraicheur de la brise marine en contemplant le Rocher du Diamant venez déguster les SPÉCIALITÉS CRÉOLES

ANSE CAFARD - DIAMANT - Tél.: 76 48 25

PARKING PRIVÉ

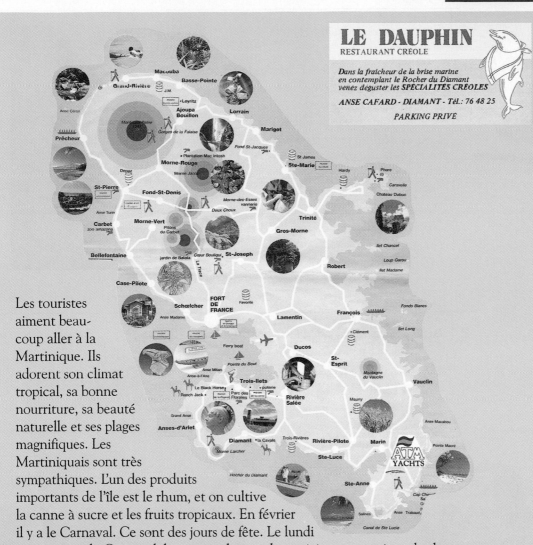

Les touristes aiment beaucoup aller à la Martinique. Ils adorent son climat tropical, sa bonne nourriture, sa beauté naturelle et ses plages magnifiques. Les Martiniquais sont très sympathiques. L'un des produits importants de l'île est le rhum, et on cultive la canne à sucre et les fruits tropicaux. En février il y a le Carnaval. Ce sont des jours de fête. Le lundi du Carnaval, beaucoup de monde participe aux mariages burlesques dans les rues. Le zouk, une musique rythmique de la culture créole, vient des îles de la mer des Antilles.

Vois-tu le marié qui se déguise en femme pour le Carnaval? (Martinique)

Cette famille piquenique sur une plage martiniquaise. (Cap Chevalier)

1 *Répondez aux questions d'après le dialogue.*

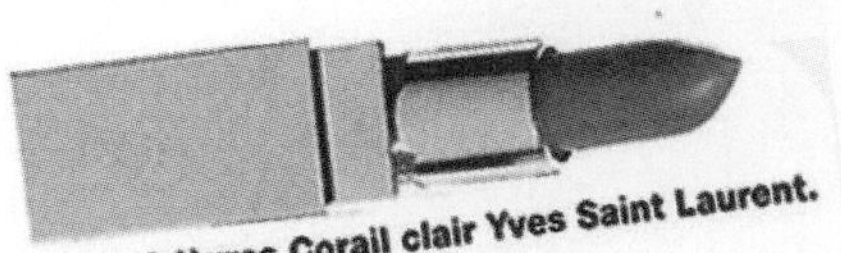

1. C'est quelle fête à la Martinique?
2. Quel jour de la semaine sont les mariages burlesques?
3. Comment est-ce que le mari se déguise pour les mariages burlesques?
4. Est-ce que David a une barbe?
5. Selon Chloé, est-ce que David a assez de rouge à lèvres?
6. De quelle couleur est le costume de Chloé?
7. Qu'est-ce que Chloé va porter sur sa tête?

De quelle couleur est la barbe de M. Batellier?

2 *Avec quoi est-ce qu'on fait les actions suivantes?*

Modèle:
se laver les mains
On se lave les mains avec du savon.

1. se laver les cheveux
2. se brosser les dents
3. se brosser les cheveux
4. se raser
5. se peigner
6. se maquiller

Avec quoi est-ce que Serge se peigne?

3 *C'est à toi!*

1. Tu te prépares pour l'école en combien de minutes?
2. Est-ce que tu te rases chaque jour?
3. Qu'est-ce que tu fais quand tu es en retard?
4. Est-ce que tu te peignes les cheveux en cours de français?
5. Selon toi, est-ce que les filles de ton école se maquillent beaucoup?
6. Comment est-ce que tu te déguises pour le 31 octobre?

Structure

Passé composé of reflexive verbs

The **passé composé** of reflexive verbs is formed with **être.**

David s'est rasé. *David shaved.*

(reflexive pronoun) (helping verb) (past participle of **se raser**)

The past participle usually agrees in gender and in number with the subject. Here is the **passé composé** of **se réveiller**. Note in the chart that the reflexive pronoun, the form of **être** and the ending of the past participle all agree with the subject.

se réveiller			
je	**me**	**suis**	**réveillé**
je	**me**	**suis**	**réveillée**
tu	**t'**	**es**	**réveillé**
tu	**t'**	**es**	**réveillée**
il	**s'**	**est**	**réveillé**
elle	**s'**	**est**	**réveillée**
on	**s'**	**est**	**réveillé**
nous	**nous**	**sommes**	**réveillés**
nous	**nous**	**sommes**	**réveillées**
vous	**vous**	**êtes**	**réveillé**
vous	**vous**	**êtes**	**réveillée**
vous	**vous**	**êtes**	**réveillés**
vous	**vous**	**êtes**	**réveillées**
ils	**se**	**sont**	**réveillés**
elles	**se**	**sont**	**réveillées**

Mme Beauharnais s'est maquillée pour sortir. (Guadeloupe)

If a part of the body follows the verb, the past participle does not agree with the subject.

Elle s'est lavée. *She washed.*

but: Elle s'est lavé les mains. *She washed her hands.*

To make a negative sentence in the **passé composé**, put **ne** before the reflexive pronoun and **pas** after the form of **être**.

Ils **ne** se sont **pas** couchés tôt. *They didn't go to bed early.*

To ask a question in the **passé composé** using inversion, put the subject pronoun after the form of **être**.

T'es-**tu** brossé les dents? *Did you brush your teeth?*

The past participle of the irregular reflexive verb **s'asseoir** is **assis**.

Chloé s'est assise dans le fauteuil. *Chloé sat down in the armchair.*

Amélie et Jean-Pierre se sont assis devant la télé. (Verneuil-sur-Seine)

Pratique

4 *Dites ce que* (what) *tout le monde a fait pour se préparer pour un mariage burlesque. Complétez les phrases suivantes avec* **Il s'est, Elle s'est, Ils se sont** *ou* ***Elles se sont****.*

1. ... levé tôt le matin.
2. ... lavée avec du savon.
3. ... rasés devant la glace.
4. ... habillée d'un joli costume noir.
5. ... regardées dans la glace.
6. ... peignées.
7. ... maquillé dans la salle de bains.
8. ... couchés après minuit.

5 *Il y a eu un grand bal à Fort-de-France hier soir. Dites si les personnes suivantes se sont peignées ou pas pour se préparer.*

Modèles:

Monique
Monique s'est peignée.

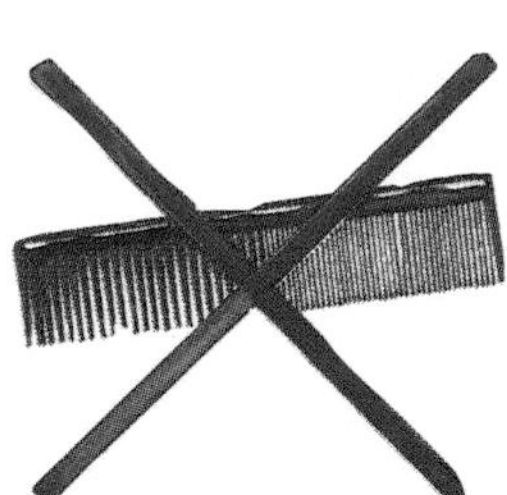

François et Pierre
François et Pierre ne se sont pas peignés.

1. tu

2. Albert et moi

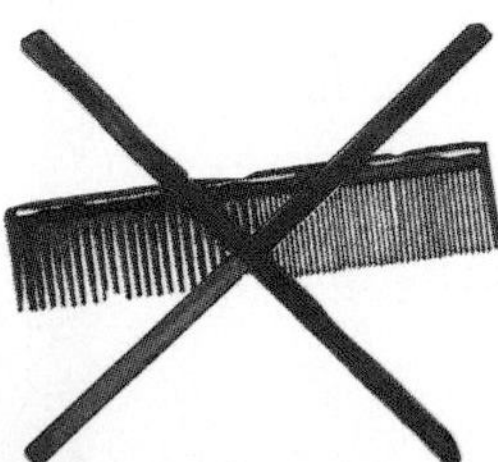

3. Sylvie

4. Bruno et Arthur

5. je

6. Alexandre et toi

7. Véro et sa cousine

8. mon grand-père

6 *Dites comment les personnes suivantes se sont préparées pour le Carnaval à la Martinique.*

1. Mme Sarré et sa fille/ se laver les cheveux
2. M. Sarré/se maquiller avec trop de rouge à lèvres
3. je/se raser
4. Nicolas et son frère/ se dépêcher
5. Béatrice et toi/se regarder dans la glace
6. Gérard/se déguiser en femme
7. tu/se brosser les dents
8. mon cousin et moi/ se peigner

Modèle:

Mme Sarré/s'habiller d'un costume
Mme Sarré s'est habillée d'un costume.

7 *Avec un(e) partenaire, posez des questions sur vos activités de ce matin. Puis répondez aux questions. Suivez le modèle.*

1. se réveiller tôt
2. se laver les cheveux
3. s'asseoir pour prendre le petit déjeuner
4. se brosser les dents
5. se regarder dans la glace

Modèle:

se dépêcher
Élève A: **Tu t'es dépêché(e) ce matin?**
Élève B: **Oui, je me suis dépêché(e) ce matin. Et toi, tu t'es dépêché(e) ce matin?**
Élève A: **Non, je ne me suis pas dépêché(e) ce matin.**

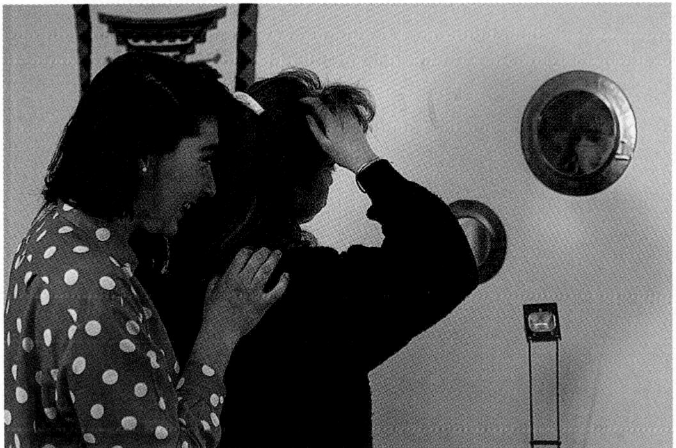

Où est-ce que Martine et Marie-Claire se sont regardées?

Hélène s'est habillée en jean. (Fort-de-France)

Communication

8 *Trouvez une personne qui.... Interviewez des élèves de votre classe pour déterminer ce qu'ils ont fait pendant le weekend. Sur une feuille de papier copiez les expressions indiquées. Formez des questions avec ces expressions que vous allez poser aux autres élèves. Quand vous trouvez une personne qui répond par "oui," dites à cette personne de signer votre feuille de papier à côté de l'activité convenable. Trouvez une personne différente pour chaque activité.*

Modèle:

Yves: **Tu t'es assise devant la télé vendredi soir?**

Delphine: **Oui, je me suis assise devant la télé vendredi soir.**
(Elle signe à côté de #1.)

1. s'asseoir devant la télé vendredi soir
2. se lever à neuf heures samedi matin
3. ranger sa chambre
4. passer l'aspirateur
5. faire la vaisselle
6. aller au cinéma
7. se coucher après minuit samedi soir
8. se réveiller tôt dimanche matin
9. s'habiller bien pour sortir
10. acheter des affaires de toilette

Simone a acheté des articles de toilette au supermarché. (Verneuil-sur-Seine)

9 *Maintenant écrivez le résultat de vos interviews dans l'Activité 8. Dites quel(le) élève a fait chaque activité pendant le weekend. Utilisez des phrases complètes.*

Modèle:

Delphine s'est assise devant la télé vendredi soir.

10 *Imaginez qu'il est dix heures du soir et que vous avez été très malade aujourd'hui. Vous n'avez pas pu aller à l'école. Dans votre journal écrivez un sommaire* (summary) *des activités que vous avez faites et des activités que vous n'avez pas faites aujourd'hui.*

Aujourd'hui je ne me suis pas habillée parce que je ne suis pas allée à l'école. J'ai dormi jusqu'à 9h30....

11 *Pour le Carnaval dans les pays francophones* (French-speaking) *de l'Afrique, de la Martinique et de la Guadeloupe, on porte souvent des masques. Ces masques représentent souvent les saisons* (seasons), *la pluie* (rain), *le soleil, le feu* (fire), *la jeunesse* (youth), *la maternité, la guerre* (war), *le mariage, la naissance* (birth), *etc. Dessinez un masque convenable pour le Carnaval. Puis décrivez* (describe) *votre masque et ce qu'il représente. Enfin, faites ce masque, montrez le masque à la classe et dites ce qu'il représente.*

Sur la bonne piste

In this unit you learned the names of some electronic appliances in French. Now you are going to learn how to interpret relevant cultural information about them quickly and easily by looking at graphs and tables.

Line graphs and tables are two graphic aids used to display information that would be more time-consuming and harder to read in paragraph form. A line graph typically shows how one quantity changes in relation to another, while a table lists data, usually numerically. As you look at information presented in the graphic aids that follow, keep these two points in mind:

1. Read the headings to understand what kind of information is being presented. There is a general heading for all three graphic aids, **le ménage électronique** (*electronic household appliances*), as well as some specific headings. By using illustrations, context and cognates, you can figure out the meaning of the headings.
2. Keep in mind that data can be represented in percentages or in whole numbers. Often the headings give you this information. In graph B, the information in the heading **(en %)** tells you that the numbers on the left side of the graph are in percentages rather than in whole numbers.

LE MÉNAGE ÉLECTRONIQUE

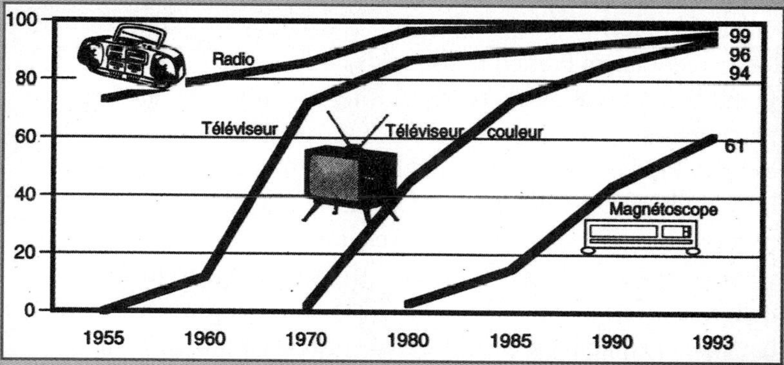

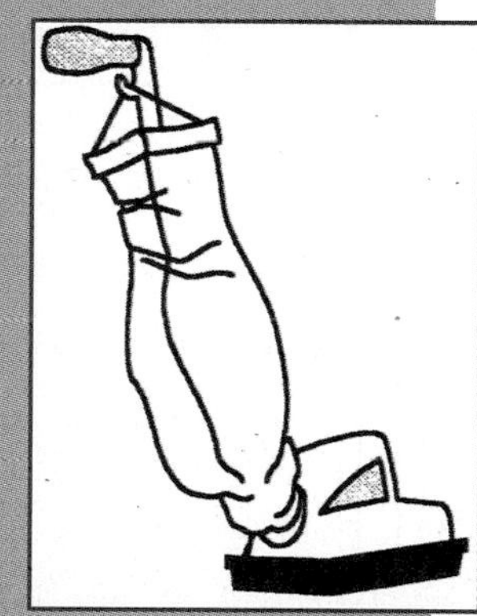

Taux d'équipement de cuisine des ménages (en %)

100
80
60
40
20
0
Réfrigérateur 98
Lave-linge 90
Congélateur 45
Lave-vaisselle 34
1955 1960 1970 1980 1985 1990 1993

Niveau d'équipement électronique des ménages (en %)	
Fer à repasser	96
Aspirateur	90
Sèche-cheveux	80
Cafetière électrique	80
Mixer	75
Grille-pain électrique	67
Couteau électrique	58
Rasoir électrique	48
Grille-viande	45
Préparateur culinaire	42
Four à micro-ondes	40
Friteuse électrique	39
Brosse à dents électrique	17

Now, to learn how to interpret a line graph, look at graph A on page 173. The movement of the lines in this graph indicates how the use of four different pieces of audiovisual equipment owned by French households has changed over time. The years for which the statistics are given are listed at the bottom. The slope of all four lines increases across the graph, telling you that there has been a steady rise in the number of French households that bought radios, TVs, color TVs and VCRs. A line that moves upward abruptly, or that is almost vertical, indicates that an appliance had a sharp increase in sales. For example, the lines show that color TVs were bought at a slower rate than black and white TVs. To determine how many years it took for VCRs to be purchased by 61% of French homes, find the year on the bottom line when VCRs were first sold in France (1980) and the year on the line when 61% of French homes had them (1993), then subtract the first date from the second one to determine that it took 13 years for 61% of French homes to have a VCR.

12 Answer the following questions using information found in the graphs and table about electronic appliances on page 173.

1. In graph A, which piece of audiovisual equipment is found in the greatest number of French homes? Which one is found in the fewest number of homes?
2. What percentage of French households had a color TV in 1993?
3. In graph B, do the numbers on the left represent whole numbers or percentages?
4. What four kitchen appliances are being compared in this graph?
5. Which kinds of kitchen appliances were bought at the fastest rate? Which ones were bought at the slowest rate?
6. How many years did it take for dishwashers to be found in 34% of French households?
7. What type of equipment does the table provide information about?
8. Which piece of electronic equipment is found in the greatest number of French homes? Which item is found in the fewest number of French homes?
9. What percentage of French homes had a microwave in 1993?
10. After reading the graphs and table, what impressions do you have about French society? How does the use of electronic equipment and major household appliances in France compare with their use in the U.S.?

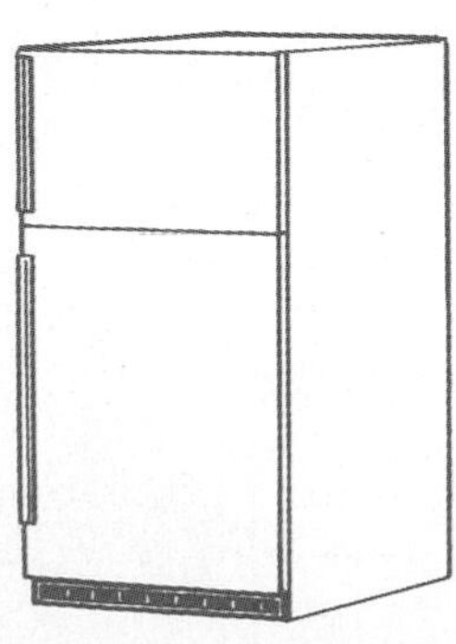

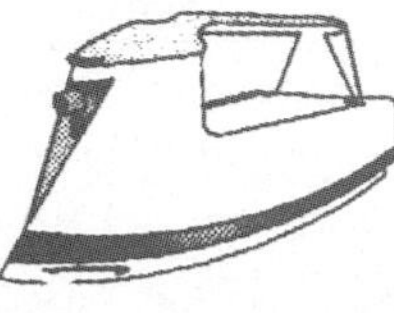

13 Now use the information you learned about graphic aids to make your own table. Begin by selecting five appliances from the table you have just examined on page 173. Then interview ten students in your class, asking each one if he or she has each appliance. For example, you might say **Tu as un fer à repasser?** After you have finished asking questions and noting responses, determine what percentage of the students you interviewed has each appliance. (For example, if three of the ten students have an electric French fry maker, then 30% of typical American homes have one.) Prepare a table that contains the names of the five appliances you selected. Next to each appliance, copy the percentage given for French homes on page 173 and add the percentage for American homes that you discovered in your interviews.

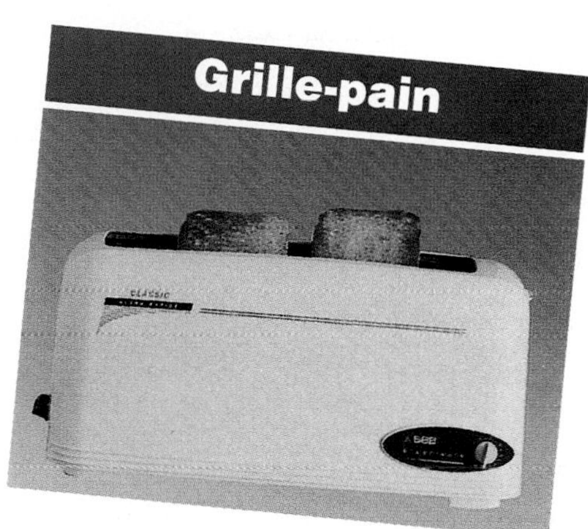

Nathalie et Raoul

C'est à moi!

Now that you have completed this unit, take a look at what you should be able to do in French. Can you do all of these tasks?

- ➤ I can describe daily routines.
- ➤ I can tell someone to do something.
- ➤ I can ask someone to hurry.
- ➤ I can suggest what people can do.
- ➤ I can tell what I dislike.
- ➤ I can state my preference.
- ➤ I can give my opinion by saying what I think.
- ➤ I can express emotions.
- ➤ I can talk about what happened in the past.

Here is a brief checkup to see how much you understand about French culture. Decide if each statement is **vrai** or **faux**.

1. The French West Indies in the Caribbean are made up of Haiti, Guadeloupe and Martinique.
2. African slaves were brought to the French West Indies in the 16th century to work in the sugarcane plantations.
3. Creole, spoken in the French West Indies, is a blend of French, Spanish and several African dialects.
4. **Langouste** and **boudin** are popular musical styles typical of the creole culture.
5. Sugarcane, coffee, bananas and **zouk** are important agricultural products in these three Caribbean lands.
6. Tourism is important to the economy of **les Antilles**, but cruise ships no longer stop there because of recent volcanic eruptions.
7. Even though Toussaint-Louverture encouraged blacks to revolt for their freedom, slavery still exists in Haiti.
8. Louis XV received Guadeloupe and Martinique as a gift from England at the end of the French and Indian Wars in 1763.
9. Guadeloupe and Martinique became French overseas departments in 1946.
10. The yearly Carnival takes place in February in Martinique.

In February, crowds gather in the street to celebrate *le Carnaval*. (Martinique)

Communication orale

With a partner, play the roles of two students who are beginning college next year. They have been assigned to be roommates (**camarades de chambre**) in the dormitory. One of the students, Dominique, is from a French-speaking country in the Caribbean; the other is American and has studied French in high school. They have spoken on the phone once before to introduce themselves. Now the American is calling Dominique so that they can discuss their daily routines in order to know what to expect and avoid any possible conflicts.

During the course of your phone conversation, turn away from each other and talk as though you are on the phone. Begin your conversation by greeting each other. Then ask and tell each other when you get up, what things you do every day before going to class, when you study, at what time you eat dinner, what you do after dinner (study, watch TV, talk on the phone, go out) and what time you go to bed. Give your reactions to what you've just learned and say how well you think you will be able to get along together.

Communication écrite

After the phone conversation between the Caribbean and American students who will be roommates next year, play the role of the American. Write a letter to your pen pal in France telling what information you learned about your new roommate, Dominique, based on the information you exchanged in your phone conversation. Tell your pen pal about the similarities and differences between your daily routine and Dominique's. To help you organize your letter, you may first want to make intersecting circles. In the first circle, list what activities you do every day; in the second circle, list what activities Dominique does every day; in the section where the circles intersect, list what activities you both do every day. Then tell your pen pal how easy or difficult you think it is going to be to get along with your new roommate.

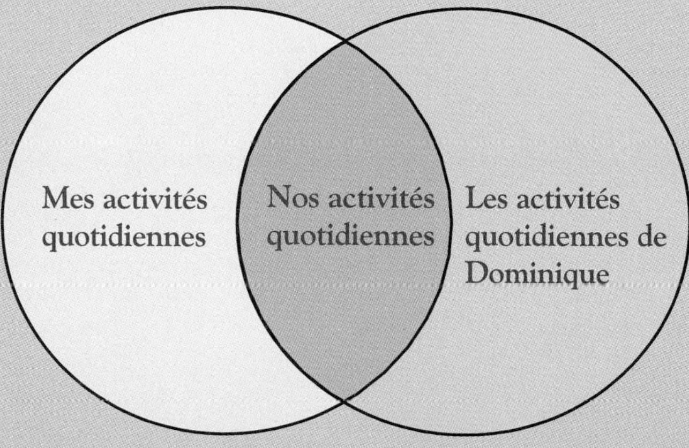

Communication active

To describe daily routines, use:

Je me lève tôt le matin.	*I get up early in the morning.*
Je me réveille à cinq heures et demie.	*I wake up at 5:30.*
Je me lave.	*I wash (myself).*
Je m'habille.	*I get dressed.*
Chaque samedi ils aident leurs parents à faire le ménage.	*Every Saturday they help their parents do the housework.*
Elles s'asseyent devant la télé **comme d'habitude**?	*Do they sit in front of the TV as usual?*

Ces hommes d'affaires s'habillent bien pour aller au travail. (Lyon)

To give orders, use:

Donne-moi un coup de main!	*Give me a hand!*
Arrête!	*Stop!*
Ne t'assieds pas!	*Don't sit down!*

To ask someone to hurry, use:

Dépêche-toi!	*Hurry!*

To make suggestions, use:

On peut partir ensemble.	*We can leave together.*

To express dislikes, use:

Ce sont des corvées que **je n'aime pas du tout.**	*These are chores that I don't like at all.*

To state a preference, use:

Je préfère passer l'aspirateur.	*I prefer to vacuum.*

To give opinions, use:

Ce n'est pas mal.	*It's not bad.*
Tu as trop de rouge à lèvres.	*You have too much lipstick.*

To express emotions, use:

Dommage!	*Too bad!*
C'est marrant!	*That's funny!*

c'est plus marrant et plus facile d'être mannequin

Ces filles ont trop de rouge à lèvres. C'est marrant, n'est-ce pas? (Dunkerque)

To describe past events, use:

Il s'est rasé.	*He shaved.*
Tu t'es bien maquillé(e).	*You put on your makeup well.*
Elle s'est habillée d'un joli costume noir.	*She dressed in a pretty black suit.*
Je me suis peigné les cheveux.	*I combed my hair.*

Communication électronique

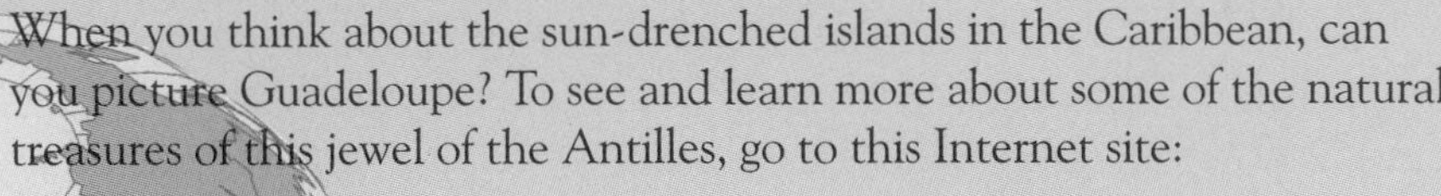

When you think about the sun-drenched islands in the Caribbean, can you picture Guadeloupe? To see and learn more about some of the natural treasures of this jewel of the Antilles, go to this Internet site:

http://www.antilles-info-tourisme.com/guadeloupe/art-fr.htm

After you have finished exploring this site, answer the following questions.

1. Guadeloupe is a part of an archipelago. How many other islands are in this archipelago?
2. What two countries share the island of Saint Martin?
3. For what crop is Grande-Terre best known? What kind of plantations are found on Basse-Terre?
4. Click on "la Soufrière," Guadeloupe's highest active volcano. How long does it take to climb it?
5. Let's head for the beach! Return to the home page and click on "plages." Guadeloupe's sandy beaches come in various colors. Some have golden sand (*doré*). What are two other colors of sand found on Guadeloupe's beaches?
6. Click on "les beautés sous-marines" and "Animaux terrestres." The raccoon is the symbol of the National Park. What is "raccoon" in French? How do you think it got its name? (Apply what you know about raccoons to the last part of its name, *laveur*.)

À moi de jouer!

Martin and Nadine Mirabeau live in Martinique. It's the Monday of Carnival, so they're planning on going to a burlesque wedding. While Mme Mirabeau is out shopping, her husband stays home to do some chores. Write a paragraph that uses the new expressions that you have learned in this unit to tell about M. Mirabeau's day. First say what tasks he has already finished and then say what he is going to do in the bathroom to get ready for the wedding. (You may want to refer to the *Communication active* on pages 178-79 and the vocabulary list on page 181.)

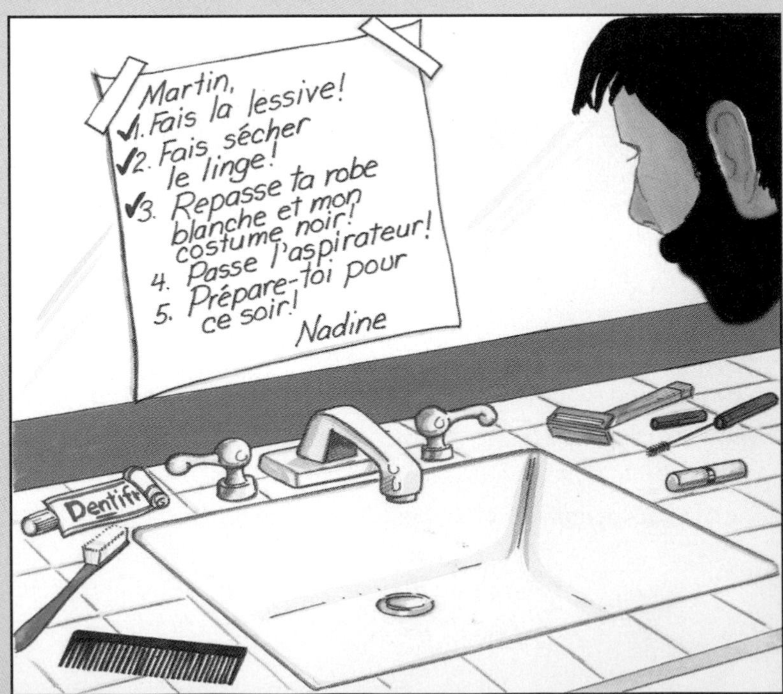

Vocabulaire

des **affaires de toilette (f.)** toiletries
arrêter to stop
arroser to water
un **aspirateur** vacuum cleaner
s' **asseoir** to sit down

une **barbe** beard
une **brosse à cheveux** hairbrush
une **brosse à dents** toothbrush
se **brosser** to brush
burlesque burlesque, comical

un(e) **camarade de chambre** roommate
une **capitale** capital
changer to change
comme d'habitude as usual
une **corvée** chore
se **coucher** to go to bed
un **couloir** hall
un **coup: Donne-moi un coup de main....** Give me a hand . . . .
un **couple** couple
une **course** race

se **déguiser** to dress up
le **dentifrice** toothpaste
se **dépêcher** to hurry
se **déshabiller** to undress
Dommage! Too bad!
un **drap** sheet

échanger to exchange
enlever to remove
enlever la poussière to dust

une **fac (faculté)** university
faire sécher le linge to dry clothes
un **fer à repasser** iron
le **fond: au fond de** at the end of

un **gant de toilette** bath mitt
une **glace** mirror

s' **habiller** to get dressed
Haïti (f.) Haiti
haut(e) tall, high

se **laver** to wash (oneself)
un **lave-vaisselle** dishwasher
la **lessive** laundry
se **lever** to get up
une **lèvre** lip
le **linge: faire sécher le linge** to dry clothes

une **machine à laver** washer
le **maquillage** makeup
se **maquiller** to put on makeup
un **mariage** marriage
un(e) **marié(e)** groom, bride
marrant(e) funny
le **mascara** mascara
me myself
le **ménage** housework

nous ourselves

pas du tout not at all
passer l'aspirateur to vacuum
un **pays** country
un **peigne** comb
se **peigner** to comb (one's hair)
une **pelouse** lawn
petit: mon petit son
une **place** place
une **plante** plant
une **poubelle** garbage can
la **poussière** dust
se **préparer** to get ready
prêt(e) ready

quotidien, quotidienne daily

ranger to pick up, to arrange
se **raser** to shave
un **rasoir** razor
se **regarder** to look at oneself
repasser to iron
se **réveiller** to wake up
le **rouge à lèvres** lipstick

le **savon** soap
se himself, herself, oneself, themselves
un **sèche-cheveux** hair dryer
un **sèche-linge** dryer
sécher to dry
une **serviette** towel
le **shampooing** shampoo
sortir la poubelle to take out the garbage
sympathiser to get along

te yourself
une **tondeuse** lawn mower
tondre to mow

une **université** university

la **vaisselle** dishes
voilà that's it
vous yourself, yourselves

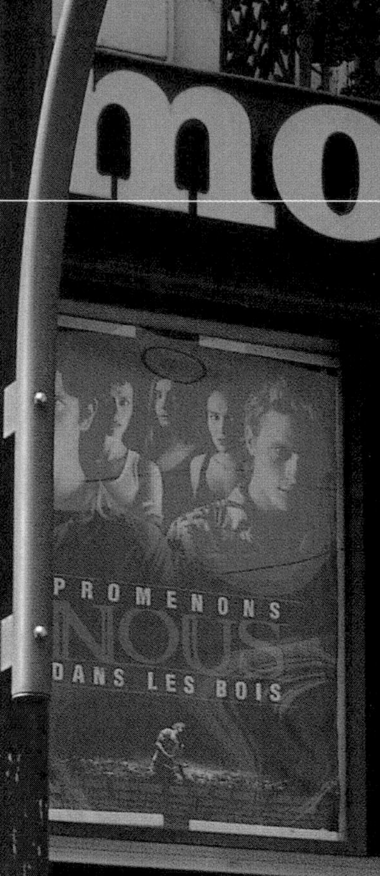
Nous
Jet Set
Nous
Jet Set
UN FILM DE FABIEN ONTENIENTE
PROMENONS
NOUS
DANS LES BOIS

VILLE D'ANGERS

Unité 5

Sports et Loisirs

In this unit you will be able to:

- **describe past events**
- **congratulate and commiserate**
- **describe talents and abilities**
- **describe character**
- **describe daily routines**
- **ask what something is**
- **express likes and dislikes**
- **point out exceptions**
- **make a prediction**
- **ask if someone is free**
- **accept and refuse an invitation**
- **express appreciation**

Leçon A

In this lesson you will be able to:

- congratulate and commiserate
- describe talents and abilities
- describe character
- ask if someone is free
- accept and refuse an invitation
- express appreciation

Sophie fait de la gym (gymnastique).
Martine fait de la musculation.
Serge et Abdou font du karaté.
Jeanne et Annette font de l'aérobic(m.).
M. Dufour court.
Max fait de la plongée sous-marine.
Sophie plonge.
Dikembe fait de la planche à voile.
Fabrice fait de la voile.
Michèle fait du ski nautique.
Jamila fait du canoë.
Albert joue au golf.

C'est l'anniversaire de Béatrice Dupin. Son nouveau copain, Nicolas, fête son anniversaire avec Béatrice et ses parents. Monsieur et Madame Dupin offrent un cadeau à Béatrice.

Mme Dupin:	**Bon anniversaire, ma chérie.**
Béatrice:	**Oh là là, une nouvelle raquette de tennis! Papa et maman, vous me gâtez toujours. Nicolas, tu es sportif. Est-ce que tu aimes le tennis?**
Nicolas:	**Oui, mais je ne joue pas très bien. Je cours, je fais de la musculation, et en été je fais de la planche à voile.**
Béatrice:	**Est-ce que tu es libre ce weekend? On peut jouer au tennis ensemble, et je peux t'aider à mieux jouer.**
Nicolas:	**D'accord, je voudrais bien.**
Béatrice:	**C'est un anniversaire formidable! Je vous remercie tous!**

Enquête culturelle

Comme en Amérique, le sport est très populaire en France. Les Français pratiquent souvent des sports individuels, par exemple, le footing, la musculation, l'aérobic, le ski et le judo.

En France le ski est très pratiqué.

Le tennis est très pratiqué en France. Les Français ont commencé à jouer au tennis au XIIIe siècle. À cette période les Français utilisent l'expression "jeu de paume" pour le tennis parce qu'on joue avec cette partie de la main. Ce nom est devenu "tennis" quand on a commencé à jouer avec une raquette. Au mois de mai les spectateurs viennent à Paris pour les Internationaux de Roland-Garros.

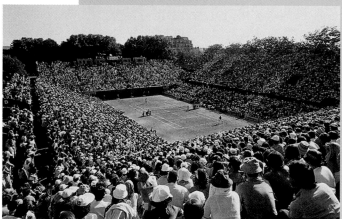

Le stade Roland-Garros est près du bois de Boulogne à Paris.

1 *Répondez aux questions d'après la conversation.*

1. C'est l'anniversaire de qui?
2. Le nouveau copain de Béatrice s'appelle comment?
3. Qu'est-ce que Monsieur et Madame Dupin offrent à Béatrice?
4. Est-ce que Nicolas est fort en tennis?
5. Quel sport est-ce que Nicolas fait en été?
6. Est-ce que Nicolas est occupé ce weekend?
7. Qui offre d'aider Nicolas à mieux jouer au tennis?

Nicolas fait de la planche à voile en été.

2 *Myriam est très sportive. Quels sports fait-elle?*

Modèle:

Elle fait de la planche à voile.

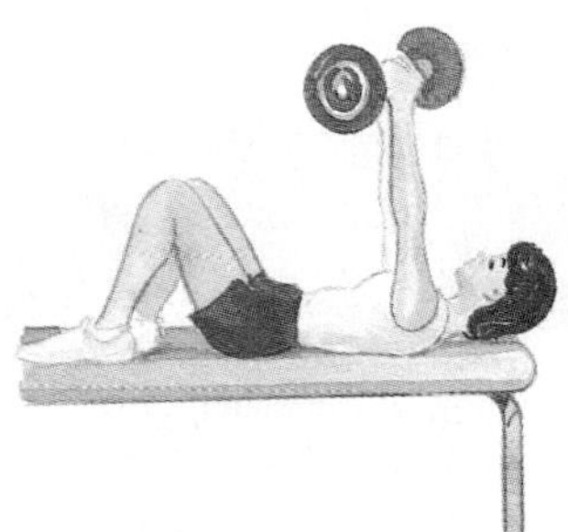

1.

2.

3.

4.

5.

6.

7.

8.

Jean fait souvent de la musculation.

Un
Anniversaire
Ça se passe
comme Ça.

3 *C'est à toi!*

1. Quelle est la date de ton anniversaire?
2. Avec qui est-ce que tu fêtes ton anniversaire?
3. Est-ce que tu es sportif/sportive?
4. En quel sport es-tu fort(e)?
5. Quel sport aimes-tu faire en été?
6. Quel sport est-ce que tu fais en hiver?
7. Est-ce que tu es libre ce weekend?

Aurélie fête son anniversaire avec des copains. (La Rochelle)

Structure

Present tense of the irregular verb *offrir*

Here are the present tense forms of the irregular verb **offrir** (*to offer, to give*). Note that in the present tense it has the endings of an **-er** verb.

		offrir	
j'	**offre**	Je t'**offre** un cadeau.	*I'm giving you a gift.*
tu	**offres**	Qu'est-ce que tu **offres**?	*What are you giving?*
il/elle/on	**offre**	On m'**offre** de l'argent.	*They're giving me money.*
nous	**offrons**	Nous t'**offrons** du café.	*We offer you coffee.*
vous	**offrez**	Vous m'**offrez** le billet?	*Are you giving me the ticket?*
ils/elles	**offrent**	Ils n'**offrent** rien.	*They offer nothing.*

GAGNEZ LE CADEAU
DE SES REVES
ET OFFREZ-LE LUI!

Qu'est-ce que son fils offre à Mme Lacoste?

The irregular past participle of **offrir** is **offert**.

Ils m'ont **offert** une raquette de tennis. *They gave me a tennis racket.*

Pratique

4 *Fabienne est une nouvelle élève française dans votre école. Dites ce que tout le monde offre à Fabienne le premier jour de classe.*

Modèle:

la prof de gym
La prof de gym offre un tee-shirt à Fabienne.

1. Brandon

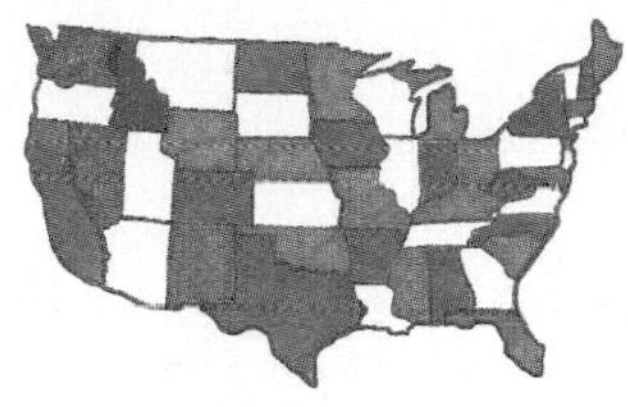

4. mon copain et moi

2. Lisa et Tom

5. la famille Andersen

3. tu

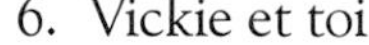

6. Vickie et toi

7. je

5 *Avec un(e) partenaire, posez des questions sur ce que vous avez offert à certaines personnes. Puis répondez aux questions. Suivez le modèle.*

1. ton père/la fête des Pères
2. ton frère ou ta sœur/son anniversaire
3. ton ami(e)/la Saint-Valentin
4. ton grand-père ou ta grand-mère/Noël
5. les mariés/leur mariage

Modèle:

ta mère/la fête des Mères

Élève A: **Qu'est-ce que tu as offert à ta mère pour la fête des Mères?**

Élève B: **J'ai offert des fleurs à ma mère pour la fête des Mères. Et toi, qu'est-ce que tu as offert à ta mère pour la fête des Mères?**

Élève A: **J'ai offert une carte à ma mère pour la fête des Mères.**

Étienne court pour le marathon. (Bayonne)

Present tense of the irregular verb *courir*

The verb **courir** (*to run*) is irregular.

courir			
je	**cours**	Je **cours** chaque jour.	*I run every day.*
tu	**cours**	Tu **cours** en hiver?	*Do you run in the winter?*
il/elle/on	**court**	Pourquoi **court**-elle?	*Why is she running?*
nous	**courons**	Nous **courons** quand il fait beau.	*We run when it's nice.*
vous	**courez**	Où **courez**-vous?	*Where do you run?*
ils/elles	**courent**	Ils ne **courent** jamais.	*They never run.*

The irregular past participle of **courir** is **couru**.

J'ai **couru** très vite. *I ran very fast.*

Pratique

6 *Avec vos amis, vous avez fait une liste de vos sports préférés. Dites si les personnes suivantes courent ou ne courent pas quand elles font leurs sports préférés.*

Modèles:

Paul
Paul court.

Daniel
Daniel ne court pas.

Personnes	Sports
Jean-Luc	le tennis
Diane	la plongée sous-marine
Clarence	le footing
moi	le golf
Paul	le basket
Dikembe	le foot
Sandrine	la voile
Assia	le karaté
Aurélie	le ski nautique
toi	le roller
Sébastien	la planche à voile
Thomas	la gymnastique
Daniel	la musculation

1. je
2. Thomas et Diane
3. Clarence
4. Assia et toi
5. Paul et Dikembe
6. Aurélie et moi
7. Jean-Luc

Quand on fait du karaté, on ne court pas.

Direct object pronouns: *me, te, nous, vous*

The direct object of a verb is the person or thing that receives the verb's action. The direct object answers the question "who" or "what." In the sentence **Vous me gâtez**, the word **me** is the direct object of the verb **gâtez**.

As in English, the direct object may be replaced by a pronoun. To talk about the subjects **je**, **tu**, **nous** and **vous**, use the corresponding direct object pronouns **me**, **te**, **nous** and **vous**.

me	Tu **me** vois?	*Do you see me?*
te	Les Dupin **t'**invitent.	*The Dupins are inviting you.*
nous	Le prof **nous** aide.	*The teacher is helping us.*
vous	Je **vous** remercie.	*I thank you.*

Je vous invite chez moi samedi soir.

Note that **me** and **te** become **m'** and **t'** before a verb beginning with a vowel sound.

Vous **m'**aimez? *Do you love me?*

Me, **te**, **nous** and **vous** come right before the verb of which they are the object. The sentence may be affirmative, interrogative, negative or have an infinitive.

T'attend-il? *Is he waiting for you?*
Non, il ne **m'**attend pas. *No, he's not waiting for me.*

Mes parents vont **nous** attendre. *My parents are going to wait for us.*

Mercredi 15 avril
20.50 DIS MAMAN, TU M'AIMES ?

Pratique

7 *Complétez les petits dialogues avec* **me**, **te**, **nous** *ou* **vous**.

Modèle:

— Damien et Claire, est-ce que vos amis **vous** voient au fast-food?
— Non, ils ne **nous** voient pas.

1. — Le prof... cherche, Jean-Paul et Sébastien!
   — Oh là là! M. Soci... cherche?
2. — Je vais être en retard. Tu... attends?
   — Oui, je... attends devant l'école.
3. — Est-ce que votre mère... aide à ranger votre chambre?
   — Oui, elle... aide à changer les draps.
4. — Clarisse, je... invite chez moi ce soir.
   — C'est vrai? Tu... invites à ta boum?
5. — Ton ami... gâte avec des cadeaux, Véro?
   — Il n'y a personne qui... gâte avec des cadeaux.

8 *Avec un(e) partenaire, posez et répondez aux questions. Suivez le modèle.*

Modèle:

tes amis/inviter à sortir le weekend
Élève A: **Est-ce que tes amis t'invitent à sortir le weekend?**
Élève B: **Oui, mes amis m'invitent à sortir le weekend. Et toi, est-ce que tes amis t'invitent à sortir le weekend?**
Élève A: **Non, mes amis ne m'invitent pas à sortir le weekend.**

1. tes amis/attendre quand tu es en retard
2. ton copain ou ta copine/chercher à la cantine
3. ton frère ou ta sœur/aider à faire tes devoirs
4. ta mère/remercier de faire le ménage
5. ta grand-mère/adorer
6. tes parents/gâter

Communication

9 *Quels sports faites-vous? Avec un(e) partenaire, faites une enquête. Copiez la grille suivante. Demandez à votre partenaire s'il ou elle fait les sports indiqués. Si la réponse est "oui," mettez un ✔ dans l'espace blanc. Puis changez de rôles.*

Modèle:

Est-ce que tu fais du roller?
Oui, je fais du roller.

Sports	oui
faire du roller	✔
faire du canoë	
faire de l'aérobic	
jouer au golf	
jouer au tennis	
faire du cheval	
jouer au basket	
faire de la musculation	
skier	
faire du karaté	
faire du footing	
nager	
faire de la voile	
faire du vélo	

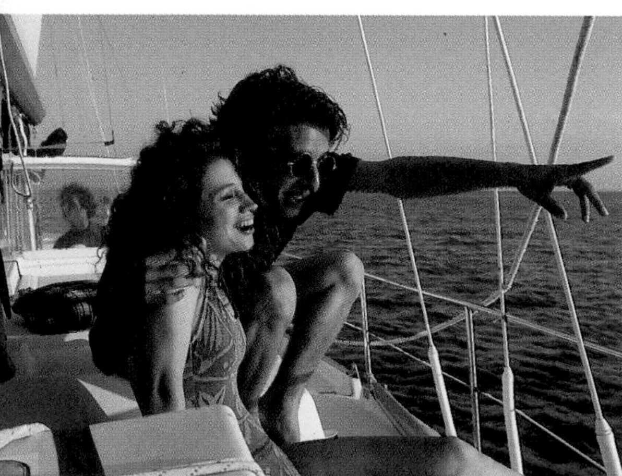
Aurélie et Julien font de la voile. (La Rochelle)

SPORTEZ-VOUS BIEN.

Piscine : 3 bassins. Randonnées pédestres. Équitation. Cyclotourisme. Pêche : 150 km cours d'eau poissonneux. Pétanque. Boule lyonnaise. Golf miniature. M.J.C. Saint-Céré : tennis de table, canoë-kayak, spéléologie.
Tennis : 5 courts entourés de verdure au pied des tours de Saint-Laurent.

10 *Voici une publicité pour certains centres de sports dans les Alpes. Remarquez les sports que chaque centre offre. Puis regardez les résultats de l'enquête de votre partenaire concernant ses sports favoris. Choisissez le centre de sports approprié pour votre partenaire. Puis écrivez un paragraphe en français où vous expliquez pourquoi vous avez choisi ce centre de sports. Votre choix doit être basé sur les sports que votre partenaire fait et le centre qui offre la majorité de ces sports.*

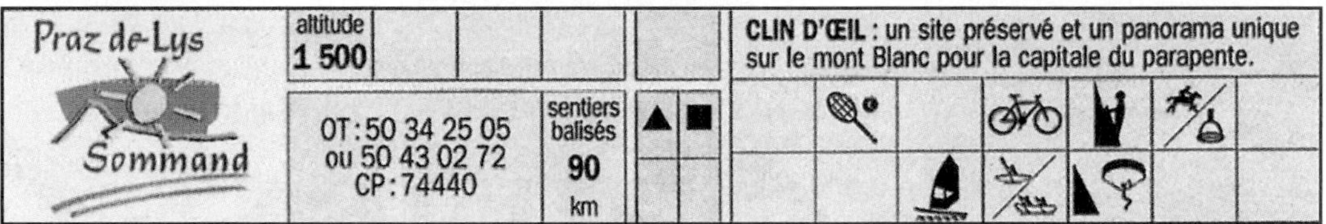

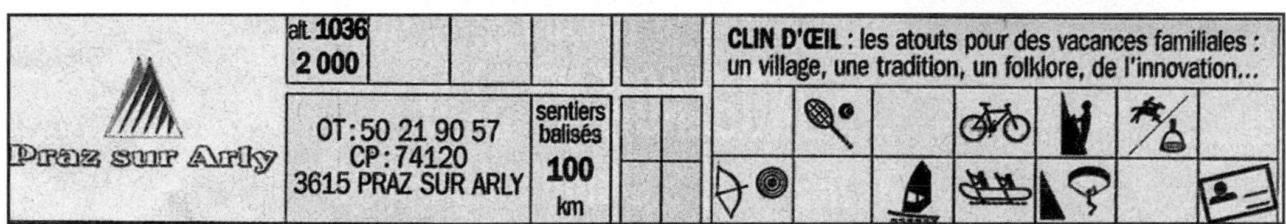

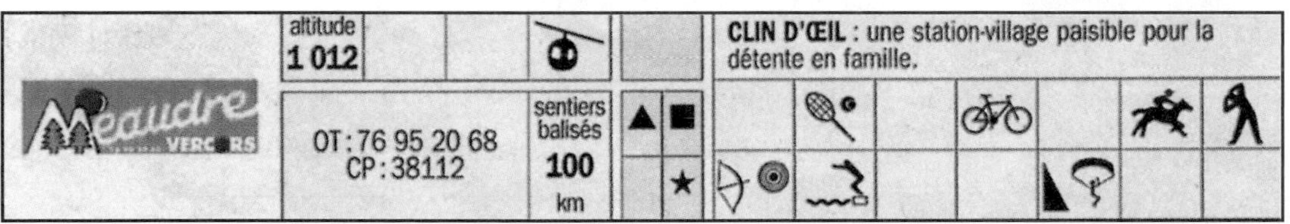

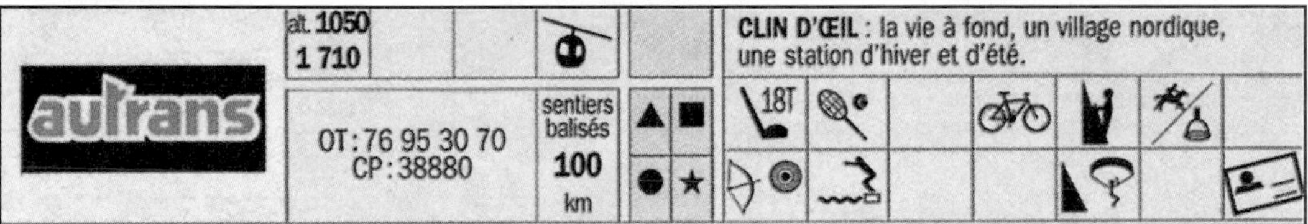

11 *Avec un(e) partenaire, jouez les rôles de deux ami(e)s. C'est l'anniversaire de l'Élève A. Pendant votre conversation:*

1. L'Élève B dit (*says*) "Bon anniversaire!" à l'Élève A et offre un cadeau à son ami(e).
2. L'Élève A remercie l'Élève B.
3. L'Élève B demande (*asks*) à son ami(e) s'il ou elle est libre ce soir.
4. L'Élève A dit que oui.
5. L'Élève B invite son ami(e) à faire quelque chose de spécifique ensemble.
6. L'Élève A accepte l'invitation.

Leçon B

In this lesson you will be able to:

- ask what something is
- express likes and dislikes
- point out exceptions
- make a prediction

un film d'amour

une comédie

un film d'aventures

les informations (f.)

un jeu télévisé

un match

un film de science-fiction

un film d'épouvante

un drame

un bulletin météo

une émission (de musique)

un documentaire

un dessin animé

un film policier

un feuilleton

Leïla allume la télé.
Leïla éteint la télé.

C'est mercredi après-midi à Amiens. Sandrine et Bruno sont en train de décider quoi faire.

Sandrine:	**Je vais allumer la télé. Tu veux regarder des feuilletons?**
Bruno:	**Non, je ne les aime pas. Je préfère les émissions de musique et les films.**
Sandrine:	**J'ai une idée. Il y a un nouveau film au Rex. On peut aller le voir.**
Bruno:	**Est-ce que c'est un film d'amour? J'aime tous les films sauf les films d'amour.**
Sandrine:	**Non, c'est une comédie. Tu vas l'aimer.**
Bruno:	**D'accord. On y va!**

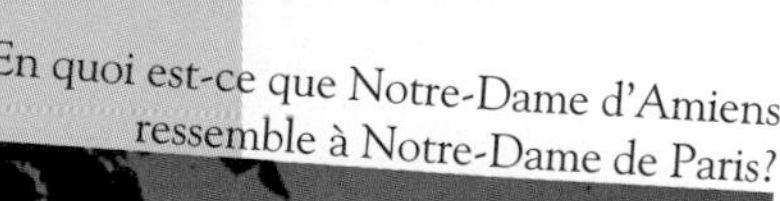

Enquête culturelle

Amiens, la capitale de la Picardie, est au nord-est de Paris. Toute visite d'Amiens commence par sa cathédrale. Notre-Dame d'Amiens, cathédrale gothique, date du XIIIe siècle. C'est la plus grande cathédrale de France. Mais il y a aussi d'autres choses à voir à Amiens. Juste à quelques minutes du centre-ville on trouve les Hortillonnages, les multiples "jardins flottants" près de la Somme. D'un petit bateau on peut voir ces jardins de légumes, de fruits et de fleurs.

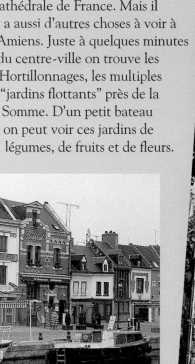

Le circuit des six cathédrales gothiques de Picardie

Amiens
Noyon
Laon
Beauvais
Soissons
Senlis

En quoi est-ce que Notre-Dame d'Amiens ressemble à Notre-Dame de Paris?

Amiens est une grande ville sur la Somme.

Beaucoup de touristes aiment les petites maisons, les bons restaurants et les magasins chic du quartier Saint-Leu. Les touristes peuvent aussi visiter la maison de Jules Verne.

Le cinéma, le "septième art," est très populaire en France. Le cinéma a commencé en France en 1895. Les écoles et les villes ont souvent des cinéclubs où on peut regarder et parler des films classiques. Les jeunes vont voir des films récents au cinéma.

Comme les Américains, les Français adorent le cinéma. (Paris)

Comme les jeunes Américains, les ados en France aiment regarder la télé. Il y a sept chaînes principales en France: TF1, la première chaîne privée; France 2, une chaîne nationale; France 3, une chaîne des émissions régionales; La Cinquième, une chaîne privée; M6, une chaîne avec beaucoup de films; Canal+, une chaîne payante; Arte, une chaîne franco-allemande. On peut même voir des émissions américaines avec le câble. Il y a approximativement 30 chaînes en France.

1 *Choisissez l'expression qui complète chaque phrase d'après le dialogue.*

1. C'est mercredi... à Amiens.
   a. matin
   b. après-midi
   c. soir
2. ... va allumer la télé.
   a. Sandrine
   b. Bruno
   c. Stéphanie
3. Bruno n'aime pas regarder....
   a. les feuilletons
   b. les matchs
   c. les documentaires
4. Bruno préfère les émissions de musique et....
   a. les jeux télévisés
   b. les drames
   c. les films
5. Mais Bruno n'aime pas du tout....
   a. les films d'aventures
   b. les films d'amour
   c. les films d'épouvante
6. Il y a un nouveau film....
   a. au Gaumont
   b. au cinéma
   c. au stade
7. Sandrine et Bruno décident d'aller voir....
   a. un film policier
   b. un film de science-fiction
   c. une comédie

Ratafiol préfère regarder les dessins animés.

Les cinémas **DRAGON** à la pointe du progrès!

2 *Si on est devant la télé, qu'est-ce qu'on regarde...*

1. pour voir des agents de police?
2. pour voir quel temps il va faire demain?
3. pour voir Bart Simpson?
4. pour écouter le rock?
5. pour voir un film de Stephen King?
6. pour voir Tom Brokaw?
7. pour voir du football?
8. pour voir "Dawson's Creek"?

20.30
20.30 ● C+ 22.30 34823
Football
En direct.
Nice/Monaco
Match avancé de la 25e journée du championnat de France de D1.

3 *C'est à toi!*

1. Quand tu veux voir un film, est-ce que tu préfères regarder une vidéocassette à la maison ou aller au cinéma?
2. Combien de fois par mois est-ce que tu vas au cinéma?
3. Est-ce que tu préfères les films d'aventures, les comédies ou les films d'amour?
4. Quel est ton film favori?
5. Quel(s) feuilleton(s) regardes-tu?
6. Quelle émission est-ce que tu préfères?
7. À quelle heure est-ce qu'on éteint la télé chez toi le mardi soir?

Les Tarnier vont éteindre la télé à dix heures ce soir.

Structure

Direct object pronouns: *le, la, l', les*

You have already seen the direct object pronouns **me**, **te**, **nous** and **vous** that refer to people. There are other direct object pronouns, **le** (*him, it*), **la** (*her, it*), **l'** (*him, her, it*) and **les** (*them*), that can refer to either people or things.

	Masculine	Feminine	Before a Vowel Sound
Singular	le	la	l'
Plural	les	les	les

Je regarde les feuilletons. Tu **les** regardes aussi?	*I watch soap operas. Do you watch them too?*
Bruno, il est minuit! La télé, s'il te plaît!	*Bruno, it's midnight! The TV, please!*
D'accord. Je **l'**éteins dans cinq minutes.	*OK. I'll turn it off in five minutes.*
Sa vieille télé? Pourquoi est-ce que Patrick **la** vend?	*His old TV? Why is Patrick selling it?*
Le bulletin météo? Mes parents **le** regardent chaque soir.	*The weather report? My parents watch it every night.*

Note that **le** and **la** become **l'** before a verb beginning with a vowel sound.

Ce dessin animé? Mon petit frère **l'**adore.	*This cartoon? My little brother adores it.*

Le, **la**, **l'** and **les** come right before the verb of which they are the object. The sentence may be affirmative, negative, interrogative or have an infinitive.

Les documentaires? Je ne **les** aime pas. **Les** aimes-tu?	*Documentaries? I don't like them. Do you like them?*
Le match? Tu veux aller **le** voir?	*The game? Do you want to go see it?*

Pratique

4 *Complétez les petits dialogues avec* **le**, **la**, **l'** *ou* **les**.

Modèle:

— Tu aimes les films d'Isabelle Adjani?
— Oui, je **les** aime beaucoup.

1. — Vous voyez souvent les films d'épouvante au cinéma?
   — Non, nous ne... voyons pas souvent.
2. — À quelle heure allume-t-on la télé le matin?
   — On... allume à sept heures.
3. — Ta sœur lit le nouveau roman de Danielle Steele?
   — Non, elle ne... lit pas.
4. — Tu vois les films d'amour avec ta sœur ou tes copains?
   — Je... vois avec mes copains.
5. — Est-ce que ton petit frère aime "Disney Club"?
   — Oui, il... adore.
6. — Tes parents voient cette comédie?
   — Non, ils ne... voient pas.

5 *Imaginez que vous avez deux cinquante euros. Dites si vous pouvez acheter ou pas chaque objet illustré.*

Modèles:

Non, je ne l'achète pas.

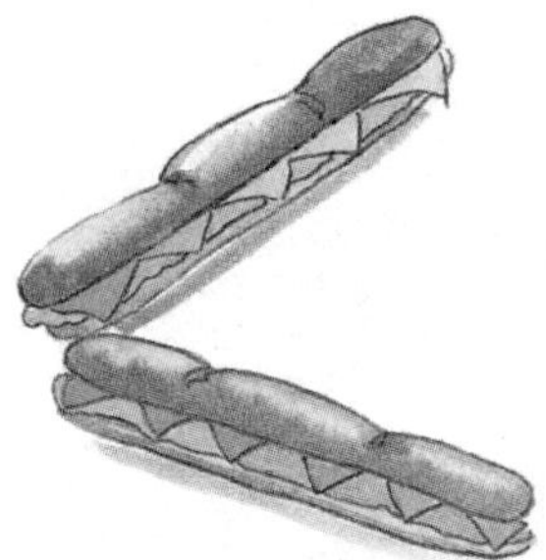

Oui, je les achète.

1.

4.

7.

2.

5.

8.

3.

6.

9.

6 *Avec un(e) partenaire, posez des questions sur ce que vous allez faire aujourd'hui après les cours. Puis répondez aux questions. Suivez le modèle.*

1. prendre le goûter
2. regarder les feuilletons
3. écouter ton nouveau CD
4. faire tes devoirs
5. aider ta mère à faire le dîner
6. faire la vaisselle
7. inviter tes amis chez toi

Modèle:

attendre tes amis

Élève A: **Est-ce que tu vas attendre tes amis?**

Élève B: **Oui, je vais les attendre. Et toi, est-ce que tu vas attendre tes amis?**

Élève A: **Non, je ne vais pas les attendre.**

Tu vas inviter Claude et Cécile?
Non, je ne vais pas les inviter.

Communication

7 *Imaginez que vous êtes à l'ordinateur et que vous correspondez par e-mail avec un(e) partenaire qui, comme vous, aime beaucoup regarder la télé. Prenez une petite carte (3" x 5") et écrivez une question sur la télé. Donnez la carte à votre partenaire. Il ou elle écrit* (writes) *une réponse à votre question et écrit une autre question pour vous. Continuez à poser* (ask) *et répondre* (answer) *aux questions par écrit* (in writing) *aussi longtemps que possible. Suivez le modèle.*

Modèle:

Élève A: **Est-ce que tu aimes regarder les dessins animés?**

Élève B: **Non, je n'aime pas les regarder. Est-ce que tu regardes les informations?**

Élève A: **Oui, je les regarde souvent. Quel drame préfères-tu?**

Élève B: **Je préfère "ER."**

8 *Avec un(e) partenaire, jouez les rôles de deux personnes dans un magasin de vidéos. L'Élève A joue le rôle d'un(e) client(e) qui veut louer* (rent) *des vidéos. L'Élève B joue le rôle d'un(e) employé(e). Pendant votre conversation:*

1. L'Élève A montre deux vidéos à l'Élève B et demande quel est le genre (*type*) de ces deux films.
2. L'Élève B donne le genre de ces films. Puis l'Élève B demande à l'Élève A quels genres de films il ou elle aime.
3. L'Élève A donne les genres de films qu'il ou elle aime et n'aime pas.
4. L'Élève B dit si l'Élève A va aimer ces deux films.

9 *Choisissez un film que vous venez de voir. Écrivez un article pour un journal français où vous décrivez et donnez vos réactions sur ce film. D'abord, identifiez le genre du film et les acteurs et les actrices. Puis dites comment vous trouvez ce film et si vous le recommandez.*

Mise au point sur... les sports et les loisirs

The French are famous for their **joie de vivre** (*enjoyment of life*). Therefore, they like to make the most of even an hour of free time after a long day at work or school. Just how do the French spend their leisure time? That depends, of course, on individual habits, finances, interests and surroundings. But regardless of what they do, most French people agree that leisure activities help relieve daily stress and keep life interesting.

French teens enjoy hiking to exercise and explore the countryside. (Bourgogne)

Sports play an important role in the lives of many French people. Individual sports, such as hiking, fencing, parasailing and archery are becoming increasingly popular.

Tour de France

Biking is a national passion, both for those who participate in the sport and for those who simply like to watch the month-long **Tour de France** on TV. Horse races (**les courses de chevaux**) draw spectators to racetracks at Longchamp, Auteuil, Vincennes and Chantilly. Automobile enthusiasts enjoy watching **le rallye de Monte-Carlo** and **le Paris-Dakar**. Another automobile race, **les 24 heures du Mans**, takes place every June from 4:00 P.M. Saturday until 4:00 P.M. Sunday. Drivers compete to see which car can cover the greatest distance during this 24-hour period.

Racing across the hot sands of the Sahara Desert in *le Paris-Dakar* presents a special challenge to race car drivers.

The American Greg LeMond won the *Tour de France* in 1986, 1989 and 1990.

Nearly every region in France supports its own soccer team, and on evenings and weekends many people watch professional soccer games on TV. Each May thousands of people attend **la Finale de la Coupe de France**, the national soccer tournament, which takes place at the Parc des Princes Stadium in Paris.

People of all ages in southern France play **pétanque**. The object of this game, known as **boules** elsewhere in the country, is to throw small metal balls as close as possible to a little target ball. The fast game of **pelote**, in which players alternately hit a ball against a wall with a long, curved mallet, attracts large crowds in **le Pays Basque** near Spain.

Whose *boule* is closest to the target ball? (Verneuil-sur-Seine)

The Spanish name for *pelote* is *cesta punta*. (Biarritz)

In addition to sports, cultural activities fill the leisure hours of many French people. The government's Ministry of Culture was established to preserve the country's rich heritage and to make interesting cultural events available to people outside of the capital. For example, cities such as Avignon hold summer festivals which feature theater, music, parades, fireworks, regional costumes and folk dancing.

FESTIVAL D'AVIGNON

Reading **(la lecture)** is also a common pastime. Although many people still read daily newspapers, specialized magazines are gaining in popularity. French poets, playwrights and novelists enjoy a worldwide reputation. People of all ages head to the bookstores along the **boulevard Saint-Michel** in Paris to browse through contemporary novels, classical literature, nonfiction books and even comics. Many people have their noses buried in a book during their long train, **métro** or bus rides to and from work or school every day.

The French often buy their magazines and newspapers at an outdoor newsstand or *kiosque*. (Paris)

COMEDIE-FRANÇAISE
La Société des Comédiens Français
"LE MARIAGE DE FIGARO"
de Beaumarchais. Mise en scène d'Antoine Vitez.

OPERA
DE PARIS
GARNIER
JEUNES DANSEURS
DU BALLET DE L'OPERA DE PARIS
4, 5, 6 mars
01 47 42 53 71
Manon
Lescaut
à l'Opéra
Bastille

An evening at the theater appeals to some people. The national government subsidizes theaters like the **Comédie-Française**, which presents classical plays at prices that all can afford. Ballets are usually staged at the **Opéra Garnier**, while the newer **Opéra de la Bastille** features operas. Older nightclubs, such as the **Moulin Rouge** and the **Folies-Bergère**, offer another kind of musical and dance entertainment.

Attending or participating in sporting events, going to cultural activities, watching TV, strolling outdoors or tinkering with do-it-yourself projects at home—these are only some of the ways that the French spend their leisure time. It is easy to understand why English speakers use the French phrase **bon vivant** to describe a person who lives life to the fullest.

The 2,700-seat *Opéra de la Bastille* was completed in 1989 for the bicentennial of the French Revolution. (Paris)

10 *Répondez aux questions suivantes.*

1. What does the expression **joie de vivre** mean?
2. What four factors influence how people spend their leisure time?
3. What are three individual sports that are gaining in popularity in France?
4. What is the name of the month-long bicycle race that takes place in France every year?
5. What three races do automobile enthusiasts enjoy watching every year?
6. In what Paris stadium does the national soccer tournament take place?
7. What are two popular sports in southern France?
8. What types of activities take place during summer festivals?
9. What leisure activity do many Parisians enjoy during their daily commute to and from work or school?
10. What is the name of a government-subsidized theater that presents classical plays?
11. What is the French expression for a person who lives life to the fullest?

Parasailing is a popular sport on the Riviera in *Provence*.

1 *Regardez les horaires de printemps et d'été d'un centre de loisirs à Issoudun en France et répondez aux questions.*

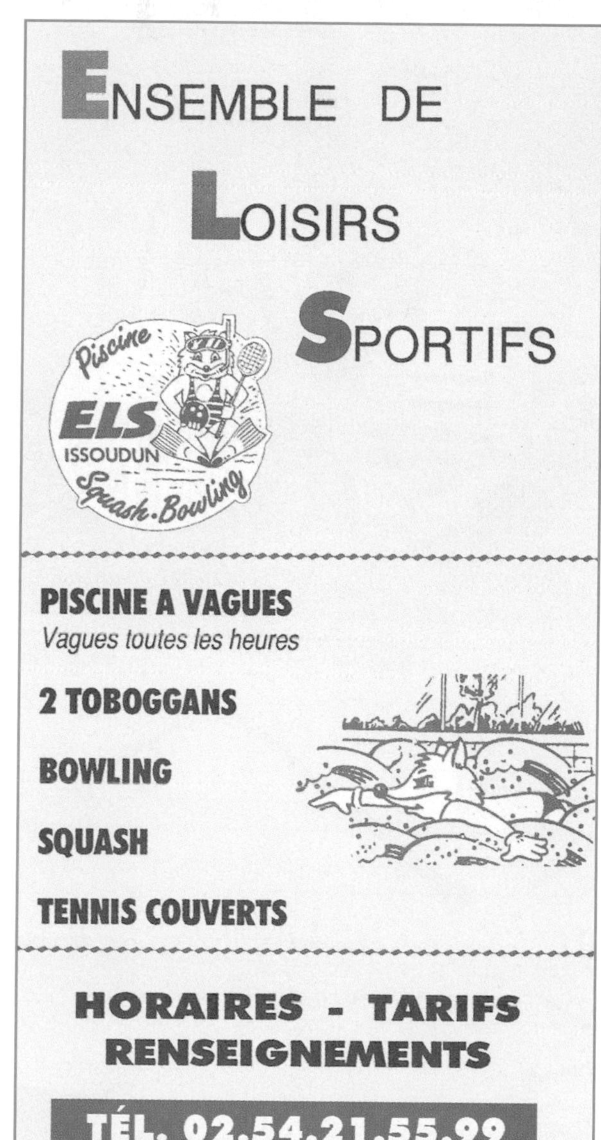

HORAIRES D'OUVERTURE VACANCES PRINTEMPS ET ÉTÉ

	PISCINE	BOWLING-SQUASH	TENNIS
LUNDI	13 H 30 - 20 H	13 H 30 - 20 H 30	8 H - 21 H 30
MARDI	12 H - 21 H	12 H - 22 H	8 H - 23 H
MERCREDI	9 H 30 - 19 H 30	9 H 30 - 21 H	8 H - 21 H 30
JEUDI	13 H 30 - 21 H	13 H 30 - 21 H	14 H - 21 H 30
VENDREDI	12 H - 20 H	12 H - 23 H	8 H - 23 H
SAMEDI	11 H - 20 H	10 H - 24 H	8 H - 23 H
DIMANCHE	10 H - 20 H	10 H - 20 H	8 H - 21 H 30

VAGUES TOUTES LES HEURES

TARIFS
HORS ABONNEMENT " CARTE LOISIRS PLUS "

PISCINE	
Enfants de 4 à 14 ans (semaine et week-end)	3,35 €
Plus de 14 ans en semaine	3,35 €
Plus de 14 ans (week-end et fêtes)	3,96 €
Tarif Jeunes (- de 18 ans) le Mercredi en dehors des vacances	2,29 €
SQUASH	
- Les 40 minutes par personne	
- sans location de matériel	3,66 €
- avec location de matériel	5,03 €
Tarif Jeunes (- de 18 ans) le Mercredi en dehors des vacances	2,29 €
BOWLING	
(1 partie) la semaine	3,35 €
(1 partie) le week-end et jours fériés	3,96 €
Tarif Jeunes (- de 18 ans) le Mercredi en dehors des vacances	2,29 €
TENNIS: 1 h 30 de jeu	
Particulier Issoldunois et Communauté de Communes	6,10 €
Assocciation et Cté d'Entreprise de la Communauté de Communes	5,34 €
Particulier et Cté d'Entreprise hors Issoudun	7,62 €

1. What is the name of the sports facility?
2. What is its phone number?
3. When is the swimming pool open on Sunday?
4. On what three days can you play tennis from 8:00 A.M. until 11:00 P.M.?
5. How much do you pay to swim there on weekends and holidays?
6. If you play squash, how many minutes of playing time does the fee include?
7. Why do you think that it is less expensive to bowl on Wednesday?

Leçon C

In this lesson you will be able to:

- describe past events
- describe talents and abilities
- describe daily routines

On fait du camping.
M. Chéreau fait de l'escalade (f.).
Caro fait du baby-sitting. Elle joue aux cartes avec Monique.
Pierre collectionne des timbres.
Didier et Martin jouent aux échecs.

un trombone
une clarinette
une trompette
un violon
une flûte
un saxophone
un piano

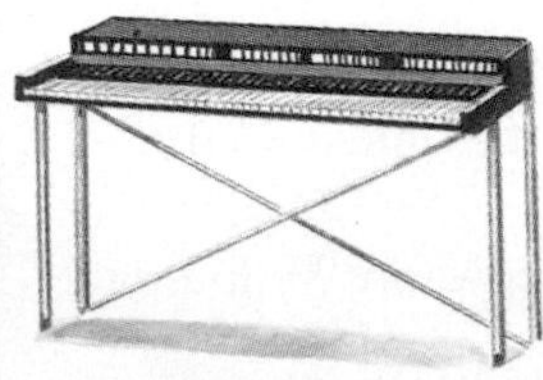
un synthé (synthétiseur)

une guitare

une batterie

Delphine, Jean-Christophe et Élisabeth habitent à Bordeaux. Ils sont en train de parler du weekend dernier.

Delphine: **Mes parents m'ont emmenée à la montagne. On a fait du camping et de l'escalade. Et toi, Jean-Christophe, tu as fait du baby-sitting, n'est-ce pas?**

Jean-Christophe: **Ouais... les enfants de ma sœur. Je les ai gardés tout le weekend. On a joué aux cartes et on a lu beaucoup de bandes dessinées. Et toi, Élisabeth?**

Élisabeth: **J'ai assisté à un concert de rock. J'ai beaucoup aimé le mec qui a joué du synthé et la fille qui a joué de la guitare.**

Delphine: **Et maintenant c'est lundi et l'école recommence. Quelle galère!**

Enquête culturelle

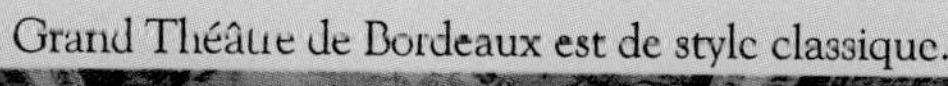
Le Grand Théâtre de Bordeaux est de style classique.

Port actif et centre de commerce des vins célèbres de la région, Bordeaux est la capitale de l'Aquitaine dans le sud-ouest de la France. Située sur la Garonne et près de l'océan Atlantique, Bordeaux est la cinquième ville du pays. À Bordeaux vous pouvez marcher sur les quais charmants de la Garonne, aller au Grand Théâtre ou acheter des vêtements chic dans les boutiques du centre-ville.

LE CAMPING, LA VIE EN PLEIN AIR

Le camping, c'est une pause dans la vie quotidienne, et les jeunes Français l'adorent. Il y a approximativement 11.000 campings dans le pays. On peut installer sa tente près d'une ferme ou près d'un château, par exemple.

Est-ce que tu préfères faire du camping sous une tente ou dans une caravane? (Mende)

Les sports	Tarifs pour...
VTT	6,86 à 28,97 € 1/2 journée
Tennis	3,81 à 12,96 € 1 heure
Équitation	7,62 à 22,11 € la séance
Golf	6,86 à 57,93 € le parcours
Parapente	27,44 à 83,85 € le baptême
Randonnée à thèmes	gratuit à 24,39 € la sortie
Alpinisme Escalade	18,29 à 91,47 € la sortie
Rafting Hydrospeed	25,92 à 45,73 € 1/2 journée
Canoë-kayak	6,10 à 28,97 € 1/2 journée

Prix moyens indicatifs pour 1 personne. Informations non contractuelles.

Aujourd'hui les Français sportifs choisissent souvent des sports avec un peu de risques. Un million de personnes font de l'escalade en France. On pratique ce sport dans les montagnes du pays.

Beaucoup d'ados lisent et collectionnent les bandes dessinées (les B.D.). Les B.D. sont très populaires en France et en Belgique. On peut trouver beaucoup de B.D. variées dans les librairies de ces deux pays. *Astérix*, une B.D. française, et *Les Aventures de Tintin*, une B.D. belge, sont célèbres dans le monde entier. Il y a un musée de la bande dessinée à Bruxelles en Belgique et à Angoulême au sud-ouest de la France. À Angoulême il y a aussi un festival international de la B.D. en janvier.

Astérix ET LA RENTREE GAULOISE

Quelle est la bande dessinée que Grégoire préfère?

J'AI LU BD

La musique est si populaire en France qu'il y a la Fête de la musique annuellement en juin. Il y a des concerts dans beaucoup de villes du pays. On danse et on écoute de la musique traditionnelle et contemporaine.

On peut trouver une Maison des Jeunes et de la Culture (MJC) dans les grandes villes et les petits villages de la France. Là, il y a des activités culturelles et artistiques, par exemple, on peut danser, regarder un film ou faire de la gym.

1 *Répondez aux questions d'après la conversation.*

1. Où est-ce que Delphine, Jean-Christophe et Élisabeth habitent?
2. De quoi est-ce qu'ils parlent?
3. Où est-ce que Delphine est allée?
4. Qui est-ce que Jean-Christophe a gardé tout le weekend?
5. Qu'est-ce qu'Élisabeth a fait?
6. Qui est-ce qu'Élisabeth a aimé?
7. Est-ce que Delphine est heureuse que l'école recommence?

2 *Qu'est-ce que c'est?*

Modèle:

Ce sont des violons.

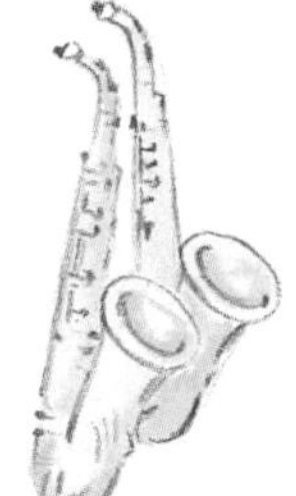

1.

2.

3.

4.

5.

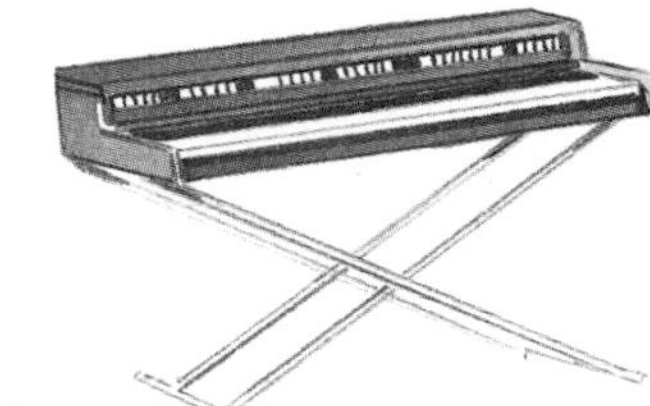

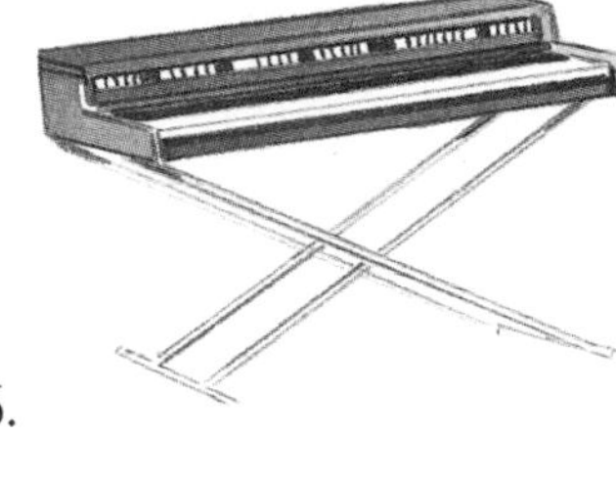

6.

7.

8.

Antoinette joue du violon.

Est-ce que tu assistes souvent aux concerts de rock?

3 *C'est à toi!*

1. Es-tu musicien(ne)?
2. Combien de fois par an assistes-tu aux concerts?
3. Aimes-tu jouer aux cartes?
4. Est-ce que tu préfères lire des bandes dessinées ou regarder des dessins animés?
5. Quelles bandes dessinées est-ce que tu préfères?
6. Est-ce que tu fais du baby-sitting beaucoup, un peu ou pas du tout?
7. Est-ce que tu collectionnes quelque chose? Qu'est-ce que tu collectionnes?

Structure

Direct object pronouns in the *passé composé*

You have already learned the direct object pronouns in French: **me**, **te**, **nous**, **vous**, **le**, **la**, **l'** and **les**. In the **passé composé** direct object pronouns precede the form of the helping verb **avoir**.

Comment as-tu trouvé le concert? — *What did you think of the concert?*
Je **l'**ai aimé. — *I liked it.*

Boby Lapointe
comme jamais vous ne l'avez entendu.

The past participle agrees with this preceding direct object pronoun in gender and in number. For a masculine singular direct object pronoun, add nothing to the past participle. If the direct object pronoun is masculine plural, add an **s**; if it is feminine singular, add an **e**; if it is feminine plural, add an **es**.

Qu'est-ce que tu as fait, Delphine? — *What did you do, Delphine?*
Mes parents **m'**ont **emmenée** à la montagne. — *My parents took me to the mountains.*

Qui a gardé les enfants pendant le weekend? — *Who kept the children during the weekend?*
Jean-Christophe **les** a **gardés**. — *Jean-Christophe kept them.*

Past participles that end in **-s** (**mis** and **pris**) do not change in the masculine plural.

Où sont les billets? — *Where are the tickets?*
Je ne les ai pas **pris**. — *I didn't take them.*

If the past participle ends in **-s** or **-t**, this consonant is pronounced in the feminine forms.

La raquette de tennis? Les Dupin l'ont **offerte** à leur fille. — *The tennis racket? The Dupins gave it to their daughter.*

Tu as pris cette photo?
Non, je ne l'ai pas prise.

Pratique

4 *Khaled a fait une liste de toutes les choses qu'il a dû faire pendant le weekend. Parce que Khaled est très diligent, il a tout accompli. Dites ce que Khaled a fait.*

VENDREDI	SAMEDI	DIMANCHE
tondre la pelouse	nourrir les chiens	acheter les croissants
mettre la table	ranger ma chambre	lire le journal
faire la vaisselle	faire la lessive	faire mes devoirs
	nettoyer le garage	voir mes tantes

Modèle:
Il l'a tondue.

5 *Élisabeth est en vacances en Espagne cet été. Elle a décidé de prendre seulement les choses qui sont nécessaires. Dites si elle a pris ou n'a pas pris les choses suivantes.*

Modèle:
Elle ne l'a pas pris.

6 *Avec un(e) partenaire, posez des questions sur ce que vous avez fait hier. Puis répondez aux questions. Suivez le modèle.*

Modèle:

tes parents/t'emmener au restaurant

Élève A: **Est-ce que tes parents t'ont emmené(e) au restaurant?**

Élève B: **Oui, ils m'ont emmené(e) au restaurant. Et toi, est-ce que tes parents t'ont emmené(e) au restaurant?**

Élève A: **Non, ils ne m'ont pas emmené(e) au restaurant.**

1. ton ami(e)/t'aider à faire tes devoirs
2. tes copains/t'attendre après les cours
3. quelqu'un/t'inviter à sortir
4. ton prof de français/te voir au centre commercial

Qu'est-ce que vous avez fait hier?
Brigitte nous a invités à sortir.

Communication

7 *Trouvez une personne qui.... Interviewez des élèves de votre classe pour déterminer quelles activités ils font. Sur une feuille de papier copiez les expressions indiquées. Formez des questions avec ces expressions que vous allez poser aux autres élèves. Quand vous trouvez une personne qui répond par "oui," dites à cette personne de signer votre feuille de papier à côté de l'activité convenable. Trouvez une personne différente pour chaque activité.*

Modèle:

Alex: **Tu joues aux échecs?**

Sonia: **Oui, je joue aux échecs.** (Elle signe à côté de #1.)

1. jouer aux échecs
2. faire souvent du baby-sitting
3. collectionner des CDs
4. jouer du piano
5. lire des bandes dessinées
6. faire du camping en été
7. jouer du synthé
8. collectionner des jeux vidéo
9. jouer de la guitare
10. faire de l'escalade

8 *Maintenant écrivez un sommaire de vos interviews dans l'Activité 7. Dites quel(le) élève fait chaque activité. Utilisez des phrases complètes.*

Modèle:

Sonia joue aux échecs.

9 *Dans un petit groupe de trois ou quatre élèves, faites une bande dessinée où Raoul (de la bande dessinée "Nathalie et Raoul") raconte* (tells about) *à Nathalie ses expériences humoristiques pendant le weekend. Avec votre groupe vous pouvez déterminer si Raoul a fait du camping ou a fait du baby-sitting. Développez votre bande dessinée selon le thème que votre groupe a choisi.*

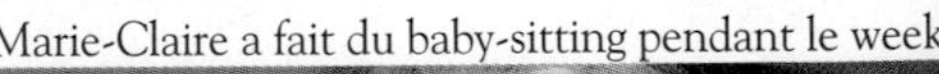
Marie-Claire a fait du baby-sitting pendant le weeke

Sur la bonne piste

To understand the meaning of new words and expressions when you read in French, it's important to be able to recognize word families—different parts of speech that have a root word in common. For example, the noun **une course** means "a race" (the act of running) and the verb **courir** means "to run." You can increase your vocabulary in French by using the words you already know to help you guess the meanings of new words that are in the same family.

As you read some information about a French pop rock group, keep these two questions in mind:

1. Where are the musicians from?
2. What has this group recently added to its repertoire?

PEACH SOAP
LE RIBOULDING', La Rochelle
Samedi 2 mars

■ «Pop rock. Si ces quatre Rochelais percèrent dans la voie qui est la leur aujourd'hui, on pourrait bientôt se targuer de les avoir vus à leurs débuts. Après une restructuration récente de la formation, leur musique, toujours bien réalisée, s'est enrichie de compositions originales.

The title tells you that this publication features upcoming cultural entertainment in the cities of La Rochelle and Rochefort. If the noun **Français** describes someone from France, what does the noun **Rochelais** mean? Someone from La Rochelle. The ending **-ais** describes someone from a certain geographic location, such as a city, region or country. So the answer to the first question is that the members of Peach Soap are all from La Rochelle. As you read the article, you probably noticed the stem **riche** in the verb form **s'est enrichie**. Since reflexive verbs often mean "to become...," you can assume that the past tense of this verb means "became rich." The answer to the second question is that Peach Soap has recently "enriched" its repertoire with original compositions.

As you read information about other musical groups performing in this area, keep these points in mind to help you recognize word families:

1. Just as in English, the prefix **re-** means "again" in French and frequently appears in both verbs and nouns. For example, **revenir** means "to come again."
2. The suffix **-aine** after a number means "about (that number)." For example, **une vingtaine** means "about 20."
3. The suffix **-iste** after a noun means "someone who engages in a certain activity." This suffix is often used with names of professions. For example, **un fleuriste** means "florist" (someone who works with flowers).

"MERCI" JAZZ
Création originale de Jo BENOTTI
Vendredi 22 mars • 20 h 30
LA COUPE D'OR, Rochefort (05 46 82 15 15)

■ Originaire du pays rochefortais, il a joué en France et à l'étranger avec Escoudé, Rouere, Lockwood, Barelli. Il a pratiqué des styles de musique très différents et aujourd'hui on le retrouve avec une formation de 5 musiciens: Thierry BOUYER, guitare, Pascal COMBEAU, basse, José LOUYOS, accordéon, Michel DELAGE, trompette et orchestration.

AFICIONADOS
Mercredi 27 mars
MUSIC HALL, La Rochelle

■ Rock'n roll. La scène rock toulousaine est depuis longtemps une pépinière de talents. De Fly and the Tax à Kill de Bleu, c'est toujours du rock de qualité, beaucoup d'humour et le même plaisir de jouer ensemble.

F.O.U.
LE RIBOULDING', L.R., 05 46 41 24 24 • 6 avril

■ Formé en 1991 autour du délirant Christophe Meyer, dit le Fou, le groupe jurassien a déjà enregistré trois albums et donné des centaines de concerts. Il nous balance des chansons bien ficelées où les riffs de guitare sont rois. La prose est à mi-chemin entre le jargon de café populaire et l'éloquence littéraire. Humour et dérision, zeste de naïveté. Ce rock débridé et énergique commence par nous amuser et finit par nous émouvoir.

XAVIER RICHARDEAU TRIO
LE GARIBALDI, La Rochelle
Samedi 2 mars

■ Xavier Richardeau, jeune saxophoniste plein de talent, nous propose, avant la sortie de son CD avec des musiciens parisiens, une soirée de jazz haute en couleur. Il sera accompagné de Jean-Luc Aramy à la contrebasse et Jo Benotti à la batterie.

FOLKLORE HONGROIS
Dimanche 24 mars • 15 h
Foyer Communal - DOMPIERRE-SUR-MER
Rens. 05 46 35 36 42 - 05 46 35 32 04

■ Le groupe folklorique hongrois **SZAZSZORSZEP MARTONVASAR** sera l'hôte des **BALLASSOUX.**

Ce groupe, créé en 1979, est originaire de Martonvasar, petite ville située à 30 km de Budapest. De réputation internationale, il a remporté de grands succès à travers toute l'Europe et a obtenu la Médaille d'Or dans plusieurs concours internationaux.

Avec plus de 40 exécutants, ce ballet entend perpétuer la danse traditionnelle hongroise sous la forme la plus authentique. Le répertoire reflète toute la richesse et la variété des danses et musiques du Bassin des Carpates. Les danseurs peignent les vendanges, la moisson, le mariage, l'amour... en faisant claquer leurs doigts et leurs bottes, en frappant dans leurs mains, en chantant et en faisant virevolter les jupes colorées. Ils présentent sur scène une vingtaine de costumes.

10 Using the information you learned about recognizing word families, answer the following questions.

1. What city is Jo Benotti from?
2. Music lovers can "find him again" with what type of group?
3. What city do Les Aficionados come from?
4. From what mountainous area does the group F.O.U. originate?
5. How many concerts has this group given?
6. What is the French word for someone who plays the saxophone?
7. What has Xavier Richardeau just come out with?
8. What does the dance repertoire of Folklore Hongrois reflect about the dances and music from the region of the Carpathian Mountains?
9. How many changes of costume do the Hungarian folk dancers have?
10. Which group would you be interested in seeing perform? Why?

Nathalie et Raoul

C'est à moi!

Now that you have completed this unit, take a look at what you should be able to do in French. Can you do all of these tasks?

- ➤ I can talk about what happened in the past.
- ➤ I can wish someone a happy birthday.
- ➤ I can describe someone's talents and abilities, such as in sports and music.
- ➤ I can describe someone's character traits.
- ➤ I can describe daily routines.
- ➤ I can ask what something is.
- ➤ I can tell what I dislike.
- ➤ I can point out exceptions.
- ➤ I can make a prediction.
- ➤ I can ask if someone is free.
- ➤ I can accept an invitation.
- ➤ I can express appreciation.

Here is a brief checkup to see how much you understand about French culture. Decide if each statement is **vrai** or **faux**.

1. The French have played tennis since the 13th century.
2. Amiens, northeast of Paris, is famous for its Gothic cathedral.
3. At a **cinéclub** you can play golf and do aerobics.
4. French TV has seven main channels and about 30 channels in all.
5. The **Tour de France** is a 24-hour automobile race that takes place every June.
6. **La pétanque**, also known as **boules**, is a game in which players hit a ball against a wall with a mallet.

How do people in southern France refer to the game of *boules*? (Paris)

7. The **Comédie-Française** presents classical plays at prices that everyone can afford.
8. Bordeaux is a large city in the heart of the winegrowing region in southwestern France.
9. *Astérix* is an example of a French comic strip.
10. At the **MJC (Maison des Jeunes et de la Culture)** you can dance, watch movies or work out.

Communication orale

With a partner, play the roles of a French exchange student, who is spending the day speaking to various high school French classes, and an American student who studies French. The two students interview each other to find out information about leisure activities they each enjoy. After greeting each other, the American welcomes the French student to the U.S. Then they ask each other if they are athletic and what sports they play. Next they talk about what TV programs they watch and what kinds of movies they like and don't like. Finally, they ask each other if they play any musical instruments and games. Both students should ask as many additional, related questions as possible.

Since the two students would like to continue getting to know each other, one of them asks the other if he or she is free and suggests an activity that they can do together. The other student accepts the invitation and says thank you.

Communication écrite

Continue playing the same role that you had in the preceding activity—either that of the French exchange student or the American student who studies French. Now use the information you have learned in your interview to write an article for your school newspaper, either in France or in the U.S., in which you describe the interests of a "typical" French or American student. Tell about your new friend's favorite sports, TV programs, movies and what musical instruments and games he or she plays. Also report any other interesting information you have learned in your interview.

Communication active

To describe past events, use:

Mes parents m'ont emmené(e) à la montagne.	*My parents took me to the mountains.*
J'ai assisté à un concert de rock.	*I attended a rock concert.*

To congratulate someone, use:

Bon anniversaire!	*Happy Birthday!*

To describe talents and abilities, use:

Je ne joue pas très bien.	*I don't play very well.*
Le mec **a joué du synthé.**	*The guy played the synthesizer.*
La fille **a joué de la guitare.**	*The girl played the guitar.*

Clémence joue de la batterie.

LA VIE SPORTIVE

To describe character, use:

Tu es **sportif/sportive.**	*You are athletic.*

To describe daily routines, use:

C'est lundi et l'école **recommence.**	*It's Monday and school begins again.*

To ask what something is, use:

Est-ce que c'est un film d'amour?	*Is it a love story?*

To say what you dislike, use:

Je ne les aime pas.	*I don't like them.*

To point out exceptions, use:

J'aime tous les films **sauf** les films d'amour.	*I like all movies except love stories.*

To make a prediction, use:

Tu vas l'aimer.	*You're going to like it.*

To ask if someone is free, use:

Est-ce que tu es libre ce weekend?	*Are you free this weekend?*

To accept an invitation, use:

Je voudrais bien.	*I would be willing.*

To express appreciation, use:

Je vous remercie tous!	*I thank you all.*

Communication électronique

The beautiful Caribbean beckons again, this time calling us to the French part of the island of Saint Martin in the West Indies. It's called the "Watersports Paradise" because here you can do activities in, on or under the water. To check them out, go to this Internet site:

http://www.sxm-game.com/index.html

After you have finished exploring this site, answer the following questions.

1. How many of the eight listed activities have French names that are taken directly from English?
2. Click on "Plongée." When is the snorkeling/scuba diving season on Saint Martin?
3. Is the French section of the island in the northern or southern part?
4. Click on "Planche à voile." What are three advantages of the location of Windy Reef?
5. Which months have the best waves for surfing?
6. Click on "Parachute." How many employees work at Kontiki Watersports on Orient Beach?
7. Which is more difficult to use, **un jet-ski** or **un scooter des mers**?
8. If you choose the **parachute ascentionnel**, how high up do you go?

À moi de jouer!

Caroline's birthday is next week. Three of her friends are discussing what they are going to get her. With your classmates, complete their dialogue with appropriate expressions that you have learned in Unit 5. (You may want to refer to the *Communication active* on pages 216-17 and the vocabulary list on page 219.)

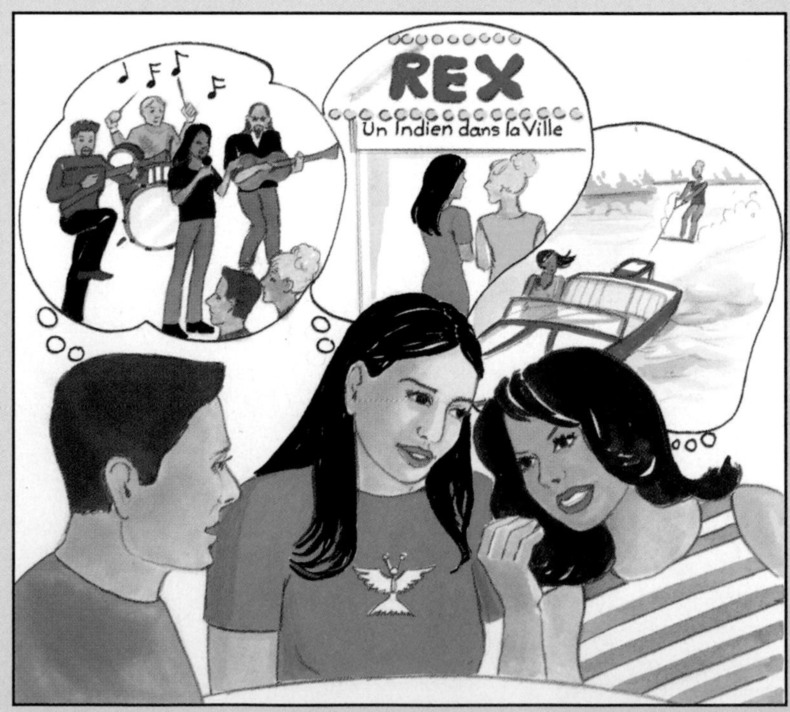

Vocabulaire

l' **aérobic (m.)** aerobics
allumer to turn on
l' **amour (m.)** love
anniversaire: Bon anniversaire! Happy Birthday!
assister à to attend
une **aventure** adventure

le **baby-sitting** baby sitting
une **batterie** drums
bon: Bon anniversaire! Happy irthday!
un **bulletin météo** weather report

un **canoë** canoe
un(e) **chéri(e)** darling
une **clarinette** clarinet
collectionner to collect
une **comédie** comedy
un **concert** concert
courir to run

de (d') about
un **dessin animé** cartoon
un **documentaire** documentary
un **drame** drama

les **échecs (m.)** chess
une **émission** program
emmener to take (someone) along
l' **épouvante (f.)** horror
l' **escalade (f.)** climbing
éteindre to turn off

faire de l'aérobic (m.) to do aerobics
faire de l'escalade (f.) to go climbing
faire de la gym (gymnastique) to do gymnastics
faire de la musculation to do body building
faire de la planche à voile to go wind-surfing
faire de la plongée sous-marine to go scuba diving
faire de la voile to go sailing
faire du baby-sitting to baby-sit
faire du camping to go camping, to camp
faire du canoë to go canoeing
faire du karaté to do karate
faire du ski nautique to go waterskiing, to water-ski
fêter to celebrate
un **feuilleton** soap opera
une **flûte** flute

une **galère: Quelle galère!** What a drag!
gâter to spoil
le **golf** golf
une **guitare** guitar
la **gym (gymnastique)** gymnastics

des **informations (f.)** news

un **jeu** game
un jeu télévisé game show
jouer au golf to play golf
jouer aux cartes (f.) to play cards
jouer aux échecs (m.) to play chess

le **karaté** karate

le, la, l' him, her, it
les them
libre free (not busy)
les **loisirs (m.)** leisure activities

un **match** game, match
un **mec** guy
mieux better
la **musculation** body building

offrir to offer, to give

papa (m.) Dad
un **piano** piano
la **planche à voile** windsurfing
la **plongée sous-marine** scuba diving
plonger to dive
un **policier, une policière** detective

quel: Quel, Quelle...! What (a) . . . !

une **raquette** racket
recommencer to begin again
remercier to thank

sauf except
un **saxophone** saxophone
la **science-fiction** science fiction
le **ski nautique** waterskiing
sportif, sportive athletic
un **synthé (synthétiseur)** synthesizer

te you
tous all
un **trombone** trombone
une **trompette** trumpet

un **violon** violin
la **voile** sailing

Unité 6

Les pays du Maghreb

In this unit you will be able to:

- express need and necessity
- inquire about details
- identify objects
- point out something
- ask someone to repeat
- restate information
- give opinions
- make requests
- choose and purchase items
- write a letter
- sequence events
- describe daily routines
- report

Leçon A

In this lesson you will be able to:

- ask someone to repeat
- restate information
- make requests
- choose and purchase items

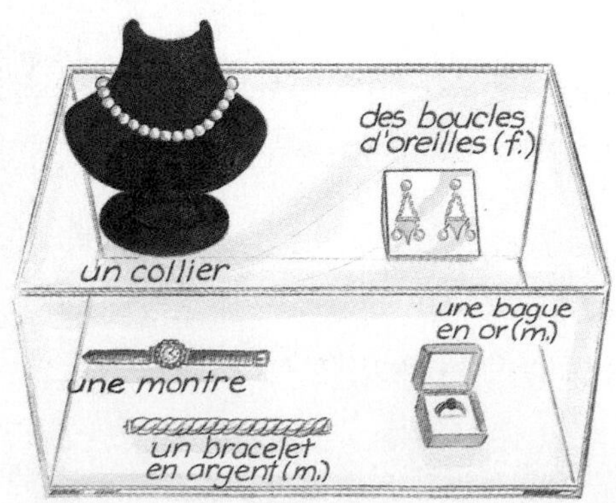

Abdel-Cader, qui est algérien, passe l'année scolaire chez la famille Garnier à Strasbourg. Il veut envoyer des cadeaux à ses parents à Alger.

Mme Garnier: **Qu'est-ce que tu vas offrir à ta mère?**

Abdel-Cader: **Le collier et les boucles d'oreilles que je viens d'acheter hier. Elle adore les bijoux.**

Mme Garnier: **Et à ton père?**

Abdel-Cader: **Cette nouvelle montre. Quand il ouvre un cadeau, il est toujours content.**

Mme Garnier: **Tu es très généreux. Tu veux les envoyer cet après-midi, n'est-ce pas? Je vais en ville, alors je peux te laisser à la poste.**

Abdel-Cader: **D'accord. Merci.**

Abdel-Cader: **Je voudrais envoyer ce colis en Algérie.**

La postière: **Bon, je vais le peser... par avion, l'affranchissement est de 8,84 euros.**

Abdel-Cader: **Comment? Je n'ai pas entendu.**

La postière: **Je dis que ça coûte 8,84 euros.**

Abdel-Cader: **D'accord. Je voudrais deux aérogrammes et cinq timbres aussi.**

La postière: **Alors, ça fait 14,18 euros.**

Abdel-Cader: **Et voilà. Merci et au revoir, Mademoiselle.**

Enquête culturelle

La cathédrale gothique de Strasbourg a seulement une tour.

Près du Rhin et de l'Allemagne, Strasbourg est le centre intellectuel et économique de l'Alsace à l'est de la France. Ville cosmopolite, Strasbourg est une des capitales de l'Union européenne. Au centre-ville il y a une grande cathédrale gothique, finie en 1439. Le vieux quartier de la ville, plein de vieilles maisons et de petits ponts, s'appelle la "Petite France." Il y a une influence allemande sur l'architecture et la nourriture à Strasbourg.

Le Parlement européen se réunit au palais de l'Europe.

Restaurant Gurtlerhoft

Dans un superbe caveau du 14e siècle, nous vous proposons des spécialités d'Alsace

Des tartes flambées midi et soir, de la cuisine traditionnelle et un plat du jour le midi.

Ouvert tous les jours

13, place de la Cathédrale - 67000 STRASBOURG
Tél. 03.88.75.00.75 - Fax : 03.88.75.77.45

Alger est un port près de la mer Méditerranée et la capitale de l'Algérie en Afrique du Nord. Avec le Maroc à l'ouest et la Tunisie à l'est, l'Algérie fait partie du Maghreb.

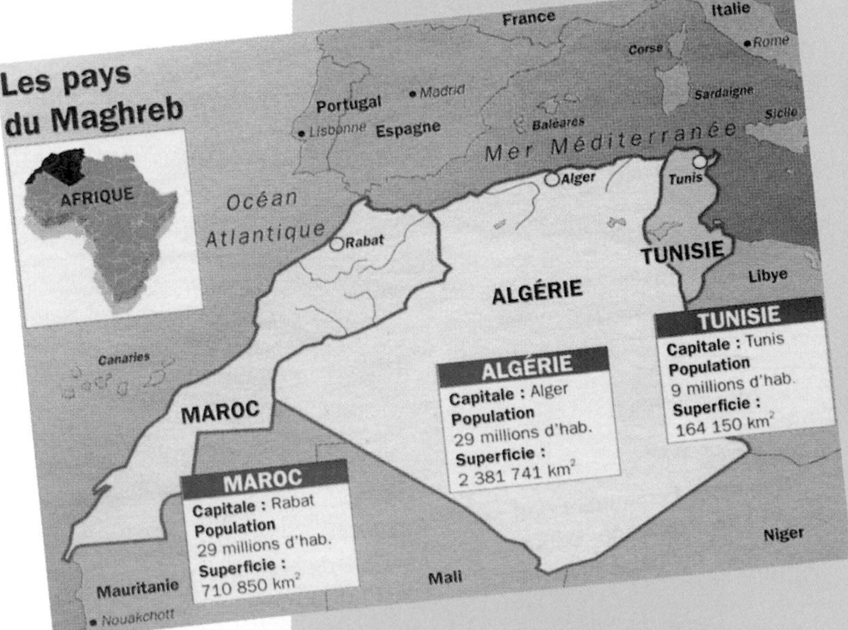

Alger, la plus grande ville algérienne, s'appelle Al Djazair en arabe.

L'Algérie est quatre fois plus grande que la France. Le Sahara est un grand désert en Algérie. Beaucoup d'Algériens parlent arabe et français.

À la poste on peut acheter des timbres séparément ou en groupes de sept ou de dix. On peut aussi acheter des cartes téléphoniques (les télécartes), utiliser le Minitel ou le téléphone public, chercher un numéro de téléphone et envoyer de l'argent. En France les boîtes aux lettres sont jaunes.

JOUEZ SUR MINITEL
COMPOSEZ 3615 TAPEZ T7J
7 JOURS DE JEUX

M. Chastain achète des timbres à un distributeur.

1 *Choisissez la bonne réponse.*

1. Où est-ce qu'Abdel-Cader passe l'année scolaire?
   a. à Strasbourg
   b. à Alger
   c. à Paris
2. À qui est-ce qu'il parle?
   a. à sa mère
   b. à son père
   c. à Mme Garnier
3. Qu'est-ce qu'Abdel-Cader va offrir à son père?
   a. un collier et des boucles d'oreilles
   b. une nouvelle montre
   c. des timbres
4. Quand est-ce qu'il va aller à la poste?
   a. ce matin
   b. cet après-midi
   c. ce soir
5. Où est-ce qu'il veut envoyer son colis?
   a. à Alger
   b. par avion
   c. à Strasbourg
6. L'affranchissement, c'est combien?
   a. 4,48 euros
   b. 8,84 euros
   c. 14,18 euros
7. Combien d'aérogrammes est-ce qu'Abdel-Cader veut acheter?
   a. deux
   b. cinq
   c. dix

Abdel-Cader passe l'année scolaire à Strasbourg, en Alsace.

2 *Qu'est-ce qu'on peut voir à la poste?*

Modèle:

On peut voir du courrier.

1.

2.

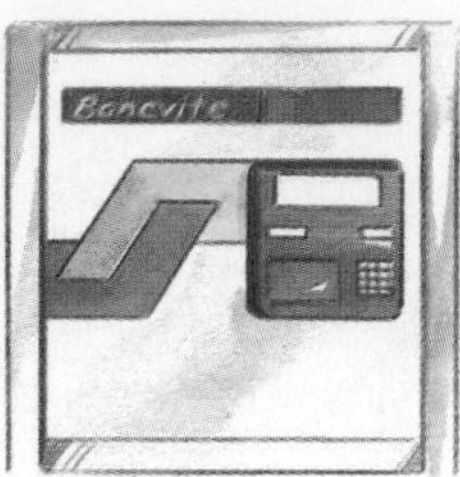

3.

4.

5.

6.

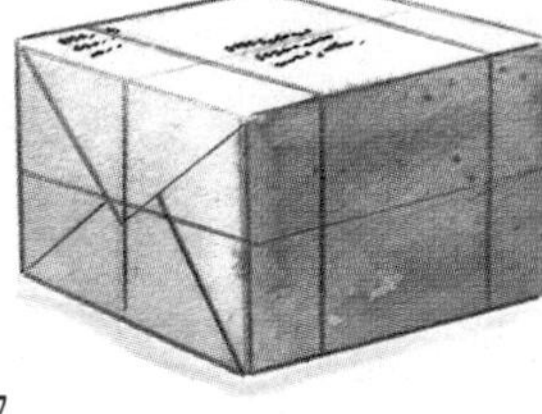

7.

8.

Saïd va envoyer un colis. (La Rochelle)

3 *C'est à toi!*

1. Est-ce que tu portes une montre aujourd'hui?
2. Est-ce que tu portes des boucles d'oreilles? Si oui, combien?
3. Est-ce que tu préfères les bijoux en or ou en argent?
4. Est-ce que tu faxes souvent des lettres?
5. Quelle est ton adresse?
6. À quelle heure est-ce que le facteur/la factrice passe chez toi?
7. Qui cherche le courrier chez toi?

Structure

Present tense of the irregular verb *dire*

The verb **dire** (*to say, to tell*) is irregular.

dire			
je	**dis**	Je **dis** que c'est cher.	*I say it's expensive.*
tu	**dis**	Qu'est-ce que tu **dis**?	*What are you saying?*
il/elle/on	**dit**	Elle **dit** quelque chose.	*She says something.*
nous	**disons**	Nous **disons** qu'il neige.	*We say it's snowing.*
vous	**dites**	Pourquoi **dites**-vous ça?	*Why do you say that?*
ils/elles	**disent**	Ils ne **disent** rien.	*They don't say anything.*

Si vous aimez le sucre,
dites-le lui.

The irregular past participle of **dire** is **dit**.

J'ai **dit** que je n'ai pas besoin d'aller à la poste. — *I said that I don't need to go to the post office.*

Pratique

4 *Il y a un match de foot cet après-midi. Dites si les personnes suivantes disent qu'elles vont venir ou pas. Suivez les modèles.*

Modèles:

Jacques/oui
Jacques dit que oui.

Sandrine et Amina/non
Sandrine et Amina disent que non.

1. Jean-Luc/non
2. tu/oui
3. les copines de Bertrand/oui
4. Louis et toi/oui
5. je/non
6. les parents de Dikembe/oui
7. la prof de musique/non
8. Margarette et moi/non

Martine dit qu'elle passe l'après-midi avec sa famille.

5 *Les personnes suivantes ne vont pas au match de foot cet après-midi. Faites leurs excuses.*

aller à la poste	travailler	faire du baby-sitting
être malade	aller au cinéma	jouer au tennis
faire les magasins	faire la lessive	avoir trop de devoirs

Modèle:

Élisabeth dit qu'elle a trop de devoirs.

1. Mme Darmond

2. je

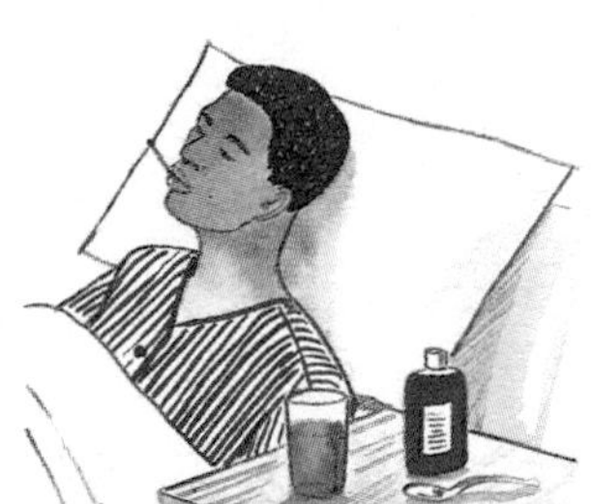
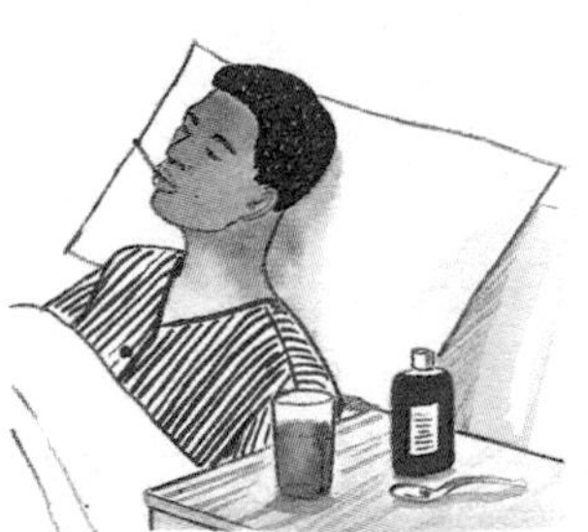

3. Dikembe

4. Rachel et toi

5. Alexandre et Paul

6. tu

7. mes sœurs

8. Claudette et moi

Present tense of the irregular verb *ouvrir*

Here are the present tense forms of the irregular verb **ouvrir** (*to open*). Note that in the present tense it has the endings of an **-er** verb.

ouvrir			
j'	**ouvre**	J'**ouvre** la porte pour maman.	*I open the door for Mom.*
tu	**ouvres**	Tu n'**ouvres** pas la lettre?	*Aren't you opening the letter?*
il/elle/on	**ouvre**	La banque **ouvre** à 9h00.	*The bank opens at 9:00.*
nous	**ouvrons**	Nous **ouvrons** le colis.	*We're opening the package.*
vous	**ouvrez**	Qu'est-ce que vous **ouvrez**?	*What do you open?*
ils/elles	**ouvrent**	Mes parents **ouvrent** leurs cadeaux.	*My parents are opening their gifts.*

Élisabeth ouvre son cadeau d'anniversaire.

The irregular past participle of **ouvrir** is **ouvert**.

Chloé a **ouvert** sa trousse. *Chloé opened her pencil case.*

Pratique

6 *Imaginez que vous travaillez dans un office de tourisme en France. Pendant une journée typique dites ce que vos collègues et vous ouvrez.*

Modèle:

M. Daumier ouvre le télégramme.

The relative pronouns *qui* and *que*

M. Delon porte un bracelet qui est en argent.

The relative pronouns **qui** and **que** are used to combine two shorter sentences into one longer one. They are called "relative" pronouns because they "relate" or connect these sentences to one another. Note how the following pairs of sentences are joined together by **qui** or **que**.

J'achète le bracelet. *I buy the bracelet.*	Le bracelet est en or. *The bracelet is gold.*

J'achète le bracelet **qui** est en or.
I buy the bracelet that is gold.

J'achète le bracelet. *I buy the bracelet.*	Ma mère adore le bracelet. *My mother loves the bracelet.*

J'achète le bracelet **que** ma mère adore.
I buy the bracelet that my mother loves.

If both **qui** and **que** mean "that" in these combined sentences, why is **qui** used in the first one and **que** in the second one? Because **qui** is used as the *subject* of the phrase **qui est en or** and **que** is used as the *direct object* of the phrase **que ma mère adore**.

The relative pronoun **qui** means "who," "which" or "that." **Qui** may refer to a person or to a thing.

Abdel-Cader envoie des cadeaux à ses parents **qui** sont en Algérie.
Abdel-Cader is sending gifts to his parents who are in Algeria.

Son père adore sa nouvelle montre **qui** est suisse.
His father loves his new watch that is Swiss.

Les provisions que les ados achètent sont pour un piquenique. (Verneuil-sur-Seine)

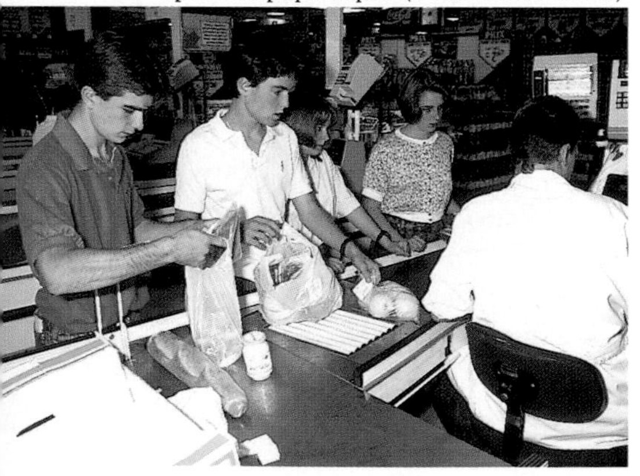

The relative pronoun **que** means "that," "whom" or "which." **Que** may refer to a person or to a thing.

Le garçon **que** Rose invite à la boum est très sympa.
The boy that Rose is inviting to the party is very nice.

Le colis **que** tu envoies ne pèse pas beaucoup.
The package that you are sending doesn't weigh a lot.

You remember that the past participle of a verb in the **passé composé** agrees in gender and in number with the preceding direct object pronoun. Since **que** is used as a direct object, the past participle must agree in gender and in number with the word that **que** refers to.

Les boucles d'oreilles **qu'**Abdel-Cader a offert**es** à sa mère sont belles.
The earrings that Abdel-Cader gave his mother are beautiful.

Pratique

7 *Avec un(e) partenaire, parlez des cadeaux que vous offrez. L'Élève A pose les questions; l'Élève B répond aux questions. Suivez le modèle.*

Modèle:

montre/suisse
Élève A: **Quelle montre offres-tu?**
Élève B: **J'offre la montre qui est suisse.**

1. bracelet/italien
2. boucles d'oreilles/cher
3. bague/en or
4. collier/mexicain
5. bijoux/en argent

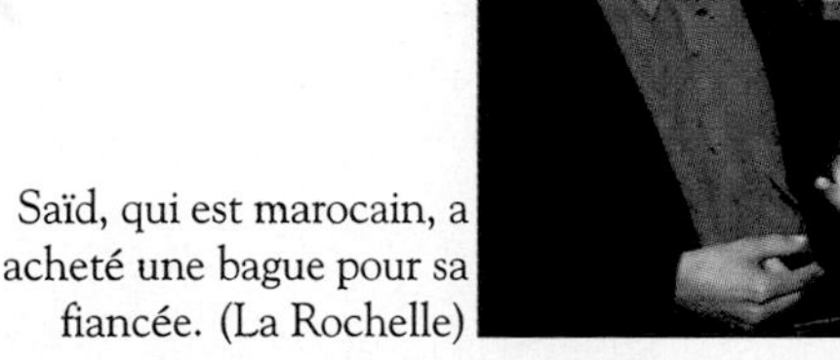

Saïd, qui est marocain, a acheté une bague pour sa fiancée. (La Rochelle)

"Buckingham", bague en or jaune avec citrine centrale entourée de iolites qualibrées (Poiray Carré d'Or).

8 *Faites des compliments! Dites à la personne indiquée que l'objet qu'il ou elle a acheté est très beau. Suivez les modèles.*

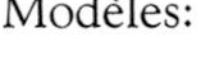

Modèles:

Mme Legrand
Le manteau que vous avez acheté est très beau!

Assia
Les boucles d'oreilles que tu as achetées sont très belles!

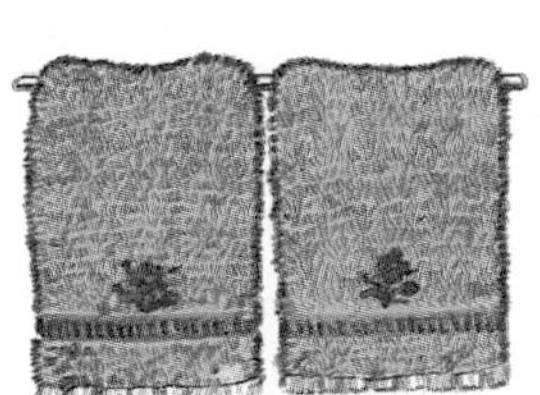

1. Emmanuel

2. Mme Tremblay

3. Mlle Desjardins

4. les Cheutin

5. Étienne

6. ta mère

7. Patricia

8. M. Aknouch

9 *Complétez les phrases suivantes avec* **qui** *ou* **que** *(***qu'***).*

1. Abdel-Cader,... est algérien, va offrir des cadeaux à ses parents.
2. Abdel-Cader passe l'année scolaire chez la famille Garnier... habite à Strasbourg.
3. Les cadeaux... ce jeune homme va offrir à sa mère sont un collier et des boucles d'oreilles.
4. Le collier,... est en or, est très joli.
5. La montre... Abdel-Cader va offrir à son père est suisse.
6. Cet après-midi Abdel-Cader veut envoyer les cadeaux... il a achetés hier.
7. La postière va peser le colis... est très grand.
8. Les aérogrammes et les timbres... Abdel-Cader achète coûtent 14,18 euros.

Strasbourg, qui ressemble beaucoup aux villes allemandes, est sur l'Ill.

Communication

10 *Avec un(e) partenaire, jouez les rôles de deux personnes à la poste. L'Élève A joue le rôle d'un(e) Américain(e) qui a besoin d'aide. L'Élève B joue le rôle d'un postier (une postière). Pendant votre conversation:*

1. L'Élève B dit "Bonjour" à l'Élève A.
2. L'Élève A dit qu'il ou elle veut acheter des timbres pour des lettres et des cartes postales pour les États-Unis.
3. L'Élève B donne les timbres à l'Élève A et dit combien ils coûtent.
4. L'Élève A dit qu'il ou elle veut aussi envoyer un colis par avion aux États-Unis.
5. L'Élève B pèse le colis et dit à l'Élève A combien ça coûte pour envoyer le colis.
6. L'Élève A dit qu'il ou elle n'a pas entendu.
7. L'Élève B dit combien il coûte pour envoyer le colis.
8. L'Élève A dit qu'il ou elle ne peut pas voir la boîte aux lettres.
9. L'Élève B montre la boîte aux lettres à l'Élève A.
10. L'Élève A remercie l'Élève B et dit "Au revoir."

11 *Après votre séjour en famille à Strasbourg, vous avez décidé d'envoyer un bracelet amérindien en argent à la mère de votre famille, Mme Richelieu. Mais elle n'a pas écrit* (written) *pour vous remercier. Pour être sûr(e) que votre colis est arrivé, vous envoyez un fax à Mme Richelieu. Dans ce fax vous remerciez Mme Richelieu pour votre visite, décrivez ce que vous avez acheté pour elle* (her), *dites quand vous avez envoyé ce cadeau et demandez si le colis est arrivé ou pas. Enfin dites à Mme Richelieu de vous faxer sa réponse.*

des accessoires (m.)

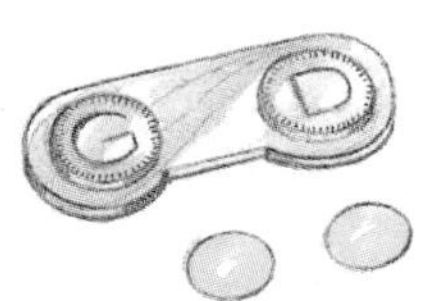
des verres de contact (m.)

un pyjama

des sandales (f.)

des sous-vêtements (m.)

un imperméable (imper)

un peignoir de bain

une casquette

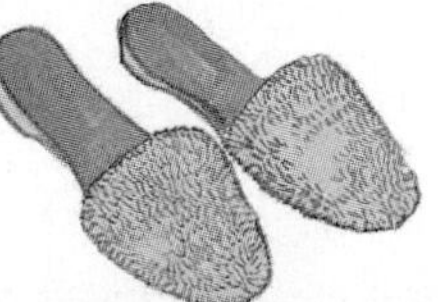
des pantoufles (f.)

Leçon B

In this lesson you will be able to:

- write a letter
- sequence events
- describe daily routines
- report
- give opinions
- identify objects

Yasmine est tunisienne. Elle passe un été en France chez les Lambert. Elle écrit une lettre à sa mère à Tunis.

le 7 juillet

Chère maman,

C'est extra chez cette famille française! Quand je suis arrivée, je leur ai donné les jolis cadeaux en cuir de Tunisie... le sac à main pour Madame Lambert, la ceinture pour son mari, le portefeuille pour le fils, Pierre, et les gants pour la fille, Nadia. La semaine suivante je leur ai préparé un bon repas tunisien, du couscous, naturellement! Pendant la journée je sors souvent avec Nadia, et on s'amuse beaucoup. Je lui parle de ma vie à Tunis et de mes amis. Elle est très sympa. Le temps passe vite!

À bientôt,

Yasmine

Enquête culturelle

Grand port de la Méditerranée et centre touristique, culturel, industriel, administratif et commercial, Tunis est la capitale de la Tunisie. C'est une ville avec des marchés (*souks*) pittoresques. La France a contrôlé la Tunisie de 1881 à 1956, année de son indépendance. Même aujourd'hui, on parle français et arabe en Tunisie. Il y a des Tunisiens qui ont quitté leur pays pour aller travailler en France.

Sidi Bou Saïd est l'un des plus beaux quartiers de Tunis. (Tunisie)

En été il fait très chaud au Sahara, souvent 45° Celsius. (Tunisie)

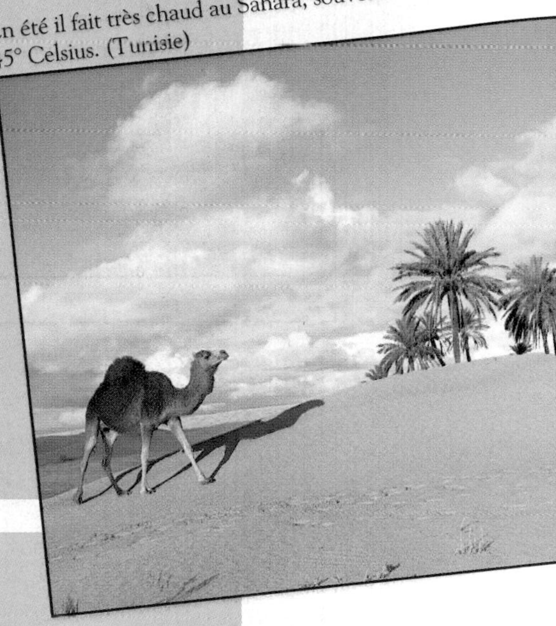

En général, quand on écrit une lettre en français à un(e) ami(e), on écrit à la main. Quand on écrit une lettre officielle, on peut utiliser un ordinateur. Quand on écrit l'adresse sur l'enveloppe, on met le code postal devant le nom de la ville. Naturellement, les Français utilisent l'e-mail et le fax aussi. Et souvent on communique avec le Minitel. C'est un petit ordinateur qui fonctionne avec le téléphone. On peut utiliser le Minitel pour des services variés, par exemple, on peut chercher un numéro de téléphone par Minitel. On peut aussi réserver des billets pour voyager ou pour aller au théâtre, et on peut envoyer des messages. On ne paie pas l'ordinateur, mais on paie le temps qu'on utilise, et c'est assez cher.

Solange choisit des vêtements par Minitel.

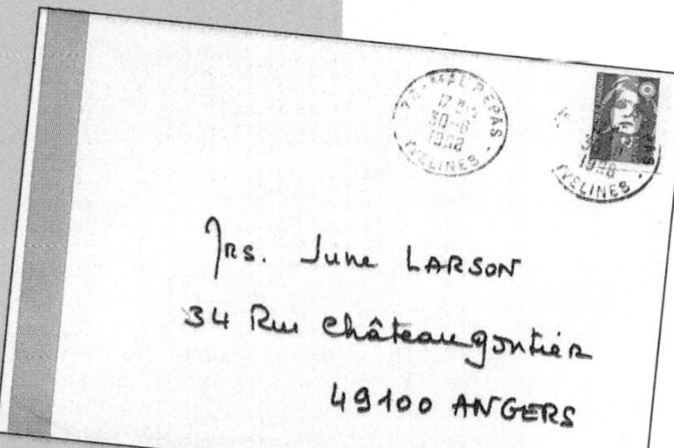

1 *D'après la lettre de Yasmine, expliquez par des phrases complètes...*

1. la date.
2. à qui elle écrit la lettre.
3. où elle passe l'été.
4. chez qui elle reste.
5. quels cadeaux elle a donnés aux Lambert.
6. avec qui elle sort pendant la journée.
7. quel plat elle a préparé pour la famille.

Yasmine a acheté des cadeaux en cuir pour la famille Lambert. (Tunisie)

2 *Choisissez l'accessoire qui est généralement associé à chaque partie du corps.*

un bracelet	des lunettes de soleil	une bague	des gants
une casquette	des boucles d'oreilles	des sandales	un collier

1. le doigt
2. le bras
3. le cou
4. les oreilles
5. les mains
6. les yeux
7. la tête
8. les pieds

Mme Gérard porte de grandes boucles d'oreilles en or. (Martinique)

3 *Qu'est-ce qu'on porte?*

Modèle:

Elle porte un manteau, un foulard, des bottes et un sac à main.

1.

3.

2.

4 *C'est à toi!*

1. Est-ce que tu t'es amusé(e) pendant le weekend?
2. Quels sont trois accessoires que tu portes souvent?
3. Qu'est-ce que tu portes à l'école aujourd'hui? Quand il pleut? Quand il fait froid?
4. Est-ce que tu portes des lunettes de soleil en été? Et en hiver?
5. Est-ce que tu portes des verres de contact? Si oui, est-ce que tu les portes chaque jour?
6. Est-ce que tu peux porter une casquette en cours?
7. Selon toi, est-ce que l'année scolaire passe vite?

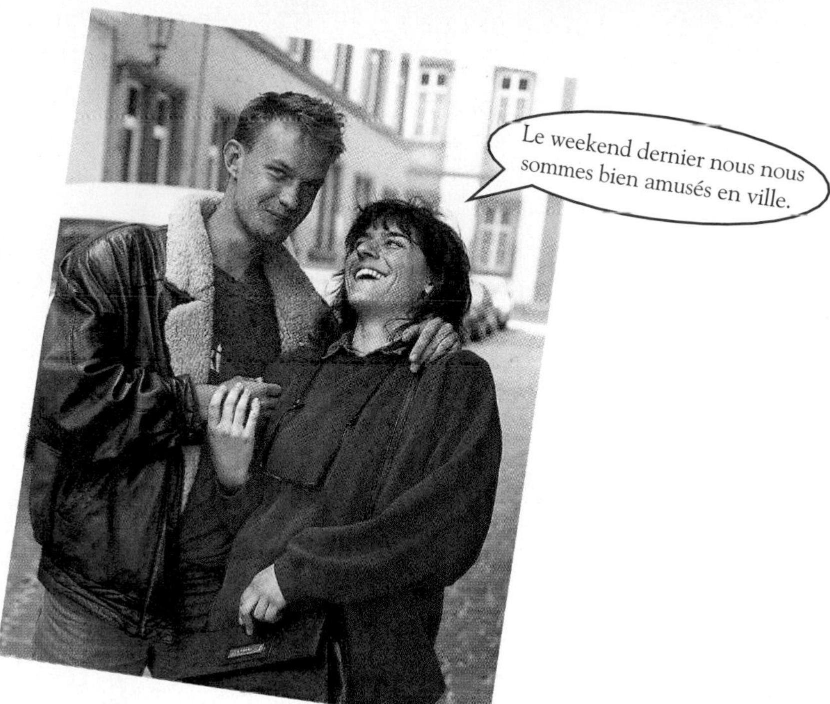

Le weekend dernier nous nous sommes bien amusés en ville.

Structure

Present tense of the irregular verb *écrire*

The verb **écrire** (*to write*) is irregular.

		écrire	
j'	**écris**	J'**écris** à mes parents.	*I'm writing to my parents.*
tu	**écris**	Qu'est-ce que tu **écris**?	*What are you writing?*
il/elle/on	**écrit**	Malick **écrit** son adresse.	*Malick writes his address.*
nous	**écrivons**	Nous lui **écrivons**.	*We're writing to her.*
vous	**écrivez**	**Écrivez**-vous une lettre?	*Are you writing a letter?*
ils/elles	**écrivent**	Ils n'**écrivent** pas de cartes postales.	*They don't write any postcards.*

Lire et écrire : Chagall-Proust

"La presse ?
Elle écrit
les choses les plus
bizarres sur moi !"

The irregular past participle of **écrire** is **écrit**.

Karine a **écrit** un aérogramme. *Karine wrote an aerogram.*

Nadine écrit une lettre sur ordinateur.

Pratique

5 *Utilisez les illustrations pour dire ce que les personnes indiquées écrivent.*

Modèle:

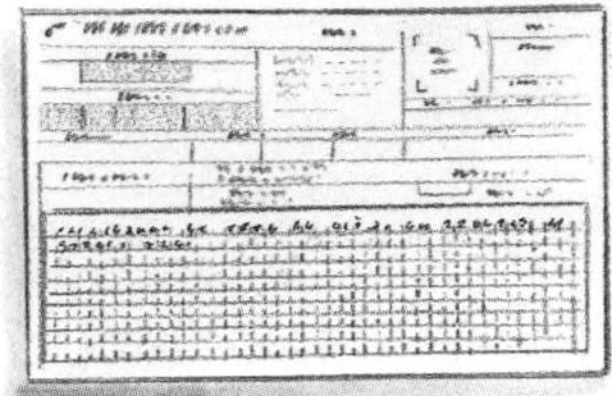

M. Garnier
M. Garnier écrit un télégramme.

1. M. Dumas

2. tu

3. Mlle Hatier et toi

4. les Allemands

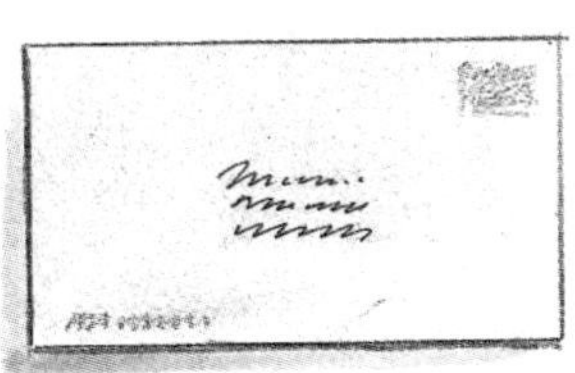

5. je

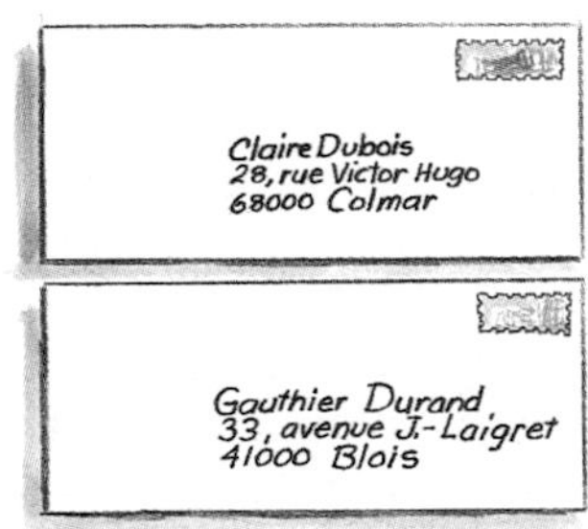

6. Jérôme et moi

6 *Formez sept phrases logiques qui utilisent le verbe* ***écrire*** *au passé composé. Choisissez un élément des colonnes A, B et C pour chaque phrase.*

Modèle:
Tu as écrit la date sur le chèque de voyage.

A	B	C
tu	une lettre d'amour	de leur vie
le prof	la date	sur son ordinateur
mes amis et moi	les adresses	d'Europe
je	un message	à mon correspondant
M. et Mme Clinton	l'histoire	à son ami Francis
Mlle Colbert	un aérogramme	au travail
ma sœur	une interro	sur le chèque de voyage
Magali et toi	des cartes postales	sur les enveloppes

Fabienne écrit à son correspondant.

Indirect object pronouns: *lui, leur*

The indirect object of a verb is the person to whom the verb's action is directed. The indirect object answers the question "to whom." In the sentence **Je parle à Denise**, the word **Denise** is the indirect object of the verb **parle**. Notice the use of the preposition **à** between the verb and the indirect object.

As in English, the indirect object may be replaced by a pronoun. The indirect object pronouns **lui** and **leur** replace **à** plus a noun.

Singular	lui	to him, to her
Plural	leur	to them

Offres-tu un cadeau à Assia? — *Are you giving a gift to Assia?*
Oui, je **lui** offre une montre. — *Yes, I'm giving her a watch.*

Écrivez-vous à vos parents? — *Are you writing to your parents?*
Oui, je **leur** écris. — *Yes, I'm writing to them.*

The indirect object pronouns **lui** and **leur** usually come right before the verb of which they are the object. The sentence may be affirmative, interrogative, negative or have an infinitive.

Lui téléphone-t-il? — *Does he call her?*
Non, il ne **lui** téléphone pas. — *No, he doesn't call her.*
Il va **lui** téléphoner demain. — *He's going to call her tomorrow.*

Aurélie? Je lui téléphone ce soir.

Demandez-leur
la lune

LE MONDE VOUS PARLE... RÉPONDEZ-LUI!

Pratique

Modèle:
— Qu'est-ce que tu offres à ton amie?
— Je **lui** offre un foulard.

7 *Complétez les petits dialogues avec* **lui** *ou* **leur**.

1. — Qui montre Strasbourg à Abdel-Cader?
   — Les Garnier... montrent Strasbourg.
2. — Est-ce qu'Abdel-Cader parle à la postière?
   — Oui, il... parle au guichet.
3. — Est-ce que Yasmine donne de jolis cadeaux tunisiens aux Lambert?
   — Oui, elle... donne de jolis cadeaux tunisiens.
4. — Est-ce que la famille Lambert présente Yasmine à leurs amis?
   — Oui, elle... présente Yasmine.
5. — Est-ce que Marie-Claire ressemble à sa sœur?
   — Non, elle ne... ressemble pas du tout.
6. — Quand Marcel fait du baby-sitting, lit-il des histoires aux enfants?
   — Oui, quand il fait du baby-sitting, il... lit des histoires.
7. — Est-ce que tu écris à ta correspondante française?
   — Oui, je... écris souvent.
8. — Est-ce que vous téléphonez à vos cousins ce soir?
   — Non, nous ne... téléphonons pas ce soir.

Qu'est-ce que tu offres à ton frère pour son anniversaire?
Je lui offre toujours un CD.

8 *Les parents de Béatrice disent qu'elle téléphone trop à ses copains. Ils lui demandent de voir une liste de ses coups de téléphone* (phone calls). *Voici la liste que Béatrice a faite pour le mois de décembre. Pour chaque date, dites si elle a téléphoné ou pas aux personnes indiquées.*

Modèles:

2.12/Pierre
Non, elle ne lui a pas téléphoné.

3.12/Élise, Guillaume, Luc
Oui, elle leur a téléphoné.

date	personne
2.12	Nadine
3.12	Élise, Guillaume, Luc
5.12	la prof de dessin
8.12	Marie-Claire
10.12	Raoul
13.12	Raoul, Nadine
16.12	Raoul
17.12	Raoul
20.12	Nadine
21.12	Robert
22.12	Étienne
26.12	Mahmoud
28.12	Véro
30.12	Nadine

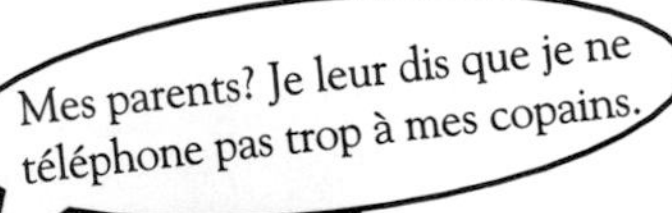

Mes parents? Je leur dis que je ne téléphone pas trop à mes copains.

1. 20.12/Nadine
2. 30.12/Élisabeth et Jean-Claude
3. 21.12/le prof de physique
4. 13.12/Raoul et Nadine
5. 28.12/Yasmine
6. 17.12/Raoul
7. 11.12/sa grand-mère
8. 21.12/Thierry et Benoît

9 *Avec un(e) partenaire, posez et répondez aux questions. Suivez le modèle.*

Modèle:

envoyer des cadeaux de Noël à tes cousins

Élève A: **Est-ce que tu envoies des cadeaux de Noël à tes cousins?**
Élève B: **Oui, je leur envoie des cadeaux de Noël. Et toi, est-ce que tu envoies des cadeaux de Noël à tes cousins?**
Élève A: **Non, je ne leur envoie pas de cadeaux de Noël.**

1. dire toujours "Bonjour" au prof de français
2. montrer tes devoirs aux autres élèves
3. offrir des boissons à tes copains
4. téléphoner à ton ami(e) chaque soir
5. ressembler à tes parents
6. écrire souvent à ta grand-mère

Communication

10 *Avec les autres élèves de votre classe, organisez un défilé de mode* (fashion show). *Trouvez un(e) partenaire, et écrivez une description de ce que cette personne porte aujourd'hui. Parlez de ses vêtements et de ses accessoires, et donnez la couleur de chaque article et d'autres détails intéressants, si possible. Puis, avec les autres élèves, présentez votre défilé de mode. Quand c'est le tour* (turn) *de votre partenaire de montrer ses vêtements et ses accessoires, lisez aux autres la description que vous avez écrite.*

Ceinture en autruche véritable naturelle surpiquée, boucle en métal doré, Lanvin, 221,05 €. Chemise en coton blanc Ricci Club.

11 *Imaginez que c'est l'année 2300. Vous êtes archéologue* (archaeologist) *et vous venez de découvrir* (discover) *une boîte* (box) *avec des vêtements, des accessoires et des bijoux pour hommes et femmes. Cette boîte date de l'année 2002. Vous devez identifier chaque article, déterminer son usage et donner sa couleur. Dessinez chaque article dans la boîte. Puis écrivez votre description sous chaque dessin.*

Mise au point sur... l'Algérie, la Tunisie et le Maroc

More than 200 million people around the world speak French on a daily basis. The French language spread throughout the world during four centuries of French imperialism. Three North African countries that form **le Maghreb—l'Algérie, la Tunisie** and **le Maroc**—once belonged to France's colonial empire. Although all three countries are now independent, the influence of French language and culture still remains.

Algeria is the second largest African country. Two separate groups, the Arabs and the Berbers, account for most of the population, with each group maintaining its own language and customs. The Islamic faith unites the majority of Algerians, and 99 percent of the people are Muslim. The government strongly supports Islam and pays for the upkeep of the country's elegant domed mosques (Islamic places of worship).

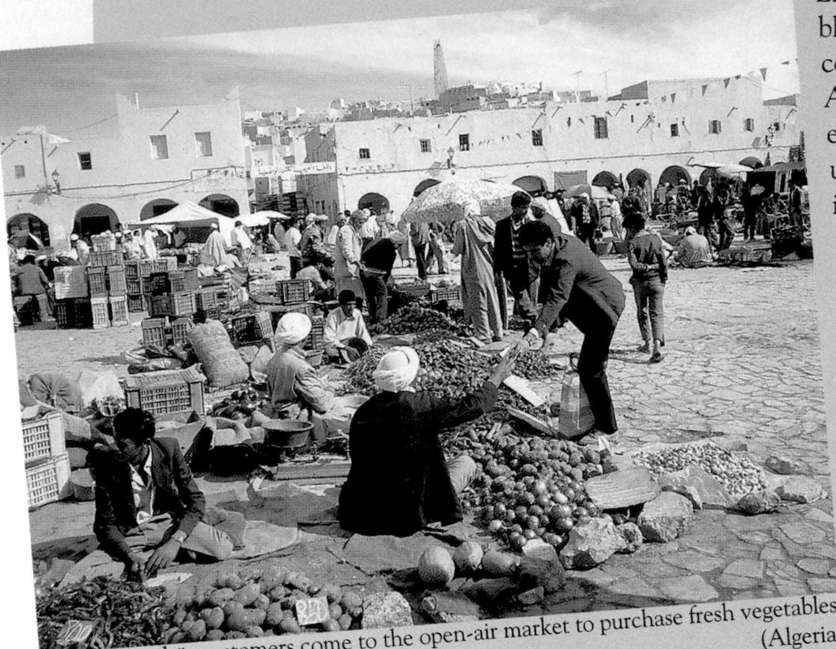
In Ghardaïa customers come to the open-air market to purchase fresh vegetables. (Algeria)

Like many countries, Algeria blends the traditional and the contemporary. While rural Algerians often live with their extended family, city dwellers usually reside with just their immediate family. The cities themselves combine the old and the new—from open-air markets and older sections of the city (**casbahs**) to wide boulevards and skyscrapers. Traditionally, women wear a long, white outer garment (**haik**) and a veil, while men often dress in a long, hooded cloak (**burnoose**). Some city residents favor Western-style clothing.

Algerians make beautiful pottery, rugs, jewelry and other handicrafts which reflect Islamic designs and traditional techniques. Once strongly influenced by the French language and culture, many Algerian artists and writers now draw upon their Arabic, Berber and Islamic roots for inspiration. **Le rai**, a type of music that mixes the traditional singing and rhythms of North Africa with electric guitars, keyboards and drums, is very popular in France with young immigrants from Algeria.

After Algeria's independence from France in 1962, only one political party was allowed in the newly formed socialist state, the National Liberation Front (**F.L.N.**). Then in 1989 the Islamic Salvation Front (**F.I.S.**) gathered strength, calling for Algeria to become an Islamic republic. The military seized power in 1992 to keep the fundamentalist **F.I.S.** from winning parliamentary elections. Much bloodshed followed. Groups that the **F.I.S.** disapproved of, such as women not wearing veils, journalists, artists, students, teachers and heads of state companies, were targeted for violence. France did not want to make concessions, fearing more destruction and a mass immigration of North Africans if extremists took over. This resulted in subsequent terrorist attacks in France itself.

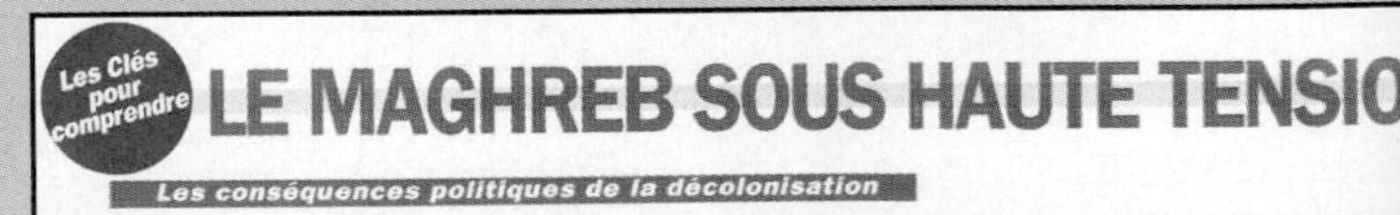
Les Clés pour comprendre LE MAGHREB SOUS HAUTE TENSIO
Les conséquences politiques de la décolonisation

A 16th century Spanish fort overlooks the small fishing village of Kelibia on the Mediterranean. (Tunisia)

Tunisia is appropriately called "the crossroads between the East and West" due to its strategic location on the Mediterranean Sea. A French protectorate for almost 80 years, Tunisia became a republic in 1957.

In the past, the high walls of the exotic, older section of many Tunisian cities, called **la médina**, protected the residents after nightfall. These cities still count mosques and ancient palaces among their many treasures. Narrow streets line the markets, where displays of leather goods, wooden and iron artwork, rugs and pottery vie for the shopper's pocketbook. Tunisians celebrate both religious and civil holidays, and their local ceremonies honor everything from the olive harvest to the invaluable camel and international films.

Five times a day loudspeakers from the mosque call people to prayer. (Tunisia)

The Persian Gulf crisis in 1991 seriously affected Tunisia. While the Tunisian government initially spoke out against Iraq's invasion of Kuwait, pro-Iraq sentiments by some groups, especially Islamic fundamentalists, escalated tensions throughout the country.

Even though Rabat serves as Morocco's capital, Casablanca has become the country's largest city. Fès, known in English as Fez, is the oldest city in Morocco as well as its religious center.

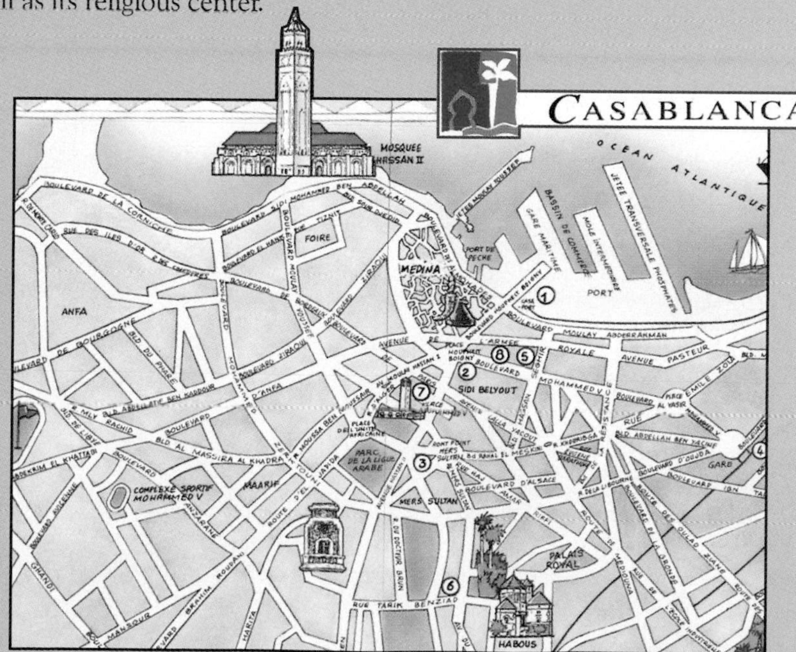

Behind the Bab Bou Jeloud gate in Fez are the narrow, twisting alleys of the *médina*. (Morocco)

The word **fez** has yet another meaning in Morocco. It's a type of red, flat-topped cap that men wear for special occasions instead of the customary turban. Traditional apparel for both men and women is the **djellaba**, a long, hooded robe with long sleeves and an embroidered front seam. Some women also cover their face with a veil. On special occasions women dress in a long **caftan**. For holiday celebrations everyone wears white.

Moroccan women of Ouarzazate proudly wear their *caftans* for a holiday celebration.

Moroccans are famous for their pottery, rugs, metal products and leather goods. Since France and Spain controlled the country from early in the 20th century until 1956, painting, drama and folk music show a strong French and Spanish influence. Because of their long multiethnic history, **les Maghrébins** continue to search for their cultural identity.

Moroccan artisans still make pottery by hand.

12 *Répondez aux questions suivantes.*

1. What is the second largest African country?
2. Which world religion unites most of the Algerian people?
3. What are mosques?
4. What do men and women traditionally wear in Algeria?
5. For what three types of handicrafts are Algerians famous?
6. What is **le rai**?
7. For radical Algerian political groups, who might be a target of disapproval?
8. In what year did Tunisia become a republic?
9. What are the older sections of Tunisian cities called?
10. For what reasons do Tunisians hold local celebrations?
11. What city is the capital of Morocco?
12. What is a **djellaba**?
13. What color do Moroccans wear for holiday celebrations?
14. What two countries have influenced Moroccan art, music and drama?

What do women wear when they go shopping in the *médina*? (Morocco)

13 *Regardez la carte du Maroc. Puis répondez aux questions.*

1. What is the largest body of water that borders Morocco?
2. What two countries border Morocco?
3. Which European country is closest to Morocco?
4. Is Morocco's capital city on the water or inland?
5. Is Morocco's oldest city closer to the Sahara Desert or to the Atlas Mountains?
6. Is Morocco's largest city on the coast, in the mountains or in the desert?
7. If you wanted to swim and take part in other water sports, would you go to Agadir or Fez?

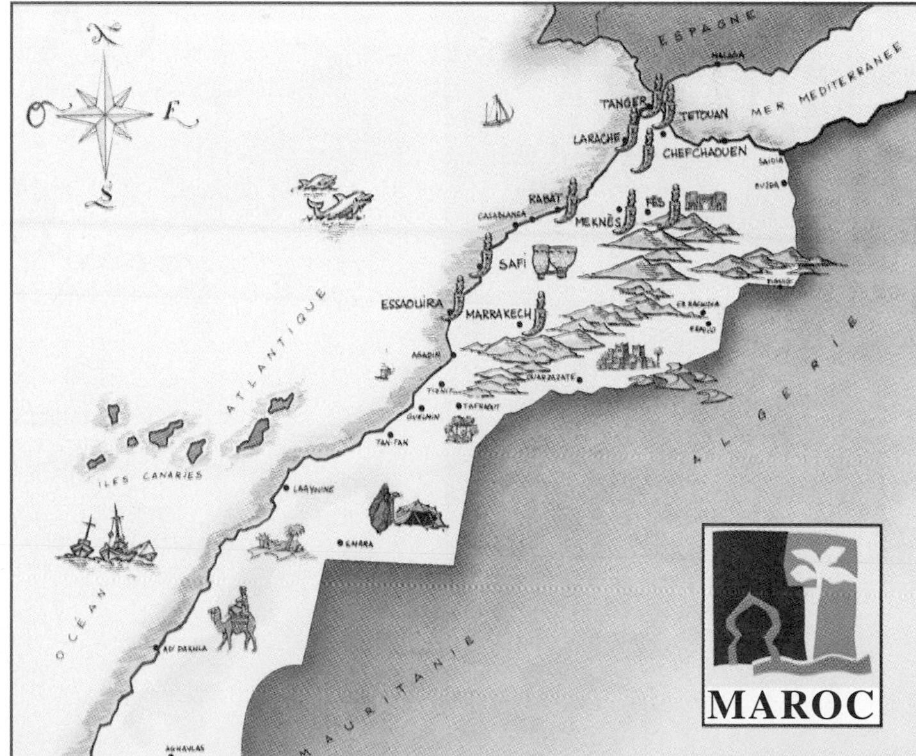

Leçon C

In this lesson you will be able to:

- ➤ express need and necessity
- ➤ inquire about details
- ➤ point out something
- ➤ sequence events

À la banque

Fatima vient de Casablanca, au Maroc. Elle fait un stage de journalisme à Paris. Aujourd'hui elle est allée à la BNP pour changer de l'argent.

Fatima: **Je voudrais changer mon argent en euros, s'il vous plaît.**

Le banquier: **Bien sûr, Mademoiselle. Vous avez de l'argent liquide ou des chèques de voyage?**

Fatima: **Des chèques de voyage. Je les ai déjà signés.**

Le banquier: **Bon. Votre passeport, s'il vous plaît?**

Fatima: **Le voilà.**

Le banquier: **Maintenant vous pouvez passer à la caisse. La caissière va vous donner de l'argent.**

Fatima: **Merci, mais il me faut aussi de la monnaie.**

Le banquier: **Elle peut vous faire de la monnaie aussi.**

Fatima: **Merci, Monsieur.**

Enquête culturelle

Le Maroc est situé sur l'océan Atlantique et sur la mer Méditerranée au nord-ouest de l'Afrique. Casablanca, qui est sur l'océan Atlantique, est la plus grande ville du pays. C'est un centre industriel, commercial et économique. Casablanca est aussi le centre du transport du Maroc. L'argent marocain est le dirham. Officiellement, on parle arabe au Maroc, mais on parle français dans le commerce et à l'école.

Quelques rues marocaines ressemblent aux rues de France. (Tetouan)

La BNP est la Banque Nationale de Paris. Il y a d'autres banques françaises: le Crédit Lyonnais, le Crédit Agricole, le Crédit Commercial. On voit ces banques dans chaque région de la France.

CRÉDIT AGRICOLE DU MIDI

Au Crédit Lyonnais il y a un guichet automatique.

Les étudiants du monde francophone font souvent des stages techniques. Ils travaillent pour des compagnies, mais on ne leur donne pas de salaire. Avec ces expériences professionnelles, ces étudiants peuvent plus vite trouver un travail quand ils ont leur diplôme.

BTS de TOURISME
avec ou sans le bac
en 2 ans
PRÉPARATION AU
DIPLÔME D'ÉTAT
Stages en Europe ou aux États-Unis
Étude intensive des langues
guides interprètes
accompagnatrices
responsables de produits voyages
responsables de congrès
responsables de l'animation
attachés de relations publiques
Financement à 100 % du montant des études

1 *Répondez aux questions d'après le dialogue.*

1. D'où vient Fatima?
2. Qu'est-ce qu'elle étudie à Paris?
3. Pourquoi est-ce qu'elle est allée à la banque aujourd'hui?
4. Est-ce qu'elle a de l'argent liquide ou des chèques de voyage?
5. Est-ce qu'elle a son passeport?
6. Est-ce que le banquier va lui donner de l'argent?
7. Qui peut lui faire de la monnaie?

Fatima vient de Casablanca, au Maroc.

2 *Complétez chaque phrase avec l'expression convenable de la liste suivante.*

banquier	monnaie	pièce	billets
chèques de voyage	passeport	bureau de change	

1. Pour changer de l'argent, on va à la banque ou au....
2. On parle au... à la banque.
3. Il faut signer des... à la banque.
4. Pour toucher des chèques de voyage, il faut montrer son....
5. On met des... dans un portefeuille.
6. J'ai seulement des billets, il me faut aussi de la....
7. Donnez-moi une... de deux euros, s'il vous plaît.

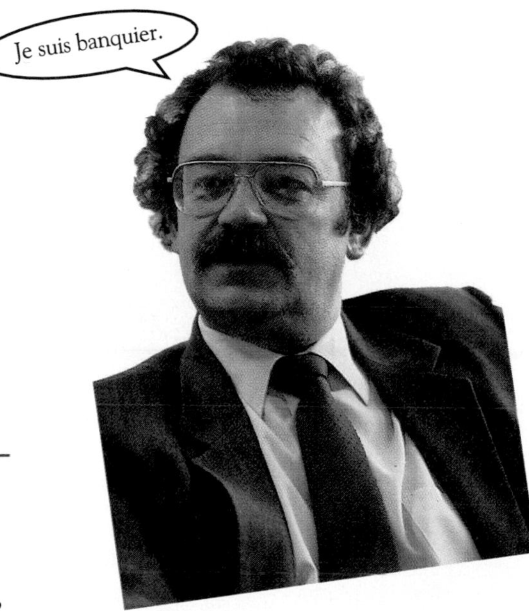

3 *C'est à toi!*

1. Est-ce que tu as un travail?
2. Est-ce que tu vas souvent à la banque?
3. Est-ce qu'il y a une banque près de ta maison ou de ton appartement? Si oui, elle s'appelle comment?
4. Quand tes parents voyagent, est-ce qu'ils préfèrent les chèques de voyage ou l'argent liquide?
5. Est-ce que tu as un passeport?
6. Est-ce que tu as envie de visiter le Maroc?

Structure

Indirect object pronouns: *me, te, nous, vous*

You have already seen the indirect object pronouns **lui** and **leur**. There are other indirect object pronouns, **me**, **te**, **nous** and **vous**, that may be used to talk about the subjects **je**, **tu**, **nous** and **vous**, respectively. The preposition **à** (*to*) is considered part of the indirect objects **me**, **te**, **nous** and **vous**.

Les Pages Jaunes vous offrent
"un week-end au vert".
Gagnez un week-end
de golf (2 pers).

me	Cédric **m'**offre un cadeau.	*Cédric is giving (to) me a gift.*
te	Est-ce qu'il **t'**offre quelque chose?	*Is he giving (to) you something?*
nous	Est-ce que maman **nous** donne de l'argent?	*Is Mom giving (to) us some money?*
vous	Non, elle ne **vous** donne pas d'argent.	*No, she's not giving (to) you any money.*

Note that **me** and **te** become **m'** and **t'** before a verb beginning with a vowel sound.

Jérémy **m'**écrit souvent. — *Jérémy writes to me often.*

Me, **te**, **nous** and **vous** usually come right before the verb of which they are the object. The sentence may be affirmative, interrogative, negative or have an infinitive.

Te parle-t-il? — *Does he talk to you?*
Non, il ne **me** parle pas. — *No, he doesn't talk to me.*
Christiane va **nous** dire sa nouvelle adresse. — *Christiane is going to tell (to) us her new address.*

Pratique

4 *Demandez à votre partenaire s'il ou elle fait les choses suivantes pour vous.*

Modèle:

offrir un coca
Élève A: **Tu m'offres un coca?**
Élève B: **Oui, je t'offre un coca.**

1. dire l'heure qu'il est
2. parler de tes vacances
3. montrer tes photos
4. écrire un message
5. présenter le nouvel élève
6. préparer un sandwich
7. donner dix euros
8. téléphoner ce soir

Tu m'offres des croissants avec mon jus d'orange?
Festival

5 *Complétez les petits dialogues avec* **me**, **te**, **nous** *ou* **vous**.

1. — Est-ce que ta correspondante... écrit souvent?
   — Oui, elle... écrit chaque semaine.
2. — Paul et Jeanne, est-ce que la prof... a présenté son ami français?
   — Non, elle ne... a pas présenté M. Faucher.
3. — Est-ce que tes amis peuvent... téléphoner après 22h00?
   — Non, mais ils peuvent... téléphoner jusqu'à 21h00.
4. — Est-ce que Nathalie... a montré son appartement, Bruno?
   — Oui, elle... a déjà montré son nouvel appartement.
5. — Madame, vous n'allez pas... donner de devoirs pendant le weekend?
   — Mais si, mes élèves! Je vais... donner beaucoup de devoirs!

Modèle:
— Tu **me** donnes ta nouvelle adresse, Béatrice?
— Bien sûr, Fabrice. Je **te** donne mon adresse.

Tu me donnes 20 euros, papa?
Non, Aurélie, je te donne seulement 10 euros.

Communication

6 *Avec un(e) partenaire, jouez les rôles de deux personnes dans une banque parisienne. La première personne joue le rôle d'un banquier ou d'une banquière; la deuxième personne joue le rôle d'un(e) touriste américain(e) qui a besoin de toucher des chèques de voyage. Le banquier ou la banquière lui demande de signer les chèques, de montrer son passeport et d'attendre son argent à la caisse.*

Il faut souvent attendre pour changer son argent à la banque. (Paris)

7 *Voici l'opération de change* (exchange receipt) *pour une transaction effectuée* (carried out) *dans une banque française. Un touriste américain veut changer des dollars pour des euros. Regardez cette opération de change, et répondez aux questions.*

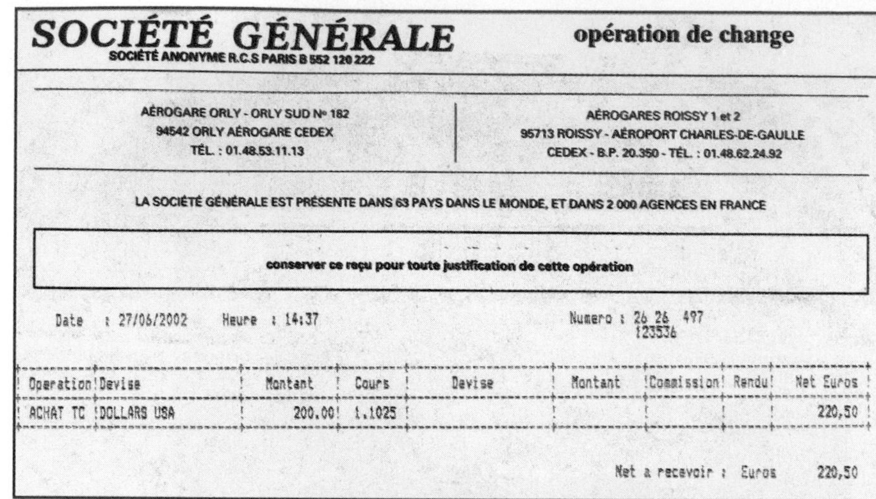

SOCIÉTÉ GÉNÉRALE **opération de change**
SOCIÉTÉ ANONYME R.C.S PARIS B 552 120 222

AÉROGARE ORLY - ORLY SUD N° 182
94542 ORLY AÉROGARE CEDEX
TÉL. : 01.48.53.11.13

AÉROGARES ROISSY 1 et 2
95713 ROISSY - AÉROPORT CHARLES-DE-GAULLE
CEDEX - B.P. 20.350 - TÉL. : 01.48.62.24.92

LA SOCIÉTÉ GÉNÉRALE EST PRÉSENTE DANS 63 PAYS DANS LE MONDE, ET DANS 2 000 AGENCES EN FRANCE

conserver ce reçu pour toute justification de cette opération

Date : 27/06/2002 Heure : 14:37 Numero : 26 26 497 123536

Operation	Devise	Montant	Cours	Devise	Montant	Commission	Rendu	Net Euros
ACHAT TC	DOLLARS USA	200,00	1,1025					220,50

Net a recevoir : Euros 220,50

1. Où est cette banque?
2. Quelle est la date?
3. À quelle heure est-ce que le touriste a changé ses dollars?
4. Est-ce que le touriste a changé des chèques de voyage ou de l'argent liquide?
5. Combien d'euros est-ce que le touriste a achetés?
6. Combien de dollars est-ce que le touriste a donnés pour ces euros?
7. Combien d'euros est-ce que le touriste a eus pour chaque dollar?

Sur la bonne piste

In this unit you will read "L'homme qui te ressemble," a poem by the contemporary Cameroonian poet René Philombe. Begin by answering the following pre-reading questions which are designed to connect you with the subject of his poem.

1. Have you ever been left out of a group or an activity? How did that make you feel?
2. What images come to mind when you hear the expression "a warm fire" (for example, a campfire)?
3. Imagine a stranger knocking at your door. What do you imagine this person asks for and needs? How would you respond? How do you think most people would respond?

Now, as you read the poem, pay special attention to Philombe's use of repetition. Poets often use repetition to make their meaning more vivid and clear. In "L'homme qui te ressemble" the poet repeats certain words, phrases, sentences and structures. Try to determine how these specific uses of repetition reinforce the main idea of the poem. Next consider the poet's point of view, the vantage point from which Philombe writes his poem. Poems are often written from a first person point of view or a third person point of view. In poems written from a first person point of view, the author uses "I" or "we" as the vantage point, whereas in poems written from a third person point of view, the writer selects "he," "she" or "they." Finally, as you finish reading each stanza, try to paraphrase Philombe's main idea in your mind. Paraphrasing means using your own words rather than the author's words. For example, if you were to paraphrase Shakespeare's famous line "O Romeo, Romeo, wherefore art thou Romeo?", you might write "Why are you called Romeo?" As you read the poem the first time, keep in mind the use of repetition and point of view. Then read the poem more carefully a second time in order to answer the questions that follow.

L'homme qui te ressemble

J'ai frappé à ta porte
J'ai frappé à ton cœur
pour avoir bon lit
pour avoir bon feu
pourquoi me repousser?
Ouvre-moi mon frère! . . .

Pourquoi me demander
si je suis d'Afrique
si je suis d'Amérique
si je suis d'Asie
si je suis d'Europe?
Ouvre-moi mon frère! . . .

Pourquoi me demander
la longueur de mon nez
l'épaisseur de ma bouche
la couleur de ma peau
et le nom de mes dieux?
Ouvre-moi mon frère! . . .

Je ne suis pas un noir
je ne suis pas un rouge
je ne suis pas un jaune
je ne suis pas un blanc
mais je ne suis qu'un homme
Ouvre-moi mon frère! . . .

Ouvre-moi ta porte
Ouvre-moi ton cœur
car je suis un homme
l'homme de tous les temps
l'homme de tous les cieux
l'homme qui te ressemble! . . .

8 Answer the following questions.

1. What does the title mean? Make a prediction about what the main idea of the poem might be.
2. A symbol stands for or represents something else as well as itself. What do you think a **bon lit** and a **bon feu** symbolize in this poem? (For example, a mirror could symbolize vanity.)
3. A refrain is a line or a group of lines in a poem that is repeated. What is the refrain in this poem? What does the poet seek in the refrain? Why does he use the **tu** form rather than the **vous** form in his command?
4. Philombe writes the second and third stanzas in the form of a question. In phrasing his two questions, what behavior does he state that he does not understand? How does he feel that people often judge one another?
5. Where does the poet answer the questions posed in stanzas two and three? How does he define himself in that stanza?
6. Philombe's poem ends in an appeal. Does he conclude with the thought that people are mainly alike or dissimilar?
7. What kinds of experiences do you think the poet had that influenced him to write this poem?

9 Now imagine that you are the Cameroonian poet René Philombe. Using a first person point of view, write a short paragraph in French in which you paraphrase the poem. Begin by identifying who you are, then state what you want and don't want. Finally, express how you see humanity. Try to use vocabulary from the poem and other words and expressions you already know.

Nathalie et Raoul

C'est à moi!

Now that you have completed this unit, take a look at what you should be able to do in French. Can you do all of these tasks?

- ➤ I can say what I need.
- ➤ I can ask for detailed information.
- ➤ I can identify objects.
- ➤ I can point out something.
- ➤ I can ask someone to repeat.
- ➤ I can restate what I have said.
- ➤ I can give my opinion by saying what I think.
- ➤ I can request what I would like.
- ➤ I can purchase items at a post office.
- ➤ I can write a letter.
- ➤ I can talk about things sequentially.
- ➤ I can describe daily routines.
- ➤ I can report to someone about something.

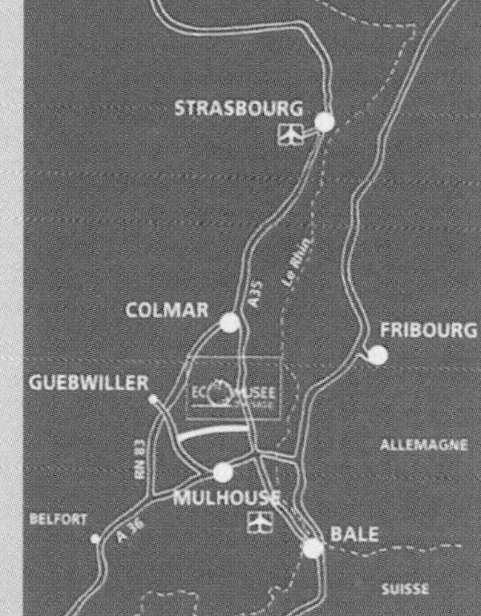

Here is a brief checkup to see how much you understand about French culture. Decide if each statement is **vrai** or **faux**.

1. There is a strong Spanish influence in the city of Strasbourg since it is located in the southwestern part of France.
2. In France as in the United States, mailboxes are red, white and blue.
3. Using the Minitel you can look for phone numbers, reserve tickets for travel or the theater and send messages.
4. **La BNP**, **le Crédit Lyonnais** and **le Crédit Commercial** are names of French banks.
5. **L'Algérie**, **la Tunisie** and **le Maroc** are now independent countries that once belonged to France's colonial empire.
6. Algeria enforces a dress code which requires all women to wear the traditional long, white outer garment and a veil.
7. **Le rai** is a type of music that mixes the traditional singing and rhythms of North Africa with modern electronic sounds.
8. Alger, a large Mediterranean port, is the capital of Tunisia.
9. The word **fez** refers both to a red, flat-topped cap that Moroccan men wear on special occasions and to the name of the oldest city in Morocco.
10. Moroccan painting, drama and folk music reflect a French and Spanish influence.

Communication orale

With a partner, play the roles of an American student, Jason, and a clerk in a women's boutique. Jason is looking for a gift for a favorite aunt who has given him money to buy her something special in France. Jason begins the conversation by saying that he needs a gift for his aunt. The clerk shows him various items, such as gloves, scarves, wallets and purses. Jason asks questions about the items he is interested in, including the price. The clerk gives as much detailed information as possible. Jason gives his opinion about these accessories and finally selects a gift. Then the clerk asks if he has cash or traveler's checks. Jason responds, pays and thanks the clerk.

Communication écrite

Imagine that you are Jason, who bought a gift for his aunt at a French boutique. During your trip you have been keeping a journal in French and are now reporting on your shopping experience at the boutique. State why you went shopping, where you shopped, what the clerk showed you, what he or she told you about each item, what you said about the items and finally what you purchased and how you paid. Then say that you're going to the post office tomorrow to send your aunt the package.

Communication active

To express need and necessity, use:

Il me faut aussi de la monnaie.	*I also need change.*

To inquire about details, use:

Vous avez de l'argent liquide **ou** des chèques de voyage?	*Do you have cash or traveler's checks?*

To identify objects, use:

Je leur ai donné les jolis cadeaux **en cuir** de Tunisie.	*I gave them the pretty leather gifts from Tunisia.*

To point out something, use:

Le voilà.	*Here it is.*

To ask someone to repeat, use:

Comment? Je n'ai pas entendu.	*What? I didn't hear.*

To restate information, use:

Je dis que ça coûte 8,84 *euros.*	*I'm saying that it costs 8,84 euros.*

To give opinions, use:

C'est extra chez cette famille française!	*It's fantastic staying with this French family!*

To make requests, use:

Je voudrais envoyer ce colis en Algérie. — *I'd like to send this package to Algeria.*

5
Je voudrais envoyer
ce colis par avion.

To purchase items, use:

Je voudrais deux aérogrammes et cinq timbres. — *I'd like two aerograms and five stamps.*

To write a letter, use:

le 7 juillet — *July 7*

Chère maman — *Dear Mom*

À bientôt. — *See you soon.*

To sequence events, use:

Quand je suis arrivé(e), je leur ai donné les cadeaux. — *When I arrived, I gave them the gifts.*

La semaine suivante je leur ai préparé un bon repas tunisien. — *The following week I prepared a good Tunisian meal for them.*

Je les ai **déjà** signés. — *I've already signed them.*

To describe daily routines, use:

Pendant la journée, je sors souvent avec Nadia. — *During the day, I often go out with Nadia.*

To report, use:

Je lui parle de ma vie. — *I talk to her/him about my life.*

Communication électronique

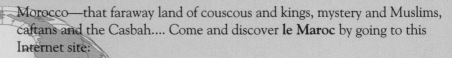

Morocco—that faraway land of couscous and kings, mystery and Muslims, caftans and the Casbah.... Come and discover **le Maroc** by going to this Internet site:

http://www.mincom.gov.ma/french/f_page.html

After you have finished exploring this site, answer the following questions.

1. Click on "Fondements." Who became the king of Morocco in 1999?
2. How old is he?
3. Return to the previous page and click on "Enseignement." How many universities are there in Morocco?
4. Return to the previous page and click on "Tourisme." From what three European countries do most of Morocco's tourists come?
5. Return to the previous page and click on "Population." What percent of the population of Morocco is under the age of 30?
6. Return to the home page, click on "Galerie," "recettes," "Index des recettes" and "HARIRA." What is **la harira**?
7. Return to the home page, click on "Galerie" and "Tapis." At the bottom of the page, click on the photos of these beautiful carpets. Which one is your favorite? Why?

À moi de jouer!

Imagine that you are Karim, a Tunisian student who is spending the school year in Strasbourg. You are writing a letter to your sister telling her how you're enjoying your stay in France and describing what you did this morning. In your letter use the clues provided in the illustration and appropriate expressions that you learned in this unit. (You may want to refer to the *Communication active* on pages 256-57 and the vocabulary list on page 259.)

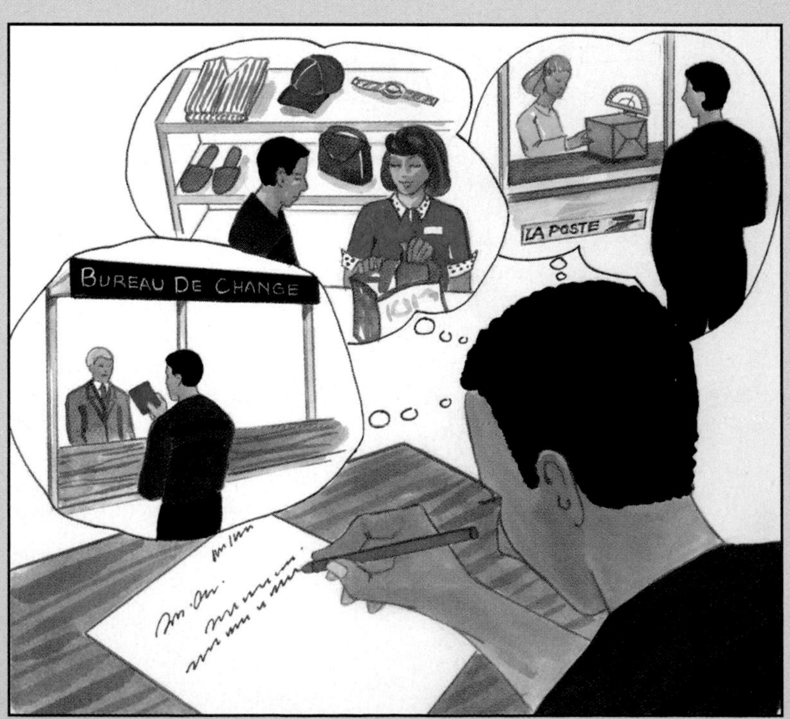

Vocabulaire

un **accessoire** accessory
une **adresse** address
un **aérogramme** aerogram (air letter)
l' **affranchissement (m.)** postage
s' **amuser** to have fun, to have a good time
une **année** year
l' **argent (m.)** silver
l'argent liquide (m.) cash
automatique automatic
avion: par avion by air mail

une **bague** ring
un **bain: un peignoir de bain** bathrobe
un **banquier, une banquière** banker
un **bijou** jewel
un **billet** bill (money)
une **boîte aux lettres** mailbox
une **boucle d'oreille** earring
un **bracelet** bracelet
un **bureau de change** currency exchange

une **caisse** cashier's (desk)
une **casquette** cap
une **ceinture** belt
un **change: un bureau de change** currency exchange
un **colis** package
un **collier** necklace
le **courrier** mail
le **cuir** leather

dire to say, to tell

écrire to write
en made of
entendre to hear
une **enveloppe** envelope
extra fantastic, terrific, great

un **facteur, une factrice** letter carrier
faire un stage to have on-the-job training
faut: il me faut I need
faxer to fax
un **foulard** scarf

un **gant** glove
guichet: un guichet automatique ATM machine

un **imperméable (imper)** raincoat

le **journalisme** journalism

laisser to leave
leur to them
liquide: l'argent liquide (m.) cash
lui to him, to her
des **lunettes (f.)** glasses
des lunettes de soleil (f.) sunglasses

la **monnaie** change
une **montre** watch
un **mouchoir** handkerchief

naturellement naturally
nous to us

l' **or (m.)** gold
ouvrir to open

une **pantoufle** slipper
un **parapluie** umbrella
passer to pass, to go (by)
un **peignoir de bain** bathrobe
peser to weigh
une **pièce** coin
un **portefeuille** billfold, wallet
un **postier, une postière** postal worker
préparer to prepare
un **pyjama** pyjamas

que which, whom
qui which, that

un **sac à main** purse
une **sandale** sandal
scolaire school
signer to sign
des **sous-vêtements (m.)** underwear
un **stage** on-the-job training
suivant(e) following, next

un **télégramme** telegram
le **temps** time

des **verres de contact (m.)** contacts
ville: en ville downtown

Unité 7

Les châteaux

In this unit you will be able to:

- indicate knowing and not knowing
- ask for information
- give information
- inquire about suggestions
- make suggestions
- give opinions
- state a preference
- give orders
- give directions
- point out something
- express astonishment and disbelief
- express emotions
- hypothesize
- congratulate and commiserate
- express hope
- acknowledge thanks
- leave someone

Leçon A

In this lesson you will be able to:

- ask for information
- give information
- give directions
- point out something
- state a preference

À la douane

une porte d'embarquement

le contrôle de sécurité

L'avion décolle.

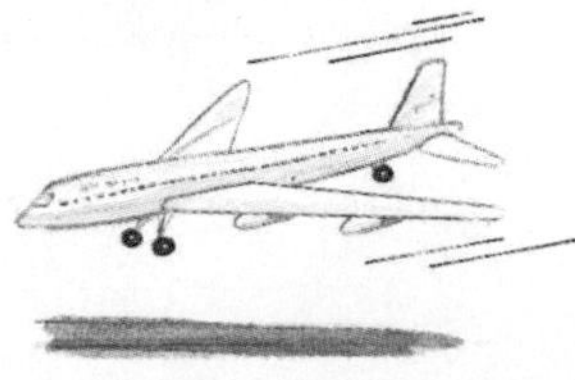

L'avion atterrit.

Brooke va rentrer en Amérique. Elle parle à l'agent au comptoir d'Air France à l'aéroport Roissy-Charles de Gaulle à Paris. Il a besoin de vérifier son billet et son passeport. Brooke les lui montre.

L'agent: **Votre destination, Mademoiselle?**
Brooke: **Je vais à Chicago. Est-ce que c'est un vol direct?**
L'agent: **Non, il y a une escale à Boston. Là, vous allez passer à la douane. Mais, si vous n'avez rien à déclarer, c'est rapide. Vous avez combien de valises?**
Brooke: **Seulement une grande valise à faire enregistrer.**
L'agent: **Très bien. Est-ce que vous préférez un siège côté fenêtre ou côté couloir?**
Brooke: **Côté fenêtre, s'il vous plaît.**
L'agent: **D'accord. L'avion va décoller dans une heure et demie.**
Brooke: **Bon. Et la porte d'embarquement?**
L'agent: **Voyons, c'est la porte numéro 6. Vous prenez l'ascenseur là-bas, vous passez l'immigration et le contrôle de sécurité, puis regardez les panneaux qui vont vous l'indiquer.**

Enquête culturelle

Il y a deux aéroports principaux à Paris, Roissy-Charles de Gaulle et Orly. En général, les avions américains arrivent à l'aéroport Roissy-Charles de Gaulle qui est à 25 kilomètres au nord de Paris. C'est un grand aéroport moderne. Quand on arrive des États-Unis à l'aéroport en France, on quitte d'abord l'avion, puis on va au contrôle des passeports. Après ça, on cherche les valises qu'on a enregistrées et on passe à la douane. Enfin, on sort pour prendre l'autobus, le train ou le taxi pour aller au centre-ville.

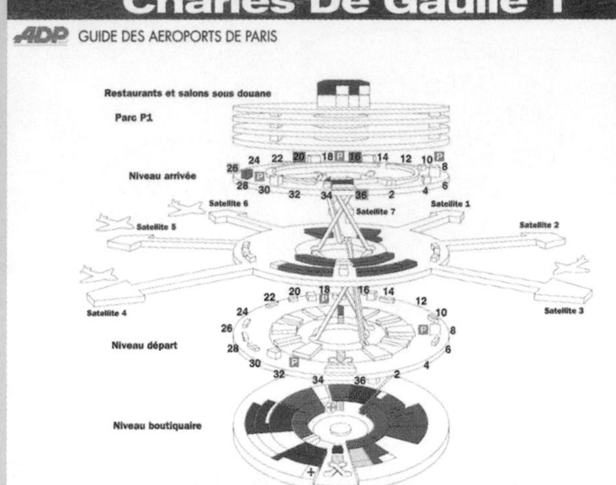

Les passagers cherchent leurs bagages à Roissy-Charles de Gaulle.

On peut prendre le train ou le R.E.R. entre Roissy-Charles de Gaulle et Paris.

Pour retourner en Amérique de Roissy-Charles de Gaulle, on fait enregistrer ses bagages et on passe à l'immigration et au contrôle de sécurité. Puis on attend le vol à la porte d'embarquement dans l'un des six satellites de cet aéroport. En France, les amis ou la famille qui accompagnent les voyageurs ne peuvent pas passer l'immigration s'ils ne voyagent pas.

À Roissy-Charles de Gaulle les tubes traversent le centre du terminal.

1 *Choisissez la bonne réponse.*

1. Où est-ce que Brooke va rentrer?
   a. aux États-Unis b. à Paris c. à Boston
2. De quel aéroport Brooke part-elle?
   a. Air France b. Orly c. Roissy-Charles de Gaulle
3. Qu'est-ce que l'agent n'a pas besoin de vérifier?
   a. son passeport b. ses valises c. son billet
4. Où est-ce qu'il y a une escale?
   a. à Paris b. à Boston c. à Chicago
5. Combien de valises est-ce que Brooke va faire enregistrer?
   a. une b. deux c. quatre
6. Quand est-ce que l'avion va décoller?
   a. dans une demi-heure
   b. dans une heure et demie
   c. à quatre heures
7. Quelle est la porte d'embarquement?
   a. numéro 1 b. numéro 6 c. numéro 25

Combien de valises Saïd va-t-il faire enregistrer pour son vol au Maroc? (La Rochelle)

2 *Que fait la dame à l'aéroport?*

Modèle:

Elle parle à l'agent au comptoir d'Air France.

1.

2.

3.

4.

5.

6.

CARTE D'ACCES A BORD/boarding pass
AIR FRANCE
NOM DU PASSAGER/name of passenger
DE/from
A/to MIR
VOL/flight CLASSE DATE DEPART/time
TU 4021
EMBARQUEMENT/boarding
SIEGE/seat
PORTE/gate HEURE/time
NB POIDS/weight
152

3 *C'est à toi!*

1. Est-ce que tu as un passeport? Si oui, où as-tu voyagé?
2. Est-ce que tu voyages avec seulement une valise ou avec beaucoup de bagages?
3. Est-ce que tu préfères voyager en avion, en voiture ou en train? Pourquoi?
4. Est-ce qu'il y a un aéroport près de ta ville? Si oui, comment s'appelle-t-il?
5. Quand tu voyages en avion, est-ce que tu fais enregistrer tes bagages ou est-ce que tu les prends avec toi dans l'avion?
6. Est-ce que tu préfères avoir un siège côté fenêtre ou côté couloir?
7. Est-ce qu'il y a un ascenseur dans ton école? Si oui, est-ce qu'il est pour les élèves?

Vous avez un siège côté fenêtre.

Structure

Double object pronouns

A sentence may have both a direct and an indirect object. The order of these pronouns before the verb in a declarative sentence is:

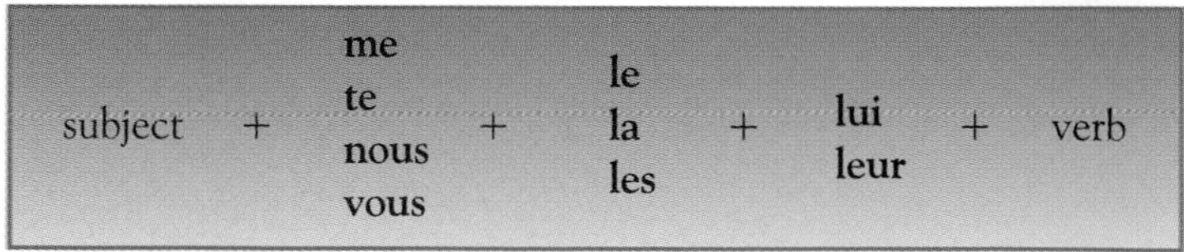

subject	+	me te nous vous	+	le la les	+	lui leur	+	verb

Est-ce que Brooke donne ses valises à l'agent?	*Does Brooke give her suitcases to the agent?*
Oui, elle **les lui** donne.	*Yes, she gives them to him.*
Qui vous montre son passeport, Monsieur?	*Who shows you his passport, Sir?*
Le passager **me le** montre.	*The passenger shows it to me.*

Direct and indirect object pronouns come right before the verb of which they are the object. The sentence may be affirmative, interrogative, negative or have an infinitive.

La porte? **Te l'**indique-t-il?	*The gate? Does he point it out to you?*
Non, il ne **me l'**indique pas.	*No, he doesn't point it out to me.*
Est-ce que l'agent va indiquer le panneau aux passagers?	*Is the agent going to point out the sign to the passengers?*
Oui, il va **le leur** indiquer.	*Yes, he's going to point it out to them.*

Remember that in the **passé composé**, the past participle agrees only with the preceding direct object pronoun.

Ton adresse? Je **la** lui ai déjà donné**e**.	*Your address? I already gave it to him.*

Tu vas nous montrer l'exposition des impressionnistes?

Bien sûr, je vais vous la montrer.

"ON VA QUAND MÊME PAS VOUS LES DONNER"

Pratique

4 *Avec un(e) partenaire, posez et répondez aux questions.*

1. offrir son billet pour le concert
2. donner son adresse
3. vendre ses vieux CDs
4. montrer ses devoirs

Modèle:

offrir sa voiture
Élève A: **Qui t'offre sa voiture?**
Élève B: **Mon frère me l'offre. Qui t'offre sa voiture?**
Élève A: **Ma mère me l'offre.**

5 *Brooke est à l'aéroport Roissy-Charles de Gaulle. Elle est en train de rentrer aux États-Unis. Répondez logiquement aux questions suivantes.*

Modèle:

Est-ce que l'agent montre l'ascenseur à Brooke?
Oui, il le lui montre.

1. Est-ce que Brooke offre son passeport à l'agent?
2. Est-ce que Brooke parle anglais à l'agent?
3. Est-ce que Brooke donne sa valise à l'agent?
4. Est-ce que l'agent indique son siège à Brooke?
5. Est-ce que l'agent donne l'heure du départ à Brooke?
6. Est-ce que l'agent montre la porte d'embarquement à Brooke?
7. Est-ce que Brooke vend son billet à une autre passagère?
8. Est-ce que l'agent dit "Bon anniversaire!" à Brooke?

6 *Avec vos amis, vous parlez de ce qu'on vous a offert pour vos vacances en France. Identifiez qui vous a offert les choses suivantes.*

Modèle:

Qui t'a offert son vélo?/ton correspondant
Mon correspondant me l'a offert.

1. Qui a offert les lunettes de soleil à Bernard?/sa mère
2. Qui vous a offert les billets d'avion?/vos parents
3. Qui a offert la valise à Sandrine?/sa grand-mère
4. Qui a offert les boissons aux passagers?/Mlle Bercy
5. Qui t'a offert les fleurs?/ta famille française
6. Qui nous a offert le repas au restaurant?/les Garnier
7. Qui m'a offert leur voiture?/les amis de mes parents

Communication

7 *Avec un(e) partenaire, jouez les rôles de deux personnes au comptoir d'Air France à l'aéroport Roissy-Charles de Gaulle à Paris. La première personne joue le rôle d'un agent; la deuxième personne joue le rôle d'un passager ou d'une passagère qui va rentrer aux États-Unis. L'agent lui demande:*

1. sa destination
2. son billet et son passeport
3. combien de valises il ou elle va faire enregistrer
4. s'il ou elle préfère un siège côté fenêtre ou côté couloir

Le passager ou la passagère demande à l'agent:

1. si c'est un vol direct
2. si l'avion est à l'heure
3. le numéro de la porte d'embarquement
4. le nom du film
5. le choix de repas

8 *Zut alors! Il y a une valise perdue* (lost) *à Roissy-Charles de Gaulle. Avec un(e) partenaire, jouez les rôles de deux personnes au comptoir d'Air France. La première personne joue le rôle d'un agent. La deuxième personne joue le rôle d'un passager ou d'une passagère qui a perdu sa valise. Il ou elle explique sa situation à l'agent. L'agent lui demande:*

1. le numéro de son vol
2. si sa valise est grande, moyenne ou petite
3. la couleur de sa valise
4. quels vêtements et accessoires sont dans sa valise
5. le nom et l'adresse de son hôtel à Paris

9 *Maintenant jouez le rôle de la personne qui a perdu sa valise dans l'Activité 8. Copiez et remplissez* (fill out) *la fiche* (form) *que l'agent vous donne.*

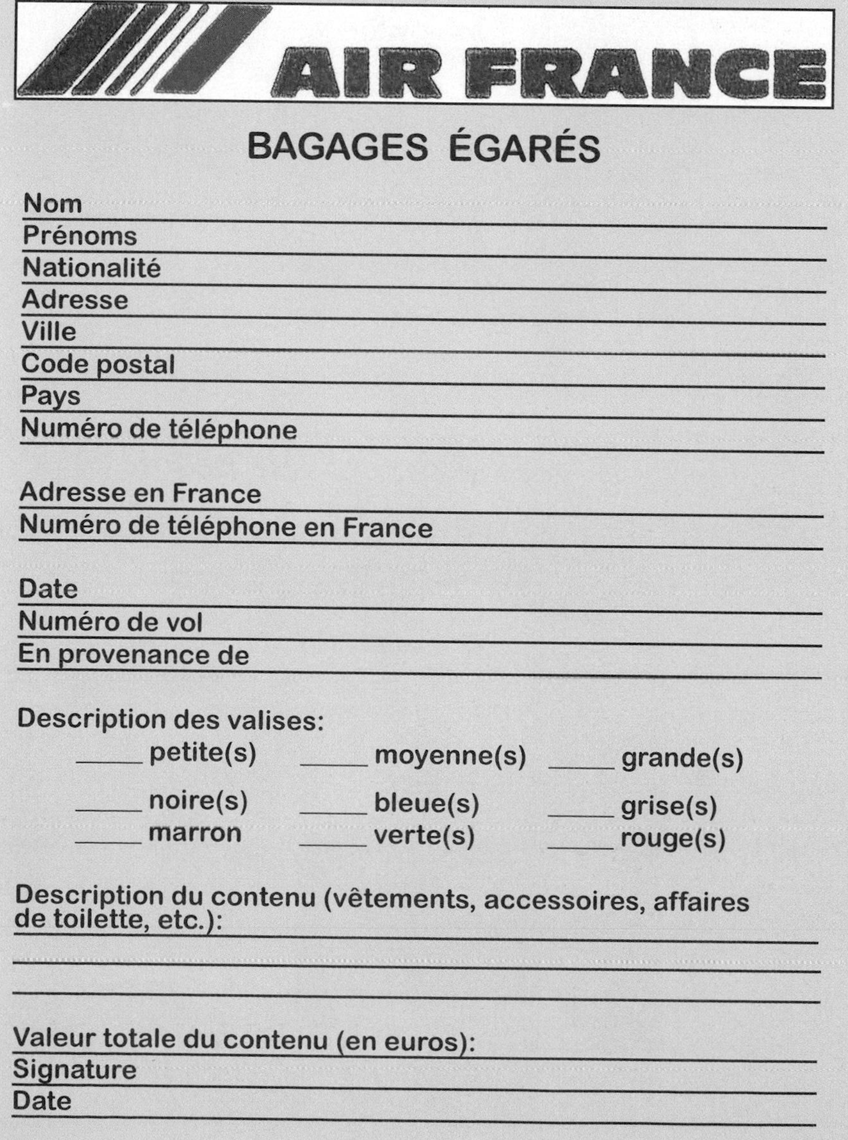
AIR FRANCE

BAGAGES ÉGARÉS

Nom ____
Prénoms ____
Nationalité ____
Adresse ____
Ville ____
Code postal ____
Pays ____
Numéro de téléphone ____

Adresse en France ____
Numéro de téléphone en France ____

Date ____
Numéro de vol ____
En provenance de ____

Description des valises:

____ petite(s) ____ moyenne(s) ____ grande(s)

____ noire(s) ____ bleue(s) ____ grise(s)
____ marron ____ verte(s) ____ rouge(s)

Description du contenu (vêtements, accessoires, affaires de toilette, etc.):
____
____
____

Valeur totale du contenu (en euros): ____
Signature ____
Date ____

Leçon B

In this lesson you will be able to:

- ask for information
- give information
- give orders
- express astonishment and disbelief
- hypothesize
- express emotions
- congratulate and commiserate
- express hope

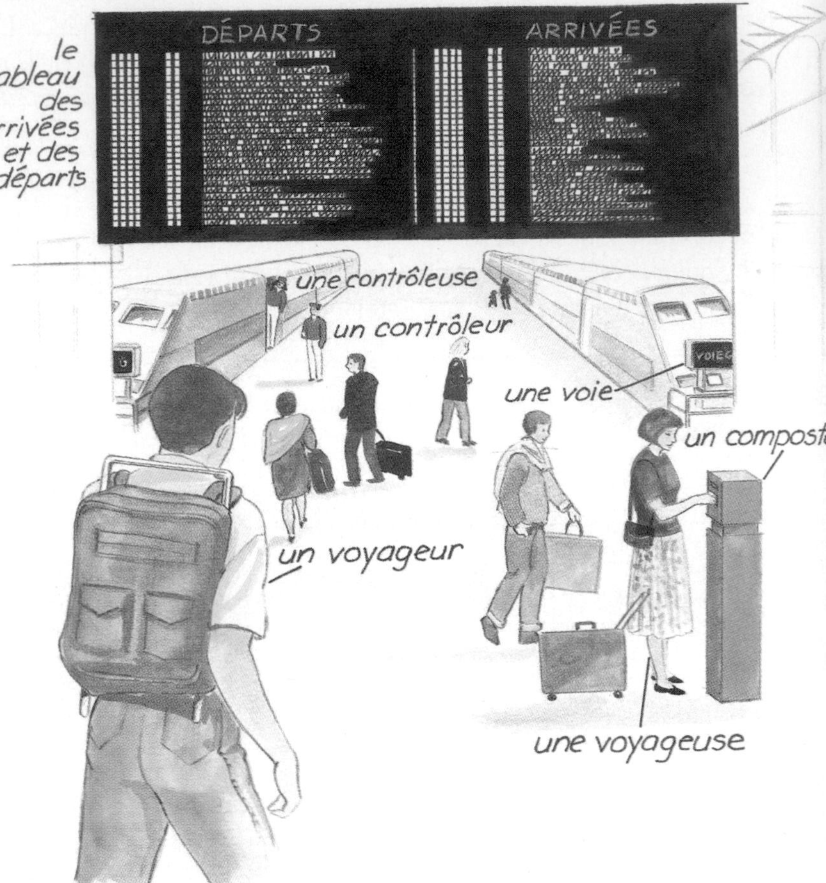

Depuis combien de temps voyage-t-il?
Il voyage depuis une heure.
Depuis quand voyage-t-il?
Il voyage depuis hier.

André, Paul et Étienne vont prendre le train à Blois où ils vont louer des vélos pour faire des promenades à la campagne. André voit Étienne qui vient d'arriver sur le quai.

André: **Étienne, viens vite! Paul est déjà monté dans le train. Il va partir dans cinq minutes sur la voie numéro 4.**

Étienne: **Depuis quand est-ce que vous m'attendez?**

André: **Depuis 9h45. Nous sommes arrivés il y a une demi-heure pour faire la queue devant le guichet.**

Étienne: **Tu parles! Il me semble que tout le monde va à Blois aujourd'hui. Mince! Je n'ai pas eu le temps de composter mon billet.**

André: **Tant pis, mon vieux. Tu dois espérer que le contrôleur ne te donne pas d'amende!**

Enquête culturelle

Blois est une ville de la vallée de la Loire. Le château de Blois, la résidence favorite de la royauté française pendant le XVIe siècle, montre l'influence de la Renaissance italienne. Le château est célèbre pour son grand escalier en spirale. Dans une des salles du château il y a des cabinets secrets où Catherine de Médicis a mis des bijoux, des papiers d'état et du poison. Il y a d'autres attractions dans la ville de Blois, par exemple, un magasin où l'on fait des chocolats délicieux.

Le style de cette partie du château de Blois reflète la Renaissance italienne.

Qui regarde le tableau des arrivées et des départs?

Pour faire un voyage en train, on va à la gare. À l'intérieur de la gare, il y a le tableau des départs et le tableau des arrivées des trains. Au guichet on fait la queue et on achète un billet. Il est nécessaire de composter le billet. On attend le train sur le quai. Quand le train arrive, on monte dans la voiture indiquée sur sa réservation et on trouve sa place. Les billets de train sont plus chers pendant la période rouge (les vacances) ou blanche (les weekends) et moins chers pendant la période bleue (le reste du temps).

SNCF
Pour être valable, ce billet doit être composté lors de l'accès au train
Billet
classe
Départ CANNES
Arrivée NICE VILLE
Via
Utilisable DU 21.11.02 AU 20.01.03
Tarif PT | Réduction 00 | Adultes 001 | Enfants 000 | Animaux 0
Prix €*****3,35
0 **31/**31
8723 559660
CANNES
21.11.02 05
59216553
Particularités
à composter
7016 0010 59216553

Quand les jeunes Français visitent les châteaux de la Loire ou d'autres sites pittoresques de la France, ils voyagent souvent à vélo. Mais on peut aussi louer un vélo en ville. Les touristes peuvent utiliser le système **train + voiture**, un système de transport très pratique. On voyage en train, puis la voiture est là quand on arrive à sa destination.

Est-ce que vous voulez visiter les châteaux de la Loire à vélo?

1 *Répondez aux questions d'après le dialogue.*

1. Où est-ce qu'André, Paul et Étienne vont aller?
2. Pourquoi est-ce qu'ils vont louer des vélos?
3. Qui est le dernier garçon à arriver sur le quai?
4. Qui est déjà monté dans le train?
5. Quand est-ce que le train va partir?
6. Depuis quand est-ce qu'André et Paul attendent Étienne?
7. Pourquoi est-ce qu'Étienne n'a pas composté son billet?
8. Qu'est-ce qu'Étienne espère?

Étienne espère que le contrôleur ne lui donne pas d'amende.

2 *Complétez chaque phrase avec l'expression convenable de la liste suivante.*

tableau des départs	gare	composteur	voyageur
faire la queue	quai	contrôleur	guichet

1. Un... est quelqu'un qui voyage.
2. Pour prendre le train, on va à la....
3. On achète un billet au....
4. Quand il y a beaucoup de monde au guichet, il faut....
5. On doit mettre son billet dans le....
6. Le... dit de quelle voie le train part.
7. On attend le train sur le....
8. Le... peut vous donner une amende.

Où est-ce que les voyageurs attendent leur train? (Verneuil-sur-Seine)

3 *C'est à toi!*

1. Est-ce que tu as déjà voyagé en train? Si oui, où est-ce que tu es allé(e)?
2. Est-ce que tu fais souvent des promenades à la campagne?
3. Quand tu as un rendez-vous avec quelqu'un, est-ce que tu arrives en avance, à l'heure ou en retard?
4. Est-ce que tu loues souvent des vidéocassettes?
5. Depuis quand es-tu en cours de français aujourd'hui?
6. Qu'est-ce que tu n'as pas eu le temps de faire aujourd'hui?

On a visité le château de Blois il y a six mois.

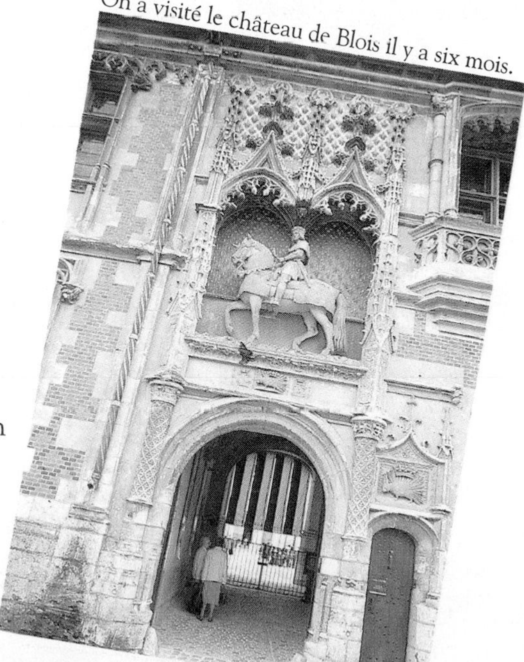

Structure

Il y a + time expressions

To tell how long ago something happened, use **il y a** (*ago*) followed by an expression of time.

M. Arnauld est arrivé à Blois **il y a** trois jours.	*M. Arnauld arrived in Blois three days ago.*
Il a quitté son hôtel **il y a** une heure.	*He left his hotel an hour ago.*

Pratique

4 *C'est aujourd'hui le 28 juillet. En ce mois beaucoup de vos copains sont partis en vacances. Regardez le calendrier pour dire quand ces copains sont partis.*

Modèle:

Claire
Elle est partie il y a deux jours.

1. Danielle et Patricia
2. Ahmed
3. Latifa
4. Fabrice
5. Charles et Bruno
6. Marianne
7. les Gaillot

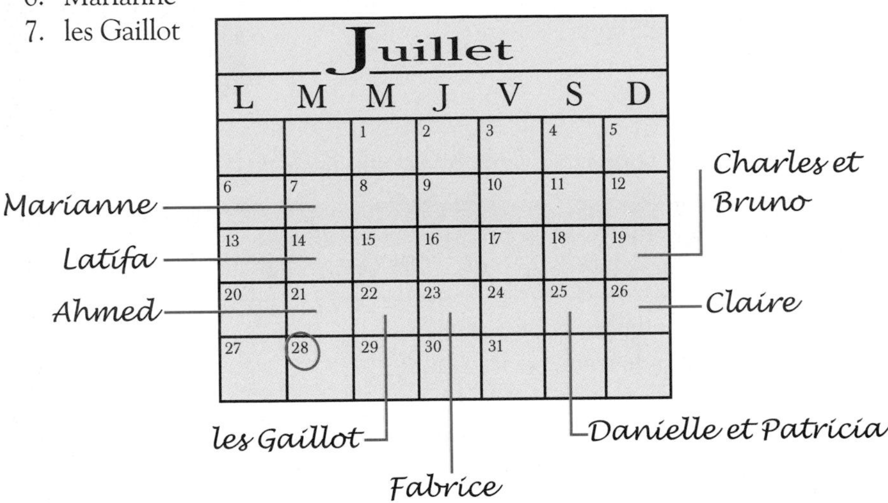

Depuis + present tense

To ask when an action began in the past and is still going on in the present, use the expression **depuis quand** (*since when*) followed by a verb in the present tense. To answer this question, use a verb in the present tense followed by **depuis** (*since*) and an expression of time.

Depuis quand es-tu à Blois?	*Since when have you been in Blois?*
Je suis à Blois **depuis** lundi.	*I've been in Blois since Monday.*
Depuis quand est-ce que Paul fait la queue?	*Since when has Paul been standing in line?*
Il fait la queue **depuis** dix heures et quart.	*He's been standing in line since 10:15.*

To ask how long an action has been going on, use the expression **depuis combien de temps** (*how long*) followed by a verb in the present tense. To answer this question, use a verb in the present tense followed by **depuis** (*for*) and an expression of time.

Depuis combien de temps es-tu à Blois?	*How long have you been in Blois?*
Je suis à Blois **depuis** trois jours.	*I've been in Blois for three days.*
Depuis combien de temps est-ce que Paul fait la queue?	*How long has Paul been standing in line?*
Il fait la queue **depuis** une demi-heure.	*He's been standing in line for half an hour.*

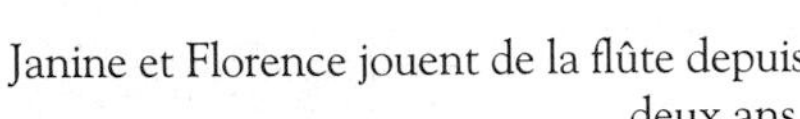
Janine et Florence jouent de la flûte depuis deux ans.

Pratique

5 *Suzanne est toujours en retard! Les personnes indiquées dans son agenda ont rendez-vous avec elle. Selon l'heure indiquée dans l'activité, dites depuis combien de temps ces personnes l'attendent.*

1. la grand-mère/13h20
2. Thibault/20h15
3. Sandrine/19h00
4. les parents/11h25
5. Antonine/9h15
6. Karim et Martine/21h10
7. le coiffeur/19h30

Modèle:

le prof de français/3h00

Il l'attend depuis une demi-heure.

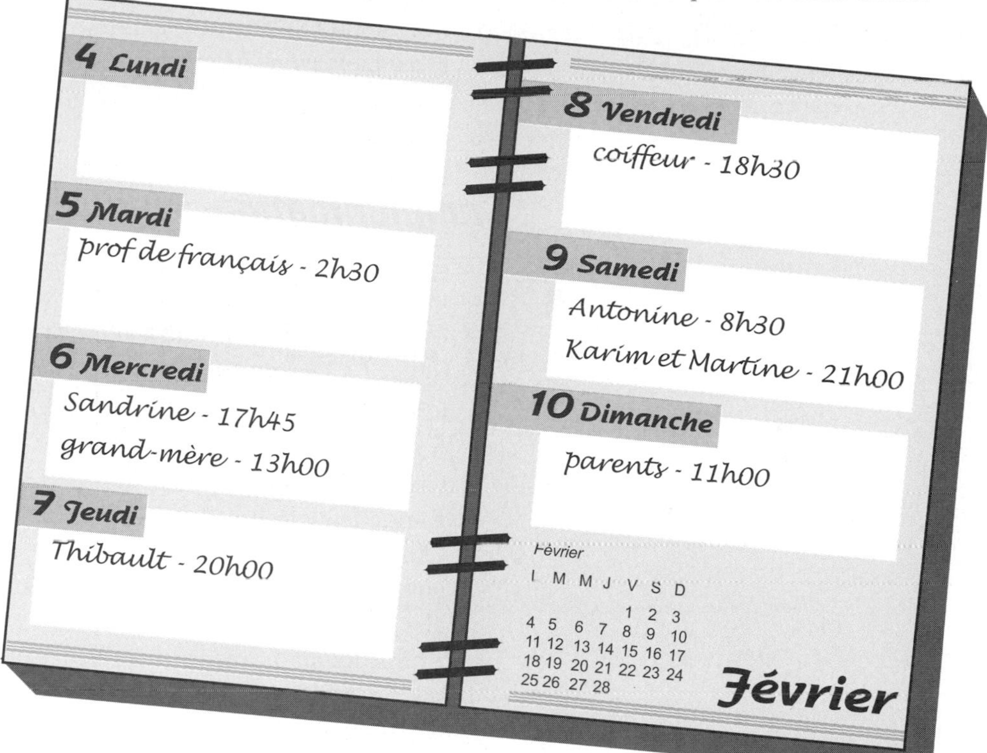

6 *Avec un(e) partenaire, demandez combien de temps vous faites les activités suivantes. Puis répondez aux questions. Suivez le modèle.*

1. parler français
2. assister à des concerts de rock
3. jouer du piano
4. skier
5. faire du vélo
6. habiter dans ton appartement ou dans ta maison
7. nettoyer ta chambre

Modèle:

faire du baby-sitting

Élève A: **Depuis combien de temps fais-tu du baby-sitting?**

Élève B: **Je fais du baby-sitting depuis quatre ans. Et toi, depuis combien de temps fais-tu du baby-sitting?**

Élève A: **Moi, je ne fais pas de baby-sitting.**

7 *Demandez depuis quand ou depuis combien de temps les personnes suivantes font leurs métiers ou professions.*

Modèles:

M. Arnauld/ingénieur/1978
Depuis quand M. Arnauld est-il ingénieur?

Mlle Sardot/boulangère/deux ans
Depuis combien de temps Mlle Sardot est-elle boulangère?

1. Mlle Bérenger/factrice/six mois
2. M. Clouzot/policier/le mois de mars
3. Mme Martinez/informaticienne/trois semaines
4. Mlle Éluard/fleuriste/l'âge de 19 ans
5. M. Lamoureux/comptable/1989
6. Mme Launay/médecin/quatre ans
7. M. Olivetti/cuisinier/le 15 décembre
8. Mlle Monet/banquière/hier

Communication

8 *Avec un(e) partenaire, jouez les rôles de Christophe et de Karine. Ils ont rendez-vous devant le cinéma où ils vont voir un film ce soir. Mais Christophe n'est pas là, et Karine n'est pas du tout heureuse. Pendant votre conversation:*

1. Christophe arrive et dit "Salut!" à Karine. Il lui demande l'heure.
2. Karine lui dit qu'il est 20h20.
3. Christophe lui dit "Mince!"
4. Karine lui demande de venir vite parce qu'il est en retard.
5. Christophe lui dit qu'il est en retard parce qu'il n'a pas pu trouver un guichet automatique. Puis il lui demande depuis combien de temps elle l'attend.
6. Karine lui dit qu'elle l'attend depuis une demi-heure. Elle lui dit qu'elle est arrivée à 19h50 pour faire la queue au guichet.
7. Christophe la remercie.
8. Karine lui dit qu'il doit espérer que le film n'a pas commencé.

9 *Après votre séjour dans une famille française, vous allez à Paris en train. Vous devez partir le samedi 12 août pour arriver à Paris à 11h00. Vous voulez voyager de Tours à Paris sans* (without) *changer de train. Selon l'horaire, déterminez quel train vous devez prendre. Puis écrivez le numéro de ce TGV, l'heure du départ et l'heure de l'arrivée à Paris. Enfin, expliquez pourquoi vous ne pouvez pas prendre les autres trains indiqués.*

Tours → Vendôme → Paris

PRIX — *Pour connaître le prix de votre billet, consultez : si vous voyagez en 1re classe la page 3, si vous voyagez en 2e classe la page 46*
[ ] *TGV ne circulant pas ce jour-là*

			8300	8302	8308	8200	8200	8414	8420	8322	83
HORAIRES	N° du TGV		8300	8302	8308	8200	8200	8414	8420	8322	83
	Particularités								⚠		
	Tours	D	6.26	7.04	a	8.29	a	a		12.09	
	Saint-Pierre-des-Corps	D	6.32	7.10	8.18	8.36	8.36	9.37	10.57	12.16	13
	Vendôme-Villiers-sur-Loir	D	6.53	7.32						12.36	
	Massy	A				9.28	9.28				
	Paris-Montparnasse 1-2	A	7.35	8.15	9.15			10.35	11.55	13.20	14
SEMAINES TYPES	Du 28 mai au 30 juin et du 4 au 23 septembre	Lundi	3	4	4	1		3	4	1	
		Mardi	1	3	4	1		4	1	1	
		Mercredi	1	3	4	1		4	1	1	
		Jeudi	1	3	4	1		4	1	1	
		Vendredi	1	4	4	1		3	1	1	
		Samedi		1	1		1	1		1	
		Dimanche			1	1		1		1	
	Du 1er juillet au 3 septembre	Lundi	3	4	4	1		3	3	1	
		Mardi	1	1	1	1		1	1	1	
		Mercredi	1	1	1	1		1	1	1	
		Jeudi	1	1	1	1		1	1	1	
		Vendredi	1	1	1	1		1	1	1	
		Samedi		1	1		1	3		1	
		Dimanche			1	1		1		1	
JOURS PARTICULIERS	MAI	Dimanche 28			1	1		1		1	
	JUIN	Dimanche 4			1	1		1		1	
		Lundi 5			1	1		1		1	
		Mardi 6	3	4	4	1		3	4	1	
	JUILLET	Jeudi 13	1	1	1	1		1	1	1	
		Vendredi 14		1	1		1	1		1	
		Samedi 15		1	1	1		1		1	
		Dimanche 16			1	1		1		1	
	AOUT	Dimanche 13			1	1		1		1	
		Lundi 14		1	1	1		1		1	
		Mardi 15			1	1		1		1	
		Mercredi 16	3	4	4	1		3	3	1	

D Départ A Arrivée
a Correspondance à Saint-Pierre des Corps.

⚠ En raison des travaux, ce TGV verra ses horaires modifiés.
Renseignez-vous dans votre gare ou dans votre agence de voyages.
Vérifiez l'horaire exact sur votre billet.

10 *Mince! Vous êtes arrivé(e) à la gare de Tours cinq minutes en retard, et le train est déjà parti. Il faut attendre le prochain* (next) *train. Pendant ce temps, vous écrivez une carte postale à votre famille française où vous expliquez que vous êtes arrivé(e) en retard et que votre train est déjà parti. Puis dites depuis combien de temps vous attendez au café de la gare et ce que vous faites pour passer le temps jusqu'à l'arrivée du prochain train. Enfin, remerciez la famille de votre visite.*

Mise au point sur... les châteaux de la Loire et Versailles

Nicknamed **le jardin de la France** because of its fertile soil and mild climate, the Loire Valley is a charming site for the castles and large country estates known as châteaux. From the early Middle Ages until the late Renaissance, many counts and kings built their dwellings along the banks of the Loire River and its tributaries. Between the cities of Gien and Angers, over 100 châteaux still reflect great eras in French art and history.

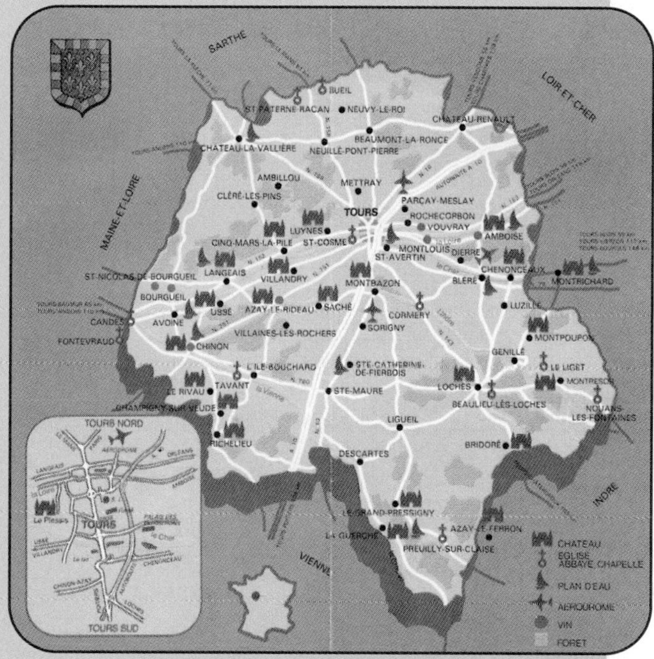

The area's first castle builders sought to protect or expand their feudal holdings. The hilltops along the Loire offered the defenders of these fortresses a clear view for spotting the oncoming enemy. When peace came to the valley, many of these structures took on the look of pleasure palaces. During the late 15th and 16th centuries the châteaux were the favorite residences of the kings of France.

With its drawbridge, Langeais exemplifies the feudal castles built for defense during the 15th century.

Charles VIII, the French king from 1483 until 1498, started the work that was to change the small fortress of Amboise into a beautiful palace. Filled with admiration for Italian art and culture after a trip to Italy, Charles VIII brought back to Amboise a wealth of Italian artworks and the artists needed to design his new residence. The subsequent influence of Italian art reached its peak during the reign of the great French Renaissance king, François I. Although he ruled from 1515 until 1547, François I lived in Amboise for only the first few years of his reign. During this time the castle hosted many elegant celebrations and enjoyed its period of greatest beauty. In a little chapel nearby is the tomb of Leonardo da Vinci, the great Italian genius who spent the last years of his life in Amboise. A tragic historical event stained the reputation of the château at Amboise. On the "Conspirators' Balcony" many French Protestant rebels called Huguenots were hanged and beheaded in 1560. Although much of the palace of Amboise has been destroyed since the 16th century, it still remains quite large and well furnished.

CHÂTEAU ROYAL D'AMBOISE
SPECTACLE RENAISSANCE
Conçu, réalisé et animé par les habitants de la région d'Amboise, 420 personnages font vivre ce spectacle :
« À la cour du Roy François »

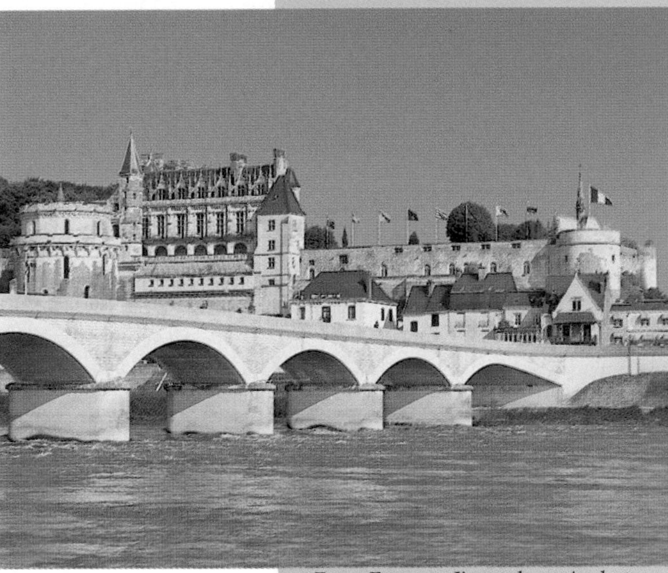

From François I's castle at Amboise,...

... he constructed an underground tunnel to his friend Leonardo da Vinci's nearby manor house, Clos Lucé, five minutes away.

Chenonceaux, built over the river Cher, marked the division between Free France and Occupied France during World War II.

Not atop a hillside but mirrored in water, some châteaux were designed to please the eye. Chenonceaux spans the river Cher, combining fine proportions with a delightful setting. François I took the castle as payment for a debt when it was not much more than a block of towers close to the shore. His son, Henri II, gave it to his mistress, Diane de Poitiers, who had a bridge built to the opposite side of the river.

Upon Henri's death, his widow, Catherine de Médicis, forced Diane to exchange Chenonceaux for the smaller Chaumont castle, and Catherine added a two-story gallery over the bridge. She also enlarged the gardens that her rival had laid out around the château. Catherine, Diane and four other great ladies are most responsible for the refined majesty found at this castle, known as **le château des six femmes.**

Some châteaux served as large country estates. François I had Chambord built on the original site of a small hunting lodge within a vast, thick forest. Containing 440 rooms, it is the largest of the Loire castles and the symbol of the French Renaissance at its height. Chambord has a very harmonious shape with its four central towers connected to the outer ones by two floors of galleries. In the middle of the guardroom rises a famous, unique stairway consisting of a double spiral whose ramps intersect but never meet. In fact, Chambord boasts 14 main staircases and 60 smaller ones. The roof-terrace offers a spectacular view on all sides of the castle. Decorated with skylights, gables, bell-turrets, spires and 365 chimneys, it provided the setting from which the court used to watch parades, tournaments, balls and the hunt. Until the 18th century the French kings vacationed here with their court to enjoy rural life and hunt wild boar and deer. François I spent as much time as he could at this palace which he casually called "my place in the country."

The golden age of *les châteaux de la Loire* reached its peak during the reign of the great Renaissance king, François I.

Chambord's roofscape has been called "icing on a cake," "an overcrowded chessboard" and "a town suspended in mid-air."

A brief look at French châteaux must naturally include the most famous one of all, the palace of Versailles. Located not in the Loire Valley but 11 miles southwest of Paris, the castle was built in the 17th century for Louis XIV (1638-1715).

VERSAILLES
GRANDE FÊTE DE NUIT
VERSAILLES
CHATEAU DU ROI SOLEIL
Animations équestres
Danses
Chasses royales
Grandes Eaux Lumineuses et Feu d'Artifice
Les samedis 2 et 9 juillet à 22 h 30
Les samedis 3 et 10 septembre à 22 h
PRIX DES PLACES : DE 9,15 à 28,20 €
Information et réalisation
Office de Tourisme de Versailles 7, rue des Réservoirs

Early during his reign, the Sun King (**le Roi Soleil**) had work begun on a palace so splendid and huge that the whole court could permanently surround him. He asked the most famous architects, painters and gardeners of the time to design, decorate and landscape a residence that would mirror himself in its radiance. Louis XIV carefully supervised the construction of the castle, which took more than 50 years to build. Versailles and its park extend over 250 acres. Aqueducts bring water from distant sources to the ornamental ponds at Versailles, some of which are the size of lakes. Statues decorate several of the fountain basins. No expense was spared; gold even covers some of the basins' sculptures.

Louis XIV made Versailles a mirror of himself—the center of the world's brilliance and energy.

In the fountain bearing her name, Latona, the mother of Apollo, changes disrespectful men into frogs, lizards and tortoises. (Versailles)

At the height of the Sun King's reign, the court of Versailles included 20,000 people. About 1,000 high-ranking nobles and 4,000 servants lived in the palace with the royal family. In those days life was an uninterrupted display of pomp and circumstance. Favored were the nobles permitted to watch their monarch get out of bed in the morning and retire at night. Louis XIV's successors, Louis XV and Louis XVI, also made Versailles their home. However, royal extravagance eventually contributed to a decline in France's power, the downfall of the French aristocracy and consequently the French Revolution.

During the daily *lever du roi*, 10 to 15 privileged nobles were allowed in the King's Bedroom to watch him get out of bed, perfume himself and dress. (Versailles)

Original sculptures and fine paintings decorate the interior of the palace. Many rooms in Versailles have been restored with beautiful furnishings that reveal the extravagance of the Sun King's era. The most famous room is the Hall of Mirrors **(la galerie des Glaces)**, almost 250 feet long. Seventeen tall panels of mirrors reflect light from the 17 equally tall windows opposite them. In the 17th century, mirrors of this size were rare and very expensive. Since then Versailles has hosted important world events, such as the signing of the peace treaty that ended World War I. Today the palace of Versailles and the châteaux of the Loire Valley remain testaments to French artistic creativity.

For political and social events, Louis XIV had *la galerie des Glaces* decorated with 3,000 candles, rich carpets and trees. (Versailles)

11 *Répondez aux questions suivantes.*

1. Why did many French counts and kings choose to build their dwellings along the Loire River?
2. Why were the earliest castles built?
3. What king played a major role in all the **châteaux de la Loire** mentioned in this reading?
4. What country's art and culture influenced the builders of the Loire castles?
5. Who were the Huguenots and what happened to many of them at Amboise?
6. Which castle crosses a river?
7. What two women were mainly responsible for building and enlarging this castle?
8. How many rooms are in the château at Chambord?
9. How is one of the stairways at Chambord unique?
10. What activities did the court enjoy at Chambord?
11. Is the palace of Versailles also in the Loire Valley?
12. In what ways was Louis XIV's nickname appropriate?
13. What is in the gardens at Versailles?
14. How many people lived in the palace of Versailles during its brightest period?
15. Which is the most famous room in Versailles?

Was the castle at Angers built as a pleasure palace or a fortress?

12 *Regardez la publicité pour le château de Villandry. Puis répondez aux questions.*

1. During what historical period were the castle and gardens at Villandry designed?
2. Was Villandry built to be a fortress or a pleasure palace?
3. Where is Villandry located in relation to the city of Tours?
4. What highway do you take to go from Tours to Villandry?
5. When are the gardens open to the public?
6. When is the castle open?
7. What telephone number can you call to get more information about Villandry?

le château de Versailles

les jardins de Versailles

Leçon C

In this lesson you will be able to:

- indicate knowing and not knowing
- inquire about suggestions
- make suggestions
- give opinions
- acknowledge thanks
- leave someone

un roi

une reine

la galerie des Glaces

la chambre de la Reine dans les petits appartements

la chapelle

C'est dimanche. Jérémy et Stéphanie sont dans le R.E.R. qui va de Paris à Versailles. Ils veulent voir le château, mais ils ne connaissent pas très bien la ville. Le syndicat d'initiative est fermé aujourd'hui, mais pendant le trajet ils font la connaissance d'Abdoul qui est de Versailles.

Jérémy: **Est-ce que le château est loin de la gare?**
Abdoul: **Non, pas du tout. Vous prenez l'avenue de Paris, puis vous allez voir l'entrée du château.**
Stéphanie: **Tout le monde connaît la galerie des Glaces, mais à part ça, qu'est-ce que nous devons voir?**
Abdoul: **Dans le château il faut surtout voir la chapelle et les petits appartements du Roi et de la Reine.**
Jérémy: **Est-ce que tu sais s'il y a des visites spéciales aujourd'hui?**
Abdoul: **Non, je ne sais pas. Il faut demander au guichet.**
Stéphanie: **Plus tard je voudrais aussi aller flâner dans les jardins.**
Abdoul: **Bien sûr. Ils sont superbes.**
Jérémy: **Merci. Tu nous as bien aidés.**
Abdoul: **Il n'y a pas de quoi. Bonne journée!**

Enquête culturelle

La ville de Versailles est à 18 kilomètres au sud-ouest de Paris. On peut vite aller à Versailles par la ligne C5 du R.E.R. Le château de Versailles est fermé le lundi. D'autres sites célèbres en France sont aussi fermés le lundi ou le mardi. Pour savoir quand une attraction est ouverte, demandez au syndicat d'initiative de la ville.

L'OFFICE DU TOURISME - SYNDICAT D'INITIATIVE VOUS SOUHAITE LA BIENVENUE

Beaucoup de villes en France ont un syndicat d'initiative ou un office de tourisme pour aider les touristes. (Turckheim)

Au syndicat d'initiative les touristes peuvent trouver des informations, les plans de la ville, les listes d'activités culturelles et de bons restaurants. On peut aussi réserver une chambre dans un hôtel de la région. À Versailles le syndicat d'initiative est à cinq minutes du château à pied.

1 *Dans chaque phrase corrigez la faute en italique d'après le dialogue.*

1. C'est *mardi*.
2. Jérémy et Stéphanie prennent *le métro* pour aller de Paris à Versailles.
3. *Le guichet* est fermé aujourd'hui.
4. Abdoul habite à *Paris*.
5. Le château de Versailles est *loin* de la gare.
6. Dans le château il faut voir les petits appartements *du contrôleur*.
7. Stéphanie veut aussi aller flâner dans *la chapelle*.

2 *Qui ou qu'est-ce qu'on doit voir à Versailles?*

Modèle:

On doit voir le tableau du Roi.

1.

3.

5.

2.

4.

6.

3 *C'est à toi!*

1. Est-ce que tu veux visiter le château de Versailles? Si oui, qu'est-ce que tu veux voir?
2. Est-ce que tu préfères flâner en ville ou à la campagne?
3. Est-ce que tu habites loin de l'école?
4. Est-ce que ta famille a un jardin? Si oui, est-ce que c'est un jardin de fleurs ou de légumes?
5. Qui t'a aidé(e) aujourd'hui?
6. De qui veux-tu faire la connaissance?

Structure

Present tense of the irregular verb *savoir*

The verb **savoir** (*to know, to know how*) is irregular.

savoir			
je	**sais**	Je **sais** jouer du piano.	*I know how to play the piano.*
tu	**sais**	**Sais**-tu l'heure qu'il est?	*Do you know the time?*
il/elle/on	**sait**	Charles ne **sait** rien.	*Charles doesn't know anything.*
nous	**savons**	Nous ne **savons** pas la date.	*We don't know the date.*
vous	**savez**	**Savez**-vous pourquoi?	*Do you know why?*
ils/elles	**savent**	Ils **savent** où j'habite.	*They know where I live.*

NOUVEAU MAGNÉTOSCOPE AMSTRAD FIDELITY
Si vous savez lire, vous savez programmer !

Use **savoir** to say that you know factual information or that you know how to do something.

Je **sais** son nom.	*I know her name.*
Sais-tu son adresse?	*Do you know her address?*
Karine **sait** faire du roller.	*Karine knows how to in-line skate.*

The irregular past participle of **savoir** is **su**.

J'ai **su** où ils sont allés.	*I knew (found out) where they went.*

Est-ce que tu sais jouer d'un instrument?

Leçon C

Pratique

4 *Vous êtes à un camping où vous parlez des sports avec d'autres ados. Avec un(e) partenaire, demandez quels sports vous savez faire. Puis répondez aux questions. Suivez le modèle.*

Modèle:

Élève A: **Sais-tu faire de l'escalade?**
Élève B: **Oui, je sais faire de l'escalade. Et toi, sais-tu faire de l'escalade?**
Élève A: **Non, je ne sais pas faire de l'escalade.**

1.

2.

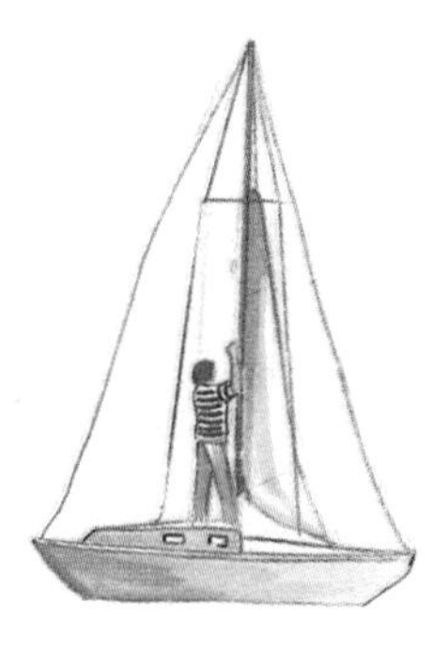

3.

4.

5.

6.

5 *Avec vos amis, vous allez faire le tour du château de Versailles. Dites ce que les personnes indiquées savent sur le château.*

Modèle:

Anne-Marie/à quelle heure le tour commence
Anne-Marie sait à quelle heure le tour commence.

1. Mireille/que le château est fermé le lundi
2. Véro et toi/quelle rue il faut prendre pour arriver au château
3. Jérémy et moi/où est l'entrée du château
4. je/combien coûte le billet
5. tu/qu'on peut visiter les petits appartements
6. Luc et Catherine/les noms des rois qui ont habité dans le château
7. Ousmane/pourquoi Louis XVI a quitté Versailles

Present tense of the irregular verb *connaître*

Another irregular verb meaning "to know" is **connaître**. But **connaître** and **savoir** are used differently.

connaître			
je	connais	Je **connais** un bon restaurant.	*I know a good restaurant.*
tu	connais	Tu **connais** *Les Misérables?*	*Are you familiar with* Les Misérables?
il/elle/on	connaît	Étienne **connaît** ce film.	*Étienne knows this movie.*
nous	connaissons	Nous **connaissons** Versailles.	*We know Versailles.*
vous	connaissez	Vous **connaissez** mon frère?	*Do you know my brother?*
ils/elles	connaissent	Mes amis ne le **connaissent** pas.	*My friends don't know him.*

ELLE CONNAÎT MARS COMME SA POCHE!

Use **connaître** to say that you are familiar or acquainted with people, places or works of art, such as paintings, books, films, music, etc.

> **Connaissez**-vous Monet? — *Are you familiar with Monet?*
> Non, je ne **connais** pas ses tableaux. — *No, I don't know his paintings.*

The irregular past participle of **connaître** is **connu**.

> J'ai **connu** Clémence à la boum. — *I met Clémence at the party.*

Sabrina et ses copains connaissent bien ce café.

Pratique

6 *Dites que les personnes suivantes connaissent bien ce qu'elles aiment.*

Modèle:
Abdoul aime le château de Versailles.
Il le connaît bien.

1. J'aime les châteaux de la Loire.
2. Cécile et sa sœur aiment ce restaurant à Tours.
3. M. Legendre et toi, vous aimez les romans de Victor Hugo.
4. Mme Hopen aime les tableaux de Monet.
5. Marc aime la cousine de Latifa.
6. Tu aimes la ville de Paris.
7. Thérèse et moi, nous aimons l'avenue des Champs-Élysées.

7 *Complétez les phrases suivantes avec la forme convenable de* ***savoir*** *ou* ***connaître****.*

Modèles:

Clémence ne **sait** pas la date de la boum.

Connais-tu le nouvel élève?

1. Raphaël... où est le comptoir d'Air France.
2. Laurent et toi, vous... le numéro de vol.
3. Est-ce que les garçons... l'heure du match de foot?
4. Mon copain ne... pas le nouveau film au Gaumont.
5. ... -tu le temps qu'il va faire demain?
6. Mes petits frères... *Le Comte de Monte-Cristo*.
7. Je... parler français.
8. Sébastien et moi, nous... bien le beau-père de Jean.
9. Est-ce que tu... les Pyrénées?
10. M. Dufour, est-ce que vous... les Champs-Élysées?

SI VOUS NE SAVEZ PAS DIRE NON.

Julien et Christophe ne connaissent pas ces filles, mais ils savent qu'elles sont belges. (La Rochelle)

Communication

8 *Qu'est-ce que vous savez faire? Faites une enquête où vous demandez à cinq élèves s'ils savent ou ne savent pas faire certaines choses. Copiez la grille suivante. Demandez à chaque élève s'il ou elle sait faire chaque activité. Si la réponse est "oui," mettez un ✓ dans l'espace blanc.*

Modèle:

Anne: **Sais-tu jouer aux échecs?**
Robert: **Oui, je sais jouer aux échecs.**

	Robert	Patrick	Sonia	Marc	Marie
jouer aux échecs	✓				
parler allemand					
faire du roller					
préparer une quiche					
jouer de la guitare					
faxer une lettre					
nager					
faire la lessive					

9 *Maintenant écrivez un sommaire de l'enquête que vous avez faite dans l'Activité 8. Dites ce que chaque élève sait et ne sait pas faire.*

Modèle:

Robert sait jouer aux échecs....
Il ne sait pas....

0 *Avec un(e) partenaire, jouez les rôles de deux personnes au syndicat d'initiative de Versailles. La première personne joue le rôle de Mlle Meunier, une employée; la deuxième personne joue le rôle d'un(e) touriste américain(e) qui visite Versailles pour la première fois. Le/la touriste demande à Mlle Meunier:*

1. si elle connaît bien le château.
2. si le château est loin d'ici.
3. si elle a un plan de la ville et du château.
4. jusqu'à quelle heure on peut visiter le château.
5. s'il y a des visites spéciales aujourd'hui.
6. s'il faut voir la galerie des Glaces.
7. si on peut flâner dans les jardins.
8. si elle connaît un bon restaurant près du château.

Enfin, le/la touriste remercie l'agent(e) et lui dit au revoir.

Sur la bonne piste

Making an outline is a useful skill to help you focus on the highlights of what you are reading. An outline consists of a summary of the main points and the ideas that support them. In this unit your outline will cover parts of a brochure about sites to see and things to do near Tours in the heart of the Loire Valley.

Remember that whenever you read something new, you bring to it what you have heard or read previously about the topic, or even your own personal experiences. To prepare for this reading, ask yourself what you already know about **les châteaux de la Loire.**

1. In what period were most of the castles built?
2. For whom were they constructed?
3. For what features are the castles famous?

Keeping in mind what you already know about this topic, hypothesize about what you expect to find in the reading. Then look at the accompanying illustrations. Do they seem to prove your original hypothesis, or do they require you to adjust your expectations?

TOURS, AU CŒUR DE LA TOURAINE

Tout au long de l'année, TOURS et ses environs offrent les possibilités les plus variées aux Français et aux étrangers en quête de loisirs: visite des monuments pendant le jour, spectacles, concerts et illuminations le soir, promenades et navigation le long des rivières, randonnées, repos et détente dans les restaurants et auberges de renom gastronomique.

Au bord de la Loire, le château de LANGEAIS se dresse, formidable et sévère forteresse médiévale. En 1491 y fut célébré le mariage de Charles VIII avec la Duchesse Anne, qui devait entraîner la réunion de la Bretagne au royaume de France.

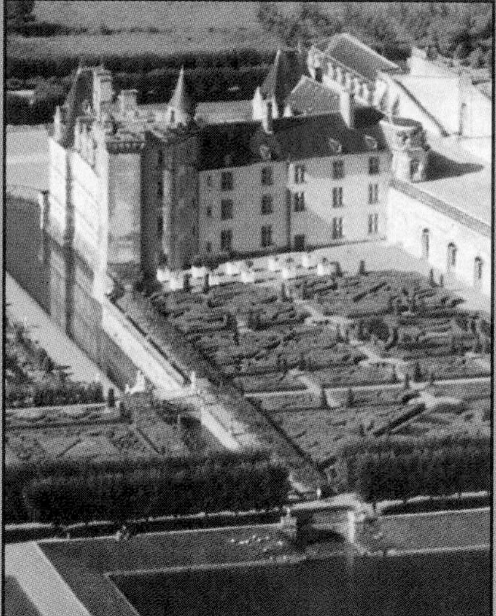

En aval, le Cher traverse, canalisé, les nouveaux quartiers de Tours, avant d'aller recevoir les eaux des fontaines et des douves de VILLANDRY, dernier en date des grands châteaux Renaissance de Touraine. Ses jardins, qui unissent harmonieusement fleurs et légumes, composés de trois niveaux superposés, sont uniques en Europe et attirent les amateurs du monde entier.

Les environs de TOURS, les vastes forêts de LOCHES, d'AMBOISE et de TEILLAY entre CHINON et AZAY-LE-RIDEAU, offrent de multiples possibilités de promenades équestres et de randonnées à pied ou à bicyclette. Pendant l'hiver il est possible de participer à une chasse à courre en suivant l'un des nombreux équipages qui découplent habituellement les mardis et samedis.

In making an outline, keep these points in mind:

1. Write your notes in the form of phrases rather than complete sentences.
2. Use Roman numerals to designate main headings, indent and use capital letters to designate subheadings, and indent and use numbers to designate items under the subheads.
3. Start each level of organization (main headings, subheadings, items) with the same parallel grammatical structure, for example, a verb or a noun.
4. Never have just one numeral or letter at a given level. For example, if you have a subhead "A," you must have a subhead "B."

Now look at the following outline of the first paragraph of the reading that has already been done for you.

Tours et sa région
I. Loisirs variés
  A. Jour
    1. Visite des monuments
    2. Promenades le long des rivières
    3. Randonnées
  B. Soir
    1. Spectacles
    2. Concerts
    3. Illuminations
    4. Restaurants de renom gastronomique

Note that the information in the outline above has been organized according to what visitors can see and do during the day and at night, in much the same way that tourists might plan their itinerary. Note that only facts and not the author's opinions are included. If the passage describes one of the castles as **le plus beau de tous les châteaux**, the author is expressing a personal opinion that cannot be proved. However, when writing about a historical event that occurred at a particular site, the author is stating a fact.

11 Make an outline of the three remaining paragraphs in the reading. Wherever possible, remember to paraphrase, that is, to use your own words, as you write your outline.

Nathalie et Raoul

C'est à moi!

Now that you have completed this unit, take a look at what you should be able to do in French. Can you do all of these tasks?

- I can say what and whom I know and don't know.
- I can ask for and give information about various topics, including traveling by train and plane.
- I can ask for suggestions and suggest what people can do.
- I can give my opinion by saying what I think.
- I can state my preference.
- I can tell someone to do something.
- I can give directions.
- I can point out something.
- I can express astonishment.
- I can express emotions.
- I can make an assumption.
- I can express sympathy.
- I can express hope.
- I can acknowledge someone's thanks.
- I can tell someone to have a good day.

Here is a brief checkup to see how much you understand about French culture. Decide if each statement is **vrai** or **faux**.

1. Roissy-Charles de Gaulle and Orly are Paris' two main airports.
2. Upon arriving in France from the U.S., the first thing you do is go through customs.
3. French train tickets are less expensive during the "red" period, which includes weekends.
4. At a city's **syndicat d'initiative** tourists can get maps, lists of cultural activities, and names of recommended hotels and restaurants.
5. Many French monuments are closed to visitors on the weekend.

At what time does the flight to Toronto depart from Roissy-Charles de Gaulle? (Paris)

6. All the castles in the Loire Valley were designed primarily as fortresses so that kings and counts could protect their holdings.
7. In the city of Blois is a Renaissance castle with a famous spiral staircase.
8. Chenonceaux is called **le château des six hommes** because of the six kings who lived there during the Renaissance.
9. Chambord, the largest château in the Loire Valley, is built over the river Cher.
10. Surrounded by his court, the Sun King, Louis XIV, lived a life of royal splendor in the palace of Versailles.

VERSAILLES CHÂTEAU DU ROI SOLEIL

Communication orale

With a partner, play the roles of Kelly, an American student, and M. Bobigny, the father of the French host family in Angers with whom Kelly has spent the summer. M. Bobigny has driven Kelly to Roissy-Charles de Gaulle where she will board the plane for the return trip home. They talk about what she needs to do before her flight. During the course of the conversation:

1. M. Bobigny says that it seems everyone is at the airport today.
2. Kelly asks M. Bobigny if he knows the airport well.
3. She asks him if he knows where the Air France counter is and what she must show the ticket agent.
4. M. Bobigny asks her how many suitcases she is going to check.
5. Next he asks her if she prefers a window or an aisle seat.
6. She asks him if the plane is going to take off on time.
7. Then she asks him where the departure gate is.
8. Kelly thanks M. Bobigny for helping her. Then she tells him to have a good day.
9. He acknowledges her thanks. Then he tells her to have a good trip.

Communication écrite

Imagine that you are Kelly and are now waiting at the departure gate to board the plane home to the U.S. During your stay in France this summer you have been keeping a journal in French and are now writing about today's experiences at the airport with M. Bobigny. Begin by telling how long you have been at the airport and at what time your plane is going to take off. Then tell about what you did at the Air France counter and how you got to the departure gate. Include as many of the details of your conversation with M. Bobigny and the Air France ticket agent as possible. To reflect on the sites that you've seen during your visit, state which châteaux you now know and give your opinions about them. Finally, write some personal observations about the French people you have met, such as the Bobigny family.

Communication active

To indicate knowing and not knowing, use:

Tout le monde connaît la galerie des Glaces.	*Everybody knows the Hall of Mirrors.*
Est-ce que tu sais s'il y a des visites spéciales aujourd'hui?	*Do you know if there are special visits today?*
Non, je ne sais pas.	*No, I don't know.*

To ask for information, use:

Votre destination, Mademoiselle?	*Your destination, Miss?*
Vous avez combien de valises?	*How many suitcases do you have?*
Depuis quand est-ce que vous m'attendez?	*Since when have you been waiting for me?*

To give information, use:

Je vais à Chicago.	*I'm going to Chicago.*
Il y a une escale à Boston.	*There's a stop in Boston.*
Il va partir dans cinq minutes **sur la voie numéro** 4.	*It's going to leave in five minutes on track number 4.*
Depuis 9h45.	*Since 9:45.*
Nous sommes arrivés **il y a** une demi-heure.	*We arrived half an hour ago.*

To inquire about suggestions, use:

Qu'est-ce que nous devons voir?	*What should we see?*

To make suggestions, use:

Il faut voir la chapelle.	*You have to see the chapel.*

To give opinions, use:

Ils sont superbes.	*They are superb.*

To state a preference, use:

Côté fenêtre, s'il vous plaît.	*(A) window (seat), please.*

To give orders, use:

Viens vite!	*Come quickly!*

To give directions, use:

Vous allez passer à la douane.	*You're going to go through customs.*
Vous passez l'immigration et le contrôle de sécurité.	*You go through immigration and the security check.*
Regardez les panneaux.	*Look at the signs.*

To point out something, use:

C'est la porte numéro 6.	*It's gate number 6.*

To express astonishment, use:

Tu parles!	*You're kidding!*

To express emotions, use:

Mince!	*Darn!*

To hypothesize, use:

Il me semble que tout le monde va à Blois.	*It seems to me that everybody's going to Blois.*

To commiserate, use:

Tant pis.	*Too bad.*

To express hope, use:

Tu dois espérer que le contrôleur ne te donne pas d'amende!	*You have to hope that the inspector doesn't give you a fine.*

To acknowledge thanks, use:

Il n'y a pas de quoi.	*You're welcome.*

To leave someone, use:

Bonne journée!	*Have a good day!*

Communication électronique

The beautiful **val de Loire**, inspiration for some of France's most famous writers and home of kings, châteaux, cathedrals, festivals, fine foods and natural wonders, is only one hour from Paris. Visit this Internet site about the Loire Valley and find out what a difference an hour can make:

http://www.loirevalleytourism.com/crtl/francais/decouv/index.htm

After you have finished exploring this site, answer the following questions.

1. What four kinds of experiences are you invited to come and have at this Web site?
2. Click on "Maison d'écrivains." Who are four well-known French writers who lived in and were inspired by this region?
3. Return to the home page and click on "Région Centre: l'émotion à l'état pur." In how many languages can you order the brochure?
4. Click on "Venez écouter." Many of the Loire châteaux are illuminated at night and are the settings for theatrical and musical performances. What kinds of music can you hear during the summer?
5. Under "Venez savourer," click on "Saveurs Régionales" and "ESCAPADE GASTRONOMIQUE AU PAYS DES CHÂTEAUX." How many nights do you spend at this hotel? What three châteaux do you visit? What means of transportation does the hotel put at your disposal?
6. How would you like to stay in a Loire castle? Click on "Venez savourer," "Hôtels: Découvrez nos coups de Cœur" and "Hôtels coups de cœur." From the list on the left, choose a hotel that you'd like to stay in. How old is it? How many guest rooms does it have? How much is a one-night stay?

À moi de jouer!

Tell what happened during Meghan's trip to France and visit to **les châteaux de la Loire**. Write a paragraph in the **passé composé** and use as many expressions as you can remember from this unit. (You may want to refer to the *Communication active* on pages 296-97 and the vocabulary list on page 299.)

Vocabulaire

	à: à part aside from
un	**agent** agent
une	**amende** fine
l'	**Amérique (f.)** America
une	**arrivée** arrival
un	**ascenseur** elevator
	atterrir to land
des	**bagages (m.)** luggage, baggage
	bon: Bonne journée! Have a good day!
une	**chapelle** chapel
	composter to stamp
un	**composteur** ticket stamping machine
un	**comptoir** counter
une	**connaissance** acquaintance
	connaître to know
un	**contrôle de sécurité** security check
un	**contrôleur, une contrôleuse** inspector
un	**côté** side
un	**couloir** aisle
	déclarer to declare
	décoller to take off
	demander to ask
un	**départ** departure
	depuis for, since
	depuis combien de temps how long
	depuis quand since when
une	**destination** destination
	direct(e) direct
la	**douane** customs
un	**douanier, une douanière** customs agent
	enregistrer: faire enregistrer ses bagages (m.) to check one's baggage
une	**escale** stop, stopover
	espérer to hope
	faire enregistrer ses bagages (m.) to check one's baggage
	faire la connaissance (de) to meet
	faire la queue to stand in line
	flâner to stroll
une	**galerie** hall, gallery
	Il n'y a pas de quoi. You're welcome.
	il y a ago
l'	**immigration (f.)** immigration
	indiquer to indicate
	journée: Bonne journée! Have a good day!
	louer to rent
	Mince! Darn!
	monter to get on
un	**panneau** sign
	parler: Tu parles! No way! You're kidding!
	part: à part aside from
un	**passager, une passagère** passenger
	passer à la douane to go through customs
	plus: plus tard later
une	**porte** gate
	une porte d'embarquement departure gate
la	**queue: faire la queue** to stand in line
	rapide fast
une	**reine** queen
le	**R.E.R. (Réseau Express Régional)** express subway to suburbs
un	**roi** king
	savoir to know (how)
	sembler to seem
	Il me semble.... It seems to me . . . .
un	**siège** seat
	spécial(e) special
	superbe superb
	surtout especially
un	**syndicat d'initiative** tourist office
le	**tableau des arrivées et des départs** arrival and departure information
	Tant pis. Too bad.
	tard late
	plus tard later
un	**trajet** trip
une	**valise** suitcase
	vérifier to check
	vieux: mon vieux buddy
une	**visite** visit
une	**voie** (train) track
un	**vol** flight
un	**voyageur, une voyageuse** traveler

Unité 8

En voyage

In this unit you will be able to:

- describe people you remember
- identify nationalities
- describe past events
- describe daily routines
- ask for information
- give information
- explain something
- express reassurance
- inquire about details
- order food and beverages
- give orders
- state prices
- give telephone numbers

Leçon A

In this lesson you will be able to:

- ask for information
- give information
- inquire about details
- state prices
- give telephone numbers

Je voudrais réserver une chambre.
Avec un grand lit ou des lits jumeaux?
RÉCEPTION
Château Laurier

Joanne, une Québécoise, attend l'arrivée de son amie Clarence. Clarence est née à Québec, mais elle habite en France maintenant avec son mari, Fabrice. Joanne téléphone à la réception de l'Hôtel Château Laurier pour réserver une chambre pour eux.

La réceptionniste:	**Allô, Hôtel Château Laurier, bonjour!**
Joanne:	**Bonjour! Je voudrais réserver une chambre pour un couple français, s'il vous plaît.**
La réceptionniste:	**C'est pour quelles dates?**
Joanne:	**Du 26 juillet au 2 août.**
La réceptionniste:	**Avec un grand lit ou des lits jumeaux?**
Joanne:	**Un grand lit, s'il vous plaît.**
La réceptionniste:	**Bien. Nous avons une chambre à 98 dollars avec un grand lit, une salle de bains, la climatisation, la télévision et le téléphone. Elle donne sur la rue, mais la vue est très jolie.**
Joanne:	**D'accord. Le petit déjeuner est compris?**
La réceptionniste:	**Non, il y a un supplément de dix dollars.**

Joanne:	**Très bien. Je vais la réserver au nom de Monsieur et Madame Lambert, mais moi, je suis Mademoiselle Bouchard.**
La réceptionniste:	**Votre prénom et numéro de téléphone, s'il vous plaît, Mademoiselle?**
Joanne:	**Joanne, et mon numéro de téléphone est le 522-7630.**
La réceptionniste:	**Bon. Comment allez-vous régler?**
Joanne:	**Pour le moment je peux vous donner le numéro de ma carte de crédit.**
La réceptionniste:	**Merci, Mademoiselle.**

Québec, située sur le fleuve Saint-Laurent, est la capitale de la province de Québec. Québec est l'une des plus vieilles villes de l'Amérique du Nord; elle date de 1608. Québec est un grand port et un centre administratif, culturel, commercial et industriel. En 1952 l'université Laval a ouvert ses portes à Québec. Il y a deux quartiers différents de Québec, le Vieux-Québec et le quartier moderne. Avec ses rues pittoresques, le Vieux-Québec est le centre du gouvernement et de la culture de la province. La Citadelle, un fort ancien, et le château Frontenac, un immense hôtel qui ressemble à un château gothique d'Europe, sont dans le Vieux-Québec. Dans le quartier moderne il y a des sections résidentielles, commerciales et industrielles.

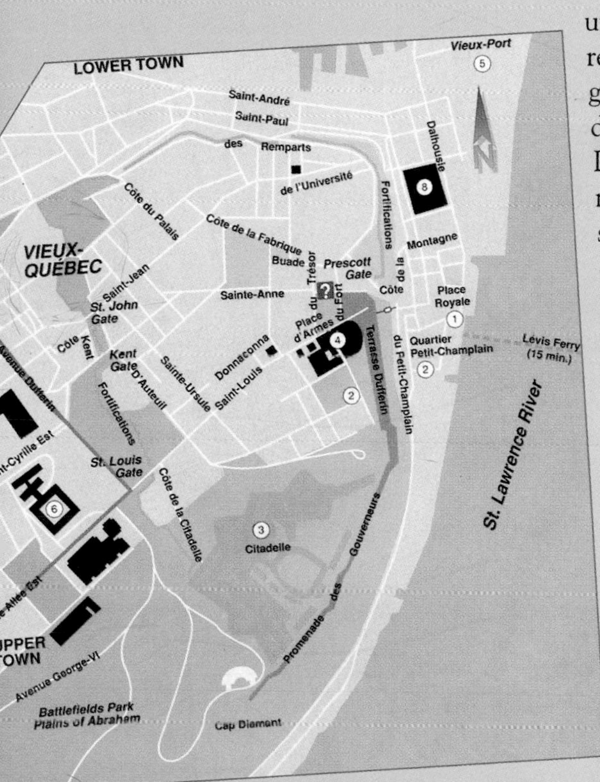

Enquête culturelle

Du Vieux-Québec on a une vue superbe sur le fleuve Saint-Laurent.

Le Vieux-Québec est une ville fortifiée.

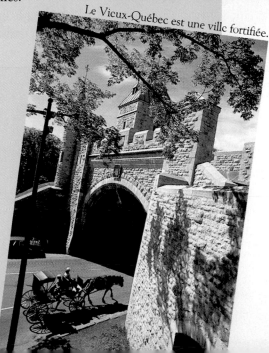

Quand les Français voyagent, ils choisissent souvent leur hôtel en avance. Pour trouver un hôtel en France, on peut utiliser le *Guide Michelin Rouge* qui classifie les hôtels et les restaurants. Un hôtel peut être assez simple, souvent avec les salles de bains dans le couloir; il peut être assez confortable avec un ascenseur et les salles de bains dans les chambres; il peut être assez grand et luxueux. Quand on réserve une chambre d'hôtel en France, on spécifie si on préfère la chambre avec douche ou baignoire. Il faut noter que le voltage électrique en France (220) est différent que le voltage électrique aux États-Unis (110). Donc, les touristes doivent utiliser des adaptateurs.

Dans les Michelin *Guides Verts* on peut trouver des descriptions détaillées de certaines régions françaises.

HÔTEL
DU LOUVRE **NN

2 - 4, Rue des Marins
35400 ST MALO

☎ 02.99.40.86.62 - Fax 02.99.40.86.93

Au cœur de la Cité Corsaire, proche de la gare maritime et des plages

•

44 Chambres
équipées B. D. WC
TV Chaînes anglaises et françaises - sèche cheveux

•

Bar

•

Ascenseur

Hôtel
Château Laurier
Réservations sans frais: 1-800-463-4453
(Résidents du Québec, de l'Ontario, des Maritimes, de l'Est et du Centre des États-Unis.)
À 350 m. du Vieux Québec.
Sur la colline parlementaire.
Tarifs spéciaux pour groupes organisés.
• Air climatisé
• Stationnement gratuit
• Télécouleur/câble
• 55 chambres
• Restaurant & Casse-croûte
• Bar-salon
695, Grande Allée Est, Québec, Qc,
Canada G1R 2K4 Tél.: (418) 522-8108

1 *Répondez aux questions d'après le dialogue.*

1. Où est-ce que Clarence est née?
2. Le mari de Clarence s'appelle comment?
3. Pourquoi est-ce que Joanne téléphone à la réception de l'Hôtel Château Laurier?
4. Elle veut réserver une chambre pour quelles dates?
5. Est-ce que Joanne choisit une chambre avec un grand lit ou des lits jumeaux?
6. Est-ce que le petit déjeuner est compris?
7. Quel est le nom de famille de Joanne?
8. Comment est-ce que Joanne va régler?

Joanne choisit une chambre avec un grand lit pour ses amis.

Regardez la chambre d'hôtel. Puis répondez aux questions.

HÔTEL
Château
Bellevue
16, rue Laporte
Vieux-Québec (Qc) G1R 4M9
1-800-463-2617 (Canada & US)
(418) 692-2573
Fax : (418) 692-4876

1. Quel est le numéro de la chambre?
2. Est-ce que la porte est ouverte ou fermée?
3. C'est une chambre avec un grand lit ou des lits jumeaux?
4. Combien de téléphones est-ce qu'il y a dans la chambre?
5. Est-ce qu'il y a une télé dans la chambre?
6. Est-ce que la chambre donne sur la rue ou sur le jardin?
7. Est-ce que la salle de bains est dans la chambre ou dans le couloir?

C'est à toi!

1. Quel est ton prénom? Quel est ton nom de famille?
2. Quelle est ton adresse?
3. Quel est ton numéro de téléphone?
4. Où est-ce que tu es né(e)?
5. Est-ce que ta chambre donne sur la rue ou sur le jardin?
6. Est-ce que tu as un grand lit ou un lit jumeau dans ta chambre?
7. Est-ce que tu as une carte de crédit?

Je suis née à la Guadeloupe.

Structure

Stress pronouns

In English we emphasize certain words by putting stress on them with our voice. For example, "*I* don't mind." In French a group of pronouns called "stress pronouns" is used for emphasis. Here are the stress pronouns with their corresponding subject pronouns.

YVES DUTEIL
chante pour vous
ses 100 plus grands succès.

Singular		Plural	
moi	*je*	nous	*nous*
toi	*tu*	vous	*vous*
lui	*il*	eux	*ils*
elle	*elle*	elles	*elles*

Use stress pronouns:

- to emphasize the subject pronoun

Moi, je suis Joanne.	***I*** *am Joanne.*
Tu t'appelles comment, **toi**?	*What is* ***your*** *name?*

- in a short sentence that has no verb

Qui veut un grand lit? **Lui**?	*Who wants a double bed? Him?*
Non, **nous**.	*No, we (do).*

- after **c'est** or **ce sont**

C'est **vous**?	*Is it you?*
Non, ce sont **elles**.	*No, it's they.*

- in a compound subject

Lui et **elle**, ils veulent prendre le petit déjeuner.	*He and she want to have breakfast.*

- after a preposition

Ils ne vont pas rester chez **elle**.	*They're not going to stay at her house.*
Joanne réserve une chambre pour **eux**.	*Joanne is reserving a room for them.*

- after **que** in a comparison

Ils sont aussi fatigués que **moi**.	*They are as tired as I.*

Pratique

4 *Pendant que* (While) *la prof de français écrit au tableau, elle entend des élèves qui parlent et ne l'écoutent pas. (Les responsables, ce sont Raoul et Clarisse!) La prof veut savoir qui parle. Répondez-lui.*

Modèle:
C'est Martine?
Non, ce n'est pas elle.

1. C'est Caroline?
2. Ce sont Béatrice et Guillaume?
3. C'est Étienne?
4. C'est Marc et toi?
5. Ce sont Véronique et Karine?
6. C'est toi?
7. Ce sont Raoul et Clarisse?

5 *Votre prof offre des cartes d'anniversaire aux élèves de votre classe. Donc, elle a préparé la liste des élèves avec les dates de leurs anniversaires. Comparez les âges des personnes suivantes. Dites si ces personnes sont plus, moins ou aussi âgées que les autres.*

Modèle:
Stéphane/Abdou
Stéphane est plus âgé que lui.

Élèves	Anniversaires
Denis	10.03.84
Barbara	4.07.86
Pierre	30.10.86
Jean-Claude	6.12.86
Assane	15.01.86
Stéphane	24.02.86
Chloé	17.08.86
Benjamin	4.07.86
Francine	19.08.86
Thierry	1.09.86
Yasmine	10.04.86
Malick	6.11.85
Abdou	20.05.86

1. Assane/Thierry
2. Yasmine/Francine et Benjamin
3. Jean-Claude/Barbara
4. Denis/Chloé et Yasmine
5. Barbara/Pierre et Jean-Claude
6. Malick/Stéphane
7. Benjamin/Barbara

6 *Avec un(e) partenaire, posez et répondez aux questions.*

Modèle:
faire du baby-sitting pour les amis de tes parents
Élève A: **Est-ce que tu fais du baby-sitting pour les amis de tes parents?**
Élève B: **Oui, je fais du baby-sitting pour eux. Et toi, est-ce que tu fais du baby-sitting pour les amis de tes parents?**
Élève A: **Non, je ne fais pas de baby-sitting pour eux.**

1. rester chez toi ce soir
2. sortir avec tes copains ce weekend
3. habiter loin de ta grand-mère
4. faire le ménage pour tes parents
5. s'asseoir près de ton ami(e) en cours d'anglais

7 *Complétez les phrases suivantes avec* **moi, toi, lui, elle, nous, vous, eux** *ou* **elles**.

1. —Vous voulez réserver une chambre pour ce soir?
   — Oui, mon mari et..., nous voulons réserver une chambre qui ne donne pas sur la rue.
2. — Et votre mari, il s'appelle comment?
   — ...? Il s'appelle François.
3. — Et votre prénom, Madame?
   — ..., je suis Delphine.
4. — Quand est-ce que les Paquette, Jean-Claude et Thérèse, vont arriver?
   — ... et..., ils vont arriver après 20h00.
5. — Vous allez prendre le petit déjeuner avec les Paquette?
   — Oui, je vais le prendre avec....
6. — Et votre mari?
   — Non, il va dormir tard parce qu'il est plus fatigué qu'....
7. — Comment allez-vous régler, Madame?
   — ..., nous avons une carte de crédit.
8. — Le téléphone, c'est pour vous, Madame.
   — Qui? ...?

Communication

Nous avons une chambre à 63,27 euros avec des lits jumeaux et une salle de bains.

8 *Avec un(e) partenaire, jouez les rôles de deux personnes au téléphone. La première personne joue le rôle d'une touriste de Montréal, Mlle Tourdot, qui va visiter Paris. La deuxième personne joue le rôle d'un réceptionniste, M. Desmarets, à l'Hôtel Mercure. Pendant votre conversation:*

1. Mlle Tourdot demande si elle peut réserver une chambre du 7 avril au 14 avril.
2. M. Desmarets demande pour combien de personnes et si elle veut un grand lit ou des lits jumeaux.
3. Mlle Tourdot demande le prix d'une chambre avec salle de bains.
4. Mlle Tourdot demande si le petit déjeuner est compris.
5. Mlle Tourdot dit qu'elle va prendre la chambre.
6. M. Desmarets demande le nom et le numéro de téléphone de la touriste.
7. M. Desmarets demande comment Mlle Tourdot va régler.

9 *Imaginez que votre père va assister à un meeting professionnel à Québec. Parce que vous étudiez le français, il vous demande d'envoyer un fax au Château Frontenac pour réserver une chambre pour lui. Dans votre fax dites que votre père veut avoir une chambre du 23 septembre au 25 septembre qui donne sur le Saint-Laurent avec un grand lit et le petit déjeuner. Indiquez son numéro de fax et le numéro de sa carte de crédit.*

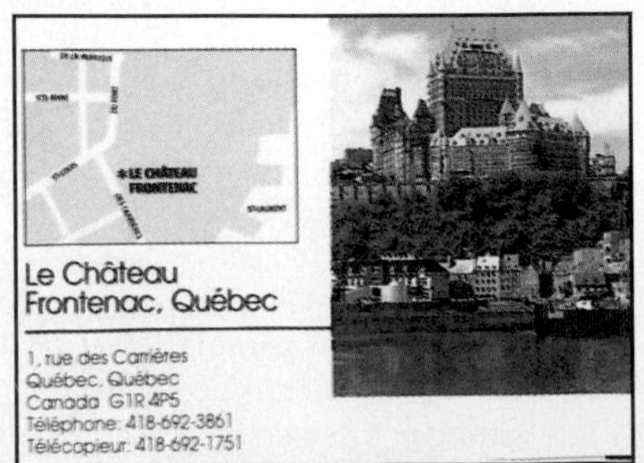

Le Château Frontenac, Québec
1, rue des Carrières
Québec, Québec
Canada G1R 4P5
Téléphone: 418-692-3861
Télécopieur: 418-692-1751

AUBERGE
DE
JEUNESSE

un dortoir

Leçon B

In this lesson you will be able to:

- ➤ describe people you remember
- ➤ identify nationalities
- ➤ describe past events
- ➤ describe daily routines
- ➤ express reassurance

Il y avait des gens de toutes les nationalités dans mon dortoir.
Est-ce que tout le monde parlait français?
CT92864

Charles Bertin rentre à Sainte-Anne-de-Beaupré après un voyage en France. Au cours d'une conversation avec son père, il décrit son séjour dans une auberge de jeunesse à Paris.

Charles: **Il y avait des gens de toutes les nationalités dans mon dortoir... des Américains, des Italiens et des Français, bien sûr! Le soir on mangeait ensemble, on racontait des histoires et on s'amusait beaucoup.**

M. Bertin: **Est-ce que tout le monde parlait français?**

Charles: **Oui, au moins, ils faisaient l'effort.**

M. Bertin: **Alors, tu as de nouveaux amis.**

Charles: **Oui, surtout Karine. Elle est musicienne et elle cherchait du travail à Paris. Elle joue de la guitare et tous les soirs nous l'écoutions avec plaisir.**

M. Bertin: **Je voudrais faire sa connaissance un jour.**

Charles: **Ne t'inquiète pas! Elle a envie de voir le Canada—et moi, naturellement—alors, elle va nous rendre visite le mois prochain!**

Enquête culturelle

Sainte-Anne-de-Beaupré est une petite ville sur le Saint-Laurent près de Québec. C'est un centre religieux important au Canada. Des gens malades vont à la basilique de la ville pour recouvrer leur santé.

Pèlerinage à Sainte-Anne-de-Beaupré et visite des environs

Les jeunes voyageurs choisissent souvent de rester dans des auberges de jeunesse. Là, on peut faire la connaissance de jeunes gens du monde entier, et c'est bon marché. Pour rester dans les auberges de jeunesse, il faut avoir une carte de la FUAJ (Fédération Unie des Auberges de Jeunesse). Si on n'a pas de carte, on paie un supplément. On doit être avec un groupe ou avec sa famille, si on n'a pas 18 ans. En général, on dort dans les dortoirs. On peut acheter le petit déjeuner et souvent le dîner. Il y a des auberges de jeunesse qui ont une cuisine où l'on peut préparer des repas. Dans les hôtels en France on paie par chambre, pas par personne. Alors, si on voyage avec une autre personne, il n'est souvent pas plus cher de rester dans un hôtel simple que dans une auberge de jeunesse.

Nigel, qui est anglais, reste dans des auberges de jeunesse quand il voyage en France.

Charles a fait la connaissance des Américains, des Italiens et des Français à l'auberge de jeunesse.

1 *Mettez les phrases en ordre chronologique d'après le dialogue. Écrivez "1" pour la première phrase, "2" pour la deuxième phrase, etc.*

1. Charles décrit son séjour à son père.
2. Karine va rendre visite à la famille Bertin le mois prochain.
3. Il y avait des gens de toutes les nationalités dans le dortoir de Charles.
4. Le soir on mangeait ensemble, on racontait des histoires et on s'amusait beaucoup.
5. Charles est rentré à Sainte-Anne-de-Beaupré.
6. M. Bertin dit qu'il veut faire la connaissance de Karine.

Vous allez rester dans une auberge de jeunesse à Paris. Complétez votre carte d'identité.

Nom (de famille):	____________
Prénom:	____________
Né(e) le:	____________
À:	____________
Domicile:	____________
Numéro de téléphone:	____________
Profession:	____________
Nationalité:	____________
Numéro de passeport:	____________
Date d'entrée en France:	____________
Date d'arrivée:	____________
Venant de:	____________
Allant à:	____________
Taille:	____________
Couleur des cheveux:	____________
Couleur des yeux:	____________

C'est à toi!

1. Quand tu voyages, est-ce que tu préfères rester dans une auberge de jeunesse ou dans un hôtel?
2. As-tu déjà voyagé au Canada? Si non, est-ce que tu as envie de voir le Canada?
3. Est-ce que tu connais des Canadiens? Des Italiens? Des Français?
4. À qui est-ce que tu rends souvent visite?
5. Est-ce que tu fais un grand effort de parler français en cours de français?
6. Quand est-ce que tu t'inquiètes?
7. Si tu choisis d'aller à une université, est-ce que tu veux rester dans un dortoir, dans un appartement ou chez toi?

Ne t'inquiète pas! Je vais t'aider avec tes devoirs de maths.

Structure

Imperfect tense

You have already learned the most common past tense, **le passé composé.** Another important tense used to talk about the past is **l'imparfait** (*imperfect*). Unlike **le passé composé**, the imperfect consists of only one word and is used to describe how people or things were and what happened repeatedly in the past.

Il y **avait** des gens de toutes les nationalités.	*There were people of all nationalities.*

To form the imperfect of all verbs (except **être**), drop the **-ons** ending from the present tense **nous** form. Then add the endings **-ais**, **-ais**, **-ait**, **-ions**, **-iez** and **-aient** to the stem of the verb depending on the corresponding subject pronouns.

faire			
je	**faisais**	Je **faisais** un effort.	*I made an effort.*
tu	**faisais**	Qu'est-ce que tu **faisais**?	*What were you doing?*
il/elle/on	**faisait**	Il ne **faisait** pas froid.	*It wasn't cold.*
nous	**faisions**	Nous **faisions** du sport.	*We used to play sports.*
vous	**faisiez**	**Faisiez**-vous de l'aérobic?	*Did you do aerobics?*
ils/elles	**faisaient**	Ils **faisaient** le dessert.	*They were making dessert.*

Quand Marcel était à Paris, il passait beaucoup de temps au jardin du Luxembourg.

The only verb with an irregular stem in the imperfect is **être**. Its stem is **ét-**, but its endings are regular.

J'**étais** malade hier.	*I was sick yesterday.*

The imperfect is used to describe:

- people or things as they were or used to be

Charles **avait** dix-neuf ans.	*Charles was 19 years old.*
Son voyage **était** super.	*His trip was terrific.*

- conditions as they were or used to be

Tout le monde **parlait** français.	*Everybody spoke French.*
Karine **cherchait** du travail à Paris.	*Karine was looking for work in Paris.*

- actions that took place regularly in the past

On **mangeait** ensemble.	*We used to eat together.*
Nous **écoutions** Karine tous les soirs.	*We used to listen to Karine every night.*

Pratique

4 *À l'auberge de jeunesse vous avez fait la connaissance de beaucoup de jeunes gens de pays différents aux* (on the) *étages variés. À quel étage étaient les personnes indiquées?*

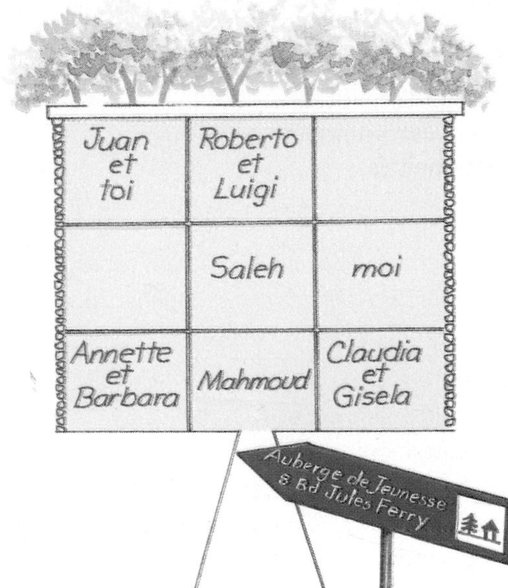

1. Saleh
2. Juan et toi
3. Claudia et Gisela
4. Mahmoud
5. Roberto et Luigi
6. moi

Modèle:

Annette et Barbara

Annette et Barbara étaient au rez-de-chaussée.

5 *Qu'est-ce que les autres jeunes gens et vous faisiez hier à l'auberge de jeunesse?*

Modèle:

Saleh

Saleh écrivait une lettre.

6 *Imaginez qu'il y avait une panne d'électricité* (power outage). *Dites si les personnes suivantes pouvaient faire ou pas les choses indiquées.*

Modèles:

je/raconter des histoires
Je racontais des histoires.

Céline/allumer la télé
Céline n'allumait pas la télé.

1. M. Beguin/travailler sur son ordinateur
2. tu/repasser les vêtements
3. David et Sébastien/jouer du violon
4. Max et moi/préparer le dîner
5. Mme Fralin/prendre le bus
6. je/passer l'aspirateur
7. Thomas et toi/nourrir les animaux
8. les Bertin/nous rendre visite

7 *Avec un(e) partenaire, demandez si vous faisiez certaines choses quand vous étiez petit(e)s. Puis répondez aux questions. Suivez le modèle.*

Modèle:

jouer au Monopoly

Caroline: **Est-ce que tu jouais au Monopoly quand tu étais petit?**

Djamel: **Oui, je jouais au Monopoly quand j'étais petit. Et toi, est-ce que tu jouais au Monopoly quand tu étais petite?**

Caroline: **Non, je ne jouais pas au Monopoly quand j'étais petite.**

1. parler français
2. vouloir être agent de police
3. jouer au docteur
4. avoir un chien
5. regarder les dessins animés
6. faire du roller

Quand j'étais petite, j'avais un gros chat noir.

Toutes les cultures toute l'année, c'est l'abonnement Télérama.

The adjective *tout*

The adjective **tout** (*all, every*) has four different forms depending on the gender and number of the noun it describes. Note that a definite article (**le, la, l', les**) follows the form of **tout**.

Masculine Singular	tout	J'ai fini **tout** le lait.	*I finished all the milk.*
Feminine Singular	toute	Mon frère a nettoyé **toute** la maison.	*My brother cleaned the whole house.*
Masculine Plural	tous	Karine jouait de la guitare **tous** les soirs.	*Karine played the guitar every evening.*
Feminine Plural	toutes	**Toutes** les histoires étaient drôles.	*All the stories were funny.*

Tout is used in the common expressions **tout le monde** (*everybody*) and **tout le temps** (*all the time*).

The definite article after the form of **tout** may be replaced by a possessive or a demonstrative adjective.

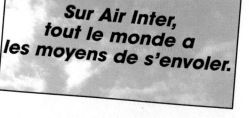

Toute ma famille est au Canada.	*My whole family is in Canada.*
Tous ces gens parlent français.	*All these people speak French.*

Sur Air Inter, tout le monde a les moyens de s'envoler.

Pratique

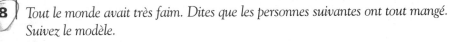

8 *Tout le monde avait très faim. Dites que les personnes suivantes ont tout mangé. Suivez le modèle.*

Modèle:

Suzette
Suzette a mangé toute la pizza.

1. Isabelle et moi

2. maman

3. Vincent et Élisabeth

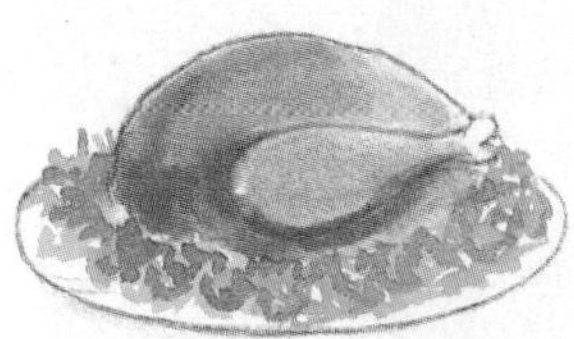

4. les Darmond

5. Éric

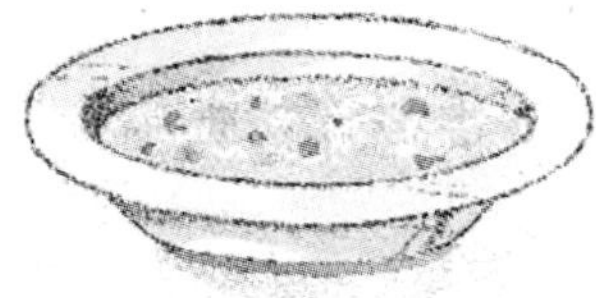

6. tu

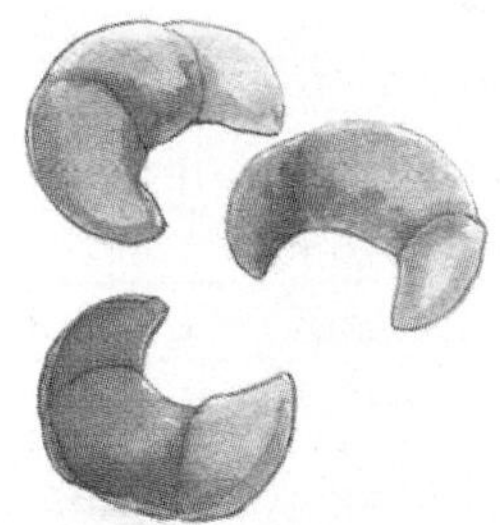

7. Monique et toi

8. je

Est-ce que vous voulez visiter tous les monuments de Paris?

9 *Pendant son séjour en France, Heather écrit à un ami chez elle à Chicago. Complétez sa carte postale avec* **tout, tous, toute** *ou* **toutes***.*

le 30 juillet

Bonjour, mon ami!

Je m'amuse bien cet été. J'adore ______ la France. ______ le monde est très sympa, et ______ la famille Longet me gâte. Je sors ______ les jours avec Brigitte, ma correspondante. Nous avons vu ______ les monuments de Paris et ______ les belles boutiques, naturellement! Nous avons passé ______ la journée hier au Forum des Halles. Je pense à toi ______ le temps!

À bientôt,

Heather

Vern Johnson
614 Summer Street
Chicago, IL 60640
U.S.A.

Communication

10 *Faites une enquête sur les loisirs de cinq élèves de votre classe. Sur une autre feuille de papier, préparez une grille comme la suivante. Demandez à chaque élève quand il ou elle fait les activités suivantes (tous les jours, toutes les semaines, tous les mois, tous les ans). Quand il ou elle répond, écrivez son nom dans l'espace blanc approprié.*

Modèle:

Bernard: **Quand est-ce que tu écoutes de la musique?**

Luc: **J'écoute de la musique tous les jours.**

Activités	Jour	Semaine	Mois	An
écouter de la musique	*Luc*			
aller au cinéma				
faire du sport				
faire du shopping				
étudier le français				
lire un roman				
aller en vacances				
manger au fast-food				
regarder la télé				

Patrick mange au fast-food toutes les semaines.

11 *Maintenant écrivez un sommaire de l'enquête que vous avez faite dans l'Activité 10 sur les loisirs des élèves de votre classe. Dites qui fait chaque activité tous les jours, toutes les semaines, tous les mois ou tous les ans. Utilisez des phrases complètes.*

Modèle:

Luc écoute de la musique tous les jours....

12 *Quand vous étiez à Paris, vous avez passé une semaine dans une auberge de jeunesse. Dans votre journal faites une description de votre séjour dans cette auberge. Dites où l'auberge était à Paris et comment vous la trouviez (grande, petite, nouvelle, vieille). Puis décrivez ce qu'il y avait dans votre dortoir (lits, armoires, glace, W.-C., douche, télé, téléphone). Dites aussi combien de personnes étaient dans ce dortoir, de quels pays elles venaient, et comment vous les trouviez. Enfin décrivez ce que vous faisiez avec ces nouveaux amis tous les jours et tous les soirs.*

Mise au point sur... le Canada français

The largest of Canada's ten provinces, Quebec has always maintained an independent spirit. The most obvious reasons for this separateness are the province's unique language and culture. Approximately 25 percent of the entire Canadian population speak mainly French, but 89 percent of these French speakers live in the province of Quebec. Indeed, over 70 percent of Quebec's French speakers do not speak English. Therefore, French is used for communication in all areas of daily life: work, school, government, television, radio, films, books, newspapers and social situations.

L'autre télé. L'autre vision.

Canada's French heritage can be traced back to Jacques Cartier, who left Saint-Malo in 1534 to look for gold, diamonds and spices. Instead he discovered the St. Lawrence River and an immense new land that came to be called **la Nouvelle-France.** Enchanted by the splendid view from atop the mountain in the river, he called the site **Mont-Royal** in honor of King François I. Samuel de Champlain founded the city of Quebec in 1608. The city's name comes from the Indian word meaning "the place where the river is narrow." The first real colony, **Ville-Marie de Montréal,** was established in 1642. It quickly became an important fur trading center, bringing both the French and English to the area, and was a starting point for further explorations into the vast wilderness of the North American continent.

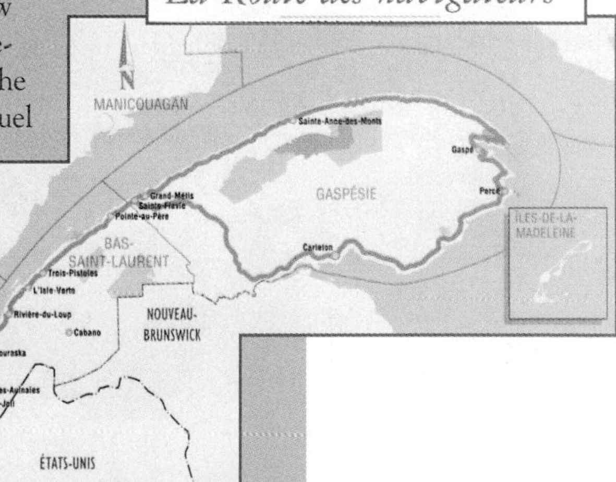

In the middle of the 18th century, France lost its first colonial possession to the British, and New France became the English colony Quebec. The French philosopher Voltaire expressed the common sentiment of the time, that nothing was lost but "a few acres of snow." Although British laws replaced the former French laws, French-speaking residents of the province strove to maintain their native language and culture. Today the motto of Quebec, **Je me souviens** (*I remember*), attests to French Canadians' attempts to preserve their heritage.

During the 20th century Quebec underwent many changes. A growing number of **Québécois** wanted to revise Canada's constitution to give Quebec the power to deal directly with foreign governments, to set policies regarding immigration and communications and to reduce federal taxes. French speakers who wanted an even stronger measure, Quebec sovereignty or self-government, formed a new political party, **le Parti Québécois**. The Official Languages Act of 1969 acknowledged French as well as English as official languages of the entire country. However, in 1974, the province of Quebec declared French to be its only official language. (That is why today, for example, most road signs in Quebec are only in French.) In 1980 a referendum calling for Quebec sovereignty was defeated by a 20 percent margin. The rallying cry of separatists, **Le français, je le parle par cœur**, demonstrates the affection French speakers feel for their native language and culture.

To preserve a "distinct society," new calls for separatism were heard throughout Quebec, and in 1995 another referendum on Quebec sovereignty was held. Narrowly defeated by a one percent margin, it became obvious that many French-speaking **Québécois** felt a profound dissatisfaction with the status quo. They wanted to ensure that the rights of future generations of French speakers would be respected so that they could continue to live and work in Quebec.

Several hundred years after the first explorers reached the New World, pride in French-Canadian culture and language remains strong in the province of Quebec. **Québécois** literature, music, films and art are flourishing. The language spoken in Quebec, **le québécois**, retains its own distinct expressions and vocabulary. You often hear sentences like **C'est le fun** (*That's fun*), **J'ai les bleus** (*I'm depressed*) and **J'aime magasiner** (*I like to shop*).

The second largest French-speaking city in the world, cosmopolitan Montreal has experienced a genuine revival. The construction of the **place Ville-Marie** and the "underground city," the restoration of the Old Montreal historic district, the opening of the **place des Arts** and the designing of a modern subway system confirm Montreal's international status. The "cradle of Canadian history," the quainter sections of Quebec City are reminiscent of many French provincial towns. Americans need only cross their northern border to experience this charm first-hand.

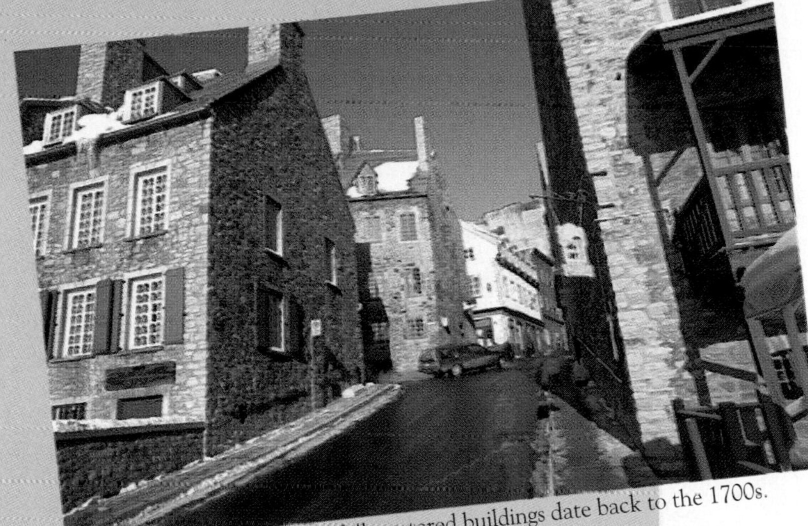
In le Vieux-Québec some carefully restored buildings date back to the 1700s.

3 *Répondez aux questions suivantes.*

1. Why does the province of Quebec have such an independent spirit?
2. What is the percentage of French speakers in the province of Quebec?
3. What French explorer first traveled from Saint-Malo to the St. Lawrence River?
4. Why was the name **Mont-Royal** given to the mountain in the St. Lawrence River?
5. In what year did Samuel de Champlain establish the city of Quebec?
6. What was the importance of **Ville-Marie de Montréal** in the 1600s?
7. When did the English capture **la Nouvelle-France**?
8. What is the motto of Quebec?
9. What was the importance of the act passed in 1974?
10. What was the separatists' rallying cry?
11. By what margin was the 1995 referendum on Quebec sovereignty defeated?
12. What are some **Québécois** expressions that show the influence of English?
13. What city is the second largest French-speaking metropolis in the world?
14. What is the nickname of the city of Quebec?

14 *Regardez la publicité pour les locations importantes de la ville de Montréal. Puis répondez aux questions.*

Place des Arts. Fait l'orgueil de Montréal et se
compose de la salle Wilfrid Pelletier,
des théâtres Maisonneuve et Port-Royal.
Rue Sainte-Catherine ouest.

Église Notre-Dame. Une église historique qui
fait l'orgueil des Montréalais,
sise au coeur du quartier des affaires.
Visites organisées.

Parc LaFontaine. Le Jardin des merveilles
avec son mini-zoo fera la joie des enfants. Do-
maine enchanteur abritant près de 500 animaux
et volatiles. Rue Calixa-Lavallée
entre Sherbrooke et Rachel.

Le site olympique principal. Le complexe olympique, oeuvre maîtresse sans pareille,
comprend le stade olympique,
le centre de natation
et le vélodrome. À deux pas du site se dresse
le village olympique. Accès facile par le métro.

1. What are the names of two theaters in the **Place des Arts**?
2. What attraction appeals to children in the **Parc LaFontaine**?
3. How many animals and birds are in the **Parc LaFontaine**?
4. Where is the **Parc LaFontaine** located?
5. What is the name of the historic church in the heart of Montreal's financial district?
6. Does this church offer guided tours?
7. What are two of the sports facilities in the Olympic Complex?
8. What means of transportation provides easy access to the Olympic Complex?

un café au lait

un thé au lait

un chocolat chaud

un thé au citron

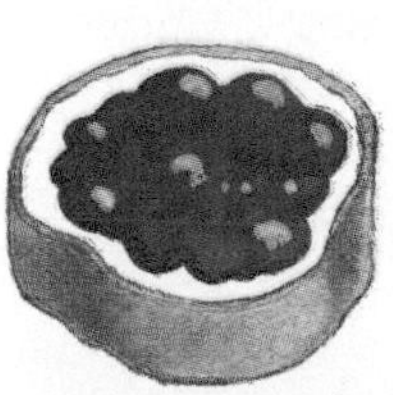
une tartine

des céréales (f.)

des oeufs brouillés (m.)

Leçon C

In this lesson you will be able to:

- ➤ describe daily routines
- ➤ explain something
- ➤ order food and beverages
- ➤ give orders

Monsieur et Madame Durieu sont dans un hôtel à Montréal. Ils ne veulent pas descendre le lendemain pour prendre le petit déjeuner. Alors, avant de dormir ils remplissent une fiche de commande pour le recevoir dans leur chambre.

Mme Durieu: **Je vais prendre un petit déjeuner complet avec un café au lait, un jus de pamplemousse, du pain, un croissant, du beurre et de la confiture.**

M. Durieu: **Pourquoi? Chez nous, tu bois toujours du thé et tu manges toujours une tartine le matin.**

Mme Durieu: **Mais, chéri, nous sommes en vacances. Il faut profiter de la vie au maximum!**

M. Durieu: **Dans ce cas, je vais choisir des crêpes avec du sirop d'érable et un thé au citron.**

Mme Durieu: **Bon. Mais, utilise un stylo, pas un crayon. C'est plus facile pour la personne qui reçoit la commande.**

M. Durieu: **D'accord. Je vais la mettre sur la porte.**

Enquête culturelle

Fondée en 1642 sous le nom de Ville-Marie de Montréal, Montréal est aujourd'hui la plus grande ville de la province de Québec. Finalement, la ville a reçu son nom du Mont-Royal, la petite montagne volcanique sur cette île du fleuve Saint-Laurent. Montréal est une ville cosmopolite.

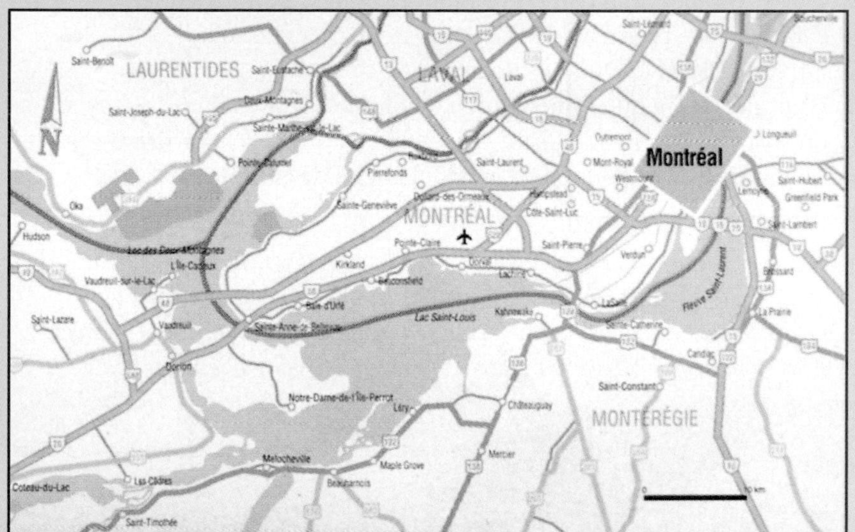

On peut faire un tour du Vieux-Montréal en calèche.

On dit que c'est la capitale gastronomique de l'Amérique du Nord avec des restaurants de toutes les nationalités. C'est un centre bancaire du Canada. Il y a deux universités principales, l'Université McGill et l'Université de Montréal. Chaque été, en juin ou juillet, il y a un festival international de jazz à Montréal. En 1967, l'Exposition universelle était à Montréal. Une exposition, Terre des Hommes, est toujours ouverte. En 1976 Montréal était le site des Jeux olympiques d'été.

On aime dîner à la terrasse sur la place Jacques-Cartier. (Montréal)

En France les hôtels font aussi restaurants. Si l'on reste à l'hôtel deux ou trois jours, on peut payer une "demi-pension," une somme réduite, pour la chambre, le petit déjeuner et le dîner. Si l'on paie une "pension," on reçoit aussi le déjeuner. On trouve les détails sur les repas sur de petites affiches près de la réception ou dans les chambres. Si vous voulez prendre le petit déjeuner dans votre chambre, il vous faut souvent remplir une fiche de commande que vous mettez sur la porte de la chambre avant de dormir.

Est-ce que cet hôtel fait aussi restaurant? (Pouance)

1 *Répondez aux questions d'après le dialogue.*

1. Où sont Monsieur et Madame Durieu?
2. Pourquoi est-ce qu'ils remplissent une fiche de commande avant de dormir?
3. Qu'est-ce que Mme Durieu va prendre pour le petit déjeuner?
4. Est-ce qu'elle prend un petit déjeuner complet chez elle?
5. Qu'est-ce que M. Durieu va choisir?
6. Pourquoi est-ce que Mme Durieu demande à son mari d'écrire avec un stylo?
7. Où est-ce que M. Durieu va mettre la fiche de commande?

2 *Imaginez que vous êtes à l'Hôtel Sofitel. Le lendemain vous voulez prendre le petit déjeuner dans votre chambre. Complétez la fiche de commande. (Il faut choisir entre le petit déjeuner continental et le petit déjeuner américain.) Écrivez aussi votre nom de famille, votre prénom, le numéro de votre chambre, la date et votre signature.*

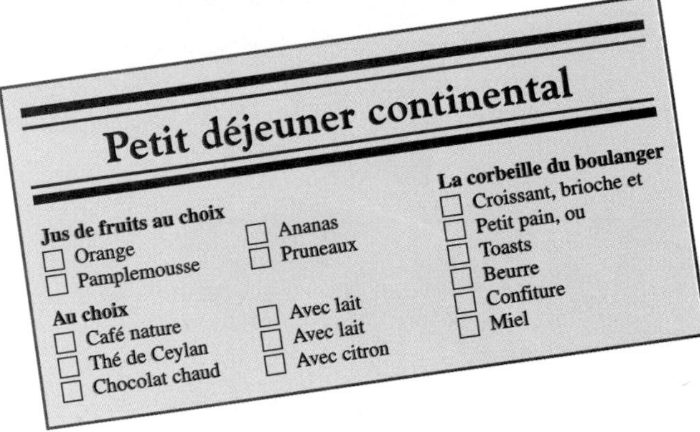

Petit déjeuner continental

Jus de fruits au choix
- ☐ Orange
- ☐ Pamplemousse
- ☐ Ananas
- ☐ Pruneaux

Au choix
- ☐ Café nature ☐ Avec lait
- ☐ Thé de Ceylan ☐ Avec lait
- ☐ Chocolat chaud ☐ Avec citron

La corbeille du boulanger
- ☐ Croissant, brioche et
- ☐ Petit pain, ou
- ☐ Toasts
- ☐ Beurre
- ☐ Confiture
- ☐ Miel

Petit déjeuner américain

Avec choix de
- ☐ Jus d'orange
- ☐ Pamplemousse
- ☐ Jus d'ananas
- ☐ Ananas frais ou papaye
- ☐ Demi pamplemousse

Avec choix de deux œufs
- ☐ A la coque
- ☐ Au plat
- ☐ Avec jambon ou ☐ Brouillés ou ☐ Saucisses ou ☐ Bacon

Avec choix de
- ☐ Corn Flakes
- ☐ Compote de fruits

Boissons
- ☐ Café Nature ☐ Avec lait
- ☐ Thé de Ceylan ☐ Avec lait ☐ Avec citron
- ☐ Chocolat au lait
- ☐ Pot de lait froid
- ☐ Pot de lait chaud

La Corbeille du boulanger
- ☐ Croissant, brioche et
- ☐ Petit pain, ou
- ☐ Toasts
- ☐ Beurre
- ☐ Miel

3 *C'est à toi!*

1. Qu'est-ce que tu aimes prendre comme petit déjeuner?
2. Est-ce que tu préfères le café, le thé, le lait ou le chocolat chaud?
3. Quel jus de fruit est-ce que tu préfères? Le jus de pamplemousse? Le jus d'orange? Le jus de pomme? Le jus de raisin?
4. Est-ce que tu aimes les œufs beaucoup, un peu ou pas du tout? Comment est-ce que tu les aimes?
5. Est-ce que tu préfères les crêpes ou le pain perdu?
6. Qu'est-ce que tu as pris aujourd'hui pour le petit déjeuner?
7. Quand tu restes à l'hôtel, est-ce que tu préfères descendre pour le petit déjeuner ou le prendre dans ta chambre?

Dans un hôtel français on peut prendre le petit déjeuner dans sa chambre ou dans la salle à manger. (Versailles)

Structure

Present tense of the irregular verb *recevoir*

The verb **recevoir** (*to receive, to get*) is irregular.

recevoir			
je	**reçois**	Je **reçois** de l'argent.	*I get some money.*
tu	**reçois**	Qu'est-ce que tu **reçois**?	*What do you receive?*
il/elle/on	**reçoit**	Sylvie **reçoit** une bague.	*Sylvie is getting a ring.*
nous	**recevons**	Nous **recevons** le petit déjeuner dans la chambre.	*We're getting breakfast in our room.*
vous	**recevez**	Vous ne **recevez** rien?	*Don't you get anything?*
ils/elles	**reçoivent**	Mes parents **reçoivent** les Cazette ce soir.	*My parents are entertaining the Cazettes tonight.*

The irregular past participle of **recevoir** is **reçu**.

Le cuisinier a **reçu** notre commande. *The cook received our order.*

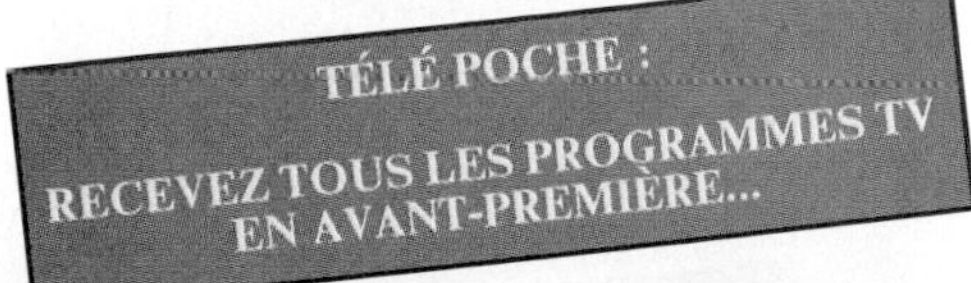

Les Aknouch reçoivent Aurélie pour fêter l'Aïd el-Fitr. (La Rochelle)

Pratique

4 *La factrice passe dans votre quartier. Dites ce que tout le monde reçoit.*

Modèle:

mon école
Mon école reçoit des journaux.

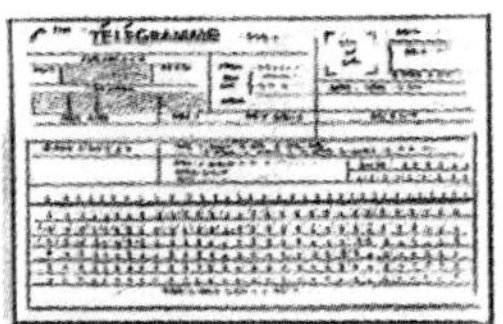

1. mon père

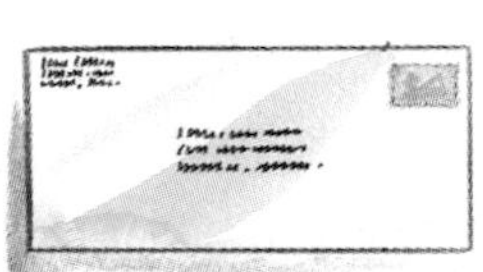

2. tu

3. Leïla

4. mes parents

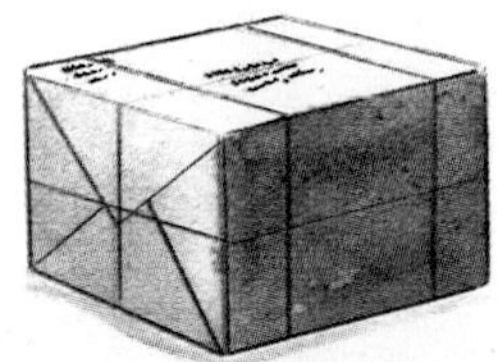

5. ma famille et moi

6. je

7. ta sœur et toi

M. Diouf reçoit son magazine toutes les semaines.

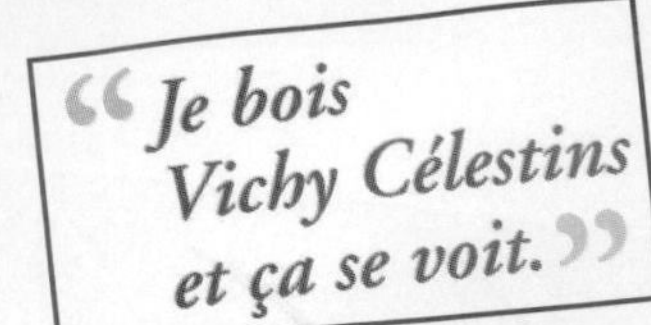
« Je bois
Vichy Célestins
et ça se voit. »

Éliane a très soif. Qu'est-ce qu'elle boit?

Present tense of the irregular verb *boire*

Here are the present tense forms of the irregular verb **boire** (*to drink*).

boire			
je	**bois**	Je **bois** toujours de l'eau.	*I always drink water.*
tu	**bois**	Qu'est-ce que tu **bois**?	*What are you drinking?*
il/elle/on	**boit**	Jérémy ne **boit** pas de coca.	*Jérémy doesn't drink Coke.*
nous	**buvons**	Nous **buvons** du chocolat chaud.	*We're drinking hot chocolate.*
vous	**buvez**	Vous **buvez** un thé au citron?	*Will you drink (a cup of) tea with lemon?*
ils/elles	**boivent**	Les Durand ne **boivent** plus de café.	*The Durands don't drink coffee anymore.*

The irregular past participle of **boire** is **bu**.

J'ai **bu** du jus de pamplemousse. *I drank some grapefruit juice.*

Pratique

5 *Il fait très froid aujourd'hui à Montréal. Alors tout le monde veut boire quelque chose de chaud. Dites si les personnes suivantes boivent les boissons indiquées ou pas.*

Modèles:

Clarence
Clarence ne boit pas de jus de raisin.

les Dubay
Les Dubay boivent du café.

1. Francine et toi

2. les Québécois

3. tu

4. Édouard et moi

5. mes tantes

6. Diane

7. je

6 *Formez sept phrases logiques qui utilisent le verbe* **boire** *au présent. Choisissez un élément des colonnes A, B et C pour chaque phrase.*

A	B	C
les Français	du thé au lait	au fast-food
je	du lait	en hiver
les Anglais	de l'eau minérale	avec le dessert
Gilberte et toi	du vin	après notre match
le chat	du café	à 16h00
tu	du chocolat chaud	à la ferme
Nicolas et moi	de la limonade	avec leurs repas

Leïla et Saïd boivent du jus d'orange au Café du Nord. (La Rochelle)

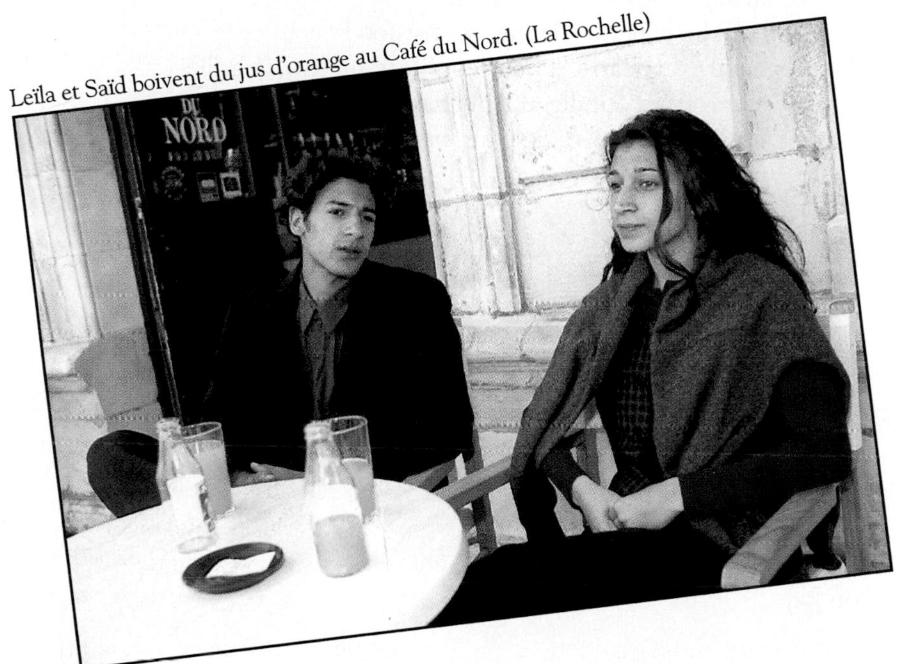

Communication

7 *Imaginez que M. Durieu et sa femme sont toujours à l'hôtel à Montréal. Avant de dormir hier soir, ils ont rempli la fiche de commande pour recevoir le petit déjeuner dans leur chambre. Mais ce matin le petit déjeuner n'est pas arrivé. Avec un(e) partenaire, jouez les rôles de M. Durieu et du cuisinier de l'hôtel. M. Durieu téléphone au cuisinier pour lui dire que sa femme et lui n'ont pas reçu le petit déjeuner. Le cuisinier lui dit qu'il le regrette et explique pourquoi le petit déjeuner n'est pas arrivé. M. Durieu répète sa commande d'hier. Le cuisinier dit que ce n'est pas possible parce qu'il n'y a plus de sirop d'érable. Alors M. Durieu choisit quelque chose de différent pour lui-même* (himself) *parce qu'il n'aime pas les crêpes sans sirop d'érable.*

8 *Trouvez une personne qui.... Interviewez des élèves de votre classe pour déterminer ce qu'ils prennent le matin. Sur une feuille de papier copiez les expressions indiquées. Formez des questions avec ces expressions que vous allez poser aux autres élèves. Quand vous trouvez une personne qui répond par "oui," dites à cette personne de signer votre feuille de papier à côté de l'expression convenable. Trouvez une personne différente pour chaque expression.*

Modèle:

Robert: Tu prends un petit déjeuner complet tous les jours?

Sylvie: Oui, je prends un petit déjeuner complet tous les jours. (Elle signe à côté de #1.)

1. prendre un petit déjeuner complet tous les jours
2. aimer le jus de pamplemousse
3. boire du café
4. savoir préparer les œufs brouillés
5. mettre du sirop d'érable sur les crêpes
6. manger souvent des céréales
7. prendre le petit déjeuner au fast-food
8. mettre du beurre et de la confiture sur le pain grillé
9. recevoir le petit déjeuner dans sa chambre
10. utiliser le micro-onde pour préparer le petit déjeuner

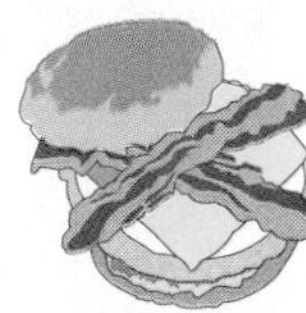

Sur la bonne piste

To understand poetry, you need to learn how to interpret metaphors. A metaphor is a figure of speech in which one thing is spoken, written or sung about as if it were another, for example, Romeo says "Juliet is the sun." In this unit you will read a "song-poem" by Québécois singer Gilles Vigneault and examine his use of metaphors to discover the theme of "Mon Pays."

Vigneault uses a series of metaphors, predominantly about winter, to build his central idea or theme. To help you begin thinking about the theme of "Mon Pays," write down at random all the words or phrases you can think of that are associated with winter. For example, if you were writing about summer, you might include "freedom from school," "sunburn pain," "Fourth of July fireworks", "cabin on the lake," "picnics" and "excitement." The following questions will help you think about what to include in your pre-reading activity about winter.

1. What activities do you associate with winter?
2. What feelings does winter evoke for you?
3. What specific locations do you associate with this season?
4. What special events take place during this time of year?

A metaphor has two parts, a subject and an object. In the metaphor "Juliet is the sun," Juliet is the subject. Juliet is compared to the sun, the object of the metaphor. When Romeo says "Juliet is the sun," he means that his feelings of love for Juliet are so strong that she is the "light of his life." As you read "Mon Pays," look for metaphors and try to determine the meaning of each one.

Mon Pays

Mon pays ce n'est pas un pays c'est l'hiver
Mon jardin ce n'est pas un jardin c'est la plaine
Mon chemin ce n'est pas un chemin c'est la neige
Mon pays ce n'est pas un pays c'est l'hiver

Dans la blanche cérémonie
Où la neige au vent se marie
Dans ce pays de poudrerie
Mon père a fait bâtir maison
Et je m'en vais être fidèle
À sa manière à son modèle
La chambre d'amis sera telle
Qu'on viendra des autres saisons
Pour se bâtir à côté d'elle

Mon pays ce n'est pas un pays c'est l'hiver
Mon refrain ce n'est pas un refrain c'est rafale
Ma maison ce n'est pas ma maison c'est froidure
Mon pays ce n'est pas un pays c'est l'hiver

De mon grand pays solitaire
Je crie avant que de me taire
À tous les hommes de la terre
Ma maison c'est votre maison
Entre mes quatre murs de glace
Je mets mon temps et mon espace
À préparer le feu la place
Pour les humains de l'horizon
Et les humains sont de ma race

Mon pays ce n'est pas un pays c'est l'envers
D'un pays qui n'était ni pays ni patrie
Ma chanson ce n'est pas ma chanson c'est ma vie
C'est pour toi que je veux posséder mes hivers...

9 Make a chart that lists the subject and object for three metaphors in the poem—the metaphors in lines 6, 16 and 29. Then give a plausible interpretation of the meaning of each one. To help you interpret these three metaphors, use the following questions as a guide.

1. In lines 5-6, what ceremony is compared to the joining of snow and wind in winter? Like the promise made in this ceremony, Vigneault makes a promise to his forefathers. What promise does his make?
2. In line 16, what is the primary element of winter with which Vigneault associates his house? How does this contrast with the image of the house described in the preceding stanza? In other words, does the cold of the climate reflect a corresponding coldness in his human relationships?
3. In line 29, what does Vigneault's profession mean to him? Who is the "toi" referred to in the last line? (Refer back to lines 25-26 if you aren't sure.)

The three metaphors in lines 1-3 have been done for you as a model.

Subject	Object	Meaning of the Metaphor
Mon pays	l'hiver	Vigneault's homeland is characterized by winter.
Mon jardin	la plaine	Vigneault's backyard is a vast, open space.
Mon chemin	la neige	His path in life is paved with snow.

10 To discover the theme of "Mon Pays," make two intersecting circles. In the first circle write what you think the house in lines 8-10 symbolizes for the songwriter. In the second circle write to whom Vigneault is reaching out with his song (lines 25-26). Next, where the two circles intersect, write the means the singer uses to unite these two elements (line 29). Finally, write a sentence that summarizes in your own words the theme of "Mon Pays."

Nathalie et Raoul

C'est à moi!

Now that you have completed this unit, take a look at what you should be able to do in French. Can you do all of these tasks?

- ➤ I can describe people that I remember.
- ➤ I can tell someone's nationality.
- ➤ I can talk about what happened in the past.
- ➤ I can describe daily routines.
- ➤ I can ask for and give information about various topics, including making hotel reservations.
- ➤ I can explain why.
- ➤ I can reassure someone.
- ➤ I can ask for detailed information.
- ➤ I can order something to eat and drink.
- ➤ I can tell someone to do something.
- ➤ I can state the price of something.
- ➤ I can give my telephone number.

Here is a brief checkup to see how much you understand about French culture. Decide if each statement is **vrai** or **faux**.

1. The *Guide Michelin Rouge* is a guidebook that rates French hotels and restaurants.
2. If you pay the **demi-pension** rate at a hotel in France, no meals are included.
3. American electrical appliances won't work in France without an adapter.
4. Staying in French youth hostels is inexpensive and provides an opportunity to meet other young people from many different countries.
5. France has maintained control of the colony of Quebec since the 18th century.
6. The majority of French-speaking Canadians live in the province of Quebec.
7. French is the only official language of the province of Quebec.
8. Spoken in Quebec, **le québécois** blends French and English to make its own distinct expressions, such as **C'est le fun**.
9. Quebec City, with its **place Ville-Marie** and modern **métro**, is much more cosmopolitan than Montreal.
10. Montreal, located on an island in the St. Lawrence River, is Quebec's largest city.

EN ÉTÉ, C'EST L'FUN
EN HIVER, C'EST L'FUN

110 BOUTIQUES RESTAURANTS
ENTRÉES :
Cathcart, angle McGill College
Mansfield
René-Lévesque
TRIZEC
PLACE VILLE MARIE
Le coeur du centre-ville.

A statue to the founder of Montreal, Paul de Chomedey, Sieur de Maisonneuve, stands at the center of the *place d'Armes*.

Communication orale

With a partner, play the roles of Steve, an American student, and Mme Leroy, his French teacher who is from Montreal. Steve will soon be going on vacation there with his parents. Since they don't speak French and have never been to Montreal before, Steve will be responsible for making trip preparations and communicating with the French-speaking Canadians during their stay. Steve and his teacher have questions for each other about his upcoming trip. During the course of the conversation:

1. Steve asks Mme Leroy if she can recommend a good hotel in Montreal.
2. He asks her what the rooms are like—if they have a bathroom, air conditioning, TV and a phone.
3. Next he asks her what the view is like.
4. Then he asks her if breakfast is included and what the **Québécois** eat for breakfast.
5. Finally he asks her if his parents can pay with a credit card.
6. Mme Leroy asks Steve what he and his family plan to do during their vacation.
7. Then she suggests several things that the family can do and see in and around Montreal.
8. Finally she tells Steve to send her a postcard. If he has any other questions, she tells him to call her and gives him her phone number and address.

Le meilleur petit hôtel à Montréal

HOTEL de PARIS

Àpartir de 55$ /nuit occupation double

Budget: 55.00 à 65.00 $ Standard: 65.00 à 75.00 $ Deluxe: 75.00 à 90.00 $

• Toutes équipées de salle de bains privée, télévision couleur, téléphone et climatisation
• Centre-ville, dans le quartier français à proximité des restaurants, cafés et "nightlife" de la rue St-Denis et du Vieux-Montréal.

Communication écrite

Imagine that you are Steve who is now in Canada vacationing with his parents. You have left Montreal and are now in Quebec City. Write the postcard you promised to Mme Leroy. Describe your trip, including what the hotel in Montreal was like and what you ate for breakfast every morning. Tell her what you and your parents usually did during the day and at night. Mention with whom you often spoke French. Finally tell Mme Leroy how you liked Montreal and the **Québécois**.

Communication active

Il y a des Allemandes à l'auberge de jeunesse.

To describe people you remember, use:

Il y avait des gens de toutes les nationalités.	*There were people of every nationality.*

To identify nationalities, use:

Il y a des Américains.	*There are Americans.*

To describe past events, use:

On mangeait ensemble, **on racontait** des histoires et **on s'amusait** beaucoup.	*We ate together, we told stories and we had a good time.*

Tout le monde parlait français.	*Everybody spoke French.*
Ils faisaient l'effort.	*They made the effort.*
Elle cherchait du travail à Paris.	*She was looking for work in Paris.*

To describe daily routines, use:

Tous les soirs nous l'écoutions.	*We listened to her every evening.*
Tu manges **toujours** une tartine **le matin.**	*You always eat a slice of buttered bread in the morning.*

To ask for information, use:

Le petit déjeuner **est compris**?	*Is breakfast included?*
Votre prénom et numéro de téléphone, s'il vous plaît?	*Your first name and telephone number, please?*

To give information, use:

Il y a un supplément de dix dollars.	*There's an extra charge of $10.00.*

To explain something, use:

C'est plus facile pour la personne qui reçoit la commande.	*It's easier for the person who gets the order.*

To express reassurance, use:

Ne t'inquiète pas!	*Don't worry!*

To inquire about details, use:

Avec un grand lit ou des lits jumeaux?	*With a double bed or twin beds?*

To order food and beverages, use:

Je vais prendre un petit déjeuner complet avec un café au lait, un jus de pamplemousse, du pain, un croissant, du beurre et de la confiture.	*I'm going to have a full breakfast with coffee with milk, grapefruit juice, bread, a croissant, butter and jam.*

To give orders, use:

Utilise un stylo, pas un crayon.	*Use a pen, not a pencil.*

To state prices, use:

Nous avons une chambre **à** 98 dollars.	*We have a room for $98.00.*

To give a telephone number, use:

Mon numéro de téléphone est le 522-7630.	*My telephone number is 522-7630.*

MOLIERES : 6 NOMINATIONS
MEILLEUR SPECTACLE THEATRE PRIVE
MEILLEURE COMEDIENNE : B. AGENIN
MEILLEUR COMEDIEN ET REVELATION : S. FREISS
MEILLEUR SECOND ROLE : M. GARREL
MEILLEURE ADAPTATION D'UNE PIECE ETRANGERE
théâtre
la bruyère
01 48 74 76 99
C'ÉTAIT BIEN
une pièce
de james saunders
béatrice agénin
stéphane freiss
maurice garrel
jacques frantz

Communication électronique

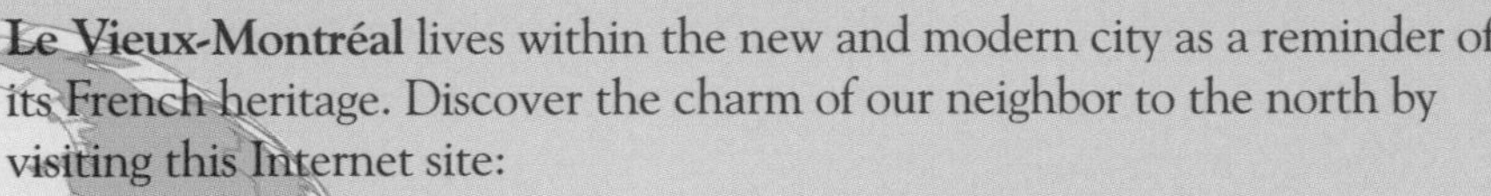

Le Vieux-Montréal lives within the new and modern city as a reminder of its French heritage. Discover the charm of our neighbor to the north by visiting this Internet site:

http://www.old.montreal.qc.ca/accueil.htm

After you have finished exploring this site, answer the following questions.

1. Click on "Statistiques de fréquentation du Vieux-Montréal." When was **le Vieux-Montréal** named as a prime Quebec and North American tourist and cultural attraction?
2. Click on "Le profil des visiteurs." Do most of the American visitors to **le Vieux-Montréal** come as part of a tour group or do they travel with a companion?
3. Click on "Accueil," "Musées et activités," PLAN DE LOCALISATION and the black "A." What is located at the red "A"?
4. Click on "Accueil" and "L'art public." Whom does the oldest statue honor? Click on the name of this statue to find out the name of the architect and what the statue commemorates.
5. Return to "Art public." Now look at the newest piece of sculpture. Who is the sculptor and where is he from?
6. Return to "Art public." Look at the sculpture that honors Marguerite Bourgeoys. What special status was conferred on her in 1982?

À moi de jouer!

Based on the clues provided in the illustrations, tell what Tim used to do every morning, every day and every evening during his stay in Quebec. In your paragraph use the imperfect tense to describe repeated actions in the past and as many of the new expressions in this unit as possible. (You may want to refer to the *Communication active* on pages 332-33 and the vocabulary list on page 335.)

Vocabulaire

une **auberge de jeunesse** youth hostel
avant (de) before

bien fine, good
boire to drink

café: un café au lait coffee with milk
carte: une carte de crédit credit card
un **cas** case
des **céréales (f.)** cereal
une **chambre** room
chocolat: un chocolat chaud hot chocolate
un **citron** lemon
la **climatisation** air conditioning
une **commande** order
complet, complète complete, full
compris(e) included
une **conversation** conversation
cours: au cours de in the course of, during
une **crêpe** pancake

décrire to describe
descendre to go down
donner: donner sur to overlook
un **dortoir** dormitory room (for more than one person)

un **effort** effort
elle her
elles them (f.)
eux them (m.)

fiche: une fiche de commande order form

des **gens (m.)** people

s' **inquiéter** to worry

jumeau, jumelle twin
le **jus de pamplemousse** grapefruit juice
le **jus de tomate** tomato juice

le **lendemain** the next day
lit: des lits jumeaux twin beds
un grand lit double bed
lui him

maximum: Il faut profiter de la vie au maximum. We have to live life to the fullest.
un **moment** moment

naître to be born
une **nationalité** nationality
numéro: un numéro de téléphone telephone number

œuf: des œufs brouillés (m.) scrambled eggs
des œufs sur le plat (m.) fried eggs

pain: le pain grillé toast
le pain perdu French toast
un **pamplemousse** grapefruit
une **personne** person
un **plaisir** pleasure
un **prénom** first name
prochain(e) next
profiter de to take advantage of
Il faut profiter de la vie au maximum. We have to live life to the fullest.

un(e) **Québécois(e)** inhabitant of Quebec

raconter to tell (about)
la **réception** reception desk
recevoir to receive, to get
régler to pay
remplir to fill (out)
rendre: rendre visite (à) to visit
réserver to reserve

une **saucisse** sausage
le **sirop d'érable** maple syrup
le **soir** in the evening
un **supplément** extra charge

une **tartine** slice of buttered bread
un **téléphone** telephone
thé: le thé au citron tea with lemon
le thé au lait tea with milk
tout(e); tous, toutes all, every

utiliser to use

visite: rendre visite (à) to visit
une **vue** view

Unité 9

Des gens célèbres du monde francophone

In this unit you will be able to:

- recount personal experiences
- describe past events
- sequence events
- ask for information
- give information
- identify professions
- describe talents and abilities
- describe physical traits
- express compliments
- give opinions
- hypothesize
- hesitate
- tell location

Leçon A

In this lesson you will be able to:

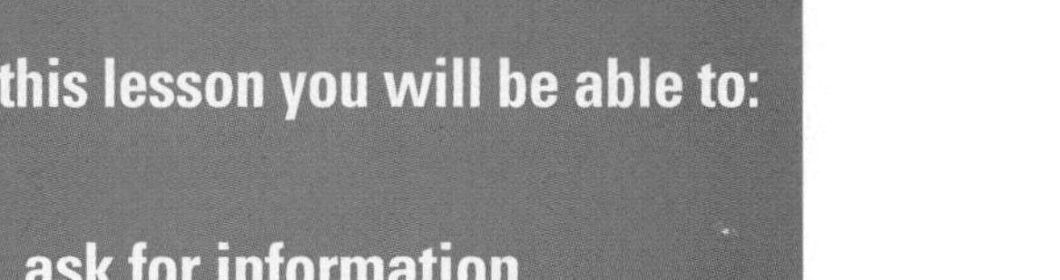

- ➤ ask for information
- ➤ identify professions
- ➤ give opinions
- ➤ describe physical traits
- ➤ express compliments

des professions et des métiers (m.)

un écrivain

une chanteuse

une athlète

un metteur en scène

un chef

une ouvrière

un pompier

un chauffeur

une actrice

un vétérinaire

une chercheuse

une secrétaire

un pilote

une femme politique

un écrivain	un écrivain
un chanteur	une chanteuse
un athlète	une athlète
un metteur en scène	un metteur en scène
un chef	un chef
un ouvrier	une ouvrière
un pompier	un pompier
un chauffeur	un chauffeur
un acteur	une actrice
un vétérinaire	un vétérinaire
un chercheur	une chercheuse
un secrétaire	une secrétaire
un pilote	un pilote
un homme politique	une femme politique

Qu'est-ce qui t'intéresse comme profession?
Café des Artistes
Je voudrais être actrice.

Anne-Marie, Thibault et Hervé sont en terminale. C'est samedi après-midi et ils vont se rejoindre au café. Anne-Marie et Thibault sont déjà assis quand Hervé arrive.

Hervé: **Salut! De quoi parlez-vous si sérieusement?**

Thibault: **On parle de l'année prochaine. Je vais continuer mes études pour devenir vétérinaire. Anne-Marie a envie de chercher du travail, mais ses parents croient qu'elle doit aller à l'université.**

Hervé: **Qu'est-ce qui t'intéresse comme profession, Anne-Marie?**

Anne-Marie: **Je voudrais être actrice. À mon avis, je n'ai pas besoin d'aller à l'université pour me perfectionner en théâtre. Et toi, Hervé, qu'est-ce que tu vas faire?**

Hervé: **Je crois que je vais être chercheur scientifique.**

Anne-Marie: **C'est un boulot parfait pour toi parce que tu es très doué en sciences. Et avec ta barbe, tu ressembles déjà à Pierre Curie!**

Enquête culturelle 

En France les études secondaires sont dures. C'est parce que les élèves se préparent pour le baccalauréat (bac), l'examen nécessaire pour aller à l'université. Pour les études supérieures on peut choisir les Institutions Universitaires de Technologie et les Écoles Spécialisées, les universités (les facs), et les grandes écoles (qui forment souvent l'élite de la société). Il est difficile d'entrer dans les grandes écoles parce que la sélection est rigoureuse. Le système scolaire en France est l'objet de débats et de réformes continuels. Les étudiants font souvent des efforts pour le changer.

Simone et Mathieu, qui sont en terminale, se préparent pour le bac. (La Rochelle)

Isabelle Adjani est une actrice qui a commencé sa carrière au théâtre classique. Elle est née en 1955. Ses parents sont venus d'Allemagne et d'Algérie. Elle a joué dans des films comme *L'Histoire d'Adèle H., Subway, Camille Claudel, La Reine Margot* et *Diabolique*.

Né en 1948, Gérard Depardieu est un acteur bien connu dans le monde entier. Il a joué des rôles principaux dans des films variés, comiques et sérieux, historiques et imaginaires: *Cyrano de Bergerac, Jean de Florette, Tous les Matins du Monde, Camille Claudel, Green Card* et *1492*.

Pierre Curie (1859-1906) était un chercheur scientifique. Avec sa femme, Marie, il a découvert le radium et le polonium en 1898. Les Curie ont reçu le Prix Nobel de physique quand ils ont découvert la radioactivité en 1903.

Marie Curie (1867-1934) est née en Pologne. Elle est allée en France pour faire des études scientifiques avancées. Après l'accident fatal de son mari, elle a pris un poste de professeur à la Sorbonne, et a été la première femme à être nommée professeur à cette université. Elle a reçu le Prix Nobel de chimie en 1911 parce qu'elle a découvert comment isoler le radium.

1 *Répondez par "vrai" ou "faux" d'après le dialogue.*

1. Anne-Marie, Thibault et Hervé sont en première.
2. Hervé arrive au café avec ses amis.
3. Thibault a envie de chercher du travail.
4. Les parents d'Anne-Marie pensent qu'elle doit aller à l'université.
5. Anne-Marie n'a pas choisi de profession.
6. Anne-Marie n'a pas envie d'aller à l'université.
7. Hervé est très doué en maths.

M. Rheims, un chercheur scientifique, est très doué en chimie.

2 *Complétez chaque phrase avec l'expression convenable de la liste suivante.*

chercheur/chercheuse	pilote	vétérinaire
ouvrier/ouvrière	secrétaire	chef
acteur/actrice	athlète	écrivain
chanteur/chanteuse		

1. Pour être..., il faut être doué en sciences.
2. Pour être..., il faut faire du sport.
3. Pour être..., il faut aimer les animaux.
4. Pour être..., il faut se perfectionner en théâtre.
5. Pour être..., il faut aimer les avions et les vols.
6. Pour être..., il faut bien écrire.
7. Pour être..., il faut préparer de bons repas.
8. Pour être..., il faut savoir utiliser un ordinateur.
9. Pour être..., il faut aimer la musique.
10. Pour être..., il faut travailler avec les mains.

3 *C'est à toi!*

1. Où est-ce que tes amis aiment se rejoindre?
2. Tes ami(e)s et toi, de quoi parlez-vous sérieusement?
3. Est-ce que tu as envie de chercher du travail ou d'aller à l'université après l'école?
4. Est-ce que tes parents croient que tu dois aller à l'université?
5. Qu'est-ce qui t'intéresse comme profession?
6. Es-tu doué(e) en sciences? En maths? En français?
7. Qui est ton chanteur favori? Ta chanteuse favorite?

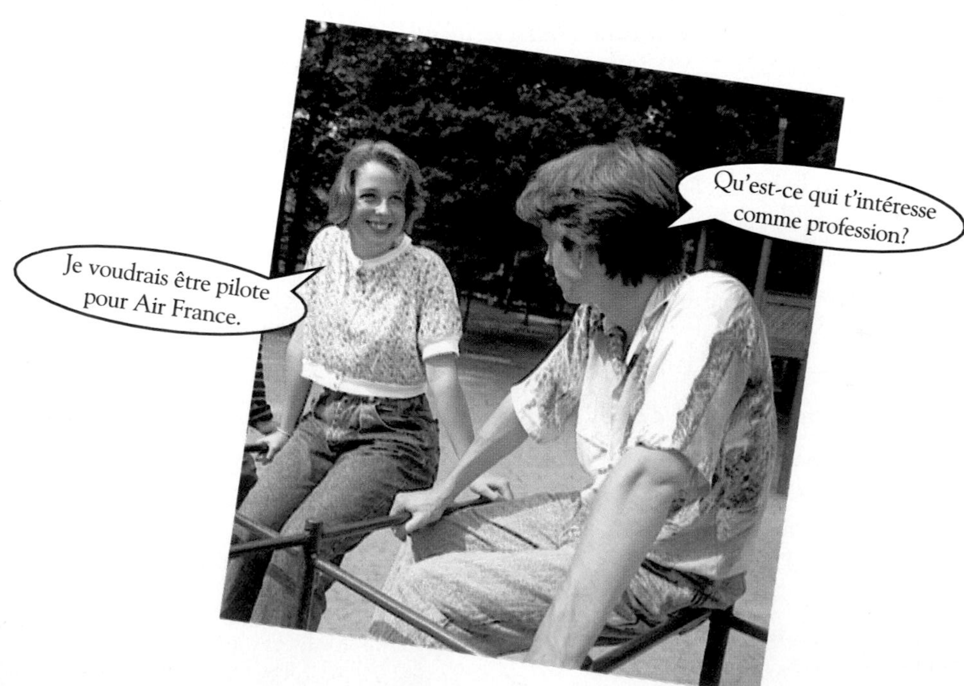

Je voudrais être pilote pour Air France.
Qu'est-ce qui t'intéresse comme profession?

Structure

Interrogative pronouns

Interrogative pronouns are used to ask for information. Which one you use depends on whether it is the subject, direct object or object of a preposition and if it refers to a person or a thing.

	Subject	Direct Object	Object of Preposition
People	qui qui est-ce qui	qui qui est-ce que	qui
Things	qu'est-ce qui	que qu'est-ce que	quoi

As the subject of the verb,

- use **qui** or **qui est-ce qui** to refer to a person. (**Qui** is used more often.)

  Qui va aller à l'université? *Who's going to go to the university?*

  Qui est-ce qui va devenir vétérinaire? *Who's going to become a veterinarian?*

- use **qu'est-ce qui** to refer to a thing.

  Qu'est-ce qui t'intéresse? *What interests you?*

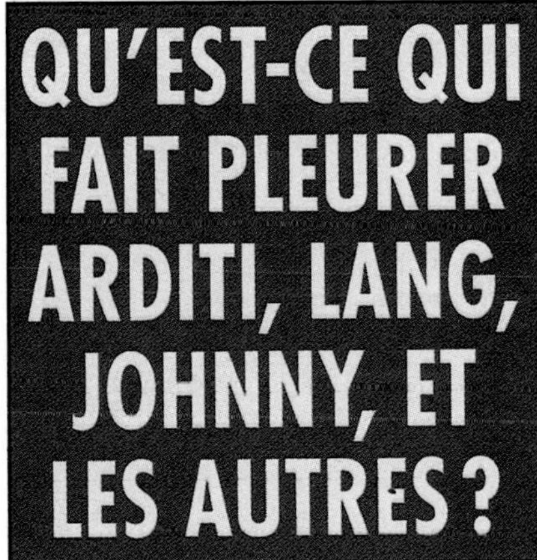

QU'EST-CE QUI FAIT PLEURER ARDITI, LANG, JOHNNY, ET LES AUTRES?

As the direct object of the verb,

- use **qui** in a question with inversion to refer to a person. To avoid inversion, use **qui est-ce que**.

  Qui croient-ils?
Qui est-ce qu'ils croient? } *Whom do they believe?*

- use **que** in a question with inversion to refer to a thing. To avoid inversion, use **qu'est-ce que**.

  Que vas-tu faire?
Qu'est-ce que tu vas faire? } *What are you going to do?*

As the object of a preposition, use **qui** to refer to a person and **quoi** to refer to a thing. To avoid inversion, use **qui est-ce que** or **quoi est-ce que** after the preposition.

À qui ressemble-t-il? *Whom does he look like?*

De quoi est-ce qu'il parle? *What is he talking about?*

Qu'est-ce que le chef prépare comme hors-d'œuvre? (Lyon)

Pratique

4 *Vous n'avez pas bien entendu ce que le prof de français a dit parce qu'il y avait trop de bruit en cours. Ce que vous n'avez pas bien entendu est en italique. Posez des questions avec* **qui** *ou* **qu'est-ce que**.

Modèles:

Isabelle Adjani est née en 1955.
Qui est né en 1955?

Les Curie ont reçu *le Prix Nobel*.
Qu'est-ce que les Curie ont reçu?

1. *Le père d'Isabelle Adjani* était algérien.
2. *Gérard Depardieu* est un acteur bien connu dans beaucoup de pays.
3. Marie Curie a été *professeur*.
4. Les Curie ont étudié *la physique et la chimie*.
5. Victor Hugo a écrit *Les Misérables*.
6. *Marie-José Pérec* est une athlète extra.
7. *Jacques Chirac* habite à Paris.
8. Paul Bocuse offre *des plats superbes* dans son restaurant à Lyon.

Le retour de Martin Guerre
Le faux Martin Guerre a une jambe de trop dans une fresque, moyenâgeuse où s'impose le couple Depardieu-Baye (dimanche 17 mai, TF1, 20 h 35).

5 *Avec un(e) partenaire, parlez de vos préférences. Demandez qui ou ce que vous préférez. Puis répondez aux questions.*

Modèle:

le foot ou le tennis
Élève A: Qu'est-ce que tu préfères, le foot ou le tennis?
Élève B: Je préfère le foot. Et toi, que préfères-tu, le foot ou le tennis?
Élève A: Moi, je préfère le tennis.

1. le rock ou le jazz
2. ton prof d'anglais ou ton prof d'histoire
3. les œufs sur le plat ou les œufs brouillés
4. Tom Cruise ou Tom Hanks

Qui est-ce que tu préfères, Julien ou Christophe?
Oh, écoute, Leïla.... Ce sont seulement des copains.

6 *Si le sujet de la phrase est une personne, remplacez-le* (replace it) *avec* **qui**. *Si le sujet de la phrase est une chose, remplacez-le avec* **qu'est-ce qui**.

Modèles:

Clarence Lambert habite en France avec son mari.
Qui habite en France avec son mari?

Sa carte de crédit est dans son portefeuille.
Qu'est-ce qui est dans son portefeuille?

1. Joanne veut réserver une chambre.
2. Le couple français va arriver le 26 juillet.
3. La salle à manger est au fond du couloir.
4. La vue de leur chambre est superbe.
5. La réceptionniste demande le prénom et le numéro de téléphone de Joanne.
6. Le petit déjeuner n'est pas compris.
7. M. Lambert remplit la fiche de commande.
8. Le jus de pamplemousse n'est pas froid.

7 *Complétez les questions logiquement avec* **qui, qui est-ce que, qu'est-ce qui, que, qu'est-ce que** *ou* **quoi**.

1. De... parles-tu, de Thibault ou d'Anne-Marie?
2. ... Anne-Marie et Thibault vont voir au café?
3. ... est en terminale?
4. À... Hervé ressemble?
5. ... t'inquiète, tes cours ou ton boulot?
6. En... es-tu doué?
7. ... veux-tu faire l'année prochaine?
8. ... t'intéresse comme profession?
9. ... tu as envie de devenir?

Present tense of the irregular verb *croire*

The verb **croire** (*to believe, to think*) is irregular.

croire			
je	**crois**	Je **crois** que oui.	*I think so.*
tu	**crois**	Qu'est-ce que tu **crois**?	*What do you think?*
il/elle/on	**croit**	Jacques ne me **croit** pas.	*Jacques doesn't believe me.*
nous	**croyons**	Nous **croyons** notre prof.	*We believe our teacher.*
vous	**croyez**	Qui **croyez**-vous?	*Whom do you believe?*
ils/elles	**croient**	Ils **croient** que je dois aller à l'université.	*They think (that) I should go to the university.*

The irregular past participle of **croire** is **cru**.

Sandrine n'a pas **cru** mon histoire. *Sandrine didn't believe my story.*

Nadine croit qu'elle va manger toute la pizza. (Paris)

Pratique

8 *Qu'est-ce que les personnes suivantes croient qu'elles vont devenir?*

Modèle:

Raoul

Raoul croit qu'il va devenir informaticien.

1. Anne

4. Martine et Chantal

2. je

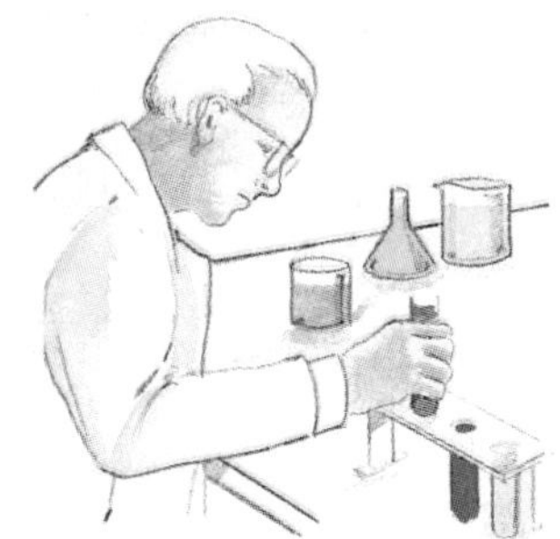

5. Hervé

3. Bernard et toi

6. Ousmane et Patrick

Trois Grands Chefs

Marc Meneau

Michel Guérard

Georges Blanc

9 *Donnez votre opinion sur les personnes et les choses suivantes. Utilisez des adjectifs convenables.*

1. la Suisse/pays
2. Paris/ville
3. Versailles/château
4. Picasso/artiste
5. le français/cours
6. la Mercedes/voiture
7. le café au lait/boisson
8. Mariah Carey/chanteuse
9. *Mission Impossible*/film
10. M. Clinton/homme politique

Modèle:

Isabelle Adjani/actrice

Je crois qu'Isabelle Adjani est une actrice douée.

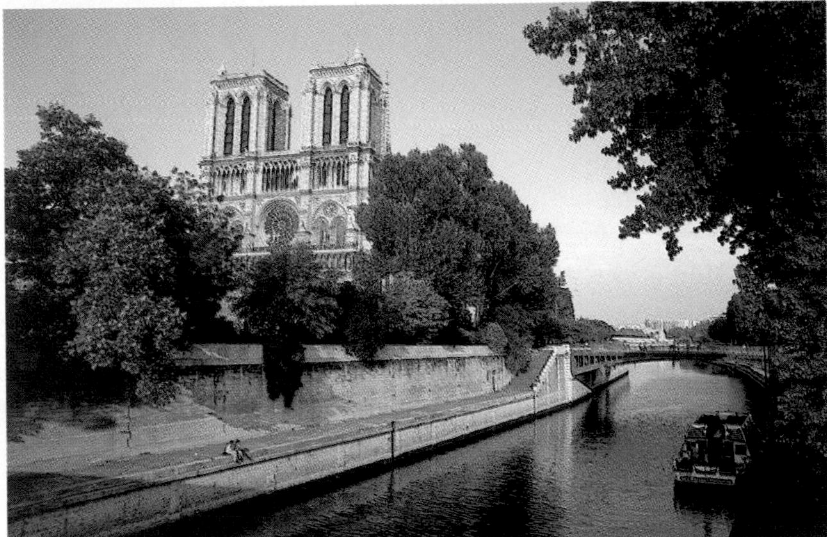

Les touristes croient que Notre-Dame est une cathédrale majestueuse. (Paris)

Communication

10 *Faites une enquête sur les professions qui intéressent dix élèves de votre classe. Sur une autre feuille de papier, préparez une liste comme la suivante. Demandez à chaque élève quelle profession l'intéresse. Quand il ou elle répond, écrivez son choix dans l'espace blanc approprié.*

Nom	Profession
1. *Suzette*	*actrice*
2.	

Modèle:

Vincent: **Qu'est-ce qui t'intéresse comme profession?**

Suzette: **Je voudrais être actrice.**

11 *Maintenant faites un sommaire de l'enquête que vous avez faite dans l'Activité 10. Dites quelle profession intéresse chaque élève. Utilisez des phrases complètes.*

Modèle:

Suzette veut être actrice.

12 *Écrivez un paragraphe en français où vous indiquez quelle profession vous allez choisir. Pourquoi est-ce que cette profession vous intéresse? Quelles qualités faut-il avoir pour faire ce travail? En quoi êtes-vous doué(e)? Pourquoi est-ce que cette profession est parfaite pour vous? Qu'est-ce que vous devez faire après l'école secondaire pour vous préparer?*

Leçon B

In this lesson you will be able to:

- recount personal experiences
- give information
- describe past events
- sequence events
- hesitate

un héros

une héroïne

Véronique Chapoton est allée à Rouen avec d'autres élèves de son école. Quand elle rentre chez elle, elle raconte l'histoire de Jeanne d'Arc à sa mère.

Véro: **J'ai vu la statue et l'église de Jeanne d'Arc.**

Mme Chapoton: **Qu'est-ce que tu as appris sur elle?**

Véro: **Ben, elle est née en 1412 pendant la guerre de Cent Ans. Jeanne avait 13 ans quand elle a entendu des voix qui lui ont dit d'aller aider Charles VII et son armée.**

Mme Chapoton: **D'abord, Charles ne voulait pas accepter son aide, mais finalement elle a délivré la ville d'Orléans des Anglais.**

Véro: **De plus, Charles est devenu roi. Mais on a vendu Jeanne aux Anglais et ils l'ont brûlée. Elle est morte en 1431.**

Mme Chapoton: **Tu sais qu'elle est devenue sainte en 1920?**

Véro: **Oui, Jeanne d'Arc est une vraie héroïne dans l'histoire de France.**

Enquête culturelle

Henri IV est devenu roi de France en 1589. En 1598 il a donné la liberté religieuse aux protestants français avec l'édit de Nantes. C'était l'un des rois les plus aimés dans l'histoire de France.

Rouen, qui était la capitale de la Normandie, est située sur la Seine au nord-ouest de Paris. Il y a beaucoup de monuments intéressants dans cette ville, par exemple, la cathédrale gothique que l'artiste Claude Monet a reproduite dans ses beaux tableaux, le Gros-Horloge et l'église Sainte-Jeanne-d'Arc qu'on a construite en 1979.

Le Gros-Horloge est situé sur un arc qui traverse la rue du Gros-Horloge. (Rouen)

VISITEZ ROUEN

La guerre de Cent Ans (1337-1453) était une série de conflits entre la France et l'Angleterre pour le contrôle du nord de la France et du trône français.

1 *Choisissez l'expression qui complète chaque phrase d'après le dialogue.*

1. Véronique Chapoton est allée à... avec des élèves de son école.
   a. Paris
   b. Orléans
   c. Rouen
2. Quand elle rentre chez elle, Véronique raconte l'histoire de... à sa mère.
   a. Henri IV
   b. Jeanne d'Arc
   c. Claude Monet
3. Jeanne d'Arc était....
   a. reine de France
   b. artiste
   c. une héroïne française
4. Jeanne d'Arc est née....
   a. en 1431
   b. quand Henri IV était roi de France
   c. pendant la guerre de Cent Ans
5. Jeanne a entendu des voix qui lui ont dit d'aller aider... et son armée.
   a. sa mère
   b. Henri IV
   c. Charles VII
6. Jeanne a délivré la ville d'Orléans des....
   a. Anglais
   b. Français
   c. Allemands
7. Jeanne est devenue sainte en....
   a. 1412
   b. 1431
   c. 1920

Rouen est célèbre pour sa belle cathédrale gothique qui date du XIIIe au XVIe siècles.

2 *Utilisez le vocabulaire du dialogue pour identifier les illustrations.*

Modèle:

C'est un roi.

1.

2.

3.

4.

5.

6.

3 *C'est à toi!*

1. En quelle année est-ce que tu es né(e)?
2. Quel âge avais-tu quand tu as commencé à étudier le français?
3. Est-ce que tu fais souvent des voyages avec des élèves et des profs de ton école? Si oui, où vas-tu?
4. Est-ce que l'histoire de France t'intéresse?
5. D'après toi, qui est un vrai héros? Qui est une vraie héroïne?
6. Quand est-ce que tu acceptes l'aide de tes ami(e)s? L'aide de tes parents?

Structure

The imperfect and the *passé composé*

You know two past tenses in French: the imperfect and the **passé composé**. They are not interchangeable; each one gives different kinds of information and has specific uses, depending on the type of events being described. The imperfect reports how things were in the past, what happened repeatedly or a state of being, whereas the **passé composé** expresses a completed action.

Pierre Curie **était** un chercheur très doué.	*Pierre Curie was a very gifted researcher.*
Il **a reçu** le Prix Nobel.	*He received the Nobel Prize.*

In telling a story, use the imperfect to give background information and to describe conditions or circumstances in the past. The imperfect answers the question "How were things?" Use the **passé composé** to tell what events took place only once in the past. The **passé composé** answers the question "What happened?"

Je faisais le ménage quand tu m'as téléphoné.

Jeanne d'Arc **est née** à Domrémy. Des voix lui **ont dit** de délivrer la France. Elle **pensait** qu'elle **pouvait** aider Charles VII, mais d'abord il ne **voulait** pas accepter son aide. On l'**a mise** à la tête d'une petite armée, et Jeanne **a délivré** Orléans. Plus tard, on l'**a vendue** aux Anglais, et ils l'**ont brûlée**. Elle **est morte** à Rouen.

In the preceding paragraph, notice that the verbs **penser**, **pouvoir** and **vouloir** describe conditions or states of being that existed in the past. The verbs **naître**, **dire**, **mettre**, **délivrer**, **vendre**, **brûler** and **mourir** tell about something that happened only once.

The imperfect and the **passé composé** are sometimes used in the same sentence. In this case one action was happening when it was interrupted by another action. Use the imperfect to describe the background condition and the **passé composé** to express the completed action.

Quand Véro **était** à Rouen, elle **a vu** la statue de Jeanne d'Arc.
(how things were) (what happened)

When Véro was in Rouen, she saw the statue of Joan of Arc.

Imperfect	Passé Composé
"How were things?"	"What happened?"
repeated actions	completed actions
background information	events that took place only once
description of conditions or circumstances	description of specific events at a certain time

Some verbs that describe mental activity in the past are generally in the imperfect: **adorer**, **aimer**, **avoir**, **connaître**, **croire**, **espérer**, **être**, **penser**, **pouvoir**, **savoir**, **vouloir**.

Véro **savait** beaucoup de choses sur la guerre de Cent Ans.	*Véro knew a lot of things about the Hundred Years' War.*

Pratique

4 *Un vaisseau spatial* (spaceship) *a atterri en ville. Dites ce que les personnes indiquées faisaient quand les Martiens sont arrivés.*

Modèle:

Monique
Monique mangeait une glace à la vanille au café quand les Martiens sont arrivés.

5 *Dites ce que tout le monde faisait quand certaines choses se sont passées* (happened).

Modèle:

tu/dormir/quand/Claire/téléphoner
Tu dormais quand Claire a téléphoné.

1. tu/porter des bottes/quand/tu/aller à la montagne
2. quand/nous/partir pour la plage/il/faire du soleil
3. quand/je/être petit(e)/je/visiter l'Afrique
4. il/être quatre heures/quand/Frédéric et toi/rentrer de l'école
5. quand/Nathalie/faire la connaissance d'Antoine/elle/sortir avec Raoul
6. quand/Jeanne d'Arc/avoir 13 ans/elle/entendre des voix
7. les Curie/recevoir le Prix Nobel/quand/ils/être chercheurs scientifiques
8. Isabelle Adjani/naître/quand/ses parents/habiter en France

Quand j'ai fait la connaissance d'Antoine, je sortais avec Raoul.

6 *Complétez l'histoire suivante. Utilisez les verbes entre parenthèses à l'imparfait ou au passé composé.*

Il était une fois une belle fille sympa, Cendrillon. Elle (habiter) à Rouen dans un appartement avec sa belle-mère qui (être) méchante. Cendrillon (avoir) deux belles-sœurs qui (ressembler) à leur mère. Sa belle-mère n'(aimer) pas Cendrillon, alors elle lui (donner) toujours beaucoup de corvées à faire.

Un soir il y (avoir) un grand bal à la MJC. Cendrillon (vouloir) aller au bal parce qu'elle (adorer) le reggae. Mais sa belle-mère lui (dire) qu'elle (devoir) passer l'aspirateur.

À huit heures une femme mystérieuse (arriver) chez Cendrillon. La femme lui (donner) une belle robe blanche, des pantoufles de verre et une voiture japonaise. Alors, Cendrillon (aller) au bal où elle (faire) la connaissance d'un beau jeune homme. À minuit Cendrillon (devoir) partir très vite. Elle (dire) "Mince!" parce qu'elle (perdre) une de ses pantoufles de verre.

Est-ce que Cendrillon et le beau jeune homme vont avoir un autre rendez-vous?

Communication

7 *Qu'est-ce que vous avez fait quand vous aviez... ans? Choisissez une année intéressante de votre vie passée. Puis préparez une présentation orale où vous décrivez des actions habituelles et des événements* (events) *spécifiques de cette année. Utilisez l'imparfait pour décrire les actions habituelles et le passé composé pour décrire les événements spécifiques. Vous pouvez faire des illustrations pour vous aider avec votre présentation (ou vous pouvez trouver des photos dans des magazines). Faites votre présentation et montrez vos illustrations aux autres élèves dans votre petit groupe.*

Modèle:

Quand j'avais huit ans, j'habitais à Dallas. En été ma famille et moi, nous sommes allés à Disney World où j'ai fait la connaissance de Mickey....

8 *Avec les autres élèves de votre classe, jouez aux Vingt Questions. Un(e) élève va au tableau et choisit une émission qu'il ou elle vient de voir. L'élève donne une phrase comme indication* (clue) *pour aider la classe à identifier l'émission. Puis les autres élèves, un par un, lui posent des questions au passé composé ou à l'imparfait pour identifier l'émission. La réponse à chaque question doit être "oui" ou "non." La personne qui identifie l'émission va au tableau et choisit l'émission prochaine.*

CANAL JIMMY

21.00 Friends
Série américaine.

Celui qui était comme tous les autres. Chandler, une flamboyante romancière, reçoit une visite de sa mère. Phoebe et Monica causent un accident de voiture et amènent la victime, un homme séduisant, à l'hôpital...
Avec : Jennifer Aniston, Courteney Cox, Lisa Kudrow.
[19750458]

Modèle:

Élève A: C'était mardi soir.
Élève B: Il y avait un chien?
Élève A: Oui.
Élève C: Le chien a porté un costume de Noël?
Élève A: Oui.
Élève D: C'était "Frasier"?
Élève A: Oui.

9 *Choisissez un conte de fée* (fairy tale) *que vous connaissez bien. Écrivez une nouvelle version de ce conte de fée à l'imparfait et au passé composé avec des détails intéressants. Si vous voulez, vous pouvez moderniser votre conte de fée à la façon* (in the style) *du conte dans l'Activité 6.*

Mise au point sur... des gens célèbres du monde francophone

The French value creativity, independence, wit, imagination, Gallic pride, intelligence and diligence. These characteristics are plainly visible in the contributions that French speakers have made in such fields as science, literature, film, politics, fashion and sports.

As the founder of microbiology, Louis Pasteur (1822-95) has been credited with saving innumerable lives. He proved that diseases are caused by the multiplication of germs and showed how their spread could be controlled by first weakening them and then injecting them into a patient's body. This method of disease control, called vaccination, allows the patient to develop a resistance to the microbe. Pasteur also demonstrated how to kill germs by applying controlled heat. This process, used to preserve liquids from spoilage, is known as pasteurization. The Pasteur Institute in Paris began as a center for the study and prevention of diseases. Today the Pasteur Hospital, associated with the Institute, treats infectious diseases such as AIDS.

Molière (1622-73) wrote comedies that entertained the court of Louis XIV and at the same time satirized 17th century French society. Molière's controversial choice of subject matter angered certain groups. In *L'École des femmes,* he criticized the lack of education given to young bourgeois women. Molière poked fun at religious hypocrisy in *Tartuffe*. He attacked social conventions and laughed at human nature in *Le Bourgeois gentilhomme*.

The novelist, playwright and poet Victor Hugo (1802-85) championed the romantic movement in French literature. His novel *Notre-Dame de Paris* (*The Hunchback of Notre Dame*), set in 15th century Paris, describes the love of a deformed bell ringer, Quasimodo, for a gypsy girl. In *Les Misérables,* the hero Jean Valjean struggles to lead an honest life as an ex-convict despite the social injustices of the 19th century.

François Truffaut (1932-84) was one of the leading **nouvelle vague** (*New Wave*) film directors. His movies reflect the influence of other major directors such as Jean Renoir and Alfred Hitchcock. Some of Truffaut's most famous films include *Les Quatre Cents Coups* (*The 400 Blows*), *Jules et Jim* and *L'Argent de Poche* (*Small Change*).

Several French political leaders deserve special mention. King Louis XIV (1638-1715), **le Roi-Soleil**, imagined himself to be as powerful as the sun. His 72-year reign ranks as the longest in modern European history. Bringing absolute monarchy to its height at the palace of Versailles, he supposedly boasted **L'état, c'est moi**. (*I am the State.*) Louis XIV fought four European wars, yet he was a great patron of art and literature. However, political and economic problems surfaced during his later years. He revoked the Edict of Nantes, and he forced the nobles to live at Versailles instead of in their country homes to control their power. Vast amounts of money were spent maintaining the sumptuous life-style of the court. Little attention was paid to the mounting problems of social injustice and inequality, conditions that led to the French Revolution.

Napoléon became a general at the age of 25 and the French emperor at 35.

Many consider Napoléon I (1769-1821) the most capable military commander in history. Under his leadership the French empire extended over much of western and central Europe. A superb administrator, Napoléon centralized France's government and system of higher education, created the Legion of Honor to reward military and civil excellence, balanced the national budget, established the Bank of France and revised French law into codes. In 1804 he crowned himself emperor. Ambition ultimately led him to overextend his power. After a disastrous battle in Russia, Napoléon abdicated the crown and was exiled. He returned to power in 1815 for a period known as the "Hundred Days" until his defeat at Waterloo and subsequent exile. Napoléon is buried in the **hôtel des Invalides** in Paris.

Napoléon's tomb, encased within dark red porphyry, stands on a base of green granite and is surrounded by 12 statues that represent his military campaigns. (Paris)

Charles de Gaulle (1890-1970) led the French Resistance movement against Germany during World War II and served as president of the Fifth Republic from 1958 to 1969.

Jacques Chirac, former head of the Gaullist party, is the current president of France. He previously served as the country's prime minister and mayor of Paris.

Jacques Chirac lives in the Élysée Palace, the official residence of the president of France since 1873. (Paris)

Chirac dit oui au consensus diplomatique

In the world of fashion, Coco Chanel (1883-1971) left her mark as one of the most influential designers of the 20th century. Her short skirts, tailored suits, "little black dress," accessories and perfumes, such as Chanel N° 5, formed the modern interpretation of the word **chic**.

Shunning publicity in France, Marie-José Pérec has decided to make California her new home.

French athletes are known throughout the world. Jean Galfione placed third in the pole vault in the 1995 World Championships and won the 1994 European Cup. Marie-José Pérec's track and field accomplishments include first place in the 200 and 400 meters in the 1996 Olympic Games, first place in the 400-meter hurdles in the 1995 European Cup and first place in the 4 x 400-meter relay in the 1994 European Championships. Surya Bonaly, born in Réunion, is a world-class figure skater. The brother and sister dance team of Isabelle and Paul Duchesnay, who were raised in Canada but compete for France, have also won numerous ice skating awards.

MARIE-JO PRÊTE POUR LE MONDIAL

The pursuit of excellence, as demonstrated by the accomplishments of these and many other French speakers, remains an integral part of what it means to be French.

10 *Répondez aux questions suivantes.*

1. Who is considered to be the founder of microbiology?
2. What is pasteurization?
3. Which king enjoyed the plays of Molière?
4. In what play did Molière focus on the lack of education given to young women?
5. What are two of Victor Hugo's most famous novels?
6. Who was one of the leading directors of the **nouvelle vague**?
7. What did Louis XIV allegedly say about his political power?
8. Who is often considered to be the most outstanding military commander in history?
9. What are three ways in which Napoléon I demonstrated his administrative skill?
10. Where was Napoléon's final defeat?
11. When did Charles de Gaulle serve as president of France?
12. Who is the current president of France?
13. For what three fashion trends is Coco Chanel well known?
14. In what track and field events has Marie-José Pérec won awards?
15. In what sport have Surya Bonaly and the team of Duchesnay and Duchesnay excelled?

A PARIS
31, RUE CAMBON
42, AVENUE MONTAIGNE
CHANEL

11 *Regardez la publicité pour l'hôtel des Invalides. Puis répondez aux questions.*

1. In what year was construction begun on **l'église du Dôme**?
2. Who was the architect of **l'église du Dôme**?
3. How many kilos of gold were necessary to regild **l'église du Dôme** in 1989?
4. Who is buried around Napoléon's tomb?
5. What was the date of Napoléon's national funeral?
6. What sculptor directed the construction of Napoléon's tomb?
7. What is the shape of the gallery of **l'église du Dôme**?

L'église du Dôme et le tombeau de l'Empereur

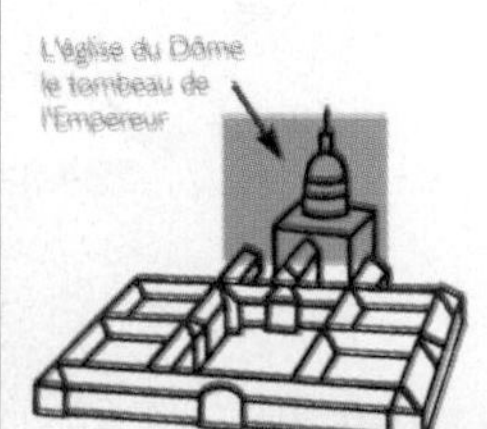

L'église du Dôme
C'est à partir de 1677, sous la direction de l'architecte Jules Hardouin-Mansart, que fut édifiée l'église du Dôme dont le lanternon ajouré culmine à 107 m. En 1989, le Dôme et ses décors, notamment les trophées furent redorés; douze kilos d'or furent nécéssaires pour cette opération. A l'intérieur, la grande fresque peinte sous la coupole par Charles de la Fosse a été restaurée récemment.
A l'instar de l'église des Soldats, l'église du Dôme devenue nécropole militaire accueille autour du tombeau de l'Empereur les sépultures de Turenne, Vauban, Foch, Lyautey, Joseph et Jérôme Bonaparte.

Le tombeau de l'Empereur
C 'est en 1840 que fut décidé le transfert du corps de l'Empereur Napoléon dont les funérailles nationales ont été célébrées le 15 décembre de la même année. L'édification du tombeau commandée au sculpteur Visconti s'est achevée en 1861 date à laquelle y furent inhumés les restes de l'Empereur; façonné dans des blocs de porphyre rouge, placé sur un socle de granit vert des Vosges, il est cerné d'une couronne de lauriers et d'inscriptions rappelant les grandes victoires de l'Empire . Dans la galerie circulaire, une suite de bas-reliefs sculptés par Simart figurent les principales actions du règne. Au centre de la cella, au dessus de la dalle sous laquelle repose le Roi de Rome à été érigée une statue de l'Empereur portant les emblèmes impériaux .

Leçon C

In this lesson you will be able to:

- ask for information
- describe physical traits
- describe talents and abilities
- express likes and dislikes
- hypothesize
- tell location

Delphine invite ses camarades de classe Sabrina et Laïla chez elle. Les trois filles entrent dans la chambre de Delphine.

Sabrina: **Ta chambre, c'est mignon! Tu as même une télé!**

Delphine: **Ouais, j'étais en train de regarder des clips. J'adore Patricia Kaas. Ses chansons sont sensibles, honnêtes... et souvent bien placées au hit-parade! Je vous parie qu'elle vit bien. Elle vient de rentrer des États-Unis. Elle y est allée en tournée.**

Laïla: **Tu es une fana de musique! Moi, j'admire les écrivains. Je trouve les romans de Maryse Condé très puissants. Et toi, Sabrina, qui est-ce que tu admires?**

Sabrina: **J'admire les athlètes, surtout Éric Cantona. Il est actif et souvent courageux. J'adore regarder ses matchs de foot à la télé!**

Enquête culturelle

Patricia Kaas est une chanteuse française qui est très célèbre. Elle est née en Alsace au nord-est de la France. Elle a commencé sa carrière quand elle avait seulement 13 ans. Elle parle français, allemand et anglais.

"Où Vont Les Cœurs Brisés"

"L'Heure Du Jazz"

"Regarde Les Riches"

"Une Dernière Semaine À New York"

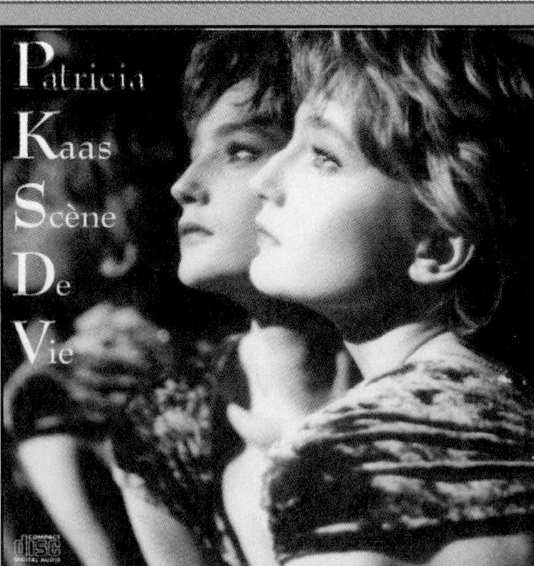

Maryse Condé est née à Pointe-à-Pitre à la Guadeloupe en 1937. Elle a fait ses études d'abord à la Guadeloupe, puis à Paris. Elle a passé 12 années en Afrique où elle a été professeur. Quand elle est rentrée en France, elle est devenue professeur à l'université. En 1987 elle a reçu le Prix littéraire de la Femme pour le roman *Moi, Tituba, sorcière Noire de Salem.*

Éric Cantona est un grand champion de foot. Il était champion de France en 1989 et en 1991 quand il jouait pour Marseille. Il a été champion d'Angleterre de 1992 à 1994.

Éric Cantona joue au foot aujourd'hui pour Manchester United en Angleterre.

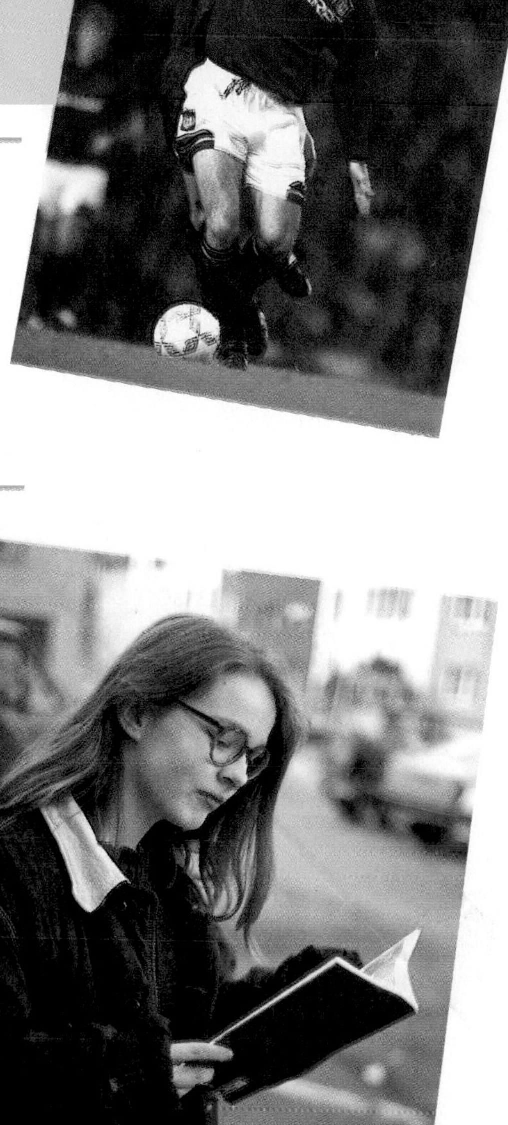

Est-ce que Solange est une élève sérieuse?

1 *Répondez aux questions d'après le dialogue.*

1. Qui est-ce que Delphine invite chez elle?
2. Qu'est-ce qu'il y a dans la chambre de Delphine?
3. Qu'est-ce que Delphine était en train de faire?
4. Pourquoi est-ce que Delphine aime les chansons de Patricia Kaas?
5. Est-ce que ses chansons sont souvent bien placées au hit-parade?
6. Comment est-ce que Laïla trouve les romans de Maryse Condé?
7. Pourquoi est-ce que Sabrina admire Éric Cantona?

2 *Choisissez l'adjectif convenable qui complète la phrase logiquement.*

1. Manu est un bon athlète. Il est très....
   a. poli b. sympa c. sportif
2. Béatrice aime les bandes dessinées. Elle les trouve....
   a. amusantes b. courageuses c. pénibles
3. Ariane dit toujours "Merci" quand quelqu'un lui donne quelque chose. Elle est très....
   a. difficile b. polie c. bavarde
4. Thierry étudie souvent. C'est un élève....
   a. sérieux b. paresseux c. égoïste
5. Benjamin a envie d'être pompier. Il est....
   a. méchant b. courageux c. heureux
6. Chantal n'est pas égoïste. Elle écoute ses amis et les aide parce qu'elle est....
   a. diligente b. active c. sensible
7. J'adore ta nouvelle jupe! Elle est....
   a. honnête b. mignonne c. puissante

Je suis une fana de rock. Et toi?

3 *C'est à toi!*

1. Est-ce que tu es un(e) fana de musique?
2. Est-ce que tu préfères regarder un clip ou écouter un CD?
3. Est-ce que tu préfères regarder les matchs à la télé ou au stade?
4. Quel(le) athlète est-ce que tu admires?
5. Qui est ton écrivain favori?
6. Dans ta famille, qui est la personne la plus sensible?
7. Quand es-tu sérieux/sérieuse? Quand es-tu poli(e)?

L'exposition-spectacle du sport
L'athlète dans les étoiles
L'ÉQUIPE
CANAL+
RTL
la Villette
la grande halle-Paris
Renseignements : 01 40 03 75 75

Structure

Present tense of the irregular verb *vivre*

The verb **vivre** (*to live*) is irregular.

vivre			
je	**vis**	Je **vis** en France.	*I live in France.*
tu	**vis**	Où **vis**-tu?	*Where do you live?*
il/elle/on	**vit**	Jean, comment **vit**-il?	*How does Jean live?*
nous	**vivons**	Nous **vivons** à la campagne.	*We live in the country.*
vous	**vivez**	Vous **vivez** pour manger?	*Do you live to eat?*
ils/elles	**vivent**	Ils ne **vivent** plus à Nantes.	*They aren't living in Nantes anymore.*

Unlike the verb **habiter**, which means only "to live," **vivre** may also be used to tell how or how long someone lives.

Patricia Kaas **vit** bien. *Patricia Kaas lives well.*

The irregular past participle of **vivre** is **vécu**.

Maryse Condé a **vécu** en Afrique. *Maryse Condé lived in Africa.*

Alfa 164 Q4
La passion vit encore

Pratique

4 *Le premier jour à l'auberge de jeunesse, vous faites la connaissance de beaucoup de jeunes gens de pays différents. Dites où vivent les personnes indiquées.*

Modèle:
José vit en Espagne.

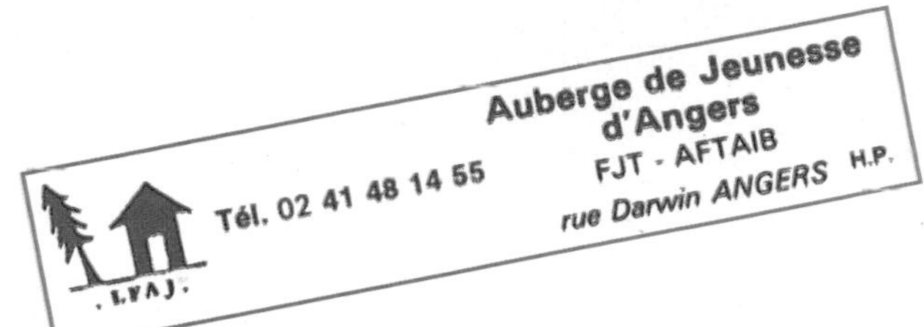

5 *Selon ce que vous avez lu dans ce livre, dites si ces gens célèbres ont vécu ou pas dans les pays, régions ou villes indiqués.*

Modèles:
Claude Monet/Giverny
Claude Monet a vécu à Giverny.

Charles de Gaulle/les États-Unis
Charles de Gaulle n'a pas vécu aux États-Unis.

1. Patricia Kaas/Alsace
2. Jeanne d'Arc/Tokyo
3. Isabelle et Paul Duchesnay/Canada
4. Éric Cantona/Marseille
5. Louis XVI et Marie-Antoinette/New York
6. Pablo Picasso/Espagne
7. Maryse Condé/Guadeloupe
8. Jacques Chirac/Ottawa

The pronoun *y*

The pronoun **y** means "there" and refers to a previously mentioned place. The pronoun **y** replaces a preposition (**à**, **en**, **dans**, **sur**, **chez**, **derrière**, **devant**) plus the name of a place.

Patricia Kaas était aux États-Unis?	*Was Patricia Kaas in the United States?*
Oui, elle y est allée en tournée.	*Yes, she went there on tour.*
Est-ce que Cantona joue en France?	*Does Cantona play in France?*
Non, il n'y joue plus.	*No, he doesn't play there anymore.*

Avignon, on y joue, on y joue.

The pronoun **y** usually comes right before the verb of which it is the object. The sentence may be affirmative, interrogative, negative or have an infinitive.

Je vais au match ce soir.	*I'm going to the game tonight.*
Y vas-tu?	*Are you going (there)?*
Non, je n'y vais pas, mais je vais y aller demain.	*No, I'm not going (there), but I'm going to go (there) tomorrow.*

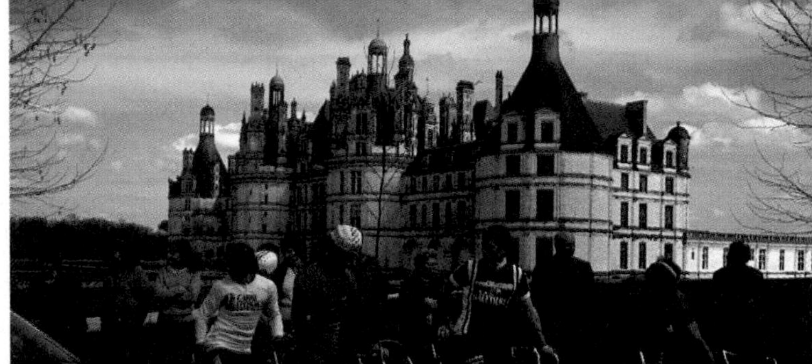

À Chambord? Oui, les cyclistes s'y arrêtent.

In an affirmative command, **y** follows the verb and is attached to it by a hyphen. In the **tu** form of **-er** verbs, the affirmative imperative adds an **s** before the pronoun **y**. In a negative command, **y** precedes the verb.

Vas-y! [z]	*Go there!*
Mais n'y restez pas!	*But don't stay (there)!*

JETEZ-Y UN COUP D'OEIL

Services optométriques

The pronoun **y** also replaces **à** plus the name of a thing. In this case, **y** means "it" or "about it."

Tu penses à tes vacances?	*Are you thinking about your vacation?*
Oui, j'y pense.	*Yes, I'm thinking about it.*

Pensez-y dès maintenant !

Pratique

6 *Aujourd'hui votre classe de français va faire une excursion* (take a trip) *au musée d'art. Votre prof a fait une liste de tous les élèves qui avaient l'intention d'y aller. Le prof fait l'appel* (takes roll) *pour voir qui est dans l'autocar* (school bus). *Si le prof a mis un ✓ à côté du prénom de l'élève, dites que l'élève y est. Si non, dites que l'élève n'y est pas.*

Modèles:
Nicolas
Il n'y est pas.

Clémence
Elle y est.

Robert	✓
Sandrine	
Abdou	
moi	✓
Karine	
Laurent	✓
Khaled	✓
Nicolas	
toi	
Thierry	
Gilberte	✓
Françoise	
Patrick	✓
Assia	
Clémence	✓
Joanne	✓
Sonia	
Valérie	✓

1. Karine
2. Sonia et toi
3. Robert et Joanne
4. Abdou et Thierry
5. moi
6. Patrick
7. toi
8. Valérie et moi

7 *Tout le monde a fait du shopping aujourd'hui au centre commercial. Si ce qu'on a acheté vient du magasin indiqué, dites qu'on y est allé. Si non, dites qu'on n'y est pas allé.*

Modèles:
Jérôme a acheté un sandwich au fromage. (café)
Il y est allé.

Mireille a acheté un pull. (boulangerie)
Elle n'y est pas allée.

1. Jean-Claude a acheté une ceinture. (pâtisserie)
2. Suzanne a acheté des pamplemousses. (marché)
3. Pierre et toi, vous avez acheté un CD. (crémerie)
4. Les Bouchard ont acheté des steaks. (supermarché)
5. Geneviève et sa sœur ont acheté des timbres. (tabac)
6. J'ai acheté un parapluie. (grand magasin)
7. Tu as acheté un bracelet en or. (librairie)
8. Rachel et moi, nous avons acheté du jambon. (charcuterie)

Claire est allée au centre commercial. Qu'est-ce qu'elle y a acheté? (Strasbourg)

Modèle:

aller voyager en France

Élève A: **Est-ce que tu vas voyager en France?**

Élève B: **Non, je ne vais pas y voyager. Et toi, est-ce que tu vas y voyager?**

Élève A: **Oui, je vais y voyager.**

8 *Avec un(e) partenaire, posez et répondez aux questions. Utilisez* **y** *dans vos réponses. Suivez le modèle.*

1. pouvoir aller au cinéma ce soir
2. devoir aider tes parents chez toi
3. aimer penser à tes vacances
4. pouvoir trouver un boulot dans ta ville
5. aller étudier à l'université
6. vouloir vivre en Europe

Communication

9 *Écrivez un profil de votre partenaire dans lequel* (which) *vous décrivez ses qualités et ses centres d'intérêts. Avant de commencer, interviewez votre partenaire et utilisez ses réponses aux questions suivantes pour vous aider à écrire son profil:*

1. Quel(le) athlète aimes-tu beaucoup? Pourquoi?
2. Quel chanteur ou quelle chanteuse aimes-tu beaucoup? Pourquoi?
3. Qui est-ce que tu admires? Pourquoi?
4. Comment es-tu? Actif/active? Courageux/courageuse? Sérieux/sérieuse? Poli(e)? Honnête?
5. En quoi es-tu doué(e)?
6. Qu'est-ce qui t'intéresse comme profession?

10 *Imaginez que vous êtes Marie Curie, Gérard Depardieu, Patricia Kaas, Éric Cantona, Maryse Condé, François Truffaut, Marie-José Pérec ou Coco Chanel quand ils étaient jeunes et cherchaient leur premier boulot. Écrivez une demande d'emploi* (want ad) *où vous décrivez le poste* (position) *que vous cherchez et donnez vos qualifications. Décrivez aussi votre caractère. Puis donnez votre nom et adresse.*

JF 20 ans, serveuse débutante, dynamique et motivée, cherche emploi dans brasserie ou Pub, service après-midi ou soirée. ✆ 01.30.36.18.03. Dem. PEGGY

Jeune ingénieur, préparant doctorat, donne cours de math - physique - chimie, tous niveaux. ✆ 01.45.89.20.98

CHANTEUSE AMÉRICAINE, donne cours de chant Jazz, Blues, Soul. ✆ 01.46.34.59.02.

11 *Demandez à cinq adultes dans votre famille ou dans votre famille étendue* (extended) *où ils ont vécu quand ils étaient jeunes. Avec les autres élèves de votre petit groupe, faites une carte du monde. Puis, un par un, allez devant la carte et dites aux autres où les membres de votre famille ont vécu quand ils étaient jeunes.*

Modèle:

Voilà le Vietnam. Mon père y a vécu quand il était jeune. Il y a vécu jusqu'à l'âge de 15 ans.

Sur la bonne piste

In this unit you will read an excerpt from *Le Château de ma mère*, in which Marcel Pagnol writes about his memories of growing up in southern France in the early 1900s. In order to read effectively, it is important to know how to predict what will happen in a story. After judging Marcel's value system and how it motivates his actions, you will make a prediction about how this story ends.

Marcel spends his childhood in Marseille and the countryside of Provence. After an adventurous summer exploring the hills and hunting with his new pal, Lili, it is time to return to the city. Marcel decides not to leave his beloved countryside and chooses instead to run away. How long will Marcel be able to be on his own? A character's actions are largely motivated by his or her values. As you read the story, focus on the specific sentences that indicate how much Marcel values his mother, Lili, school, the hills of Provence and adventure.

Je montai aussitôt dans ma chambre, et je composai ma lettre d'adieu:

Mon cher Papa,
Ma chère Maman,
Mes chers Parents,

Surtout ne vous faites pas de souci. Ça ne sert à rien. Maintenant, j'ai trouvé ce que je veux faire dans la vie: je veux être ermite.

J'ai pris tout ce qu'il faut.

Pour mes études, maintenant, c'est trop tard, parce que j'y ai renoncé.

Si ça ne réussit pas, je reviendrai à la maison. Moi, mon bonheur, c'est l'aventure. Il n'y a pas de danger. D'ailleurs, j'ai emporté de l'Aspirine.

Je ne serai pas tout seul. Une personne (que vous ne connaissez pas) va venir m'apporter du pain, et me tenir compagnie pendant les orages.

Ne me cherchez pas: je suis introuvable.

Je vous embrasse tendrement, et surtout ma chère maman.

Votre fils,
MARCEL
l'Ermite des Collines.

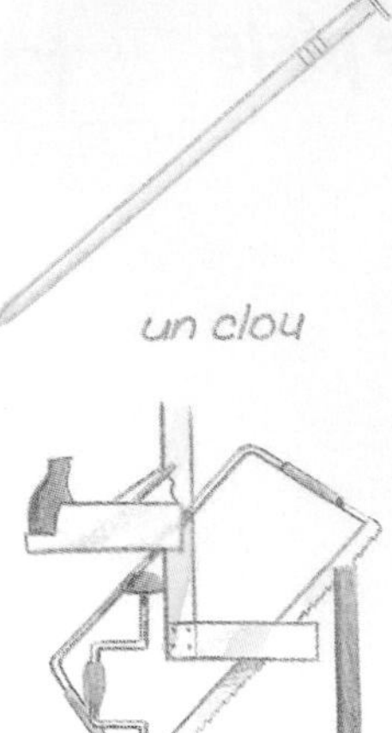

J'allai ensuite chercher un vieux morceau de corde que j'avais remarqué dans le jardin, et qui me permettrait de descendre par la fenêtre de ma chambre. J'allai le cacher sous mon lit.

Je préparai enfin mon balluchon: un peu de linge, une paire de souliers, un couteau pointu, une hache, une fourchette, une cuiller, un cahier, un crayon, une petite casserole, des *clous*, et quelques vieux *outils*. Je cachai le tout sous mon lit, avec l'intention d'en faire un balluchon au moyen de ma couverture, dès que tout le monde serait couché.

Quand tout fut prêt, je descendis pour consacrer à ma mère les dernières heures que je devais passer avec elle.

Le dernier dîner fut excellent et copieux, comme pour célébrer un heureux événement. Personne ne prononça un mot de regret. Au contraire, ils paraissaient tous assez contents de rentrer.

Mais moi, je restais.

Une petite pierre frappa le *volet* de ma chambre. C'était le signal. J'ouvris lentement la fenêtre. Un chuchotement monta dans la nuit:

—Tu y es?

Pour toute réponse, je fis descendre mon balluchon. Puis, je posai ma lettre d'adieu sur le lit et j'attachai solidement la corde à la fenêtre. J'envoyai un dernier baiser à ma mère, qui était dans sa chambre, de l'autre côté du mur, et je me laissai glisser jusqu'au sol.

Lili était là, sous un arbre. Je le distinguais à peine. Il fit un pas en avant, et dit à voix basse:

—Allons-y!

Il prit sur l'herbe un sac assez lourd qu'il chargea sur son épaule.

—C'est des pommes de terre, des carottes et des *pièges*, dit-il.

—Moi, j'ai du pain, du sucre, du chocolat et deux bananes. Marche, nous parlerons plus loin.

En silence nous montâmes la côte. Je respirais avec joie l'air frais de la nuit, et je pensais, sans la moindre inquiétude, à ma nouvelle vie qui commençait.

La nuit était calme, mais le ciel était couvert: il n'y avait pas une étoile. J'avais froid.

Nous marchions vite, et le poids de nos paquets nous tirait les épaules. Nous ne disions pas un mot....

Soudain, à ma gauche, dans la brume une *ombre* assez haute passa rapidement sous les branches pendantes.

—Lili, dis-je à voix basse, je viens de voir passer une ombre!

—Où?

—Là-bas.

—Tu rêves, dit-il. C'est guère possible de voir une ombre dans la nuit...

—Je te dis que j'ai vu passer quelque chose!

Il s'arrêta et regarda à son tour, en silence.

—À quoi penses-tu?

Il me répondit par une autre question.

—Comment elle était, cette ombre?

—Un peu comme l'ombre d'un homme.

—Grand?

—Oui, plutôt grand.

—Avec un manteau? Un long manteau?

—Tu sais, je n'ai pas bien vu. J'ai vu comme une ombre qui bougeait. Pourquoi me demandes-tu ça? Tu penses à quelqu'un qui a un manteau?

—Ça se pourrait, dit-il d'un air rêveur. Moi, je ne l'ai jamais vu. Mais mon père l'a vu.

—Qui ça?

—Le grand Félix.

—C'est un *berger*?

—Oui, dit-il. Un berger d'autrefois.

—Je ne comprends pas.

Il se rapprocha de moi et dit à voix basse:

—Ça fait au moins cinquante ans qu'il est mort.

Comme je le regardais, stupéfait, il chuchota dans mon oreille:

—C'est un fantôme!

2 Make a chart, listing **sa mère, Lili, les collines, l'école** and **l'aventure** on the left side of a sheet of paper. In the middle, copy sentences from the story that demonstrate how much Marcel values or does not value each part of his life. Then, on the right, interpret what value Marcel places on each one, based on the sentences you selected. The first example, **sa mère**, has been done for you on the next page as a model.

Central parts of Marcel's life	Sentences	Value
sa mère	... je descendis pour consacrer à ma mère les dernières heures que je devais passer avec elle.	Of all the members of his family, Marcel chooses to spend his last minutes with his mother, which shows how important she is in his life.
	J'envoyai un dernier baiser à ma mère, qui était dans sa chambre,....	This symbolic gesture of a kiss blown to his mother, which she cannot see, indicates how much he loves her and will miss her.

After completing your chart, go back and rate each item in the left column from one to ten (ten being the highest), according to how much value Marcel places on each one. (If you think that Marcel values two items equally, give them the same rating.) Then write a paragraph in which you make a prediction about how long you think Marcel will be on his own. Include all the factors that make you think Marcel's absence will be for a short or a long time. Base your prediction on your interpretation of what Marcel values and which values you think will predominate. (You may also want to consider Marcel's age, the supplies he has and how long they will last, whether or not he will miss his family, how determined he is to prove his independence and how realistic it is for him to live alone in the hills.)

Nathalie et Raoul

C'est à moi!

Now that you have completed this unit, take a look at what you should be able to do in French. Can you do all of these tasks?

- I can tell about my personal experiences.
- I can talk about what happened in the past.
- I can talk about things sequentially.
- I can ask for and give information about various topics, including professions.
- I can identify someone's profession and tell what profession interests me.
- I can describe someone's talents and abilities, such as in music and literature.
- I can describe someone's physical traits.
- I can tell what I like.
- I can compliment someone.
- I can give my opinion by saying what I think.
- I can make an assumption.
- I can express hesitation before continuing to speak.
- I can tell location.

Here is a brief checkup to see how much you understand about French culture. Decide if each statement is **vrai** or **faux**.

1. Joan of Arc was queen of France during the Hundred Years' War.
2. *Tartuffe* and *Le Bourgeois gentilhomme* are two of the tragic plays that Molière wrote during the 19th century.
3. Napoléon I was a superb administrator and perhaps the most capable military commander in history.
4. In *Notre-Dame de Paris*, a novel by Victor Hugo, the hero, Jean Valjean, fights social injustice.
5. Louis Pasteur is well known for developing the process of pasteurization, which allows cows to produce more milk than was previously possible.
6. Marie and Pierre Curie received the Nobel Prize in physics for their discovery of radioactivity.
7. Charles de Gaulle served France during World War II as the leader of the French Resistance and later became the country's president.
8. Isabelle Adjani and Gérard Depardieu are popular movie stars.
9. Alsatian-born Patricia Kaas is a famous French singer.
10. Marie-José Pérec won a record five gold medals in swimming during the 1996 Summer Olympic Games.

Communication orale

With a partner, play the roles of a French student, Étienne, and a French veterinarian, M. Hachet. M. Hachet is interviewing for some volunteer help in his veterinary clinic, and Étienne wants to apply. M. Hachet begins the interview by greeting Étienne and describing the job that is available, including responsibilities, starting date and hours. Étienne tells him why he believes that this is the perfect job for him. M. Hachet asks Étienne what profession interests him. Étienne says that he wants to be a veterinarian and mentions his past experience caring for animals. Then M. Hachet asks Étienne to describe himself. Étienne answers M. Hachet by listing his relevant personal characteristics. At the end of the interview, Étienne thanks M. Hachet for his time.

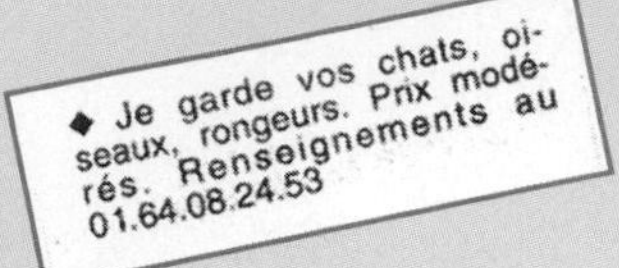
◆ Je garde vos chats, oiseaux, rongeurs. Prix modérés. Renseignements au 01.64.08.24.53

Communication écrite

Imagine that you are Étienne, who has just returned home after his interview with M. Hachet for a volunteer position at his veterinary clinic. Write him a formal thank-you letter to follow up your interview. Begin by reminding M. Hachet that you came to see him today for a job. Then restate your interest in the position and highlight your qualifications, past experience and personal characteristics. You will want to refer to the information on page 134 where you learned how to write a business letter in French.

Communication active

To recount personal experiences, use:

J'ai vu la statue de Jeanne d'Arc.	*I saw the statue of Joan of Arc.*

To describe past events, use:

Elle est morte en 1431.	*She died in 1431.*
Elle a délivré la ville d'Orléans.	*She freed the city of Orléans.*
Les Anglais l'ont brûlée.	*The English burned her.*

To sequence events, use:

Jeanne avait 13 ans **quand elle a entendu** des voix.	*Joan was 13 when she heard voices.*

To ask for information, use:

Qu'est-ce qui t'intéresse comme profession?	*What interests you as an occupation?*
Qui est-ce que tu admires?	*Whom do you admire?*

Qui est-ce que Christophe et Julien attendent au café? (La Rochelle)

Qu'est-ce qui fait courir David ?

To give information, use:

Elle est née en 1412.	*She was born in 1412.*

To tell what profession interests you, use:

Je voudrais être actrice.	*I'd like to be an actress.*
Je vais être chercheur scientifique.	*I'm going to do scientific research/ be a research scientist.*

To describe talents and abilities, use:

Ses chansons sont sensibles, honnêtes.	*Her songs are sensitive, honest.*

To describe physical traits, use:

Et avec ta barbe, **tu ressembles** déjà **à** Pierre Curie!	*And with your beard, you already look like Pierre Curie!*
Il est actif.	*He is active.*

To say what you like, use:

Ta chambre, **c'est mignon**!	*Your room is cute!*
J'admire les écrivains.	*I admire writers.*

To express compliments, use:

Tu es très doué(e) en sciences.	*You are very gifted in science.*

To give opinions, use:

Ses parents croient qu'elle doit aller à l'université.	*Her parents think that she should go to the university.*
À mon avis, je n'ai pas besoin d'aller à l'université.	*In my opinion, I don't need to go to the university.*
Je trouve les romans de Maryse Condé très puissants.	*I think Maryse Condé's novels are very powerful.*

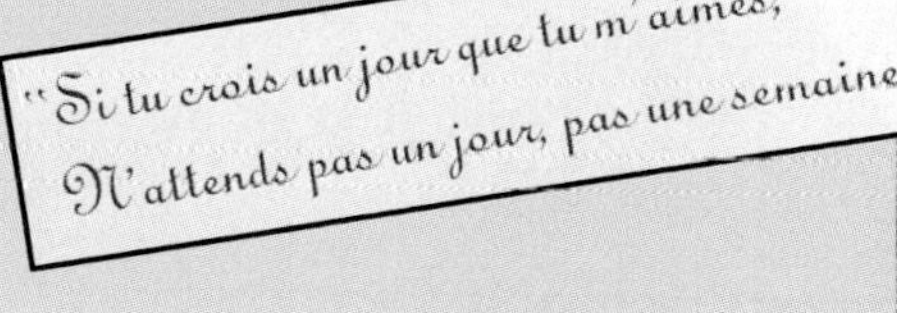

"Si tu crois un jour que tu m'aimes,
N'attends pas un jour, pas une semaine"

To hypothesize, use:

Je vous parie qu'elle vit bien.	*I bet that she lives well.*

To hesitate, use:

Ben....	*Well . . . .*

To tell location, use:

Elle **y** est allée en tournée.	*She went there on tour.*

Ben... l'arc de triomphe est tout droit!

Communication électronique

Jeanne d'Arc will always be remembered for her bravery as she led the French at the battle of Orléans during the Hundred Years' War. The city of Orléans honors her memory to this day. To take a closer look at St. Joan and the city of Orléans, go to this Internet site:

http://www.ville-orleans.fr/html/arcorleans.html

After you have finished exploring this site, answer the following questions.

1. For how many days did Joan wage the battle of Orléans before the English retreated?
2. Click on "La ville." How many new residents move to Orléans each year?
3. Click on "Jumelages." What city in the United States is Orléans' sister city?
4. Click on "Tourisme." You can tour Orléans by clicking on "Circuit Découverte." To find the name of building #1, click on it.
5. To see and read about this building, click on its name. By order of King Henri IV in 1599, who paid for the reconstruction of this building?
6. Return to "Tourisme" and click on "Pour venir à Orléans." How long does it take to go from Orléans to Paris by train (**SNCF**)?

À moi de jouer!

With a partner, complete the dialogue on the right with appropriate expressions that you have learned in this unit. Two classmates say what they are doing, whom they admire and then talk about the professions that interest them. (You may want to refer to the *Communication active* on pages 372-73 and the vocabulary list on page 375.)

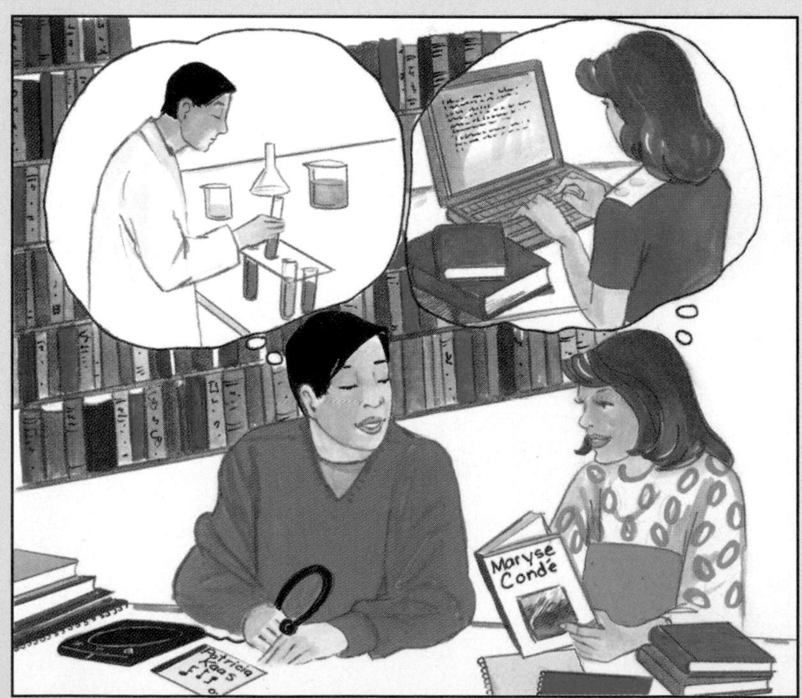

Vocabulaire

	à: à la télé on TV
	à mon avis in my opinion
	accepter to accept
un	**acteur, une actrice** actor, actress
	actif, active active
	admirer to admire
l'	**aide (f.)** help
	amusant(e) funny, amusing
	apprendre to learn
une	**armée** army
	assis(e) seated
un(e)	**athlète** athlete
	au on the
un	**avis: à mon avis** in my opinion
	ben well
un	**boulot** job, work
	brûler to burn
un(e)	**camarade de classe** classmate
une	**chanson** song
un	**chanteur, une chanteuse** singer
un	**chauffeur** driver
un	**chef** chef
un	**chercheur, une chercheuse** researcher
une	**classe** class
un	**clip** video clip
	comme as
	courageux, courageuse courageous
	croire to believe, to think
	de: de plus furthermore, what's more
	délivrer to free
	doué(e) gifted
un	**écrivain** writer
une	**étude** study
un(e)	**fana** fanatic, buff
une	**femme: une femme politique** politician
	finalement eventually, in the end
	francophone French-speaking
une	**guerre** war
un	**héros, une héroïne** hero, heroine
le	**hit-parade** the charts
un	**homme: un homme politique** politician
	honnête honest
	intéresser to interest
un	**metteur en scène** director
	mignon, mignonne cute
	mourir to die
un	**ouvrier, une ouvrière** (factory) worker
	parfait(e) perfect
	parier to bet
se	**perfectionner** to improve
un	**pilote** pilot
	placé(e) placed, situated
	plus: de plus furthermore, what's more
	poli(e) polite
	politique political
un	**pompier** firefighter
	puissant(e) powerful
	qu'est-ce qui what
	que what
	qui est-ce que whom
	qui est-ce qui who
se	**rejoindre** to meet
un(e)	**saint(e)** saint
	scientifique scientific
un(e)	**secrétaire** secretary
	sensible sensitive
	sérieusement seriously
	sérieux, sérieuse serious
	sur about
la	**télé: à la télé** on TV
la	**terminale** last year of *lycée*
un	**théâtre** theater
une	**tournée** tour
	trouver to think
un	**vétérinaire** veterinarian
une	**voix** voice
	vrai(e) real
	y there, (about) it

Unité 10 Notre monde

In this unit you will be able to:

- report
- sequence events
- give information
- tell location
- compare people and things
- agree and disagree
- express emotions
- hypothesize
- make suggestions
- invite
- refuse an invitation

Leçon A

In this lesson you will be able to:

- ➤ compare things
- ➤ agree and disagree
- ➤ make suggestions
- ➤ invite
- ➤ refuse an invitation

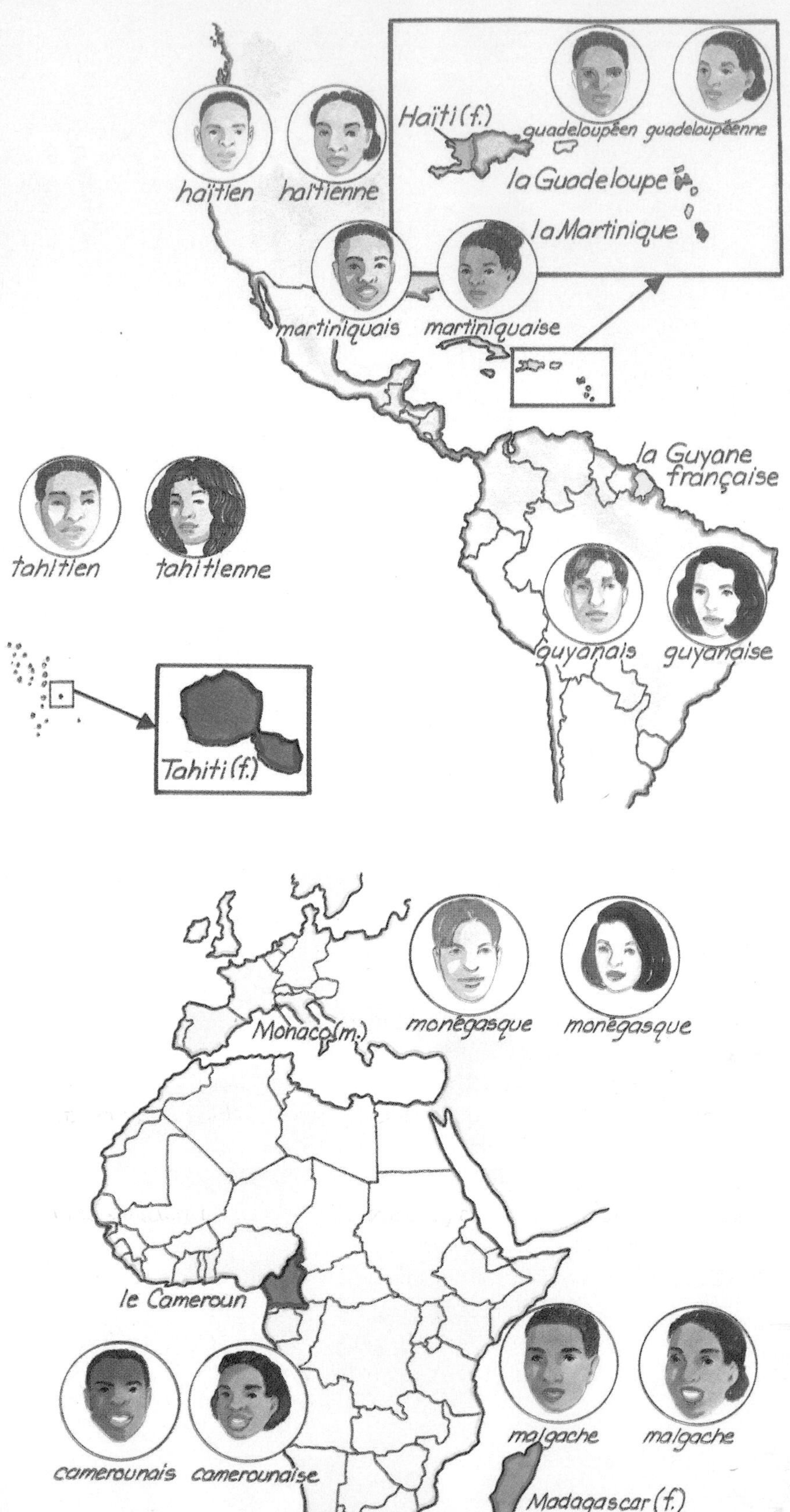

Frédéric vient de déménager de Tahiti à la Martinique. Au lycée Schœlcher il fait la connaissance de Nadia. Ses parents ont un restaurant martiniquais à Fort-de-France. Quelquefois Nadia y travaille comme serveuse. Aujourd'hui Frédéric vient au restaurant pour déjeuner et pour voir Nadia.

Nadia: **Bonjour, Frédéric! Qu'est-ce que tu voudrais?**

Frédéric: **Franchement, je ne connais pas encore la cuisine martiniquaise.**

Nadia: **Elle est épicée comme la cuisine tahitienne. Est-ce que tu aimes les fruits de mer?**

Frédéric: **Oui, beaucoup.**

Nadia: **Alors, tu devrais prendre la spécialité du jour, les coquilles Saint-Jacques au curry.**

Frédéric: **D'accord. Euh... je sais que tu adores danser. Est-ce que tu aimerais aller en boîte avec moi ce soir?**

Nadia: **J'aimerais bien, mais je dois aussi travailler demain. Pourrions-nous rentrer assez tôt?**

Frédéric: **Naturellement. Alors, je viens te chercher à 21h00.**

Enquête culturelle

Tahiti est l'île principale d'un groupe d'îles dans l'océan Pacifique à l'est de l'Australie. Sa capitale est Papeete. L'île est devenue une colonie française en 1880, et aujourd'hui c'est un territoire d'outre-mer de la Polynésie française. Les Tahitiens cultivent le café, la vanille et la canne à sucre.

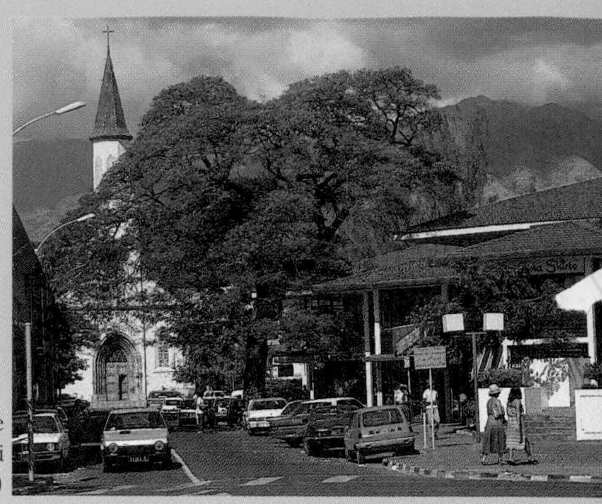

Tahiti est formée de deux parties, Tahiti Nui et Tahiti Iti. (Papeete)

TAHITI, PERLE DE POLYNÉSIE

Comme en France, on donne souvent le nom d'une personne célèbre aux lycées martiniquais. Le lycée Schœlcher, par exemple, a reçu son nom d'un homme politique. Victor Schœlcher a aidé les esclaves des colonies à obtenir leur liberté.

Il y a un peu de tout dans la cuisine martiniquaise parce qu'elle reflète la population diverse de l'île: caraïbe, africaine, amérindienne, française et asiatique. Dans beaucoup de plats martiniquais on trouve des fruits de mer, des légumes et des fruits. Les coquilles Saint-Jacques sont souvent préparés avec des épices fortes, comme le curry.

1 *Complétez chaque phrase avec l'expression convenable de la liste suivante d'après le dialogue.*

tôt	épicée	spécialité du jour	déménager
lycée	en boîte	vient chercher	fruits de mer

1. Frédéric vient de... de Tahiti à la Martinique.
2. Il fait la connaissance de Nadia au....
3. La cuisine martiniquaise est... comme la cuisine tahitienne.
4. Frédéric aime beaucoup les....
5. La... est les coquilles Saint-Jacques au curry.
6. Frédéric demande à Nadia d'aller... avec lui ce soir.
7. Nadia a besoin de rentrer assez... parce qu'elle doit aussi travailler demain.
8. Frédéric... Nadia à 21h00.

Avant de déménager à la Martinique, Frédéric habitait à Tahiti. (Fort-de-France)

2 *Dites la nationalité de chaque personne d'après le pays d'où elle vient.*

Modèle:

Mlle Zongo vient du Sénégal.
Elle est sénégalaise.

1. Nadia vient de la Martinique.
2. Mme Yondo vient du Cameroun.
3. M. Delon vient de Guyane française.
4. Frédéric vient de Tahiti.
5. Yasmine vient de Madagascar.
6. M. Aristide vient d'Haïti.
7. Anne-Marie vient de la Guadeloupe.
8. Albert vient de Monaco.

3 *C'est à toi!*

1. De qui as-tu fait la connaissance cette année au lycée?
2. Est-ce que tu déjeunes au lycée?
3. Est-ce que tu aimes la cuisine épicée?
4. Est-ce que tu voudrais goûter la cuisine martiniquaise?
5. As-tu déjà visité un pays francophone?
6. Quel(s) pays francophone(s) voudrais-tu visiter?
7. Si tu vas en boîte, est-ce que tu rentres tôt ou tard?

Aurélie et ses copains déjeunent au lycée. (La Rochelle)

Structure

Conditional tense

To tell what people *would* do or what *would* happen, use the conditional tense (**le conditionnel**). The conditional consists of only one word.

Est-ce que tu **rentrerais** tôt? *Would you return early?*

To form the conditional tense of regular **-er** and **-ir** verbs, take the infinitive and add to it the endings of the imperfect tense: **-ais**, **-ais**, **-ait**, **-ions**, **-iez**, **-aient**. For regular **-re** verbs, drop the final **e** from the infinitive before adding the imperfect endings.

Est-ce que tu voyagerais à la Guadeloupe?

aimer			
j'	**aimerais**	J'**aimerais** t'aider.	*I'd like to help you.*
tu	**aimerais**	Qu'est-ce que tu **aimerais**?	*What would you like?*
il/elle/on	**aimerait**	Nadia **aimerait** sortir.	*Nadia would like to go out.*
nous	**aimerions**	Nous **aimerions** la spécialité du jour.	*We'd like the special of the day.*
vous	**aimeriez**	Quand **aimeriez**-vous partir?	*When would you like to leave?*
ils/elles	**aimeraient**	Ils n'**aimeraient** pas les fruits de mer.	*They wouldn't like seafood.*

Est-ce que tu **choisirais** les moules? *Would you choose the mussels?*
Non, je **prendrais** les escargots. *No, I'd have the snails.*

Some irregular French verbs do not use the infinitive as the stem for the conditional. They have an irregular stem, but their endings are regular. Here are some of these verbs.

Infinitive	Irregular Stem	Conditional
aller	**ir-**	J'**irais** en France.
avoir	**aur-**	**Aurais**-tu peur?
devoir	**devr-**	Jean **devrait** partir.
envoyer	**enverr-**	Qu'est-ce que tu **enverrais**?
être	**ser-**	Nous **serions** ici.
faire	**fer-**	Yves **ferait** du roller.
falloir	**faudr-**	Il **faudrait** revenir.
pouvoir	**pourr-**	**Pourrions**-nous rentrer?
recevoir	**recevr-**	Thierry **recevrait** un colis.
savoir	**saur-**	**Saurais**-tu la date?
venir	**viendr-**	Les profs **viendraient** à l'heure.
voir	**verr-**	**Verriez**-vous ce film?
vouloir	**voudr-**	Tu ne **voudrais** rien?

CHERCHER
UN FILM D'ACTION
NE DEVRAIT PAS
ÊTRE UNE AVENTURE.
AlloCiné

De bien belles images qu'on voudrait voir plus souvent...

The conditional may be used to make suggestions.

À ma place, qu'est-ce que tu **ferais**? *If you were me (In my place), what would you do?*

J'**emmènerais** mes parents au restaurant tahitien. *I would take my parents to the Tahitian restaurant.*

Pratique

4 *Aujourd'hui Nadia travaille comme serveuse au petit restaurant de ses parents où elle connaît bien tous les clients. Imaginez que vous êtes Nadia et que vous répétez au chef ce que tout le monde voudrait.*

Modèle:

Patrick
Patrick voudrait des fruits de mer.

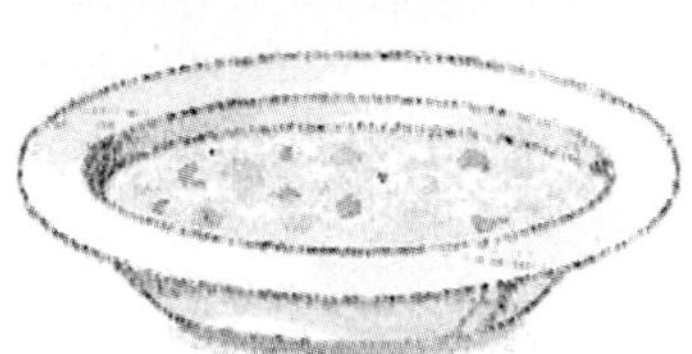

1. Saleh

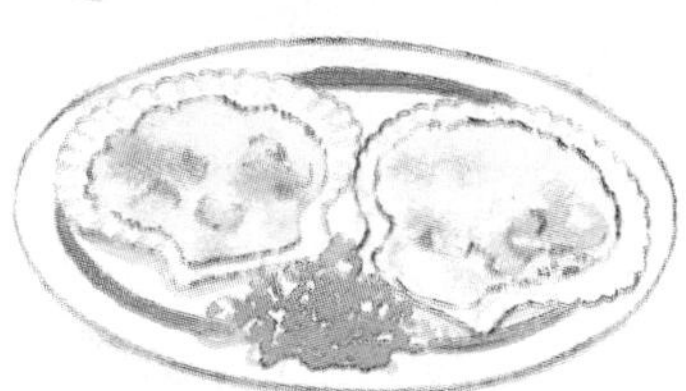

2. les Noyelle

3. tu

4. Frédéric et moi

5. Denise et toi

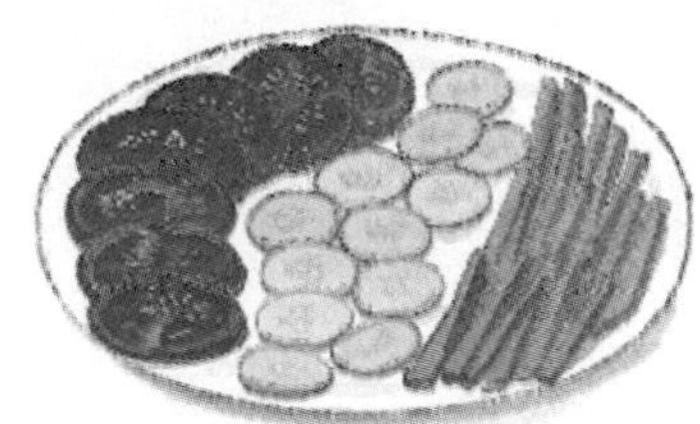

6. je

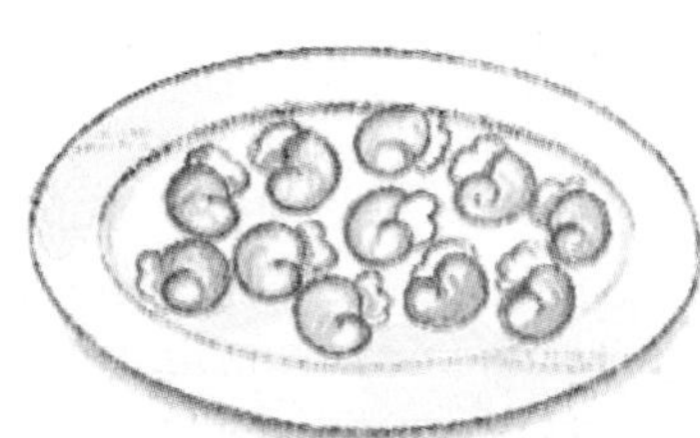

7. Laurent

8. les parents de Frédéric

5 *Les élèves en cours d'histoire ont l'habitude de rêver* (daydreaming). *Qu'est-ce qu'ils feraient s'ils n'étaient pas en classe?*

Modèle:
Je recevrais des amis chez moi.

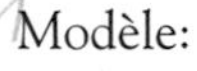

6 *Beaucoup de gens que vous connaissez vous demandent des conseils. Dites-leur ce que vous feriez à leur place.*

Modèle:
Karine te dit qu'elle a soif.
À ta place, j'achèterais une boisson froide.

1. Khaled te dit qu'il a faim.
2. Jérémy te dit qu'il a perdu ses devoirs.
3. Thierry te dit qu'il va être en retard.
4. Ton beau-père te dit qu'il a la grippe.
5. Ta grand-mère te dit qu'elle a froid.
6. Ta sœur te dit qu'elle a besoin de timbres.
7. Fabienne te dit qu'elle cherche un bon roman.
8. Rose te dit qu'elle voudrait être chercheuse scientifique.
9. Margarette te dit qu'elle va voyager en Europe.
10. Les Valdez te disent qu'ils n'ont pas de plan de la ville.

Adverbs

You already know that French adverbs usually come right after the verbs they describe.

J'aime beaucoup la cuisine épicée.	*I like spicy food a lot.*

In the **passé composé** most short, common adverbs (such as **bien, déjà, beaucoup, un peu, souvent, enfin, mal, même, peut-être, toujours** and **trop**) come before the past participle.

Nadia a déjà goûté la cuisine tahitienne.	*Nadia has already tasted Tahitian food.*
Frédéric est souvent allé chez Nadia.	*Frédéric often went to Nadia's house.*

Adverbial expressions of time come either at the beginning or end of a sentence in the **passé composé**.

Nadia a travaillé au restaurant hier soir.	*Nadia worked at the restaurant last night.*

In this lesson you learned several adverbs that end in **-ment**. This suffix corresponds to *-ly* in English. These adverbs are formed by adding **-ment** to the feminine form of the related adjective. For example, add **-ment** to the adjective **sérieuse** to make the adverb **sérieusement**. Adverbs ending in **-ment** often begin a sentence, but they may follow the past participle.

Franchement, je ne connais pas Fort-de-France.	*Frankly, I'm not familiar with Fort-de-France.*

Aurélie s'est bien habillée pour fêter son anniversaire. (La Rochelle)

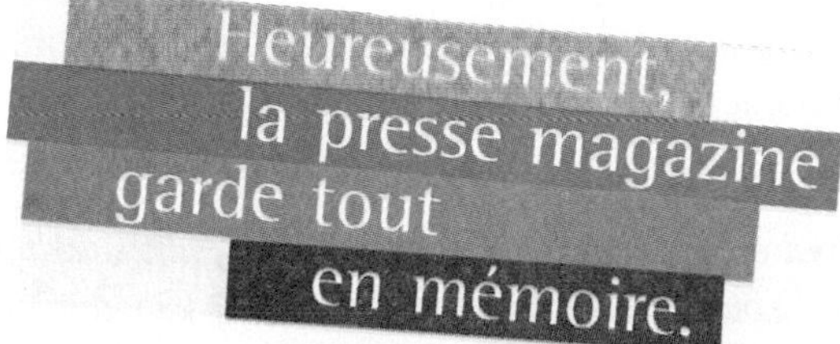

Heureusement,
la presse magazine
garde tout
en mémoire.

Pratique

7 *Donnez des détails sur la vie de Frédéric et de Nadia à la Martinique. Utilisez l'adverbe indiqué.*

Modèle:
Nadia travaille dans le restaurant de ses parents. (quelquefois)
Quelquefois Nadia travaille dans le restaurant de ses parents.

1. Frédéric vient au restaurant pour voir Nadia et pour déjeuner. (souvent)
2. Il ne connaît pas la cuisine martiniquaise. (bien)
3. La spécialité du jour, ce sont les coquilles Saint-Jacques au curry. (aujourd'hui)
4. Frédéric aime les fruits de mer. (aussi)
5. Frédéric et Nadia vont aller en boîte. (ce soir)
6. Nadia aime danser. (beaucoup)
7. Elle ne voudrait pas rentrer tard. (naturellement)
8. Elle doit travailler. (le lendemain)

8 *Tom, le correspondant américain de Frédéric, a passé un mois avec lui à Fort-de-France. Complétez les phrases qui décrivent sa visite à la Martinique. Utilisez l'adverbe approprié de la liste suivante.*

beaucoup mal souvent déjà
même trop enfin

1. Ce n'est pas la première fois que Tom a visité la Martinique. Il y est... allé en vacances avec ses parents il y a deux ans.
2. Tom a... déjeuné avec Frédéric. Ils ont mangé au restaurant des parents de Nadia trois fois par semaine.
3. Tom a toujours pris des plats épicés; il a... aimé la cuisine martiniquaise.
4. Mais hier soir il a... mangé, et ce matin il a été malade.
5. Tom a... joué au tennis avec Frédéric. Il a perdu 2 à 6.
6. Tom était à la Martinique le lundi du Carnaval. Il s'est... déguisé en femme!
7. Tom n'a pas nagé à la Martinique. Mais le dernier jour de sa visite il est... allé aux Salines, la plus belle plage de l'île.

Tom a souvent joué au tennis.

Communication

9 *Imaginez que vous avez gagné* (won) *cinq cent mille euros à la loterie. Vous décidez de partager* (share) *l'argent avec les autres membres de votre famille. Dans un petit groupe de trois ou quatre élèves, les autres membres de votre famille, faites une liste de 10 choses que vous achèteriez ou feriez avec l'argent que vous avez gagné. Puis mettez ces 10 choses en ordre d'importance (#1 est la chose la plus importante).*

Modèle:
1. Nous ferions le tour du monde.

10 *Avec un(e) partenaire, faites une enquête. Copiez la grille suivante. Demandez à votre partenaire s'il ou elle a fait les choses suivantes pendant les dernières vacances. Dans les réponses il faut utiliser* ***beaucoup***, ***souvent***, ***quelquefois*** *ou* ***ne... jamais***. *Mettez un ✔ dans l'espace blanc approprié. Puis changez de rôles.*

Modèle:
faire du shopping
Paul: As-tu fait du shopping?
Serge: J'ai souvent fait du shopping.

	beaucoup	souvent	quelquefois	ne... jamais
faire du shopping		✔		
travailler				
sortir avec des amis				
voyager				
aller en boîte				
faire le ménage				
prendre des plats épicés				
faire du sport				

11 *Maintenant écrivez le résultat de l'enquête que vous avez faite sur les activités de votre partenaire. Faites des phrases complètes avec* ***beaucoup***, ***souvent***, ***quelquefois*** *ou* ***ne... jamais***.

Modèle:
Pendant les dernières vacances Serge a souvent fait du shopping....

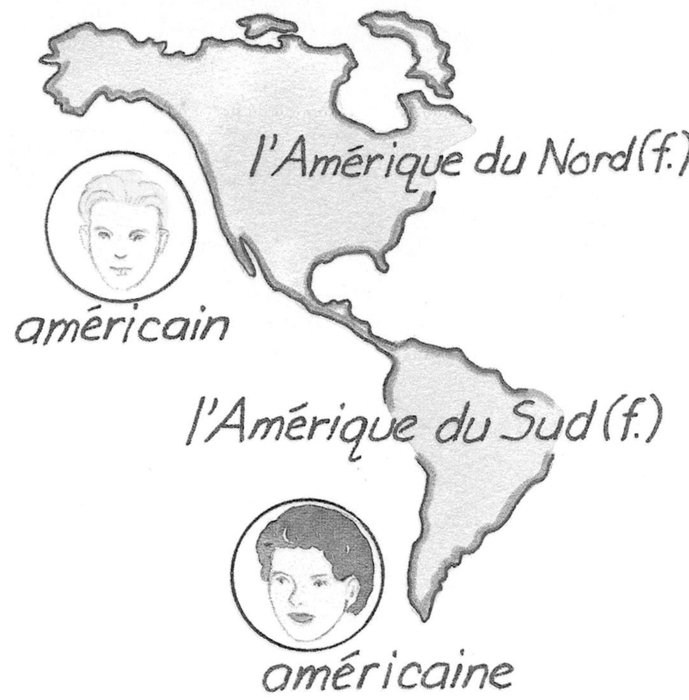

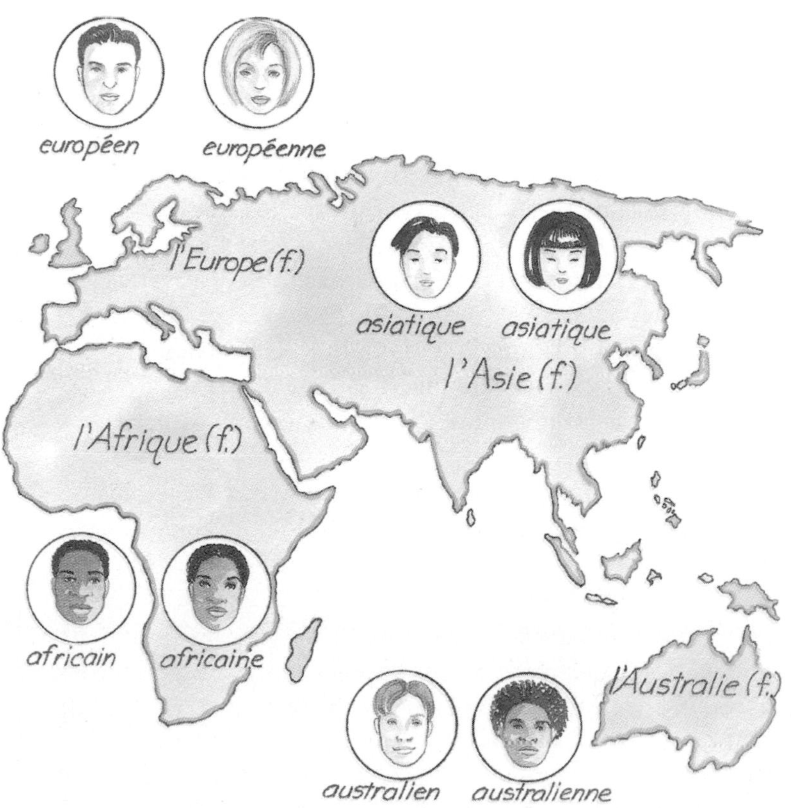

Leçon B

In this lesson you will be able to:

- report
- sequence events
- compare people and things
- hypothesize
- make suggestions

Benjamin a réussi à son bac. Alors, son oncle, qui est pilote, lui offre un billet d'avion gratuit. Benjamin parle de son voyage avec ses copains Malick et Daniel.

Benjamin: **Est-ce que je devrais aller à Genève? Étienne est allé en Suisse l'année dernière, et il m'a dit que c'est une ville super! On peut même faire du ski nautique sur le lac Léman.**

Malick: **Mais Étienne fait du ski nautique mieux que toi. À ta place, je ne resterais pas en Europe. Je choisirais un pays exotique.**

Daniel: **J'irais en Afrique, au Sénégal, par exemple. J'aimerais vivre un peu dans la culture africaine.**

Malick: **Si tu veux voir l'Amérique du Sud, va en Guyane française. Il y a de belles plages là-bas.**

Daniel: **Madagascar est une autre possibilité. Il y fait toujours très beau.**

Benjamin: **Tous ces choix! Heureusement, vous avez voyagé plus souvent que moi, et vous pouvez m'aider à décider!**

Enquête culturelle

Au lycée en France, dans les classes de seconde, de première et de terminale, les élèves se préparent pour le baccalauréat. On choisit le bac selon la carrière que l'on veut faire. Par exemple, si vous voulez être professeur de français, vous choisissez le bac L. C'est un examen difficile et les élèves attendent le résultat de leur bac avec impatience.

SOCIÉTÉ

Bac : le calendrier

La Guyane française est un département d'outre-mer en Amérique du Sud. Elle est située entre le Brésil et le Surinam. Peu de personnes habitent dans cette grande région de la France qui est recouverte d'une forêt. La majorité de la population de la Guyane française habitent dans la capitale, Cayenne. Ses produits principaux sont la canne à sucre, le riz, les bananes et le tabac.

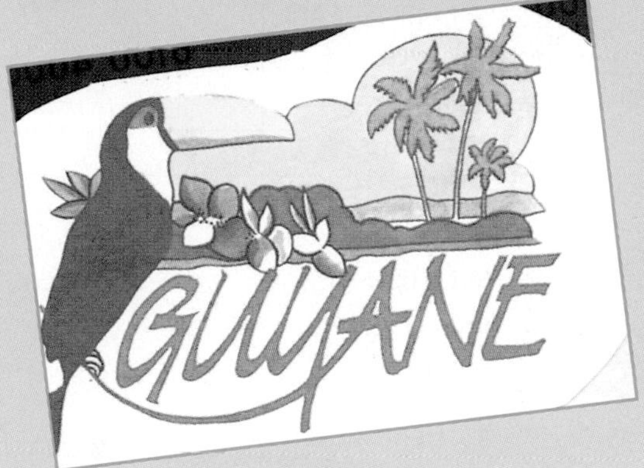

On a transporté beaucoup de criminels français en Guyane française. (Cayenne)

Les habitants d'Antananarivo l'appelle "Tana." (Madagascar)

Au sud-est de l'Afrique, dans l'océan Indien, il y a une belle île tropicale qui s'appelle Madagascar. On y cultive le riz, la canne à sucre, la vanille, le café et le tabac. De 1896 à 1960, Madagascar était une colonie française, mais c'est aujourd'hui un pays indépendant. Antananarivo est la capitale. À Madagascar on parle français et malgache.

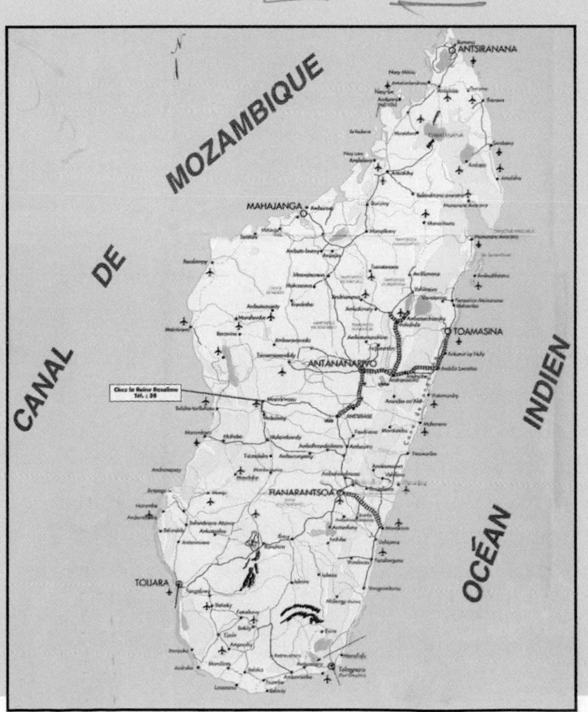

MADAGASCAR
île d'aventure

La cathédrale Saint-Pierre à Genève date du XIIe siècle. (Suisse)

1 *Répondez aux questions d'après le dialogue.*

1. Quelle est la profession de l'oncle de Benjamin?
2. Qu'est-ce que l'oncle de Benjamin lui offre?
3. Où est le lac Léman?
4. Qui fait du ski nautique mieux que Benjamin?
5. Pourquoi est-ce que Daniel aimerait aller en Afrique?
6. D'après Malick, où est-ce qu'il y a de belles plages?
7. Quel temps fait-il toujours à Madagascar?
8. Qui a voyagé plus souvent que Benjamin?

2 *Où sont ces pays?*

Modèle:

la France

La France est en Europe.

1. le Canada
2. la Côte-d'Ivoire
3. Monaco
4. la Guyane française
5. le Vietnam
6. le Cameroun
7. le Sénégal
8. le Japon
9. l'Allemagne

Quand on pense à Monte-Carlo, on pense tout de suite à son casino. (Monaco)

3 *C'est à toi!*

1. Est-ce que tu fais du ski nautique?
2. Est-ce que tu préfères voyager en Europe, en Afrique, en Asie, en Australie ou en Amérique du Sud? Pourquoi?
3. Est-ce que tu aimerais vivre un peu dans une autre culture?
4. Serais-tu content(e) de recevoir un billet d'avion gratuit? Où irais-tu?
5. Dans ta classe, qui parle français mieux que toi?
6. Comment est-ce que tu te prépares pour la profession qui t'intéresse?
7. Qui t'aide avec les choix difficiles?

Structure

Comparative of adverbs

Comparisons with adverbs are formed in the same way as comparisons with adjectives.

plus	+	adverb	+	**que**
moins	+	adverb	+	**que**
aussi	+	adverb	+	**que**

Diane fait du shopping **plus souvent que** moi. — *Diane goes shopping more often than I (do).*

Mon chat court **aussi vite qu'**un chien. — *My cat runs as fast as a dog.*

Est-ce qu'Annick va rentrer plus vite que ses copines?

Some adverbs have an irregular comparative form:

Adverb	**Comparative**
bien (*well*)	mieux (*better*)
beaucoup (*a lot, much*)	plus (*more*)
peu (*little*)	moins (*less*)

POURQUOI L'ALLEMAGNE RÉUSSIT MIEUX QUE NOUS

Étienne fait du ski nautique **mieux que** Daniel. — *Étienne water-skis better than Daniel (does).*

Daniel et Malick voyagent **plus que** Benjamin. — *Daniel and Malick travel more than Benjamin (does).*

Pratique

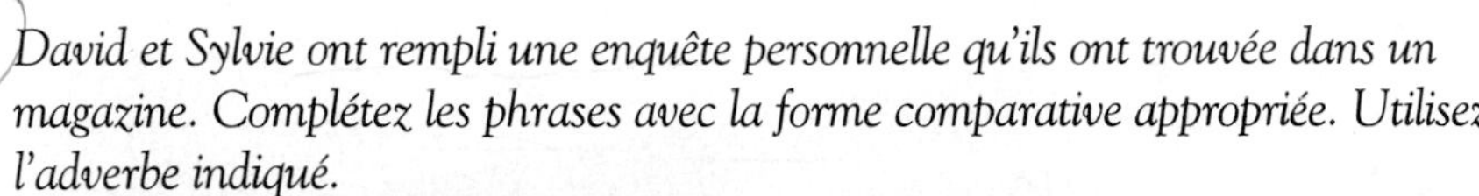

4 *David et Sylvie ont rempli une enquête personnelle qu'ils ont trouvée dans un magazine. Complétez les phrases avec la forme comparative appropriée. Utilisez l'adverbe indiqué.*

Modèle:

(tard) David se couche **moins tard** que Sylvie.

	David	Sylvie
1. À quelle heure te couches-tu?	10h00	11h00
2. À quelle heure te lèves-tu?	7h00	7h00
3. À combien de kilomètres habites-tu du lycée?	8	5
4. Quel sport fais-tu bien?	foot	tennis
5. Combien de fois par mois vas-tu au cinéma?	2	3
6. Combien de fois par semaine sors-tu avec tes amis?	1	3
7. Danses-tu beaucoup?	non	oui
8. Combien d'heures étudies-tu chaque soir?	3	2

1. (souvent) Sylvie va... au cinéma que David.
2. (bien) Sylvie joue... au foot que David.
3. (tôt) David se lève... que Sylvie.
4. (sérieusement) Sylvie étudie... que David.
5. (loin) David habite... du lycée que Sylvie.
6. (bien) David joue... au foot que Sylvie.
7. (souvent) David sort... avec ses amis que Sylvie.
8. (beaucoup) Sylvie danse... que David.

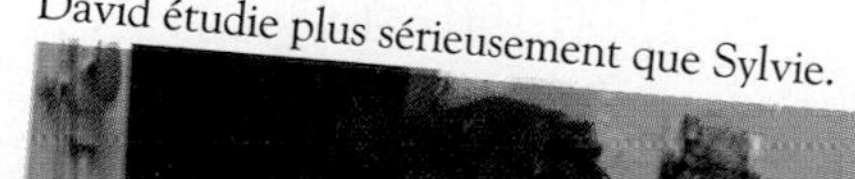

David étudie plus sérieusement que Sylvie.

5 *Voici les résultats de* **Nationale II**, *une compétition nationale de basket masculin et féminin. Comparez les équipes* (teams) *indiquées.*

Modèles:

Houssais—P.U.C.
Houssais a mieux joué que P.U.C.

Épinal—Ronchin
Épinal a moins bien joué que Ronchin.

Masculin		Féminin	
Poissy—Athis-Mons	80-91	Déville—Caen	58-69
Ronchin—Épinal	88-72	Houssais—P.U.C.	57-38
Joué—Brest	120-91	Montferrand—Saran	84-48
Saint-Lô—Le Havre	91-80	Arras—Cadettes INSEP	48-83
Esquennoy—Anjou	96-80	Eyres—Rennes	81-73
St-Jean-Braye—Blois	87-79	Toulouse—S.F. Versailles	54-48
Kaysersberg—Cambresis	101-74		

1. Kaysersberg—Cambresis
2. Rennes—Eyres
3. Brest—Joué
4. Caen—Déville
5. Saran—Montferrand
6. Athis-Mons—Poissy
7. Arras—Cadettes INSEP
8. Esquennoy—Anjou

Communication

6 *Remplissez vous-même* (yourself) *l'enquête personnelle de l'Activité 4. Puis, si vous êtes une fille, faites huit phrases où vous vous comparez* (compare yourself) *à Sylvie; si vous êtes un garçon, faites huit phrases où vous vous comparez à David.*

Modèles:

Fille: Je me couche plus tôt que Sylvie.

Garçon: Je me couche aussi tard que David.

Je joue aussi bien au tennis que Sylvie.

7 *Paul a un problème. Est-ce que vous pourriez l'aider? Lisez la situation suivante.*

Paul sort avec Rosalie ce soir pour fêter son anniversaire. Ils vont au restaurant Georges Blanc, un restaurant célèbre près de Lyon. Ils y prennent beaucoup de plats—des escargots, du saumon à la sauce hollandaise, du fromage et de la crème caramel. Quand le serveur arrive avec l'addition, Paul cherche son portefeuille. Mais, zut alors! Il n'est plus là! Rosalie a seulement 10 euros sur elle, et le restaurant est à 25 kilomètres de chez Paul.

Écrivez un petit paragraphe où vous donnez des conseils à Paul. Pour commencer, dites ce que vous diriez à Rosalie et aussi au serveur. Enfin, expliquez à Paul ce que vous feriez à sa place et pourquoi.

Mise au point sur... les pays francophones

Many French speakers are justifiably proud of the widespread use of their language. In fact, the former French president François Mitterrand once said "Si vous voulez me faire plaisir, présentez-moi comme un artisan de la francophonie." ("If you want to please me, introduce me as a craftsperson of the French-speaking community.") We continue our focus on francophone countries by highlighting Senegal and the Ivory Coast in Africa and French Polynesia in the South Pacific.

The westernmost country in mainland Africa, Senegal has maintained a long association with France. The French first settled the city of Saint-Louis around 1650. Three centuries later, Senegal became an overseas territory of France, but in 1960 it gained its independence. For the next 20 years Léopold Senghor served as Senegal's first president. A former officer in the French army, a prisoner during World War II and a leader in the Senegalese struggle for independence, he is also a poet and a scholar.

The IFAN Museum has a vast collection of cultural items, including masks and musical instruments, from all over West Africa. (Dakar)

The diverse population of Senegal consists of members of various ethnic groups, such as Wolofs, Fulani and Serer. French, the only common language among these different groups, is used in government, schools and the media to facilitate communication. However, Wolof (**le ouolof**) has become the national language, understood by over 70 percent of the population.

To make bread, the Senegalese use millet instead of flour, which is too expensive to import.

Peanuts account for almost 80 percent of the country's export earnings, with peanut plants growing on about one-half of all cultivated land in Senegal. In times of drought, when the peanut harvest suffers, so does the nation's economy. Many farmers also cultivate millet, a grain used to make bread. Natural resources include rich deposits of iron ore, gold, marble, petroleum, natural gas and uranium. The fishing industry exports shrimp and tuna.

Located on the Atlantic coast, Dakar is the capital and largest city in Senegal, as well as an important seaport. Near Dakar tourists visit the island of Gorée. Originally a popular stopping place for ships and merchants involved in the spice trade, it became one of the principal points of departure for ships carrying over 40 million slaves from Africa to the New World.

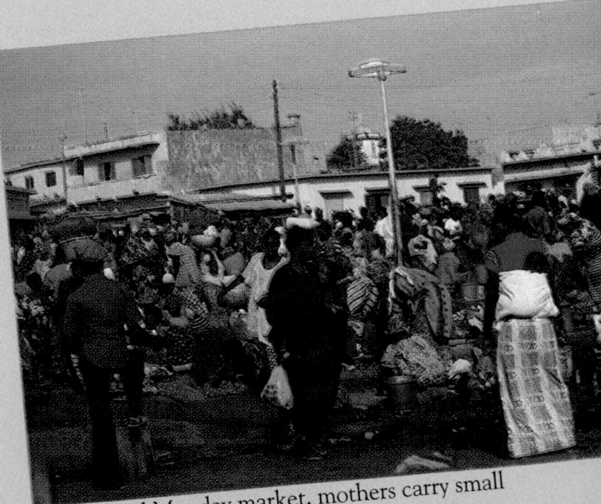
At the local Monday market, mothers carry small children on their backs. (Dakar)

Like Senegal, the Ivory Coast was first an overseas territory of France, gaining its independence in 1960. Situated on the Gulf of Guinea in West Africa, it has become one of the most prosperous and politically stable countries in the region. Retaining close ties with France, its foreign policy remains staunchly pro-French and pro-European.

Ahmadou speaks French and Dioula, one of the three main African languages in the Ivory Coast.

Over 60 ethnic groups exist in the Ivory Coast. These groups form five major divisions, each residing in a certain region of the country. Most **Ivoriens** speak the language of their particular ethnic group, but French is the official language. The Ivory Coast attracts many immigrants from neighboring African nations. The cosmopolitan capital city, Abidjan, appeals to the country's European minority. In 1983 the official capital was changed to the inland city of Yamoussoukro; however, most government offices still remain in Abidjan, the acting capital.

The Ivory Coast leads the world in the production of cocoa beans and ranks third in the production of coffee. Raising livestock plays a secondary role since much of the Ivory Coast is infested with the tsetse fly, an insect that transmits the parasites that cause sleeping sickness, a serious disease. Although timber, such as mahogany, has been a major source of revenue, depletion of the country's forests has reduced exports but has also brought about the need to replant. Industry and diamond mining have developed rapidly in recent years.

Did you know that when it's 10:00 A.M. in Tahiti, it's 2:00 P.M. in Chicago?

Half a world away in the South Pacific, French is also spoken in Tahiti, the largest island in French Polynesia. Unlike Senegal and the Ivory Coast, these groups of islands are still a French overseas territory. Tahiti's main exports include vanilla, coffee, coconuts and sugarcane.

In 1995, upon the urging of President Jacques Chirac, the French government decided to resume a series of nuclear weapons tests in the South Pacific. This aroused international concern for the environment and for progress toward a nuclear free world. Demonstrations were held in the capital city of Papeete, in other islands in the South Pacific, such as Australia and New Zealand, and in various areas throughout the world. Boycotts of French products took place in Sweden and Germany. Some Tahitians even resumed the call for total independence from France.

Nucléaire : la France pour "l'option zéro"

Although some ties between France and its former colonies have been loosened, those with its language, culture and economy remain secure in Senegal, the Ivory Coast and French Polynesia.

8 *Répondez aux questions suivantes.*

Slaves were kept in chains in this house on *l'île de Gorée* until they were loaded onto ships. (Senegal)

1. What was the name of the first French settlement in Senegal?
2. When did Senegal gain its independence from France?
3. What role has Léopold Senghor played in Senegal's history?
4. What is Senegal's national language?
5. What is Senegal's most important agricultural product?
6. What city is the capital of Senegal?
7. Why is the island of Gorée historically significant?
8. How many different ethnic groups are there in the Ivory Coast?
9. What is the official language of the Ivory Coast?
10. What are the two capitals of the Ivory Coast?
11. What are two major products of the Ivory Coast?
12. Why is the tsetse fly a dangerous insect?
13. What kind of testing did the French government resume in the South Pacific in 1995?
14. Why did the resumption of these tests cause serious international concern?

9 *Regardez l'information touristique sur Tahiti. Puis répondez aux questions.*

FRANÇAIS

TAHITI TOURISTE INFORMATION

TRANSPORTS

La première possibilité consiste à prendre le taxi. Tous sont des Polynésiens très accueillants et connaissant particulièrement bien leur île. Le moyen de transport public et local est le "truck", il y a des arrêts un peu partout que l'on reconnaît facilement par un poteau signalétique bleu avec un bus blanc.

INFORMATIONS GENERALES TOURISTIQUES

L'office du tourisme est situé sur le front de mer, face au marché, sur le Bd Pomare et est ouvert du lundi au vendredi de 7 h 30 à 17 h 00 et le samedi de 8 h 00 à midi. Vous trouverez à l'office du tourisme, appelé Fare Manihini, toutes informations générales, brochures, cartes et guides des îles, et tout ce que vous souhaitez connaître. Tél. 50.57.00. IAORANA.

LE LAGOONARIUM DE TAHITI

Ne repartez pas de Tahiti sans avoir visité le Lagoonarium. Situé à 11 kilomètres de Papeete sur un site exceptionnel, le Lagoonarium est le seul aquarium au monde en milieu naturel. Un ballet arc-en-ciel, le va-et-vient des requins, la faune de Tahiti n'aura plus de secret pour vous. Si vous y êtes à midi, vous assisterez au repas des requins. De plus, l'ouverture du parc naturel des tortues est prévue pour Juin 1995. Ouvert tous les jours de 9 h 00 à 18 h 00.

CROISIERE, MUSEES ET ATTRACTIONS

- **MUSÉE GAUGUIN,** PK 51,2, ouvert tous les jours de 9 h 00

SHOPPING

Où et quand acheter des souvenirs tahitiens

- **"PAREO"** est un morceau de coton peint à la main aux motifs naturels et colorés et qui saura parer votre corps de 50 façons différentes, de la tenue décontractée pour la plage aux soirées plus élégantes. Peu encombrant, vous l'utiliserez dans tous vos voyages aussi bien qu'à la maison.

1. What is Tahiti's local public transportation called?
2. Where is Papeete's tourist office located?
3. What is the local name of the tourist office?
4. What is the **Lagoonarium**?
5. How far is it from Papeete?
6. When can you visit the **Lagoonarium**?
7. What French artist has an entire museum devoted to his works?
8. How many different ways can you wear the wraparound garment called a "pareo"?

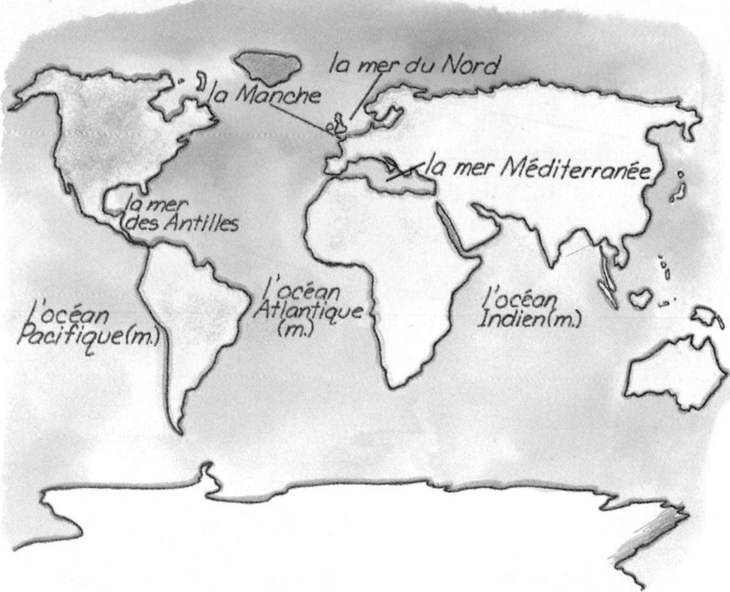

Leçon C

In this lesson you will be able to:

- give information
- tell location
- compare people and things
- express emotions

Antonine, Martine et Nora habitent à Chartres. Elles veulent passer les vacances de printemps au bord de la mer. Elles vont voyager en voiture. Elles sont en train de choisir une destination.

Antonine: **Je voudrais aller sur la côte d'Azur. Les plages de la mer Méditerranée sont superbes, et on peut faire de longues promenades dehors.**

Martine: **On peut aussi en faire à Biarritz. Et pour la planche à voile, c'est à l'océan Atlantique qu'on peut en faire le mieux.**

Nora: **Moi, j'aimerais aller à Étretat. C'est là où nous pouvons aller le plus rapidement, et j'adore la côte rocheuse de la Manche.**

Antonine: **As-tu peur d'aller loin en auto?**

Nora: **Non, je n'en ai pas peur, mais il y a toujours trop de circulation en cette saison.**

Martine: **Ouais, il y en a trop pour aller loin. Tout le monde part le premier jour des vacances. Allons à Étretat.**

Enquête culturelle

Chartres est une ville au sud-ouest de Paris. On dit que la cathédrale de Chartres, finie au XIIIe siècle, est le chef-d'œuvre de l'architecture gothique. Ses fenêtres de verre coloré (vitraux) sont les plus riches de France par leur âge et leur beauté.

Les vitraux de Chartres sont célèbres par le bleu, la couleur qui filtre le mieux la lumière.

Chartres

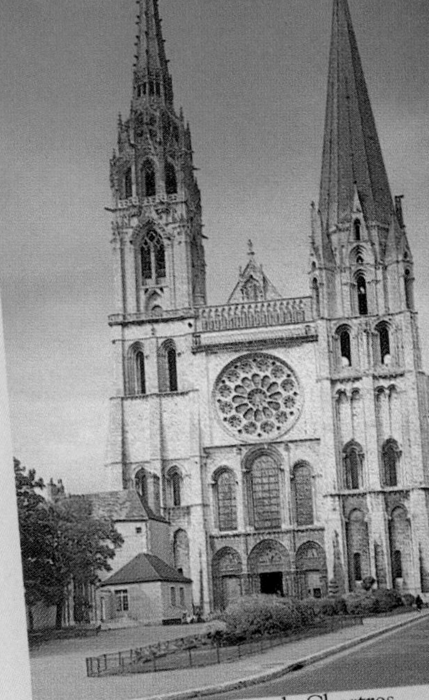

La cathédrale gothique de Chartres domine la ville.

En été la majorité des Français prennent leurs grandes vacances en juillet ou en août. Le premier jour des vacances, beaucoup de monde part et il y a toujours beaucoup de circulation sur les routes. Comme en Amérique, les étudiants français aiment souvent voyager avec leurs amis. Pendant les vacances scolaires, les jeunes Français profitent du soleil, du sport et de la campagne.

Beaucoup de Français ont une résidence secondaire à la campagne.

La côte d'Azur a reçu son nom à cause de la couleur bleue de l'eau de la mer Méditerranée. Située au bord de la mer, cette région du sud-est du pays est devenue populaire pendant le XIXe siècle quand les riches Européens y descendaient en hiver. Aujourd'hui la côte d'Azur est fréquentée toute l'année à cause du beau temps, du soleil chaud et des plages magnifiques.

Côte d'Azur

MENTON
MONACO
PRINCIPAUTÉ DE MONACO
NICE
VENCE
GRASSE
ANTIBES
CANNES
MER MÉDITERRANÉE

Biarritz est une ville du golfe de Gascogne au sud-ouest de la France. Beaucoup d'Européens viennent à Biarritz pour faire du surf et de la planche à voile.

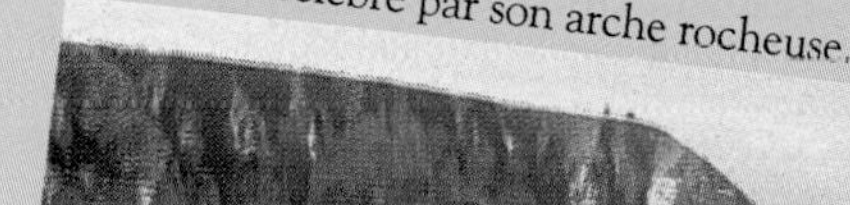

Étretat est célèbre par son arche rocheuse.

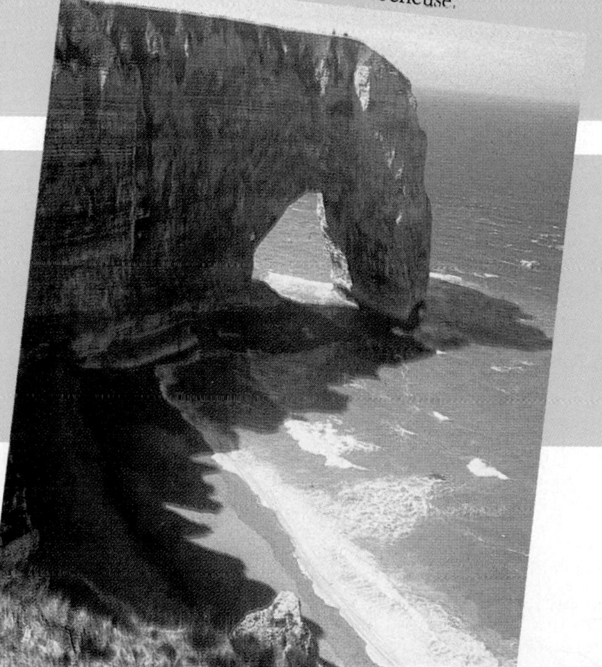

Étretat est une ville sur la Manche au nord du pays. Des artistes comme Monet et Courbet ont fait de beaux tableaux de sa côte rocheuse.

1 *Répondez aux questions d'après le dialogue.*

1. Où est-ce qu'Antonine, Martine et Nora habitent?
2. Comment vont-elles voyager?
3. Pourquoi est-ce qu'Antonine voudrait aller sur la côte d'Azur?
4. Où peut-on faire de la planche à voile le mieux?
5. Qui aimerait aller à Étretat?
6. Pourquoi est-ce que Nora ne veut pas aller loin en auto?
7. Quelle destination est-ce que les filles choisissent?

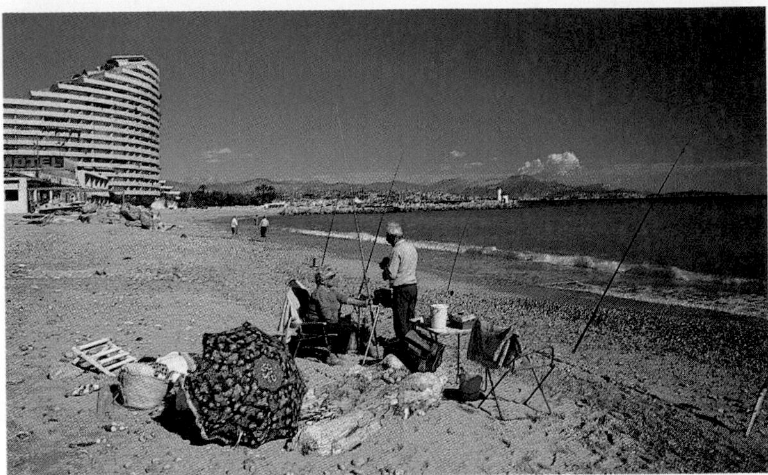

Selon Antonine, les plages de la mer Méditerranée sont superbes. (Cagnes-sur-Mer)

2 *Complétez chaque phrase avec l'expression convenable de la liste suivante.*

mer Méditerranée	mer du Nord	
océan Pacifique	mer des Antilles	océan Atlantique
océan Indien	Manche	

1. L'... est à l'est des États-Unis et à l'ouest de la France.
2. La Martinique est dans la....
3. La mer au sud de la France et au nord de l'Afrique est la....
4. La... est entre la France et l'Angleterre.
5. Tahiti est dans l'....
6. La... est à l'est de l'Angleterre.
7. Madagascar est dans l'....

ÎLE DE LA
RÉUNION
DANS L'OCÉAN INDIEN, L'ÎLE À GRAND SPECTACLE.

Tahiti est formée d'anciens cônes volcaniques et de vallées.

3 *C'est à toi!*

1. As-tu déjà vu l'océan Pacifique? L'océan Atlantique?
2. As-tu déjà fait de la planche à voile?
3. Où as-tu passé les vacances de printemps?
4. Préfères-tu voyager avec tes ami(e)s ou avec ta famille?
5. As-tu peur d'aller loin en auto? En avion?
6. Fais-tu souvent de longues promenades dehors?
7. Quand tu vas à l'école le matin, est-ce qu'il y a beaucoup de circulation?

À Biarritz on fait de longues promenades au bord de la mer.

Structure

The pronoun *en*

The pronoun **en** means "some," "any," "of it/them," "about it/them" or "from it/them" and refers to part of a previously mentioned thing. **En** replaces an expression containing **de** and usually comes right before the verb of which it is the object. The sentence may be affirmative, interrogative, negative or have an infinitive.

Des tomates fraîches? Arielle en trouve au marché. (Martinique)

- **En** replaces a form of **de** plus a noun.

Tu voudrais de la salade? Oui, j'**en** voudrais.	*Would you like some salad?* *Yes, I would like some.*
Est-ce que Marie-Hélène fait du ski nautique? Oui, elle **en** fait.	*Does Marie-Hélène water-ski?* *Yes, she does.*
Où peut-on faire des promenades près de la mer? On peut **en** faire à Biarritz.	*Where can you go for walks near the sea?* *You can go (for some of them) to Biarritz.*

- **En** replaces **de** plus an infinitive.

Tu as peur de voyager en avion? Non, je n'**en** ai pas peur.	*Are you afraid to travel by plane?* *No, I'm not afraid (of it).*

- **En** replaces **de** plus a noun after **assez**, **beaucoup**, **combien**, **(un) peu** or **trop**.

Quand est-ce qu'il y a beaucoup de circulation? Il y **en** a beaucoup le premier jour des vacances.	*When is there a lot of traffic?* *There is a lot (of it) on the first day of vacation.*

- **En** replaces a noun after a number.

Tu as des photos de tes vacances? Oui, j'**en** ai cinq.	*Do you have any pictures of your vacation?* *Yes, I have five (of them).*

In an affirmative command, **en** follows the verb and is attached to it by a hyphen. In the **tu** form of **-er** verbs, the affirmative imperative adds an **s** before the pronoun **en**. In a negative command, **en** precedes the verb.

Achètes-en!	*Buy some (of them)!*
Mais n'en achète pas trop!	*But don't buy too many (of them)!*

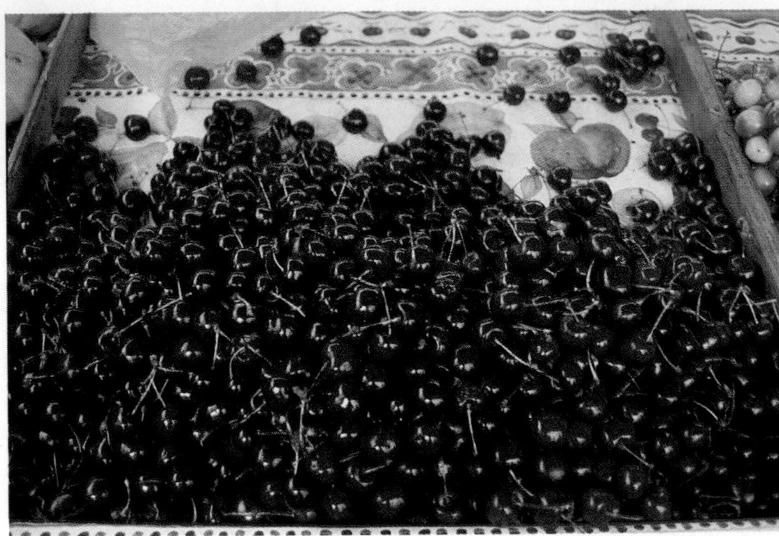
N'en mangez pas trop!

Pratique

4 *Vous allez préparer une grande salade de fruits. Vous avez la recette* (recipe) *à gauche, et à droite la liste des fruits que vous avez à la maison. Avant d'aller au supermarché, dites combien de fruits vous devez acheter.*

Modèles:

pommes
J'en achète deux.

raisins
Je n'en achète pas.

Salade de fruits
5 pommes
1 kg. raisins
1 pastèque
2 melons
3 pêches
3 poires
4 bananes
1 kg. fraises

Nous avons...
3 pommes
1 kg. raisins
2 melons
1 pêche
4 bananes

1. pastèque
2. melons
3. pêches
4. poires
5. bananes
6. fraises

5 *Vos amis et vous piqueniquez à la campagne. Dites si les personnes suivantes prennent ou ne prennent pas les choses indiquées.*

Modèles:

Est-ce que Myriam mange un sandwich au jambon?
Oui, elle en mange un.

Est-ce que Véro et Béatrice boivent du jus d'orange?
Non, elles n'en boivent pas.

1. Est-ce que Gisèle et Nicole boivent du lait?
2. Est-ce que Khaled prend une orange?
3. Est-ce que Joël mange un hot-dog?
4. Est-ce que Nicole prend du gâteau?
5. Est-ce que Véro et Béatrice mangent du saumon?
6. Est-ce que Joël boit de l'eau minérale?
7. Est-ce que Khaled mange des hamburgers?
8. Est-ce que Nicole prend des chips?

6 *Pensez à un pays francophone que vous voudriez visiter. Imaginez que vous y êtes allé(e) en vacances. Avec un(e) partenaire, posez et répondez aux questions au passé composé. Utilisez* **en** *dans vos réponses. Suivez le modèle.*

1. visiter des musées
2. faire des promenades au bord de la mer
3. écrire des cartes postales
4. acheter des cadeaux pour tes amis
5. avoir besoin de parler français
6. avoir peur de voyager en avion

Des photos de Paris? Jacques en a pris beaucoup.

Modèle:

prendre des photos

Élève A: **Est-ce que tu as pris des photos?**
Élève B: **Oui, j'en ai pris. Et toi, est-ce que tu en as pris?**
Élève A: **Non, je n'en ai pas pris.**

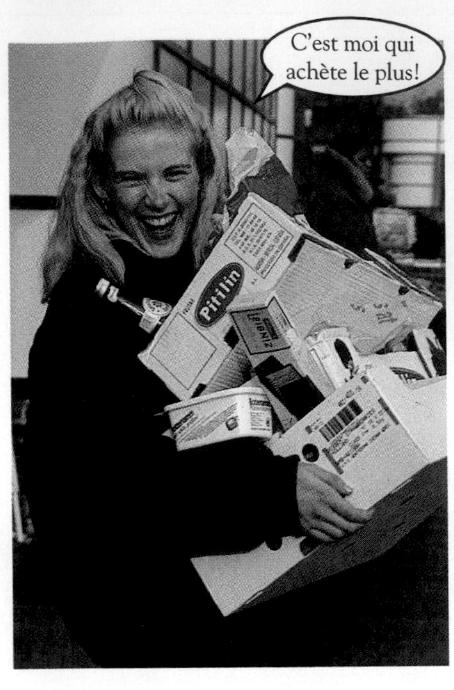

Superlative of adverbs

The superlative of adverbs is formed in the same way as the superlative of adjectives.

le	+	plus	+	adverb

Nous pouvons aller le plus rapidement à Étretat. — *We can go to Étretat the fastest.*

To form the superlative of **bien**, **beaucoup** and **peu**, put **le** before these adverbs' irregular comparative forms.

Adverb	Comparative	Superlative
bien	mieux	le mieux
beaucoup	plus	le plus
peu	moins	le moins

Jérôme skie le mieux dans sa famille. — *Jérôme skis the best in his family.*

Qui voyage le plus? — *Who travels the most?*

Pratique

7 *Comparez les personnes ou les choses suivantes. Puis répondez aux questions.*

Modèle:

Qui va le plus rapidement de Paris à Marseille?
Saleh va le plus rapidement de Paris à Marseille.

1. Qui a fait le mieux en gymnastique?

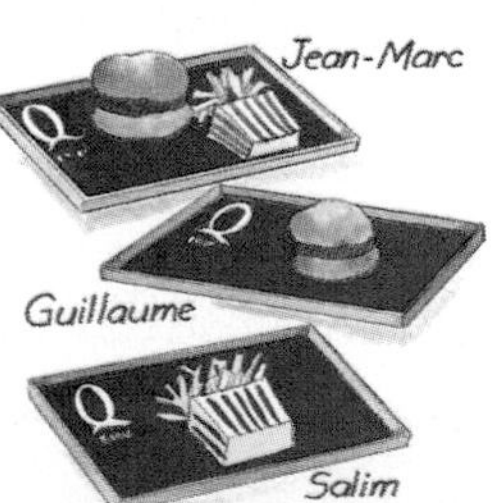

2. Qui mange le plus au fast-food?

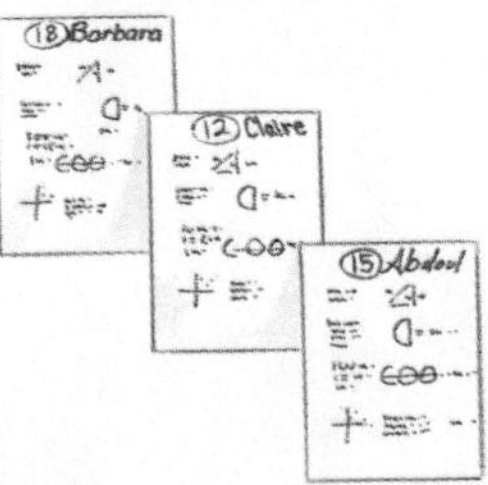

3. Qui a le plus mal fait en maths?

4. Qui voyage le plus loin de Paris?

5. Qui court le plus vite?

6. Qu'est-ce qui coûte le plus cher?

8 *Avec un(e) partenaire, posez et répondez aux questions sur qui fait les choses suivantes chez vous.*

1. se lever/tôt/le matin
2. réussir/bien/en histoire
3. nettoyer/souvent/la salle de bains
4. préparer/mal/le dîner
5. parler/beaucoup/ au téléphone
6. se coucher/tard/le soir

Chez les Dombasle, Corinne prépare le mieux la soupe.

Modèle:

regarder/souvent/la télé

Élève A: Chez toi, qui regarde le plus souvent la télé?

Élève B: Chez moi, mon petit frère, Benjamin, regarde le plus souvent la télé. Et chez toi, qui regarde le plus souvent la télé?

Élève A: Chez moi, je regarde le plus souvent la télé.

Communication

9 *Interviewez cinq élèves de votre classe pour déterminer quelles activités ils font. Sur une feuille de papier copiez la grille suivante. Demandez à chaque élève s'il ou elle fait chaque activité. Suivez le modèle. Si la réponse est "oui," mettez un ✔ dans l'espace blanc.*

Modèle:

Bruno: Tu fais de l'escalade?

Paul: Oui, j'en fais.

	Paul	Luc	Anne	Denis	Sonia
1. faire de l'escalade	✔				
2. faire de la musculation					
3. faire du roller					
4. faire du ski nautique					
5. faire des promenades					
6. faire de la planche à voile					
7. faire du vélo					
8. faire de l'aérobic					
9. faire de la gym					
10. faire du cheval					

VTT GIANT
" L'ESCAPER,
VTT 21 vitesses
de GIANT.
Sur ce VTT a été réussie
la première ascension
du Mont-Blanc à vélo.
C'est dire s'il a été étudié pour
la montagne et pour la conquête
facile des sommets par tous :
très léger grâce à son cadre en alu,
il est équipé d'une fourche télescopique
réglable et d'un changement de vitesses
aux poignées. Son prix : 913,93 €
Pour en savoir plus et obtenir la liste des 540
revendeurs GIANT, téléphonez au 01.48.13.19.19."
GIANT BIKES

10 *Imaginez qu'il y a eu une grande compétition de sports entre les pays francophones et que vous êtes reporter pour un magazine de sports,* LA VIE SPORTIVE. *Écrivez les résultats de cette compétition. Dites quel pays a fait le mieux en chaque sport.*

Modèle:

La Suisse a fait le mieux en ski nautique femmes.

	Belgique	France	Guadeloupe	Martinique	Maroc	Sénégal	Suisse	Tahiti	Tunisie
ski nautique femmes		3					1	2	
ski nautique hommes					1			3	2
volleyball femmes	2	1		3		1			
volleyball hommes				1			3		2
basketball femmes	2		2		3		1		
basketball hommes		3			1		2		
tennis femmes		1				3		2	
tennis hommes		1		2	3				
football femmes	1	2	3						
football hommes					2	1			3

Sur la bonne piste

In this unit you will read a poem by the Senegalese poet Birago Diop and learn about a figure of speech called personification. Understanding the use of personification in Diop's poem "Souffles" will help you discover what he believes.

When an author attributes human qualities to something that is not human, he or she is using personification. For example, the phrase "The wind danced in the trees" describes the action of the wind as if it were dancing like a person. As you read the poem, look for examples of personification in various elements in nature.

Souffles

Écoute plus souvent
Les Choses que les Êtres
La Voix du Feu s'entend,
Entends la Voix de l'Eau.
Écoute dans le Vent
Le Buisson en sanglots:
C'est le Souffle des ancêtres.

Ceux qui sont morts ne sont jamais partis:
Ils sont dans l'Ombre qui s'éclaire
Et dans l'ombre qui s'épaissit.
Les Morts ne sont pas sous la Terre:
Ils sont dans l'Arbre qui frémit,
Ils sont dans le Bois qui gémit.
Ils sont dans l'Eau qui coule,
Ils sont dans l'Eau qui dort.
Ils sont dans la Case, ils sont dans la Foule:
Les Morts ne sont pas morts.

11 Now, on the left side of a sheet of paper, list those elements in nature that are described in the poem. In the center, cite the examples of personification. On the right side, explain how each element in nature is compared to a person. The first example of personification in the poem has been done for you.

Element of Nature	Personification	Explanation
le feu	"La Voix du Feu"	Fire has a voice.

12 After you have made your list, answer the following questions to help you understand what Diop believes about his ancestors who have died.

1. Because Diop uses the command forms **Écoute** and **Entends**, does he feel close to or removed from his audience?
2. What do you know about Senegal's history that might explain why the bush is sobbing?
3. In what element in nature can the voice of the ancestors be heard?
4. How is Diop's use of capitalization in the poem a type of personification?
5. According to Diop, in what two places can the dead be found, besides in nature?
6. What event might be taking place when a large crowd of people gathers? What does the presence of the dead in a crowd imply about what they do besides suffer?
7. In line 11 Diop says that the dead are not **sous la Terre**. According to what he believes, where then can they be found?
8. Diop ties the meaning of lines 15 and 17 together by making the last syllable of each one rhyme. How does the sleeping water resemble the kind of death that he believes the ancestors experience?
9. Based on what Diop believes, what position do you think he would have on environmental issues today?

Nathalie et Raoul

C'est à moi!

Now that you have completed this unit, take a look at what you should be able to do in French. Can you do all of these tasks?

- I can report to someone about something.
- I can talk about things sequentially.
- I can give information about various topics, including vacations.
- I can tell location.
- I can compare how people do things.
- I can agree with someone.
- I can express emotions.
- I can make an assumption.
- I can suggest what people can do.
- I can invite someone to do something.
- I can refuse an invitation.

Here is a brief checkup to see how much you understand about French culture. Decide if each statement is **vrai** or **faux**.

1. Students spend one year—their last year in **le lycée**— preparing for the **bac**.
2. The cathedral of Chartres is famous for its stained glass windows.
3. **La côte d'Azur** got its name because the weather there is warm and sunny all year long.
4. The cuisine in Martinique reflects a Spanish influence.
5. Although other languages are spoken in Senegal, French is the only common language among the country's various ethnic groups.
6. The economies of Senegal and the Ivory Coast depend on farming and raising livestock since neither country has enough mineral resources to mine for profit.
7. The Ivory Coast has both an acting capital and an official capital.
8. Madagascar is a French colony in South America.
9. French Polynesia is still a French overseas territory.
10. Tahiti is in the Pacific Ocean east of Australia.

CÔTE D'AZUR

Cannes is famous for its International Film Festival that takes place in May.

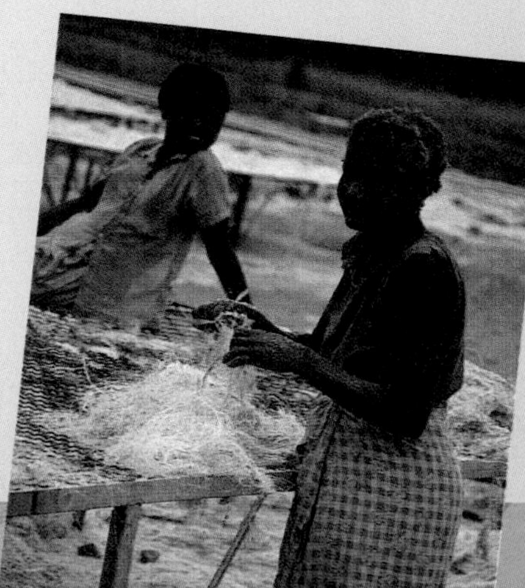

Sisal, a fiber used to make rope, is an important product of Madagascar.

Communication orale

You and your partner are talking about what French-speaking countries you would like to visit. Each of you is interested in a francophone country in a different part of the world. Begin by asking and telling each other where you would go, giving reasons for your choice. Then ask each other for accurate geographical information about what continent the country is in and what countries and bodies of water are nearby. Next, ask and tell each other what you would do, see and eat during your trip. Finally, ask your partner if he or she would like to go with you. Your partner either accepts your invitation or refuses, giving an excuse.

Communication écrite

Having decided to travel to a French-speaking country, now write a formal business letter to an **Office de Tourisme** requesting information about one of the cities that you plan to visit. Begin by stating why you are writing and what information you would like, for example, which sites to visit, a city map, and a list of good hotels and restaurants. Remember to format your letter like the one on page 134 and use polite expressions in the conditional tense to make your requests.

Communication active

To report, use:

Il m'**a dit que** c'est une ville super!	*He told me that it's a great city!*

To sequence events, use:

Étienne est allé en Suisse **l'année dernière**.	*Étienne went to Switzerland last year.*

To give information, use:

Tout le monde part le premier jour des vacances.	*Everybody leaves on the first day of vacation.*

To tell location, use:

Je voudrais aller **sur** la côte d'Azur.	*I would like to go to the Riviera.*
On peut faire de longues promenades **dehors**.	*We can go for long walks outside.*

To compare people and things, use:

Elle est épicée **comme** la cuisine tahitienne.	*It's spicy like Tahitian food.*
Étienne fait du ski nautique **mieux que toi**.	*Étienne water-skis better than you (do).*

Bientôt le T.G.V. plus vite et plus facile que l'avion

C'est à l'océan Atlantique qu'on peut en faire **le mieux**.	*It's in the Atlantic that you can do it the best.*
Vous avez voyagé **plus souvent que moi**.	*You have traveled more often than I (have).*
C'est là où nous pouvons aller **le plus rapidement**.	*That's where we can go the fastest.*

To agree, use:

Naturellement.	*Naturally.*

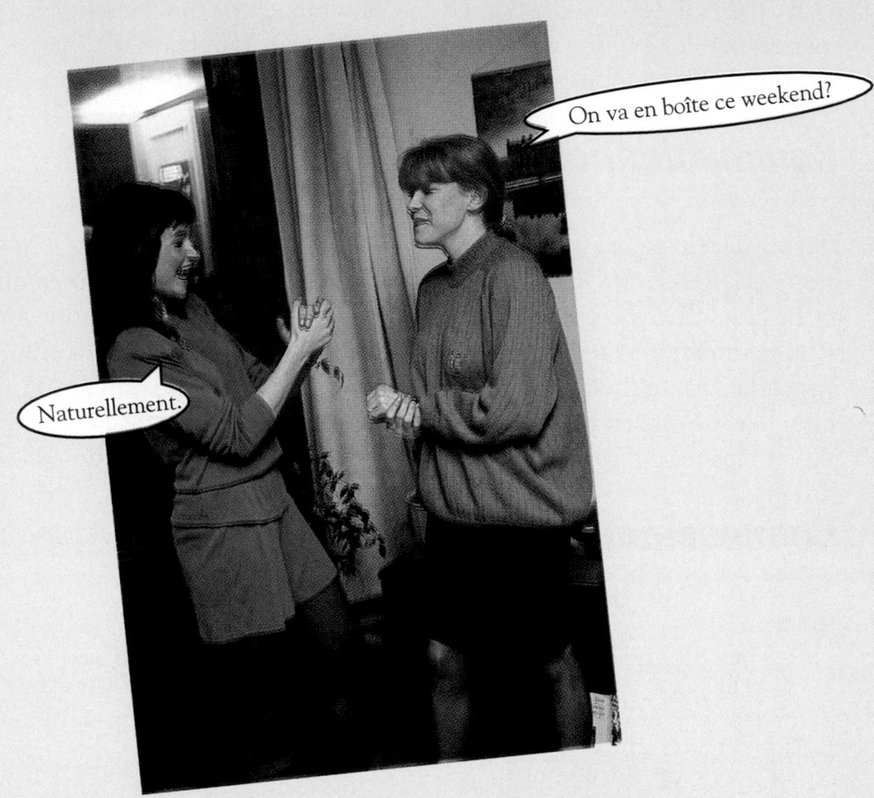

To express emotions, use:

Non, **je** n'**en ai** pas **peur**.	*No, I'm not afraid of it.*

To hypothesize, use:

À ta place, je ne resterais pas en Europe. *If I were you, I wouldn't stay in Europe.*

To make suggestions, use:

Tu devrais prendre la spécialité du jour. *You should have the special of the day.*

Pourrions-nous rentrer assez tôt? *Could we come back rather early?*

Si tu veux voir l'Amérique du Sud, va en Guyane française. *If you want to see South America, go to French Guiana.*

le 15 mars

Cher Général Gonzo,

Pourriez-vous me donner des infos sur Isabelle Adjani, que j'apprécie beaucoup? Et connaissez-vous une adresse où je pourrais lui écrire?

Olivier Le Quesnoy

PREMIÈRE
Général Baron Gonzo
151, rue Anatole-France
92534 Levallois-Perret

To invite someone to do something, use:

Est-ce que tu aimerais aller en boîte avec moi ce soir? *Would you like to go to the club with me tonight?*

To refuse an invitation, use:

J'aimerais bien, mais je dois travailler demain. *I would like to, but I have to work tomorrow.*

Tu voudrais voir un film demain soir?
J'aimerais bien, mais je dois étudier.

Communication électronique

The local residents call their cathedral the biggest and most beautiful in all of Europe. Go to this Internet site and see if you agree with the people of Chartres:

http://chartres.cef.fr/cathedrale/index.html

After you have finished exploring this site, answer the following questions.

1. Click on "Façade." When did construction begin on the cathedral we see today?
2. Which of the two towers is older? Which one is higher?
3. Click on "Architecture." A reason for the harmonius unity of Chartres is that it was built in a relatively short time. About how long did construction last?
4. What architectural innovation gives this huge cathedral its structural stability?
5. Click on "Vitraux." How many stained glass windows are there in the cathedral?
6. What do the higher windows picture? What can you "read" in the lower windows?
7. Click on "Statuaire." How many doors (portals) does the cathedral have?

À moi de jouer!

With three of your classmates, see how many expressions from this unit you can use in writing a dialogue and then role-playing the scene on the right in which one teenager says that she wants to spend next year in a francophone region. Her friends tell where they would go if they were her and give reasons for their choices. (You may want to refer to the *Communication active* on pages 409-11 and the vocabulary list on page 413.)

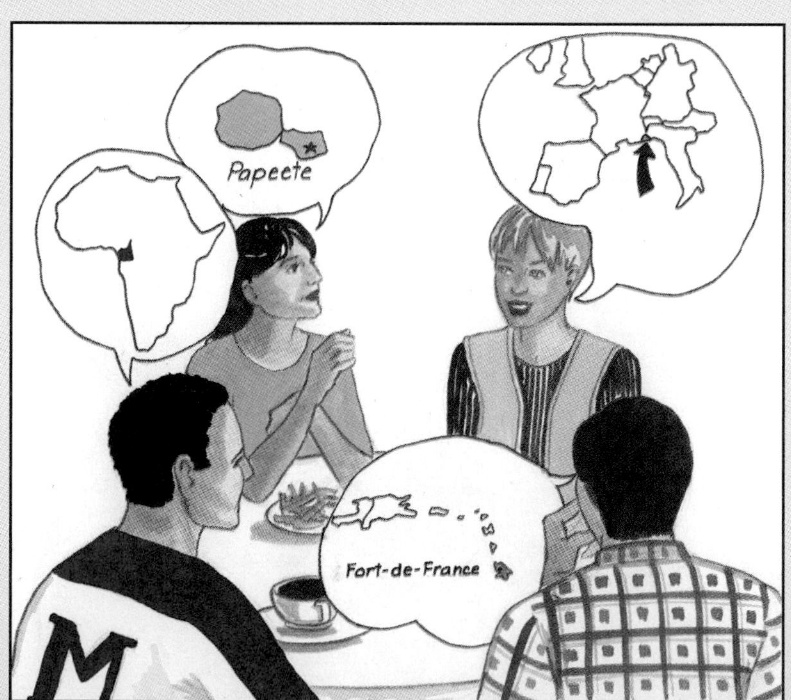

Vocabulaire

africain(e) African
l' **Amérique (f.): l'Amérique du Nord (f.)** North America
l'Amérique du Sud (f.) South America
asiatique Asian
l' **Asie (f.)** Asia
l' **Australie (f.)** Australia
australien, australienne Australian
une **auto (automobile)** car

le **bac (baccalauréat)** diploma/exam at end of *lycée*
le **bord** side, shore
au bord de la mer at the seashore

le **Cameroun** Cameroon
camerounais(e) Cameroonian
chercher: venir chercher to pick up, to come and get
la **circulation** traffic
des **coquilles Saint-Jacques au curry (f.)** curried scallops
une **côte** coast
la côte d'Azur Riviera
la **cuisine** cooking
la **culture** culture

dehors outside
déjeuner to have lunch
déménager to move

en some, any, of (about, from) it/them
encore: ne (n')... pas encore not yet
épicé(e) spicy
européen, européenne European
un **exemple: par exemple** for example
exotique exotic

faire: faire une promenade to go for a walk
franchement frankly

gratuit(e) free
guadeloupéen, guadeloupéenne inhabitant of/from Guadeloupe
guyanais(e) inhabitant of/from French Guiana
la **Guyane française** French Guiana

haïtien, haïtienne Haitian
heureusement fortunately

un **lycée** high school

Madagascar (f.) Madagascar
malgache inhabitant of/from Madagascar
la **Manche** English Channel
martiniquais(e) inhabitant of/from Martinique
une **mer: la mer des Antilles** Caribbean Sea
la mer du Nord North Sea
la mer Méditerranée Mediterranean Sea
mieux: le mieux the best
Monaco (m.) Monaco
monégasque inhabitant of/from Monaco

ne (n')... pas encore not yet

un **océan: l'océan Atlantique (m.)** Atlantic Ocean
l'océan Indien (m.) Indian Ocean
l'océan Pacifique (m.) Pacific Ocean

par: par exemple for example
un **pays** country
plus: le plus (+ *adverb*) the most (+ adverb)
une **possibilité** possibility
une **promenade** walk

quelquefois sometimes

rapidement rapidly, fast
réussir to pass (a test), to succeed
rocheux, rocheuse rocky

une **saison** season
une **spécialité** specialty
sur to

Tahiti (f.) Tahiti
tahitien, tahitienne Tahitian

venir: venir chercher to pick up, to come and get

ROY OXFORD
EUROLINER
7898 WE 78
7081 YE 77
527 JEM 75

Unité 11

La France contemporaine

In this unit you will be able to:

- explain a problem
- tell location
- make excuses
- hypothesize
- give opinions
- express intentions
- propose solutions
- ask for permission
- give orders
- state a warning
- express hope

Leçon A

In this lesson you will be able to:

- ➤ explain a problem
- ➤ propose solutions
- ➤ express intentions
- ➤ express hope

l'éducation (f.)

une maladie

la guerre

le terrorisme

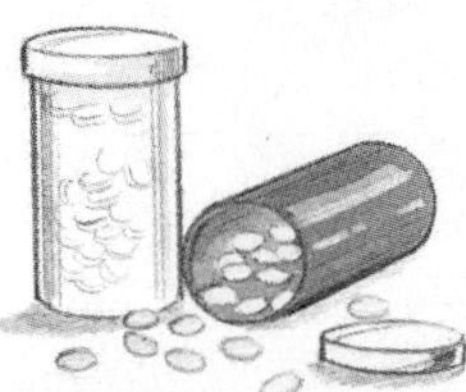

la drogue

l'alcoolisme (m.)

Un reporter fait une enquête sur les opinions des jeunes gens sur l'actualité en France. Le reporter parle avec Assane, Cécile et Laurent.

Le reporter: **Quel est le problème le plus grave aujourd'hui pour la France?**
Assane: **À mon avis, la pollution est notre problème principal.**
Le reporter: **Est-ce qu'on peut réussir à résoudre ce problème?**
Assane: **Peut-être, si tout le monde commence à recycler, à contrôler l'énergie nucléaire et à préserver l'environnement.**
Le reporter: **Et vous, Mademoiselle?**
Cécile: **Selon moi, ce sont les maladies, comme le SIDA. J'ai décidé de devenir médecin pour aider les personnes malades.**
Le reporter: **Et vous, Monsieur?**
Laurent: **Je trouve que c'est le chômage. Je rêve de voir un changement favorable dans la vie des sans-abri et des gens qui ont faim.**

Environnement : Carrefour vigilant et actif

Infernal : contre la drogue, ils luttent sans espoir !

Le chômage repasse la barre des 3 millions

Sida : un espoir grâce à trois médicaments

Enquête culturelle

Les problèmes sociaux existent en France comme dans tous les pays du monde. Les jeunes Français s'inquiètent des dangers écologiques qui sont causés par la production d'énergie et d'armements nucléaires. Les écologistes choisissent des candidats politiques qui vont aider l'environnement. Quelquefois ces "écolos" ou "Verts" deviennent assez militants.

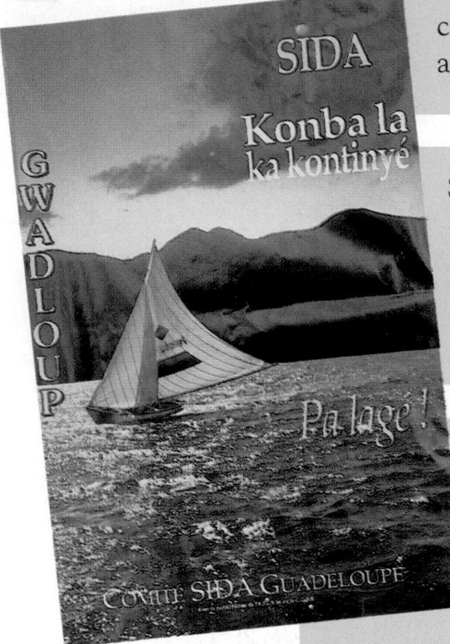

SIDA est l'abréviation de Syndrome Immuno-Déficitaire Acquis (*AIDS*). C'est une complication grave de l'infection causée par le VIH (*HIV*). C'est un Français, Luc Montagnier, qui a découvert ce virus. Si quelqu'un a le virus, il est séropositif.

LE SIDA, ENNEMI PUBLIC NUMÉRO 1

En 1995 les Français ont choisi Jacques Chirac comme président. Il a promis de réduire le chômage en France. Plus de 12 pour cent de la population n'a pas de travail. Les plus touchés sont les gens qui n'ont pas de diplômes, les jeunes et les femmes. Chirac a aussi promis de réduire le problème des sans-abri et de la faim.

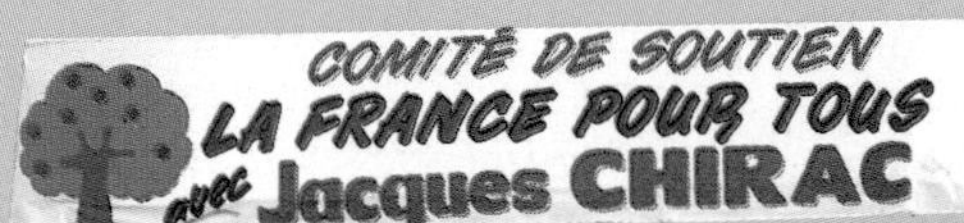

Un sommet pour vaincre le chômage

1 *Répondez aux questions d'après le dialogue.*

1. Qui fait une enquête sur les opinions des jeunes gens sur l'actualité en France?
2. Avec qui est-ce que le reporter parle?
3. D'après Assane, quel est le problème le plus grave aujourd'hui pour la France?
4. Comment peut-on réussir à résoudre ce problème?
5. Pourquoi est-ce que Cécile a décidé de devenir médecin?
6. Selon Laurent, quel est le problème le plus grave?
7. Si l'on réussit à résoudre le chômage, qui va avoir un changement favorable dans sa vie?

2 *Complétez chaque phrase avec l'expression convenable de la liste suivante.*

chômage	faim	pollution	alcoolisme
guerre	maladie	sans-abri	

L'ABUS D'ALCOOL EST DANGEREUX POUR LA SANTÉ, CONSOMMEZ AVEC MODÉRATION

1. Si l'on préserve l'environnement, on peut commencer à résoudre le problème de la....
2. Quand deux pays ont des problèmes, ce n'est pas une bonne idée de les résoudre par la....
3. Le SIDA est une... grave.
4. Est-ce que les jeunes Français peuvent trouver un boulot? Ça peut être difficile avec le... en France.
5. Les... sont les gens qui n'ont pas de maison.
6. La... est le problème principal des gens qui n'ont pas assez à manger.
7. Le problème des gens qui boivent trop est l'....

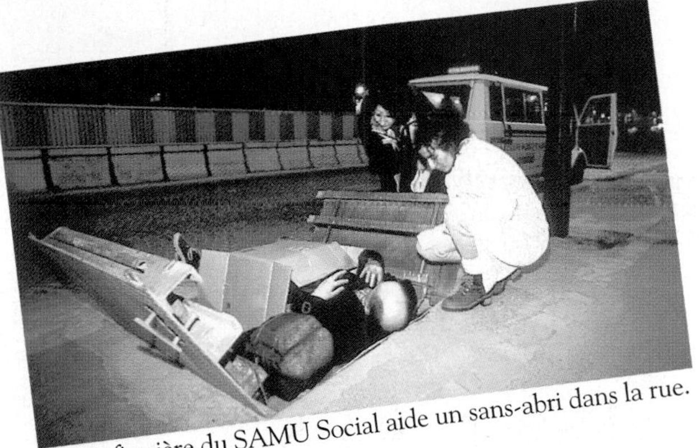

Une infirmière du SAMU Social aide un sans-abri dans la rue. (Paris)

3 *C'est à toi!*

Protégez-vous du sida. Protégez les autres.

1. As-tu fait une enquête? Si oui, sur quoi?
2. Est-ce que l'actualité t'intéresse?
3. Est-ce que tu parles de l'actualité aux États-Unis avec tes ami(e)s? Avec ta famille?
4. À ton avis, quel est le plus gros problème que nous avons à résoudre aux États-Unis?
5. Qu'est-ce que tu peux faire pour résoudre ce problème?
6. Ta famille et toi, qu'est-ce que vous faites pour préserver l'environnement?
7. À ton avis, est-ce que la drogue et l'alcoolisme sont des problèmes assez graves dans ton lycée?

"j'arrête."
"je stoppe."
"basta."
"terminé."
"fini."
ouf! on respire
comité français d'éducation pour la santé

Structure

Verbs + infinitives

French verbs are frequently followed by an infinitive. There are three patterns of verbs used with infinitives.

Comment est-ce qu'on réussit à résoudre le problème des maladies?	*How do we succeed in solving the problem of disease?*
Cécile a décidé **de** devenir médecin.	*Cécile has decided to become a doctor.*
Elle veut aider les personnes malades.	*She wants to help sick people.*

Note that some verbs, like **réussir**, require the preposition **à** before an infinitive. Other verbs, like **décider**, take the preposition **de** before an infinitive. Still other verbs, like **vouloir**, require no preposition at all before an infinitive. Make sure you know which verbs follow each pattern.

Verbs + *à* + infinitives

aider	J'aide Marie **à** choisir un ensemble.
s'amuser	Nous nous amusons **à** faire du shopping.
apprendre	L'enfant apprend **à** recycler.
commencer	Les États-Unis commencent **à** contrôler l'énergie nucléaire.
continuer	Tu ne continues pas **à** faire l'enquête?
inviter	Vous invitez vos copains **à** donner leurs opinions.
réussir	Réussit-on **à** préserver l'environnement?

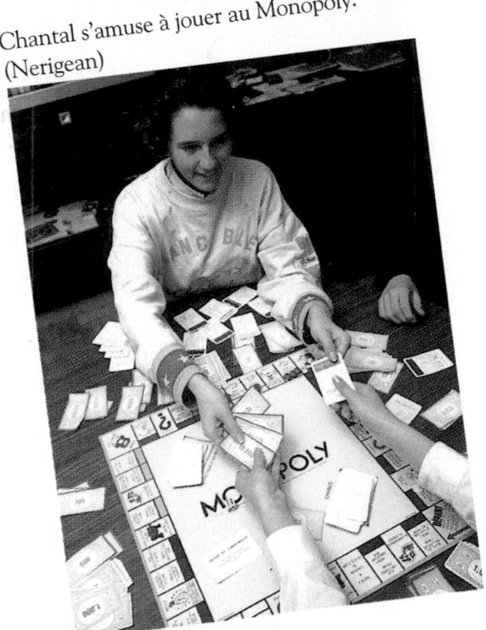
Chantal s'amuse à jouer au Monopoly. (Nerigean)

Est-ce que votre famille choisit de recycler les bouteilles?

Verbs + *de* + infinitives

arrêter	J'arrête **de** parler avec le reporter.
choisir	Les Talbot choisissent **d'**aller à l'exposition.
décider	Ils décident **de** prendre le bus.
demander	Qu'est-ce qu'ils demandent **de** faire?
se dépêcher	Vous vous dépêchez **de** partir à l'heure.
dire	Nous disons à Pierre **de** nourrir les oiseaux.
finir	Les oiseaux n'ont pas fini **de** manger.
offrir	M. Morel a offert **de** donner de l'argent aux sans-abri.
rêver	Est-ce que tu rêves **de** vivre dans un monde où il n'y a pas de pollution?

"Je rêve de rencontrer celui qui m'aidera à moins dépendre de mon image"

Pratique

4 *Selon ce que vous savez de certaines personnes, dites si elles font les choses indiquées ou pas.*

1. Les Beyala pensent qu'il faut préserver l'environnement. (continuer/recycler)
2. Nous voulons voir un changement favorable dans la pollution. (arrêter/aller au lycée en vélo)
3. Vous travaillez avec les sans-abri. (vouloir/les aider)
4. Je n'ai pas le temps de faire le ménage. (aller/passer l'aspirateur)
5. Jérémy aime bien Amélie. (l'inviter/déjeuner)
6. Thomas vient d'acheter deux nouveaux CDs. (dire à Thierry/venir chez lui)
7. M. Lucat va voyager au Japon. (apprendre/parler italien)
8. Sandrine réussit bien en biologie et chimie. (décider/devenir médecin)

Modèles:

Ludovic ne travaille plus à Quick. (commencer/chercher un nouveau boulot)
Il commence à chercher un nouveau boulot.

Nicole écoute bien le prof. (rêver/sortir avec Guy)
Elle ne rêve pas de sortir avec Guy.

Yves dit aux clients de prendre la spécialité du jour.

5 *C'est samedi après-midi et les élèves du Club Écolo travaillent ensemble pour faire de bonnes actions. Faites des phrases qui décrivent ce qui se passe* (what's happening) *en ville.*

continuer	préférer	rêver	décider
choisir	commencer	s'amuser	

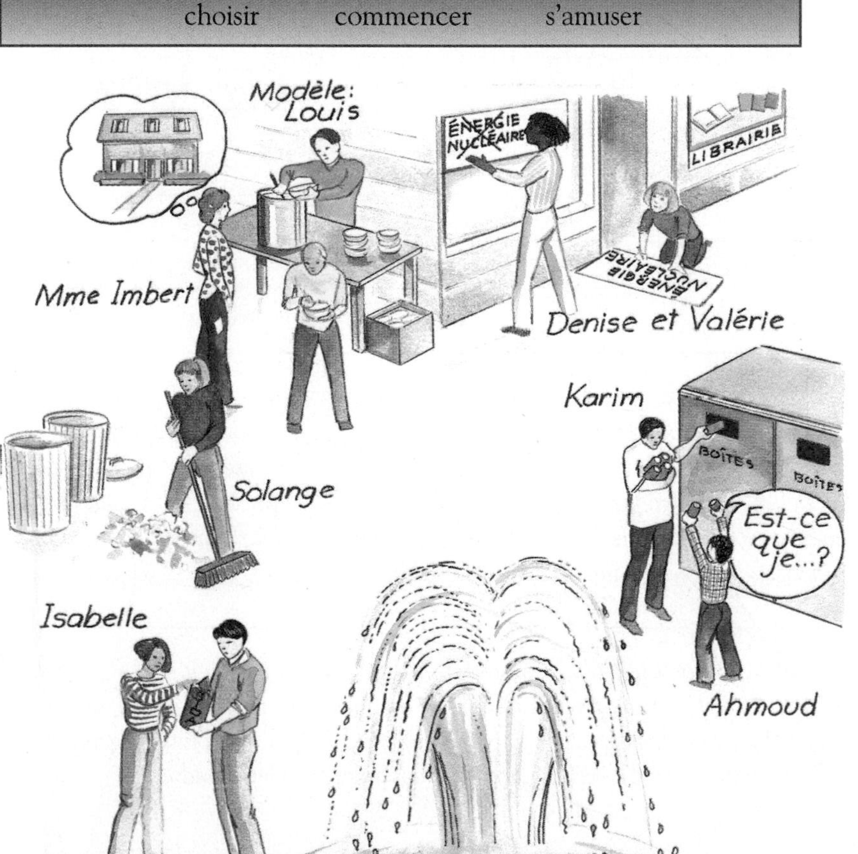

Modèle:

Louis continue à donner de la soupe aux sans-abri.

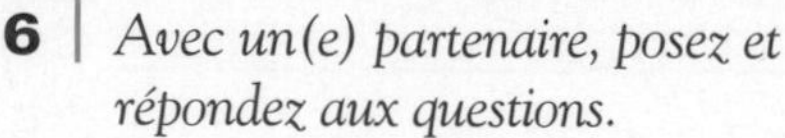

6 *Avec un(e) partenaire, posez et répondez aux questions.*

1. réussir/recycler les journaux et les boîtes
2. offrir/aider tes amis
3. aider tes amis/résoudre leurs problèmes
4. finir/faire tes devoirs
5. désirer/vivre en France

Modèle:

décider/faire un effort pour préserver l'environnement

Élève A: Est-ce que tu décides de faire un effort pour préserver l'environnement?

Élève B: Oui, je décide de faire un effort pour préserver l'environnement. Et toi, est-ce que tu décides de faire un effort pour préserver l'environnement?

Élève A: Non, je ne décide pas de faire un effort pour préserver l'environnement.

Tu m'aides à acheter les provisions pour la boum?
Désolée, mais j'ai offert à maman de faire le ménage.

Communication

7 *Remplissez la grille suivante sur l'actualité. Identifiez quatre problèmes qui existent aux États-Unis. Puis proposez une solution générale à chaque problème et enfin, écrivez ce que vous pouvez faire personnellement pour combattre ce problème. Par exemple, vous pouvez écrire à quelqu'un, vous pouvez obtenir des informations sur ce problème ou vous pouvez vous joindre à une organisation dans votre région qui combat ce problème.*

problème	solution générale	action personnelle
1.		
2.		
3.		
4.		

8 *Vous vous inquiétez parce que les problèmes de la société se sont infiltrés dans votre école. Vos amis et vous décidez d'organiser un club pour combattre l'un de ces problèmes. Maintenant vous êtes en train d'écrire quelle est la philosophie de ce club. Dans un paragraphe identifiez le problème, présentez des solutions générales à ce problème et des actions spécifiques que chaque membre du club pourrait faire pour commencer à le résoudre.*

9 *Avec un(e) partenaire, jouez les rôles d'un(e) élève qui voudrait être président(e) de votre club et d'un reporter qui lui pose des questions. Le reporter lui demande d'identifier le problème que le club va combattre, d'offrir des solutions générales et d'expliquer ce que l'élève va faire pour commencer à le résoudre.*

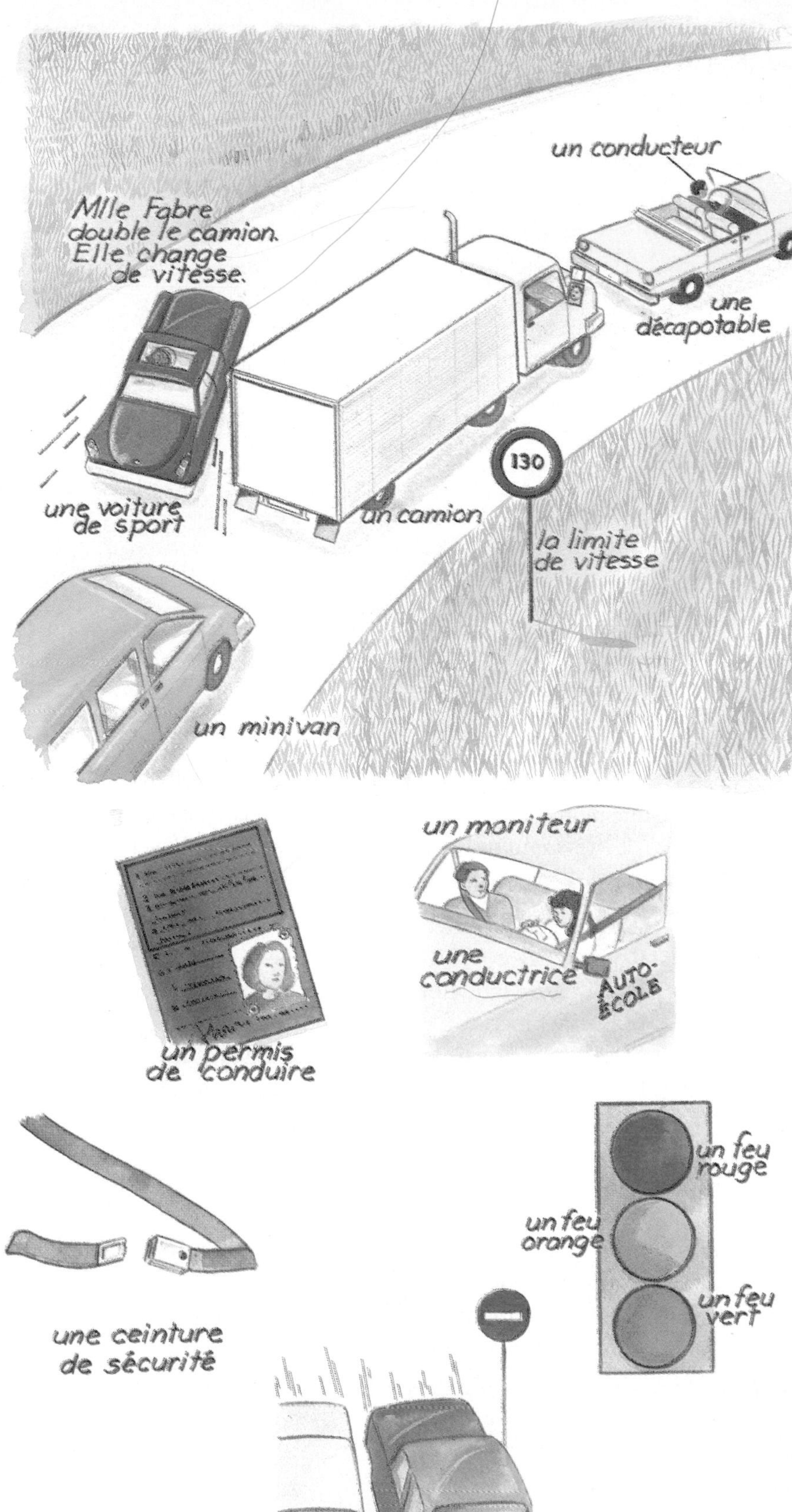

Leçon B

In this lesson you will be able to:

- ➤ tell location
- ➤ make excuses
- ➤ give opinions
- ➤ give orders
- ➤ state a warning

Myriam a 18 ans. Elle veut avoir son permis de conduire, alors elle apprend à conduire avec une monitrice d'une auto-école. Aujourd'hui elles montent dans une Twingo et elles mettent leurs ceintures de sécurité. Puis Myriam démarre la voiture.

La monitrice: **Accélérez doucement.**
Myriam: **Comme ça?**
La monitrice: **Pas si vite, Mademoiselle! Vous avez déjà dépassé la limite de vitesse.**
Myriam: **Désolée, je suivais la décapotable devant nous.**
La monitrice: **Oui, mais le conducteur conduit trop vite. Attention! Il faut s'arrêter! Il y a un feu rouge au croisement.**
Myriam: **Oh, je ne l'ai pas vu changer.**
La monitrice: **Maintenant, tournez. Pas à gauche, à droite. C'est un sens unique! Suivez le minivan.**
Myriam: **C'est dur de changer de vitesse, de conduire et de regarder la rue à la fois.**
La monitrice: **Ne vous inquiétez pas. La leçon prochaine va être plus facile.**

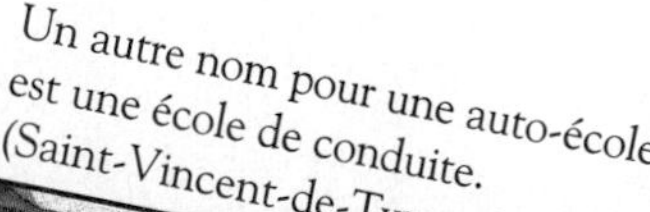
Un autre nom pour une auto-école est une école de conduite. (Saint-Vincent-de-Tyrosse)

Enquête culturelle

En France on peut obtenir un permis de conduire à l'âge de 18 ans. Les ados français n'apprennent pas à conduire au lycée. Pour avoir le permis de conduire, il faut prendre des leçons dans une auto-école. Ces leçons sont très chères. On conduit avec un moniteur ou une monitrice et on étudie le code de la route. Puis il faut réussir à un examen difficile. (Après l'âge de 16 ans, on peut conduire si l'on prend des leçons dans une auto-école et si l'on est accompagné d'un conducteur qui a au moins 25 ans.)

Peugeot, Citroën et Renault sont trois marques de voitures françaises qui sont très célèbres. La Twingo est une petite Renault qui est populaire et économique.

Une bonne voiture de famille est la Peugeot 405.

En France on utilise la signalisation routière internationale. Connaissez-vous la signification de ces exemples de la signalisation routière?

Le taxi vient de sortir d'un sens unique. (Paris)

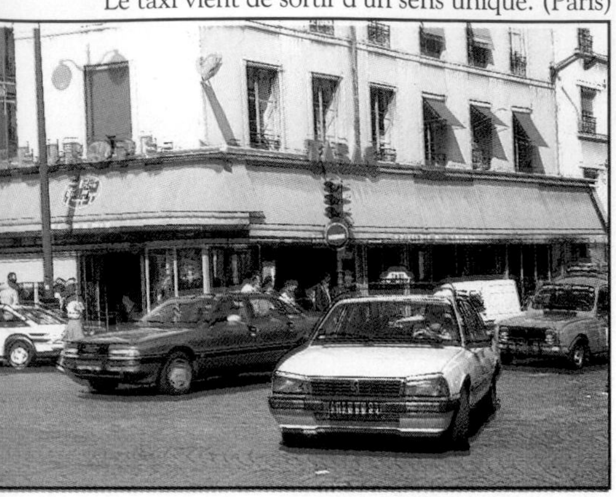

1 *Choisissez l'expression qui complète chaque phrase d'après le dialogue.*

1. Myriam a... ans.
   a. 16 b. 18 c. 21
2. Myriam démarre....
   a. la Twingo b. la décapotable c. le minivan
3. Myriam doit accélérer....
   a. vite b. comme ça c. doucement
4. Myriam a dépassé....
   a. la décapotable b. le conducteur c. la limite de vitesse
5. Il y a un feu... au croisement.
   a. vert b. orange c. rouge
6. Myriam ne doit pas tourner à gauche parce que c'est....
   a. un sens unique b. une ceinture de sécurité c. dur
7. La leçon prochaine va être plus....
   a. difficile b. facile c. rapide

2 *Qu'est-ce que c'est?*

Modèle:

C'est un minivan.

1.

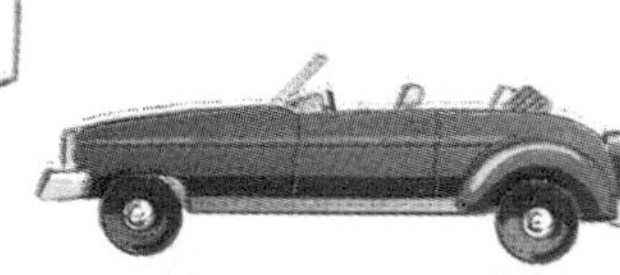

4.

7.

2.

5.

8.

3.

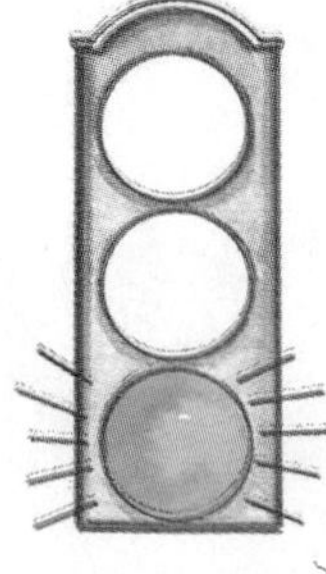

6.

3 *C'est à toi!*

1. Est-ce que tu as le permis de conduire?
2. Si tu as le permis de conduire, qui t'a appris à conduire? Si non, qui va t'apprendre à conduire?
3. Est-ce qu'il y a une auto-école dans ta ville?
4. Combien de personnes savent conduire dans ta famille?
5. Qui conduit le mieux de ta famille?
6. Est-ce que tu voudrais avoir une voiture de sport, une décapotable ou un minivan?
7. Quand tu montes dans une voiture, est-ce que tu mets toujours ta ceinture de sécurité?

Est-ce que tu aimerais avoir une Renault Clio?

Structure

Present tense of the irregular verb *conduire*

The verb **conduire** (*to drive*) is irregular.

		conduire	
je	**conduis**	Je **conduis** très bien.	*I drive very well.*
tu	**conduis**	Tu **conduis** trop vite.	*You drive too fast.*
il/elle/on	**conduit**	Bernard **conduit** mal.	*Bernard drives poorly.*
nous	**conduisons**	Nous **conduisons** ce soir.	*We're driving tonight.*
vous	**conduisez**	Vous **conduisez** une Peugeot?	*Do you drive a Peugeot?*
ils/elles	**conduisent**	Les Garrigues ne **conduisent** pas.	*The Garrigues don't drive.*

The irregular past participle of **conduire** is **conduit**.

Myriam a conduit avec une monitrice. — *Myriam drove with an instructor.*

Lambert : sa nouvelle Micra Plaza
l'a conduit vers le bonheur.

Est-ce que c'est Mériam ou Julien qui conduit aujourd'hui? (La Rochelle)

Leçon B

Pratique

4 *Formez six phrases logiques qui utilisent le verbe* **conduire**. *Choisissez un élément des colonnes A et B pour chaque phrase.*

Modèle:
Tu conduis un minivan en vacances.

A	B	C
tu	son taxi	à l'école
je	la voiture de notre grand-père	au bord de la mer
le chauffeur	une décapotable rouge	en vacances
ta famille et toi	un minivan	trop vite
tes parents	la voiture de mes parents	au camping
la conductrice	une vieille voiture	à la boum
mon frère et moi	un camion	très bien

Les Longuet conduisent leur minivan à la campagne.

5 *Dites si les personnes suivantes ont bien ou mal conduit, selon ce que vous savez d'elles.*

Modèles:
Myriam a accéléré doucement.
Elle a bien conduit.

Tu es entré dans un sens unique.
Tu as mal conduit.

1. Vous n'avez pas vu le feu rouge.
2. Tu as regardé à gauche et à droite au croisement.
3. Marcel n'a pas regardé la rue.
4. J'ai doublé vingt camions en cinq minutes.
5. Marc et Sandrine se sont arrêtés à tous les feux rouges.
6. Jeanne a dépassé la limite de vitesse.
7. Nous avons accéléré trop vite.
8. Bernadette s'est maquillée, a mangé un sandwich, a téléphoné et a lu le journal à la fois.

Present tense of the irregular verb *suivre*

Here are the present tense forms of the irregular verb **suivre** (*to follow*).

suivre			
je	**suis**	Je ne **suis** personne.	*I'm not following anyone.*
tu	**suis**	**Suis**-tu quelqu'un?	*Are you following someone?*
il/elle/on	**suit**	Myriam **suit** une décapotable.	*Myriam is following a convertible.*
nous	**suivons**	Nous **suivons** des cours dans une auto-école.	*We're taking classes at a driving school.*
vous	**suivez**	**Suivez** cette rue!	*Take this street!*
ils/elles	**suivent**	Elles me **suivent**.	*They're following me.*

Suivez cette rue, puis tournez à gauche au croisement.

Suivez le DJ

Notice that the verb **suivre** means "to take" in the expression **suivre un cours** (*to take a class*).

Est-ce que tu **suis** un cours de biologie?	*Are you taking a biology class?*

The irregular past participle of **suivre** is **suivi**.

Pourquoi a-t-elle **suivi** le minivan?	*Why did she follow the minivan?*

Pratique

6 *Utilisez les illustrations pour dire quel cours les personnes indiquées suivent cette année.*

Modèle:

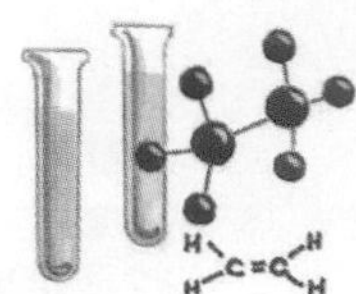

Malika
Malika suit un cours de chimie.

1. Damien et toi

2. Fatima

3. tu

4. Jacques et moi

5. Khaled et Nicole

6. je

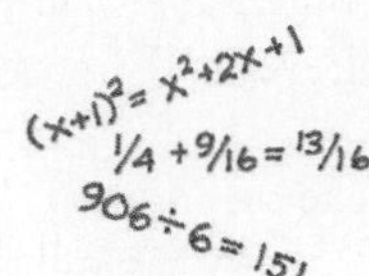

7. Vincent

8. tous mes amis

7 *Pendant les grandes vacances en août, tout le monde a pris la même* (same) *autoroute* (highway) *pour aller dans le Midi. La circulation était intense. Dites quel véhicule les personnes indiquées ont suivi.*

Modèle:
Olivier
Olivier a suivi une voiture blanche.

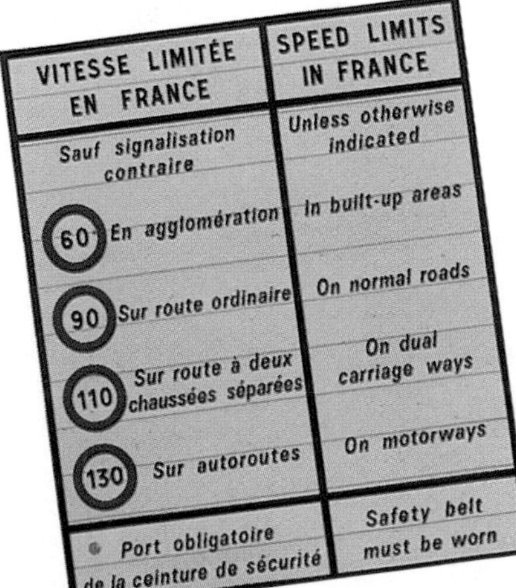

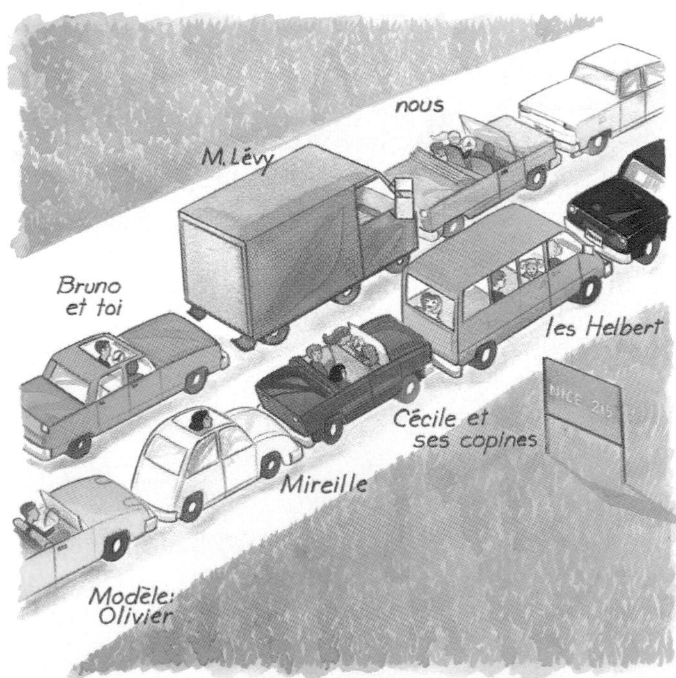

1. Mireille
2. Bruno et toi
3. les Helbert
4. M. Lévy
5. nous
6. Cécile et ses copines

Communication

8 *Imaginez que vous allez apprendre à conduire dans une auto-école. C'est le jour de votre première leçon. Avant de démarrer, le moniteur vous demande de lui dire huit choses que vous devriez faire pour être un bon conducteur ou une bonne conductrice. Faites votre liste.*

Modèle:

Regardez à gauche et à droite avant de traverser le croisement.

9 *Yannick, un élève français qui passe l'année scolaire dans votre école, s'intéresse à apprendre à conduire. Il a réussi à l'examen écrit pour avoir son permis de conduire et maintenant il a besoin d'expérience pratique dans une voiture. Votre oncle canadien vous rend visite et offre d'aider Yannick. Avec un(e) partenaire, jouez les rôles de Yannick et de l'oncle canadien. Mettez deux chaises ensemble et asseyez-vous. Pendant la conversation Yannick pose beaucoup de questions sur ce qu'il doit et ne doit pas faire, par exemple, s'il peut tourner à droite au feu rouge. L'oncle canadien lui donne beaucoup de conseils, par exemple, il lui dit d'accélérer plus doucement. Quand Yannick fait des fautes, l'oncle lui donne des ordres et Yannick fait ses excuses. À la fin* (end) *de la leçon (après quelques minutes), l'oncle dit pourquoi il doit rentrer tout de suite à la maison.*

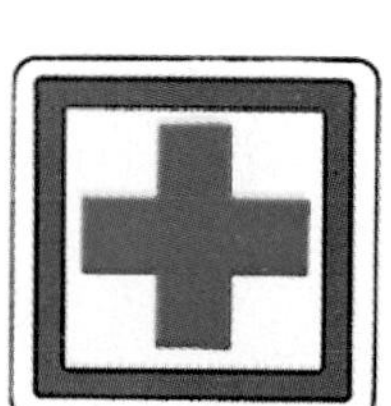

Mise au point sur... la France contemporaine

In the areas of technology and culture, advances have been made rapidly and continuously in contemporary France. The **TGV** and the Minitel are shining examples of French technological ingenuity. On a cultural note, recent architectural innovations, such as **l'Opéra de la Bastille, l'arche de la Défense** and **le musée d'Orsay**, to name just a few, have modernized the face of Paris. France spends more on culture than any other country in the world.

L'arche de la Défense, in the modern business district of *la Défense*, is a huge, hollow cube large enough to contain *Notre-Dame*. (Paris)

Despite such progress, France is currently grappling with a variety of challenging problems. Since France has very little oil or natural gas and does not want to be without an independent energy source, the country built a large number of nuclear reactors to provide electricity. Fears of possible pollution from these nuclear power plants worry concerned citizens and environmentalists, such as members of the Green Party, whose main platform focuses on environmental issues.

Nuclear energy is responsible for more than 70 percent of France's electricity.

The spread of diseases such as AIDS poses another contemporary problem. France leads Europe in the number of people who are infected with this deadly disease. There is ongoing research to find a cure for AIDS.

While women have made important strides toward gaining equality, there is still a significant gap between the salary of men and women performing similar jobs, and women remain underrepresented in virtually all levels of government. However, a Ministry of Women's Rights was created, and laws regulating equal treatment in the workplace, paternity leave and equal rights within the family have been enacted. Furthermore, the government legislated subsidized childcare.

The French government supports families by providing a monthly allowance for each child. (Saint-Jean-de-Luz)

Ongoing debates about the French educational system continue to spark controversy. For example, widespread concerns about **le bac** have led to its restructuring. Although schooling is free through the university level, students and teachers regularly stage demonstrations to protest the lack of modern facilities in many institutions. The nationalization of education standardizes achievement, yet allows no room for regional differences or personal background. The schedule of the school year, while accommodating long and frequent vacations, creates intense periods of study. Furthermore, the emphasis on academics sometimes comes at the expense of practical training.

éducation infos

Orientation : quel après-bac ?

The French frequently take to the streets for a *manifestation* to protest educational policies or economic problems. (Paris)

J'AI FAIM, je SUIS À LA RUE.
SANS FAMILLE ni RESSOURCES, je ne
VEUX PAS VOLER.
POUVEZ-VOUS M'AIDER
POUR VIVRE ou bien DU TRAVAIL.
SVP
MERCI
DE VOTRE bon COEUR

More than one-fourth of French young people between the ages of 18 and 25 are unemployed.

Perhaps the biggest fear for many French people is unemployment. There are simply not enough jobs to compensate for the increasing population, the number of women seeking employment and people who are leaving agriculture or industry. General unemployment continues to be in the double digits, and France has one of the highest percentages in Europe of young people who remain jobless. Once called **les chômeurs** (*the unemployed*) or **les nouveaux pauvres** (*the recent poor*), the French now refer to the unemployed as **les exclus** (*those who are out of the mainstream*). Possible keys to solving the problem include increasing the number of social jobs, such as caring for older people or working for the community, and shortening the workweek.

Exclusion : quelles solutions ?

The composition of France's foreign population has changed in recent years, although the proportion of foreigners in France has remained constant. In the past, most immigrants came from other European countries, while today's immigrants are predominantly African or Asian. Islam is now France's second religion, and the vocal minority of Muslims sometimes challenges domestic policies made by the rest of the population.

Many African immigrants come from former colonies to seek a higher standard of living in France. (Paris)

86 % des immigrés satisfaits de vivre en France

One response to the foreign presence in France has been the rise of the far-right, anti-immigration National Front Party, under the leadership of Jean-Marie Le Pen. Some people seeking to blame immigrants for general societal ills now vote for **le Front national**.

Although most domestic changes are viewed as progressive, some challenge the traditional structure of French society. **L'hexagone**, like the rest of the world, continues to struggle to solve the contemporary problems of its citizens.

10 *Répondez aux questions suivantes.*

1. In what two areas has France made great progress in recent years?
2. What are two examples of the technological advances that the French have made?
3. What country spends the most on culture?
4. Why do the French rely on nuclear power as a source of electricity?
5. Which European country has the most people infected with AIDS?
6. What laws were enacted after the creation of the Ministry of Women's Rights?
7. How much does it cost to go to a French university?
8. What are two concerns about the French educational system?
9. What two segments of the French population have difficulty in finding jobs?
10. What are two solutions to easing the unemployment problem?
11. Has the number of foreigners in France increased in recent years?
12. What areas do many of France's immigrants come from today?
13. Who is the leader of the far-right **Front national** Party?

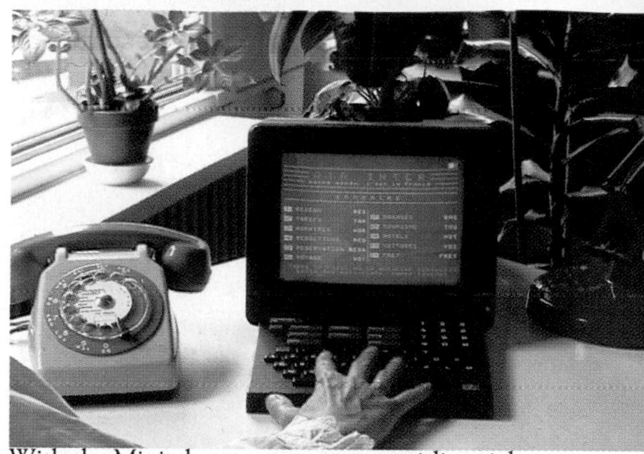

With the Minitel you can reserve an airline ticket and make other travel arrangements.

"EN FRANCE, UN ENFANT PAR JOUR NAÎT AVEC LE SIDA"

11 *Regardez cette brochure antidrogue. Puis répondez aux questions.*

LES GESTES de la prévention

parler

Parler de son désespoir, de la difficulté à surmonter sa timidité, de la peur d'être ridicule en refusant un joint, de son mal être... Parler à celui qui saura le mieux écouter : sa famille, ses copains, mais aussi le médecin, le pharmacien, les professeurs, les éducateurs et animateurs, les associations qui peuvent aider à en parler.

s'informer

S'informer, pour comprendre que la drogue n'est jamais la solution au problème, qu'elle isole puis exclut, qu'elle rend malade dans sa tête et dans son corps. S'informer pour pouvoir être plus fort que la drogue. S'informer pour pouvoir en parler et aider ses copains, s'informer à l'école, dans les associations spécialisées, par la presse et la TV, pour avoir envie de dire non.

se prendre en charge

Se prendre en charge en enrichissant sa vie au contact des autres. Se prendre en charge pour repousser le désespoir, pour prendre la vie à bras-le-corps et non la subir. Se prendre en charge en s'épanouissant dans le sport, en participant à la vie associative, en faisant un autre choix de vie. Se prendre en charge pour être fier de soi.

LES OUTILS de la prévention

le dispositif d'information et de dialogue

▪ **Au collège, au lycée,** à côté des professeurs ou des responsables d'éducation, dans de nombreux collèges et lycées, il y a ce que l'on appelle des comités d'environnement social où adultes et jeunes peuvent se rencontrer.

▪ **Dans les quartiers,** de nombreux lieux d'information et de dialogue accueillent tous ceux qui veulent bien pousser la porte. Points d'écoute, clubs de prévention, associations de quartier, maisons de quartier, missions locales, permanences d'accueil, d'information et d'orientation (PAIO),... derrière cette diversité de noms, c'est toujours le même souci de répondre aux adolescents et à leur famille.

▪ **A la mairie,** aujourd'hui, partout en France, les services municipaux et les associations donnent à chacun, dans des conditions d'accès faciles, la possibilité de trouver des activités sportives, sociales et culturelles qui sont autant de parades à la drogue.

▪ **Au téléphone,** 24h/24, 7 jours sur 7, de manière anonyme et confidentielle, le n° vert DROGUES INFO SERVICE écoute et soutient les jeunes et leur famille et leur donne toutes les informations sur le réseau local de prévention au 05 23 13 13 45.

contre la drogue, on n'est jamais trop informé.

1. What are the three things you can do to prevent drug use?
2. What three groups of people can you talk to about your problems?
3. In what four places can you find information about drugs?
4. What activities can you get information about at a French town hall?
5. What telephone number can you call to get information about drugs?
6. When is this telephone number in service?
7. When you call this number, do you have to give your name?

Leçon C

In this lesson you will be able to:

- hypothesize
- give opinions
- ask for permission
- give orders

une station-service

Théo et Renée sont en vacances. Théo conduit sa nouvelle voiture de sport. Il n'y a presque plus d'essence.

Théo:	**Si nous roulions cinq minutes de plus, nous tomberions en panne. Cherchons une station-service!**
Renée:	**Si c'était moi, je n'achèterais pas de voiture de sport. Elles consomment trop d'essence.**
Théo:	**Peut-être qu'elles ne sont pas pratiques, mais elles vont plus vite.**
Renée:	**Ah, enfin, une station-service.**
Théo:	**Voici le pompiste. Faites le plein, s'il vous plaît, Monsieur.**
Le pompiste:	**Super ou ordinaire?**
Théo:	**Ordinaire, sans plomb.**
Le pompiste:	**Est-ce que je dois vérifier l'huile et l'eau?**
Théo:	**S'il vous plaît. Je vais ouvrir le capot.**

Enquête culturelle

En France on achète de l'essence dans une station-service, mais c'est dans un garage qu'on répare une voiture. Quelquefois les deux sont ensemble.

L'essence est très chère en France. En général, l'essence est moins chère dans les supermarchés qu'on trouve en dehors des villes. Les petites voitures sont populaires en France parce qu'elles consomment moins d'essence que les grandes voitures.

La Renault Clio ne consomme pas beaucoup d'essence.

1 *Répondez par "vrai" ou "faux" d'après le dialogue.*

1. Théo conduit un camion.
2. Théo a beaucoup d'essence.
3. Théo a peur de tomber en panne.
4. Renée trouve que les voitures de sport consomment trop d'essence.
5. Théo aime les voitures de sport parce qu'elles sont pratiques.
6. Théo demande au pompiste de faire le plein.
7. Le pompiste va vérifier l'huile et l'eau.

M. Massé fait le plein. (Pornichet)

Modèle:

Qu'est-ce que c'est?
C'est une station-service.

Est-ce que tu peux vérifier les pneus?

2 *Répondez aux questions suivantes d'après les illustrations.*

1. Quel est le métier de cette dame?

2. Qu'est-ce qu'elle met dans la voiture?

3. Qu'est-ce qu'elle va nettoyer?

4. Qu'est-ce qu'elle va ouvrir?

5. Qu'est-ce qu'elle vérifie?

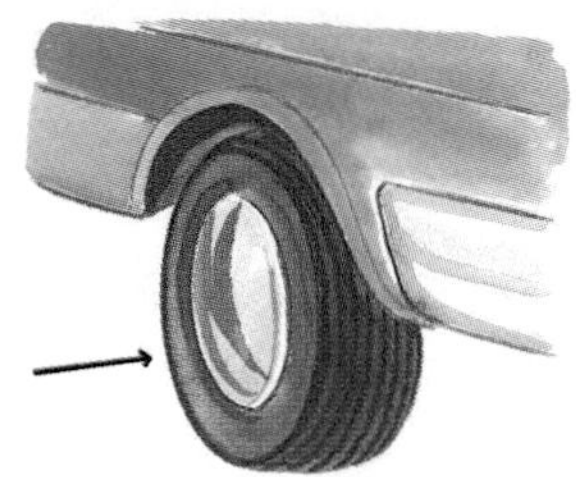

6. Qu'est-ce que c'est?

3 *C'est à toi!*

1. Est-ce que la voiture de ta famille tombe souvent en panne?
2. Est-ce que tu as une station-service favorite? Est-ce que tu y vas toujours?
3. Quand tu vas à une station-service, est-ce que tu fais le plein ou est-ce que le/la pompiste le fait?
4. Qui vérifie l'huile et l'eau dans la voiture de ta famille?
5. Est-ce que tu sais changer un pneu?
6. Est-ce que tu voudrais avoir une voiture pratique ou une voiture qui va vite?

VOUS NE VIENDREZ PLUS CHEZ NOUS PAR HASARD.

Structure

Conditional tense in sentences with *si*

To tell what would happen *if* something else happened or *if* some condition contrary to reality were met, use the conditional tense along with **si** and the imperfect tense. Here is the order of tenses in these sentences with **si**.

si + imperfect	conditional
Si c'était moi, je n'achèterais pas de voiture de sport.	*If it were me, I wouldn't buy a sports car.*

The phrase with **si** and the imperfect can either begin or end the sentence.

Le pompiste vérifierait l'huile s'il avait le temps. — *The gas station attendant would check the oil if he had time.*

Si vous conduisiez en France, vous devriez rouler sur les autoroutes aussi bien que dans les villes.

Pratique

4 *Vivent les vacances!* (Hurrah for vacation!) *Dites ce que vos amis et vous feriez si vous étiez en vacances.*

Modèle:

Amine
Si Amine était en vacances, il ferait du ski nautique.

1. Catherine

2. Éric

3. les Cantien

4. tes amis et toi

5. mes copains et moi

6. Arabéa et Virginie

7. je

8. tu

Armand et Lucie feraient de la plongée sous-marine s'ils étaient à la Martinique.

5 *Qu'est-ce qu'on ferait dans les situations suivantes? Complétez chaque phrase avec une expression de la liste qui suit.*

Modèle:

Si Nathalie avait besoin d'argent, elle ferait du baby-sitting.

acheter une voiture de sport	voyager en Italie
faire du baby-sitting	faire le plein
savoir les opinions des gens	devoir devenir médecin
demander la voiture de ma mère	goûter des escargots
vous arrêter	ouvrir le capot

1. Si Christophe voulait faire la connaissance de beaucoup de filles, il....
2. Si vous dépassiez la limite de vitesse, l'agent de police....
3. Si nous n'avions plus d'essence, nous....
4. Si le pompiste avait le temps de vérifier l'huile, M. Richard....
5. Si j'allais au centre commercial, je....
6. Si vous déjeuniez dans un restaurant français, ...-vous...?
7. Si Angélique et Rachel avaient envie de voir Rome, elles....
8. Si vous faisiez une enquête, vous....
9. Si tu voulais aider les personnes malades, tu....

6 *Avec un(e) partenaire, posez et répondez aux questions. Utilisez une expression interrogative, par exemple,* **quel**, **où** *ou* **qu'est-ce que**, *dans chaque question.*

Modèle:

être à Paris/musée/visiter

Élève A: Si tu étais à Paris, quel musée est-ce que tu visiterais?

Élève B: Si j'étais à Paris, je visiterais le Louvre. Et toi, si tu étais à Paris, quel musée est-ce que tu visiterais?

Élève A: Si j'étais à Paris, je visiterais le musée d'Orsay.

1. être en vacances/aller
2. avoir beaucoup d'argent/acheter
3. tomber en panne/faire
4. pouvoir résoudre un gros problème aux États-Unis/problème/choisir
5. ton ami(e) boire trop/lui dire

Si vous alliez en France, est-ce que vous goûteriez les crêpes? (Paris)

Communication

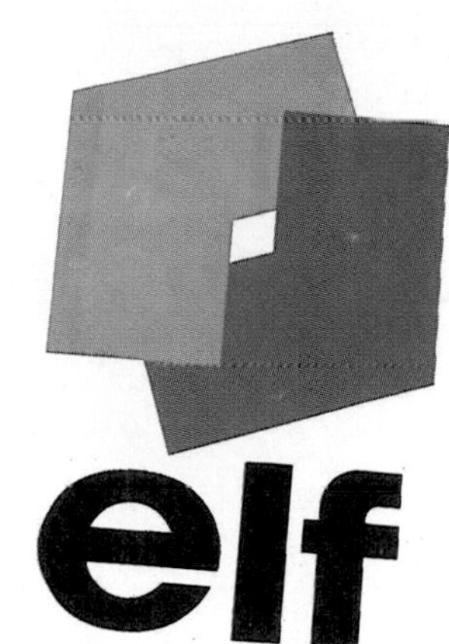

7 *Vous avez l'intention d'aller de Paris à Lyon avec des amis. Avant de partir, vous voulez savoir combien d'argent il vous faudrait si vous faisiez ce voyage. Alors, vous allez calculer le prix* (price) *de l'essence nécessaire pour faire ce voyage. Lyon est à 523 kilomètres de Paris. Votre voiture consomme un litre d'essence tous les* (every) *neuf kilomètres. Si l'essence coûtait 0,85 euros le litre, combien coûterait ce voyage en euros? Il faut multiplier la réponse par deux pour le voyage aller-retour* (round-trip). *Maintenant, calculez combien coûterait un voyage de cette distance si vous le faisiez aux États-Unis. Il faut changer les kilomètres en "miles," les litres en "gallons," et les euros en "dollars."*

8 *Jacqueline est seule* (alone) *dans sa voiture à onze heures du soir sur l'autoroute N7. Elle vient de tomber en panne. Alors, elle téléphone à une station-service. Avec un(e) partenaire, jouez les rôles de Jacqueline et du pompiste à la station-service. Pendant la conversation, Jacqueline dit:*

1. où elle est.
2. qu'elle est tombée en panne et qu'elle a peur.
3. qu'elle entend un bruit mystérieux sous le capot.
4. qu'elle a une carte de crédit.

Le pompiste demande à Jacqueline:

1. si elle a de l'essence.
2. si elle peut décrire le bruit.
3. de l'attendre dans la voiture—il va venir la chercher dans un quart d'heure.

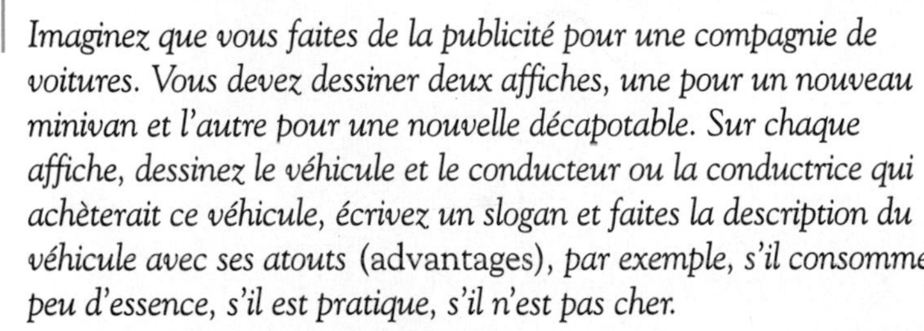

9 *Imaginez que vous faites de la publicité pour une compagnie de voitures. Vous devez dessiner deux affiches, une pour un nouveau minivan et l'autre pour une nouvelle décapotable. Sur chaque affiche, dessinez le véhicule et le conducteur ou la conductrice qui achèterait ce véhicule, écrivez un slogan et faites la description du véhicule avec ses atouts* (advantages), *par exemple, s'il consomme peu d'essence, s'il est pratique, s'il n'est pas cher.*

Les gens actifs préfèrent la 306 Roland Garros Cabriolet.

Sur la bonne piste

In this unit you learned about some of the problems in contemporary France, such as unemployment and homelessness. Now you are going to read an article about how the city of Amiens is working to help the homeless. To show how well you understand the reading, you will write a summary paragraph. In a summary paragraph you condense the topic's main ideas and important details. Your paragraph should focus on the specific programs and organizations that Amiens offers to get the homeless off the streets and reintegrate them into society.

Because writing is a process, you need to move through four stages to produce a clear, intelligent summary paragraph:

A. note-taking and outlining
B. writing a first draft
C. revising
D. editing

As your first step, take notes while you read the article, selecting details that name the **Amiénois** programs and show how they help the homeless in specific ways.

LUTTE CONTRE L'EXCLUSION

De l'urgence sociale... à la réinsertion dans la société

1 *L'accueil d'urgence*

Coup de froid hivernal, blessure d'un sans-abri, jeune jeté soudain hors de chez lui, famille sans logement... Pour éviter le pire, il faut parfois agir très vite: nourrir et loger une nuit ou deux. C'est le rôle du Service d'Accueil d'Urgence (SAU) et d'ASUR (le SAMU social amiénois).

MÉMO
SAU et
ASUR (SAMU social)
Tél. 03 22 91 26 26

SAU et SAMU Social

Créé il y a dix ans pour répondre 24/24H aux demandes d'hébergement d'urgence, le rôle du Service d'Accueil d'Urgence (SAU) est de répondre le plus rapidement possible aux problèmes du moment dans l'attente d'une meilleure solution. Plus récent—il date de l'année passée—le SAMU social complète le SAU. Le SAMU social réagit dès qu'il le faut, à n'importe quel moment de la nuit, pour venir en aide aux personnes en détresse.

La nuit du SAMU social

21h : Certaines personnes en détresse qui font appel au SAMU social connaissent des problèmes de santé, ou se sont blessées... Les locaux comprennent une infirmerie... Sylvie y effectue les soins...

23h : Arrêt aux abords de la Gare, à la recherche de sans-abris. L'équipe du SAMU social leur rappelle qu'il existe plusieurs foyers à Amiens où passer la nuit. Et incite tous les sans-abris à réintégrer les lieux d'hébergement : la nuit va être froide...

2 L'hébergement provisoire

Accueillir une nuit ou deux, c'est bien... Mais parfois les problèmes sont plus difficiles à traiter. Et plus long: quelques semaines, voire quelques mois... Les difficultés ne sont parfois pas seulement liées au logement: chômage, violence, alcool ou drogue y ont aussi leur part.

L'ADMI: pour retrouver le chemin du logement

L'*Association Départementale des Maisons d'Insertion* (ADMI) a pour but essentiel de faciliter le retour au logement. L'ADMI gère un parc de logements dit "transitoires". "Ce sont des logements vides, murés qui ont été réhabilités et sont mis à la disposition de familles confrontées à un problème provisoire..." explique le directeur de l'ADMI. "Dans tous les cas, les personnes que nous logeons sont dans une situation de locataire. Nous leur demandons de payer un loyer, bien sûr très modéré, mais qui existe et qu'ils doivent nous faire parvenir régulièrement. Ceci afin de les réhabituer progressivement à un paiement régulier."

3 La réinsertion par le logement

La réinsertion finale, c'est, après le stade du "provisoire", l'obtention définitive d'un vrai logement où la personne, sortie d'une partie de ses difficultés, retrouve une habitation, un loyer,... bref, une vie normale.

Une priorité pour l'OPAC

À l'OPAC, l'office HLM de la ville d'Amiens, on organise plusieurs opérations. On ouvre plusieurs chantiers d'insertion qui ont pour but de réhabiliter les appartements. Des habitants des immeubles du quartier sont embauchés en CES pour effectuer des travaux chez eux et chez leurs voisins... Cela leur fait un emploi, une expérience et une qualification. En plus, lorsque le travail est fait par des gens du quartier, tout le monde le respecte. Et chacun apprend à vivre mieux, dans un cadre de vie plus beau.

4 L'insertion par le travail

Une véritable réinsertion dans la société passe généralement par le retour à l'emploi. C'est une clé essentielle pour mettre fin à la spirale de l'exclusion.

La réhabilitation du "Marais des trois vaches"

La régie de quartier Victorine Autier travaille actuellement à la réalisation d'un sentier de découverte de la nature dans les marais qui bordent l'Avre, à deux pas du quartier. Le site est exceptionnel, très riche en flore et en faune, mais il reste méconnu et surtout mal entretenu. Il offre à des jeunes du quartier la possibilité de travailler en acquérant une qualification professionnelle qui leur permettra de s'insérer définitivement dans le monde du travail. Trois emplois devraient y être créés pour entretenir ce qu'on appelle "le Marais des trois vaches".

ERIC, 21 ANS

« Ça me plaît bien, ce boulot. J'aime bosser à l'extérieur, donc, pas de problème… C'est intéressant… En plus, cela me permettra d'avoir un diplôme… Le mieux serait que je puisse être embauché ici. Mais on verra dans quelques mois ! »

10 A. Now with the notes that you have taken, answer the following questions to make sure that you included all the relevant information necessary to understand the different programs and organizations in Amiens that help the homeless.

1. What are the four steps in reintegrating the homeless into society? (Refer to the headings of the article's four sections.)
2. What two organizations were established to help the homeless find emergency medical care and lodging on a short-term basis?
3. What is the goal of the organization called **l'ADMI**?
4. How does **l'OPAC** combine a job with lodging to help the homeless find a more long-term solution to their housing needs?
5. What is the purpose of the **Marais des trois vaches** project? What do young homeless people gain from working there?

Now reread the sections you did not understand the first time. Finally, put your notes into a brief outline, making sure that each point fits into one of the four sections of the article. Name the organizations that help the homeless, and in your subheads include examples and relevant facts about these organizations.

B. After note-taking and outlining, the next step in the writing process is composing a first draft of your summary paragraph. Begin with a topic sentence in which you state the main idea of your paragraph, focusing on what all four sections of the article have in common. Next, to write supporting sentences, select details from your outline that expand on your main idea. A summary paragraph should be objective, so avoid any personal opinions about the topic. Finally, be sure to connect related ideas with transition words and phrases, such as **d'abord**, **cependant** (*however*), **de la même façon** (*in the same way*), **pour cette raison** (*therefore*) and **après** (*afterward*).

C. Now you are ready to revise your first draft. Make sure that your topic sentence is clear and can be applied to each of the article's four sections. Check to see that all the supporting sentences help to prove the main idea. Add transition words to connect related ideas smoothly.

D. The final step in writing your summary paragraph is to edit it. Proofread your paragraph for one type of possible error at a time. The first time, you may want to check your subject/verb agreement. The second time, you may focus on correct punctuation to make sure you have avoided sentence fragments or run-on sentences. You should also look for excessive wordiness and misspellings. Once you have corrected your paragraph for errors in grammar, usage, mechanics and spelling, write your final draft and give your paragraph an interesting title.

Nathalie et Raoul

C'est à moi!

Now that you have completed this unit, take a look at what you should be able to do in French. Can you do all of these tasks?

- ➤ I can explain a problem related to contemporary society.
- ➤ I can tell location.
- ➤ I can make excuses for what I did.
- ➤ I can make an assumption.
- ➤ I can give my opinion by saying what I think.
- ➤ I can say what someone is going to do.
- ➤ I can propose solutions to problems related to contemporary society.
- ➤ I can ask for permission.
- ➤ I can tell someone to do something.
- ➤ I can warn someone about something.
- ➤ I can express hope.

Here is a brief checkup to see how much you understand about French culture. Decide if each statement is **vrai** or **faux**.

1. France does not have to worry about pollution because only a small percentage of the country's electricity comes from nuclear power plants.
2. France, unlike other European countries, has not experienced an outbreak of AIDS.
3. Childcare is subsidized by the French government.
4. Teachers and students often participate in demonstrations to protest educational facilities that need to be updated.
5. The general unemployment rate in France is the highest in Europe.
6. Jacques Chirac, president of France since 1995, has promised to reduce unemployment, homelessness and hunger.
7. Today, most of France's immigrants come from other countries in Europe.
8. French schools offer driving lessons to teenagers on Saturdays.
9. You have to be 18 to get a driver's license in France.
10. Gas is less expensive in France than in the U.S.

What vehicle besides a car can you learn to drive at this driving school?

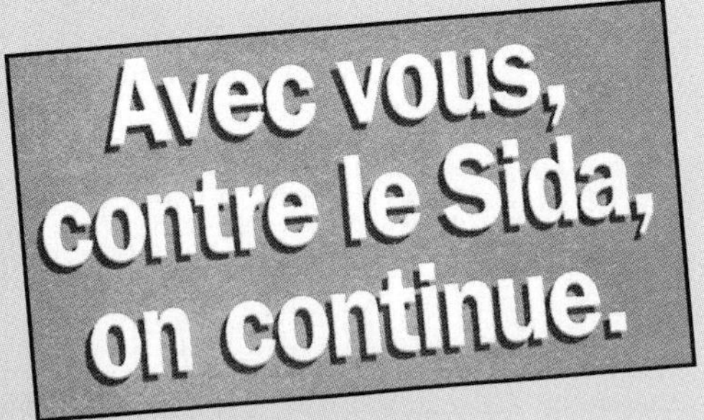

Communication orale

There has been an accident in your town or city. One of the vehicles involved has already left the scene. With a partner, play the roles of a French woman, Mlle Sancerre, who has witnessed the accident and a police officer, M. Clouseau, who is investigating it. During the course of the conversation, M. Clouseau asks Mlle Sancerre:

1. what time it was when she saw the accident (*l'accident*) and where it took place.
2. where she was when she saw the accident.
3. what the weather was like.
4. if there was a lot of traffic.
5. where the vehicles were going (straight, turning left or right).
6. if the drivers were exceeding the speed limit.
7. if the light was red, green or yellow.
8. if the drivers were wearing their seat belts.
9. to describe in detail the vehicle that left the scene of the accident.
10. which driver, in her opinion, was responsible for (*responsable de*) the accident.

Communication écrite

Imagine that you are Mlle Sancerre and you witnessed the accident. After interviewing you, the police officer now asks you to write a detailed summary of the accident, giving your opinion of what happened. Include all the information you have just told him. In writing the accident report, remember to be as specific and complete as possible, especially when describing the vehicle that left the scene of the accident. At the end of your report, be sure to sign and date it and give your address and telephone number in case the police need to contact you again.

Communication active

To explain a problem, use:

La pollution **est notre problème principal**.	*Pollution is our main problem.*

To tell location, use:

Il y a un feu rouge **au croisement**.	*There's a red light at the intersection.*

To make excuses, use:

Oh, je ne l'ai pas vu changer.	*Oh, I didn't see it change.*
Désolé(e), je suivais la décapotable **devant** nous.	*Sorry, I was following the convertible in front of us.*

To hypothesize, use:

Si nous roulions cinq minutes de plus, **nous tomberions en panne.**	*If we drove five more minutes, we would have a breakdown.*
Si c'était moi, je n'achèterais pas de voiture de sport.	*If it were me, I wouldn't buy a sports car.*

To give opinions, use:

C'est dur de changer de vitesse, de conduire et de regarder la rue **à la fois.**	*It's hard to change speed, drive and watch the street all at once.*
Elles consomment trop d'essence.	*They use too much gas.*
Peut-être qu'elles ne sont pas pratiques.	*Maybe they're not practical.*

To express intentions, use:

J'ai décidé de devenir médecin.	*I've decided to become a doctor.*

Salim et Aïcha ont décidé de devenir chercheurs pour combattre les maladies.

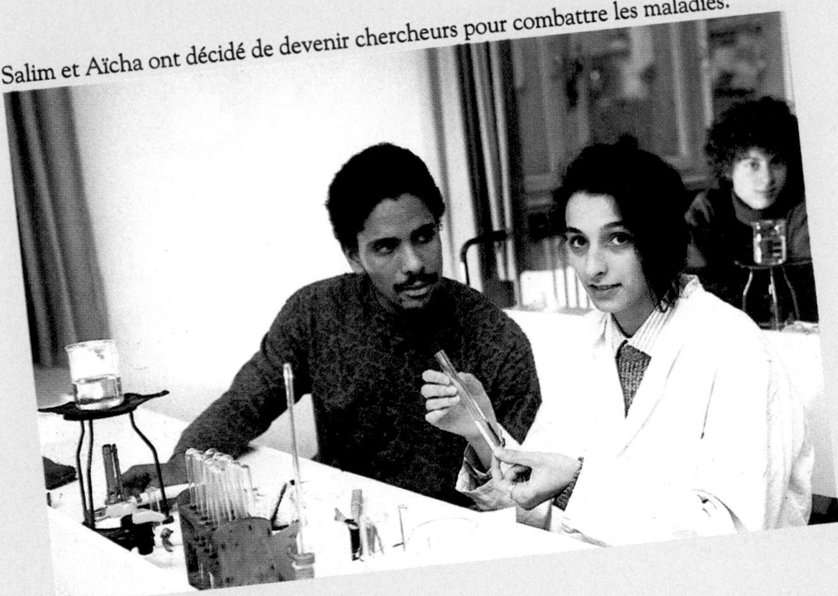

To propose solutions, use:

... si tout le monde commence à recycler, à contrôler l'énergie nucléaire et à préserver l'environnement.	*. . . if everybody begins to recycle, control nuclear energy and save the environment.*

To ask for permission, use:

Est-ce que je dois vérifier l'huile et l'eau?	*Should I check the oil and the water?*

vidange
19,06 €
+ 1 filtre à huile gratuit

To give orders, use:

Pas si vite, Mademoiselle!	*Not so fast, Miss!*
Pas à gauche, à droite.	*Not to the left, to the right.*
Suivez le minivan.	*Follow the minivan.*
Faites le plein, s'il vous plaît.	*Fill it up, please.*

To state a warning, use:

Attention!	*Watch out!*

To express hope, use:

Je rêve de voir un changement favorable dans la vie des sans-abri.	*I dream of seeing a positive change in the life of the homeless.*

ON FAIT LE PLEIN

Aurélie rêve de devenir metteur en scène. (La Rochelle)

Nathalie et Raoul

Bonjour, c'est Nathalie. Je ne suis pas là. Laissez un message après le bip.

Tu peux venir au café ce soir? Téléphone-moi quand tu as un moment.

Nous étions faits l'un pour l'autre. Je le savais bien. Je l'ai toujours su.

Tu es vraiment romantique. Ça n'existe pas souvent aujourd'hui.

Tu es mince, belle et sympa.
Mais est-ce que c'est pour toujours?

Qu'est-ce que tu veux faire, Sophie?
Faisons du shopping! J'apprécie ton sens économique.
Bon. Tout est bien qui finit bien. Pour le moment au moins.

Communication électronique

Underage drinking is not a problem unique to the United States. Teens in France are encouraged to know and understand the effects of alcohol by visiting a Web site sponsored by "Soif de Vivre." Join them by going to this site:

http://www.soifdevivre.tm.fr/home/home.htm

Begin by clicking on "Santé" and "Les idées fausses." To find out how informed you are about the effects of alcohol, take this true-false quiz.

Next click on "Jeu-Test." Before you begin the self-quiz, look at the logo that is the French equivalent of "Don't drink and drive." What is it in French? Now answer the questions on "Le quizz." Click on each of your answers to see how you've done. To move from one question to the next, click on "suite." How many questions did you answer correctly?

À moi de jouer!

Now it's your turn to put together everything you have learned so far. Write a paragraph that describes what happens when two teenagers decide to help a homeless person. Use the clues provided in the illustrations and appropriate expressions from this unit. (You may want to refer to the *Communication active* on pages 447-49 and the vocabulary list on page 451).

Vocabulaire

à: **à la fois** all at once
accélérer to accelerate
l' **actualité (f.)** current events
l' **alcoolisme (m.)** alcoholism
s' **arrêter** to stop
une **auto-école** driving school

un **camion** truck
un **capot** hood
une **ceinture: une ceinture de sécurité** seat belt
un **changement** change
changer: changer de vitesse to shift gears
le **chômage** unemployment
un **conducteur, une conductrice** driver
conduire to drive
consommer to use
contemporain(e) contemporary
contrôler to control
un **croisement** intersection

de: de plus more
une **décapotable** convertible
démarrer to start (up)
dépasser to pass, to exceed
doubler to pass (a vehicle)
doucement gradually
la **drogue** drugs

l' **éducation (f.)** education
l' **énergie (f.)** energy
une **enquête** survey
l' **environnement (m.)** environment
l' **essence (f.)** gasoline

la **faim** hunger
faire: faire le plein to fill up the gas tank
favorable favorable
un **feu** (traffic) light
une **fois: à la fois** all at once

grave serious

l' **huile (f.)** oil

une **leçon** lesson
la **limite de vitesse** speed limit

une **maladie** disease, illness
un **minivan** minivan
un **moniteur, une monitrice** instructor
monter to get in

nucléaire nuclear

une **opinion** opinion
ordinaire regular (gasoline)

une **panne** breakdown
tomber en panne to have a (mechanical) breakdown
un **pare-brise** windshield
un **permis de conduire** driver's license
plein(e): faire le plein to fill up the gas tank
le **plomb** lead
plus: de plus more
un **pneu** tire
la **pollution** pollution
un(e) **pompiste** gas station attendant
pratique practical
préserver to save, to protect
presque almost
un **problème** problem

recycler recycle
un **reporter** reporter
résoudre to solve
rêver to dream
rouler to drive

sans without
un(e) **sans-abri** homeless person
la **sécurité: une ceinture de sécurité** seat belt
un **sens unique** one-way (street)
le **SIDA** AIDS
une **station: une station-service** gas station
suivre to follow, to take (a class)
super premium (gasoline)

le **terrorisme** terrorism
tomber: tomber en panne to have a (mechanical) breakdown

la **vitesse** speed
changer de vitesse to shift gears
la limite de vitesse speed limit
une **voiture: une voiture de sport** sports car

Grammar Summary

Subject Pronouns

Singular	Plural
je	nous
tu	vous
il/elle/on	ils/elles

Indefinite Articles

Singular		Plural
Masculine	Feminine	
un	une	des

Definite Articles

Singular			Plural
Before a Consonant Sound		Before a Vowel Sound	
Masculine	Feminine		
le	la	l'	les

À + Definite Articles

Singular			Plural
Before a Consonant Sound		Before a Vowel Sound	
Masculine	Feminine		
au	à la	à l'	aux

De + Definite Articles

Singular			Plural
Before a Consonant Sound		Before a Vowel Sound	
Masculine	Feminine		
du	de la	de l'	des

Partitive Articles

Before a Consonant Sound		Before a Vowel Sound
Masculine	Feminine	
du pain	**de la** glace	**de l'**eau

In negative sentences the partitive article becomes *de (d')*.

Expressions of Quantity

combien	how much, how many
assez	enough
beaucoup	a lot of, many
(un) peu	(a) little, few
trop	too much, too many

These expressions are followed by *de (d')* before a noun.

Question Words

combien	how much, how many
comment	what, how
où	where
pourquoi	why
qu'est-ce que	what
quand	when
quel, quelle	what, which
qui	who, whom

Question Formation

1. By a rising tone of voice
   Vous travaillez beaucoup?
2. By beginning with *est-ce que*
   Est-ce que vous travaillez beaucoup?
3. By adding *n'est-ce pas?*
   Vous travaillez beaucoup, n'est-ce pas?
4. By inversion
   Travaillez-vous beaucoup?

Possessive Adjectives

Singular			Plural
Masculine	Feminine before a Consonant Sound	Feminine before a Vowel Sound	
mon	ma	mon	mes
ton	ta	ton	tes
son	sa	son	ses
notre	notre	notre	nos
votre	votre	votre	vos
leur	leur	leur	leurs

Demonstrative Adjectives

	Masculine before a Consonant Sound	Masculine before a Vowel Sound	Feminine
Singular	ce	cet	cette
Plural	ces	ces	ces

Quel

	Masculine	Feminine
Singular	quel	quelle
Plural	quels	quelles

Tout

	Masculine	Feminine
Singular	tout	toute
Plural	tous	toutes

Agreement of Adjectives

	Masculine	Feminine
add **e**	Il est bavard.	Elle est bavarde.
no change	Il est suisse.	Elle est suisse.
change **-er** to **-ère**	Il est cher.	Elle est chère.
change **-eux** to **-euse**	Il est paresseux.	Elle est paresseuse.
double consonant + **e**	Il est gros.	Elle est grosse.

Irregular Feminine Adjectives

Masculine: Before a Consonant Sound	Masculine: Before a Vowel Sound	Feminine
blanc		blanche
frais		fraîche
long		longue
beau	bel	belle
nouveau	nouvel	nouvelle
vieux	vieil	vieille

Irregular Plural Adjectives

	Singular	Plural
no change	amoureux	amoureux
	bon marché	bon marché
	frais	frais
	heureux	heureux
	marron	marron
	orange	orange
	paresseux	paresseux
	super	super
	sympa	sympa
	vieux	vieux
-eau → -eaux	beau	beaux
	nouveau	nouveaux
-al → -aux	national	nationaux

Position of Adjectives

Most adjectives usually follow their nouns. But adjectives expressing beauty, age, goodness and size precede their nouns. Some of these preceding adjectives are:

autre	joli
beau	mauvais
bon	nouveau
grand	petit
gros	vieux
jeune	

Comparative of Adjectives

plus	+	adjective	+	**que**
moins	+	adjective	+	**que**
aussi	+	adjective	+	**que**

Superlative of Adjectives

le/la/les	+	plus	+	adjective

Irregular Plural Nouns

	Singular	Plural
no change	autobus	autobus
-al → -aux	animal	animaux
	journal	journaux
-eau → -eaux	bateau	bateaux
-eu → -eux	feu	feux
	jeu	jeux

Comparative of Adverbs

plus	+	adverb	+	**que**
moins	+	adverb	+	**que**
aussi	+	adverb	+	**que**

Some adverbs have an irregular comparative form:

Adverb	Comparative
bien (*well*)	**mieux** (*better*)
beaucoup (*a lot, much*)	**plus** (*more*)
peu (*little*)	**moins** (*less*)

Superlative of Adverbs

le	+	plus	+	adverb

To form the superlative of *bien*, *beaucoup* and *peu*, put *le* before these adverbs' irregular comparative forms.

Adverb	Comparative	Superlative
bien	**mieux**	**le mieux**
beaucoup	**plus**	**le plus**
peu	**moins**	**le moins**

Direct Object Pronouns

me	me
te	you
le, la, l'	him, her, it
nous	us
vous	you
les	them

Indirect Object Pronouns

me	to me
te	to you
lui	to him, to her
nous	to us
vous	to you
leur	to them

Order of Double Object Pronouns

subject	+	me te nous vous se	+	le la les	+	lui leur	+	y	+	en	+	verb

Stress Pronouns

Singular		Plural	
moi	*je*	nous	*nous*
toi	*tu*	vous	*vous*
lui	*il*	eux	*ils*
elle	*elle*	elles	*elles*

Interrogative Pronouns

	Subject	Direct Object	Object of Preposition
People	qui qui est-ce qui	qui qui est-ce que	qui
Things	qu'est-ce qui	que qu'est-ce que	quoi

Regular Verbs—Present Tense

-er parler			
je	parle	nous	parlons
tu	parles	vous	parlez
il/elle/on	parle	ils/elles	parlent

-ir finir			
je	finis	nous	finissons
tu	finis	vous	finissez
il/elle/on	finit	ils/elles	finissent

-re perdre			
je	perds	nous	perdons
tu	perds	vous	perdez
il/elle/on	perd	ils/elles	perdent

Regular Imperatives

-er parler	-ir finir	-re perdre
parle	finis	perds
parlez	finissez	perdez
parlons	finissons	perdons

Reflexive Verbs—Present Tense

se coucher					
je	me	couche	nous	nous	couchons
tu	te	couches	vous	vous	couchez
il/elle/on	se	couche	ils/elles	se	couchent

Imperative of Reflexive Verbs

-er se réveiller
Réveille-toi!
Réveillez-vous!
Réveillons-nous!

Irregular Verbs—Present Tense

acheter			
j'	achète	nous	achetons
tu	achètes	vous	achetez
il/elle/on	achète	ils/elles	achètent

aller			
je	vais	nous	allons
tu	vas	vous	allez
il/elle/on	va	ils/elles	vont

s'asseoir					
je	m'	assieds	nous	nous	asseyons
tu	t'	assieds	vous	vous	asseyez
il/elle/on	s'	assied	ils/elles	s'	asseyent

avoir			
j'	ai	nous	avons
tu	as	vous	avez
il/elle/on	a	ils/elles	ont

boire			
je	bois	nous	buvons
tu	bois	vous	buvez
il/elle/on	boit	ils/elles	boivent

conduire			
je	conduis	nous	conduisons
tu	conduis	vous	conduisez
il/elle/on	conduit	ils/elles	conduisent

connaître			
je	connais	nous	connaissons
tu	connais	vous	connaisscz
il/elle/on	connaît	ils/elles	connaissent

courir			
je	cours	nous	courons
tu	cours	vous	courez
il/elle/on	court	ils/elles	courent

croire			
je	crois	nous	croyons
tu	crois	vous	croyez
il/elle/on	croit	ils/elles	croient

devoir			
je	dois	nous	devons
tu	dois	vous	devez
il/elle/on	doit	ils/elles	doivent

dire			
je	dis	nous	disons
tu	dis	vous	dites
il/elle/on	dit	ils/elles	disent

dormir			
je	dors	nous	dormons
tu	dors	vous	dormez
il/elle/on	dort	ils/elles	dorment

écrire			
j'	écris	nous	écrivons
tu	écris	vous	écrivez
il/elle/on	écrit	ils/elles	écrivent

être			
je	suis	nous	sommes
tu	es	vous	êtes
il/elle/on	est	ils/elles	sont

faire			
je	fais	nous	faisons
tu	fais	vous	faites
il/elle/on	fait	ils/elles	font

falloir	
il	faut

lire			
je	lis	nous	lisons
tu	lis	vous	lisez
il/elle/on	lit	ils/elles	lisent

mettre			
je	mets	nous	mettons
tu	mets	vous	mettez
il/elle/on	met	ils/elles	mettent

offrir			
j'	offre	nous	offrons
tu	offres	vous	offrez
il/elle/on	offre	ils/elles	offrent

ouvrir			
j'	ouvre	nous	ouvrons
tu	ouvres	vous	ouvrez
il/elle/on	ouvre	ils/elles	ouvrent

partir			
je	pars	nous	partons
tu	pars	vous	partez
il/elle/on	part	ils/elles	partent

pleuvoir	
il	pleut

pouvoir			
je	peux	nous	pouvons
tu	peux	vous	pouvez
il/elle/on	peut	ils/elles	peuvent

préférer			
je	préfère	nous	préférons
tu	préfères	vous	préférez
il/elle/on	préfère	ils/elles	préfèrent

prendre			
je	prends	nous	prenons
tu	prends	vous	prenez
il/elle/on	prend	ils/elles	prennent

recevoir			
je	reçois	nous	recevons
tu	reçois	vous	recevez
il/elle/on	reçoit	ils/elles	reçoivent

savoir			
je	sais	nous	savons
tu	sais	vous	savez
il/elle/on	sait	ils/elles	savent

sortir			
je	sors	nous	sortons
tu	sors	vous	sortez
il/elle/on	sort	ils/elles	sortent

suivre			
je	suis	nous	suivons
tu	suis	vous	suivez
il/elle/on	suit	ils/elles	suivent

venir			
je	viens	nous	venons
tu	viens	vous	venez
il/elle/on	vient	ils/elles	viennent

vivre			
je	vis	nous	vivons
tu	vis	vous	vivez
il/elle/on	vit	ils/elles	vivent

voir			
je	vois	nous	voyons
tu	vois	vous	voyez
il/elle/on	voit	ils/elles	voient

vouloir			
je	veux	nous	voulons
tu	veux	vous	voulez
il/elle/on	veut	ils/elles	veulent

Verbs + *à* + Infinitives

aider	commencer	réussir
s'amuser	continuer	
apprendre	inviter	

Verbs + *de* + Infinitives

arrêter	demander	finir
choisir	se dépêcher	offrir
décider	dire	rêver

Verbs + Infinitives

adorer	espérer	savoir
aimer	falloir	sembler
aller	pouvoir	venir
désirer	préférer	vouloir
devoir	regarder	

Negation in Present Tense

ne... jamais	Je **ne** vois **jamais** Hélène.
ne... pas	Vous **ne** mangez **pas**.
ne... personne	Il **n'**y a **personne** ici.
ne... plus	Tu **ne** fais **plus** de footing?
ne... rien	Nous **ne** faisons **rien**.

Passé Composé—Regular Past Participles

jouer			
j'ai	joué	nous avons	joué
tu as	joué	vous avez	joué
il/elle/on a	joué	ils/elles ont	joué

finir			
j'ai	fini	nous avons	fini
tu as	fini	vous avez	fini
il/elle/on a	fini	ils/elles ont	fini

attendre			
j'ai	attendu	nous avons	attendu
tu as	attendu	vous avez	attendu
il/elle/on a	attendu	ils/elles ont	attendu

Passé Composé—Irregular Past Participles

Infinitive	Past Participle
avoir	eu
boire	bu
conduire	conduit
connaître	connu
courir	couru
croire	cru
devoir	dû
dire	dit
écrire	écrit
être	été
faire	fait
lire	lu
mettre	mis
offrir	offert
ouvrir	ouvert
pouvoir	pu
prendre	pris
recevoir	reçu
savoir	su
suivre	suivi
vivre	vécu
voir	vu
vouloir	voulu

Passé Composé with *Être*

aller			sortir		
je	suis	allé	je	suis	sorti
je	suis	allée	je	suis	sortie
tu	es	allé	tu	es	sorti
tu	es	allée	tu	es	sortie
il	est	allé	il	est	sorti
elle	est	allée	elle	est	sortie
on	est	allé	on	est	sorti
nous	sommes	allés	nous	sommes	sortis
nous	sommes	allées	nous	sommes	sorties
vous	êtes	allé	vous	êtes	sorti
vous	êtes	allée	vous	êtes	sortie
vous	êtes	allés	vous	êtes	sortis
vous	êtes	allées	vous	êtes	sorties
ils	sont	allés	ils	sont	sortis
elles	sont	allées	elles	sont	sorties

Some of the verbs that use *être* as the helping verb in the *passé composé* are:

Infinitive	Past Participle
aller	allé
arriver	arrivé
descendre	descendu
devenir	devenu
entrer	entré
monter	monté
mourir	mort
naître	né
partir	parti
rentrer	rentré
rester	resté
revenir	revenu
sortir	sorti
tomber	tombé
venir	venu

Passé Composé of Reflexive Verbs

se réveiller			
je	me	suis	réveillé
je	me	suis	réveillée
tu	t'	es	réveillé
tu	t'	es	réveillée
il	s'	est	réveillé
elle	s'	est	réveillée
on	s'	est	réveillé
nous	nous	sommes	réveillés
nous	nous	sommes	réveillées
vous	vous	êtes	réveillé
vous	vous	êtes	réveillée
vous	vous	êtes	réveillés
vous	vous	êtes	réveillées
ils	se	sont	réveillés
elles	se	sont	réveillées

Imperfect Tense

travailler			
je	travaillais	nous	travaillions
tu	travaillais	vous	travailliez
il/elle/on	travaillait	ils/elles	travaillaient

Imperfect Tense of *Être*

être			
j'	étais	nous	étions
tu	étais	vous	étiez
il/elle/on	était	ils/elles	étaient

Conditional Tense of Regular Verbs

jouer			
je	jouerais	nous	jouerions
tu	jouerais	vous	joueriez
il/elle/on	jouerait	ils/elles	joueraient

Conditional Tense of Irregular Verbs

Infinitive	Conditional Stem
aller	ir-
avoir	aur-
devoir	devr-
envoyer	enverr-
être	ser-
faire	fer-
falloir	faudr-
pouvoir	pourr-
recevoir	recevr-
savoir	saur-
venir	viendr-
voir	verr-
vouloir	voudr-

Ordinal Numbers

1er	=	premier	6e	=	sixième
2e	=	deuxième	7e	=	septième
3e	=	troisième	8e	=	huitième
4e	=	quatrième	9e	=	neuvième
5e	=	cinquième	10e	=	dixième

Numbers

0 = zéro	18 = dix-huit	71 = soixante et onze
1 = un	19 = dix-neuf	72 = soixante-douze
2 = deux	20 = vingt	80 = quatre-vingts
3 = trois	21 = vingt et un	81 = quatre-vingt-un
4 = quatre	22 = vingt-deux	82 = quatre-vingt-deux
5 = cinq	30 = trente	90 = quatre-vingt-dix
6 = six	31 = trente et un	91 = quatre-vingt-onze
7 = sept	32 = trente-deux	92 = quatre-vingt-douze
8 = huit	40 = quarante	100 = cent
9 = neuf	41 = quarante et un	101 = cent un
10 = dix	42 = quarante-deux	102 = cent deux
11 = onze	50 = cinquante	200 = deux cents
12 = douze	51 = cinquante et un	201 = deux cent un
13 = treize	52 = cinquante-deux	1.000 = mille
14 = quatorze	60 = soixante	1.001 = mille un
15 = quinze	61 = soixante et un	2.000 = deux mille
16 = seize	62 = soixante-deux	1.000.000 = un million
17 = dix-sept	70 = soixante-dix	2.000.000 = deux millions

Vocabulary French/English

All words and expressions introduced as active vocabulary in the first- and second-level *C'est à toi!* textbooks appear in this end vocabulary. The number following the meaning of each word or expression indicates the unit in which it appears for the first time. If there is more than one meaning for a word or expression and it has appeared in different units, the corresponding unit numbers are listed. Words and expressions that were introduced in the first-level *C'est à toi!* textbook do not have a number after them.

A

à to; at; in; *À bientôt.* See you soon.; *à côté (de)* beside, next to 2; *À demain.* See you tomorrow.; *à droite* to (on) the right; *à gauche* to (on) the left; *à l'heure* on time 2; *à la fois* all at once 11; *à la télé* on TV 9; *à mon avis* in my opinion 9; *à part* aside from 7; *à pied* on foot 3; *À tes souhaits!* Bless you!
accélérer to accelerate 11
accepter to accept 9
un **accessoire** accessory 6
acheter to buy
un **acteur, une actrice** actor, actress 9
actif, active active 9
l' **actualité (f.)** current events 11
une **addition** bill, check (at a restaurant) 3
admirer to admire 9
un(e) **ado** teenager 3
adorer to love
une **adresse** address 6
l' **aérobic (m.)** aerobics 5
un **aérogramme** aerogram (air letter) 6
un **aéroport** airport
des **affaires de toilette (f.)** toiletries 4
une **affiche** poster
l' **affranchissement (m.)** postage 6
africain(e) African 10
l' **Afrique (f.)** Africa
l' **âge (m.)** age; *Tu as quel âge?* How old are you?
âgé(e) old 2
un **agent** agent 7; *un agent de police* police officer
ah oh
l' **aide (f.)** help 9
aider to help 2
aimable nice 2
aimer to like, to love
l' **alcoolisme (m.)** alcoholism 11
l' **Algérie (f.)** Algeria
algérien, algérienne Algerian
l' **Allemagne (f.)** Germany
l' **allemand (m.)** German (language)
allemand(e) German
aller to go; *allons-y* let's go (there)
allô hello (on telephone)
allumer to turn on 5
alors (well) then
une **amende** fine 7
américain(e) American
l' **Amérique (f.)** America 7; *l'Amérique du Nord (f.)* North America 10; *l'Amérique du Sud (f.)* South America 10
un(e) **ami(e)** friend
l' **amour (m.)** love 5
amoureux, amoureuse in love
amusant(e) funny, amusing 9
s' **amuser** to have fun, to have a good time 6
un **an** year; *J'ai... ans.* I'm . . . years old.
l' **anglais (m.)** English (language)
anglais(e) English
l' **Angleterre (f.)** England
un **animal** animal 2
une **année** year 6
un **anniversaire** birthday; *Bon anniversaire!* Happy Birthday! 5
un **anorak** ski jacket
août August
un **appartement** apartment
apprendre to learn 9
après after
l' **après-midi (m.)** afternoon
un **arbre** tree
un **arc** arch
une **arche** arch
l' **argent (m.)** money; silver 6; *l'argent liquide (m.)* cash 6
une **armée** army 9
une **armoire** wardrobe
arrêter to stop 4; *s'arrêter* to stop 11
une **arrivée** arrival 7
arriver to arrive
arroser to water 4
l' **art (m.)** art 2
un(e) **artiste** artist 2
un **ascenseur** elevator 7
asiatique Asian 10
l' **Asie (f.)** Asia 10
un **aspirateur** vacuum cleaner 4
s' **asseoir** to sit down 4

assez rather, quite; *assez de* enough
une **assiette** plate
assis(e) seated 9
assister à to attend 5
un(e) **athlète** athlete 9
attendre to wait (for)
Attention! Watch out! Be careful! 3
atterrir to land 7
au to (the), at (the); in (the); on the 9; *au moins* at least; *au revoir* good-bye; *Au secours!* Help!; *au-dessus de* above
une **auberge de jeunesse** youth hostel 8
aujourd'hui today
aussi also, too; as
aussitôt que as soon as
l' **Australie (f.)** Australia 10
australien, australienne Australian 10
une **auto (automobile)** car 10
un **autobus** (city) bus 3
une **auto-école** driving school 11
automatique automatic 6
l' **automne (m.)** autumn, fall
autre other; *un(e) autre* another
aux to (the), at (the), in (the)
avance: en avance early 2
avant (de) before 8
avec with
une **aventure** adventure 5
une **avenue** avenue
un **avion** airplane; *par avion* by air mail 6
un **avis: à mon avis** in my opinion 9
un(e) **avocat(e)** lawyer
avoir to have; *avoir besoin de* to need; *avoir bonne/mauvaise mine* to look well/sick; *avoir chaud* to be warm, hot; *avoir envie de* to want, to feel like; *avoir faim* to be hungry; *avoir froid* to be cold; *avoir mal (à...)* to hurt, to have a/an . . . ache, to have a sore . . .; *avoir mal au cœur* to feel nauseous; *avoir peur (de)* to be afraid (of); *avoir quel âge* to be how old; *avoir soif* to be thirsty; *avoir... ans* to be . . . (years old)
avril April

B

le **baby-sitting** baby-sitting 5
le **bac (baccalauréat)** diploma/exam at end of *lycée* 10
des **bagages (m.)** luggage, baggage 7
une **bague** ring 6
une **baguette** long, thin loaf of bread
une **baignoire** bathtub
un **bain: une salle de bains** bathroom; *un peignoir de bain* bathrobe 6
baisser to lower
un **bal** dance
un **balcon** balcony
une **banane** banana
une **bande dessinée** comic strip 3
une **banque** bank
un **banquier, une banquière** banker 6
une **barbe** beard 4
des **bas (m.)** (panty) hose
le **basket (basketball)** basketball
des **baskets (f.)** hightops
un **bateau** boat
un **bâton** ski pole
une **batterie** drums 5
bavard(e) talkative
beau, bel, belle beautiful, handsome
beaucoup a lot, (very) much; *beaucoup de* a lot of, many
un **beau-frère** stepbrother, brother-in-law
un **beau-père** stepfather, father-in-law
beige beige
belge Belgian
la **Belgique** Belgium
une **belle-mère** stepmother, mother-in-law
une **belle-sœur** stepsister, sister-in-law
ben well 9; *bon ben* well then
le **besoin: avoir besoin de** to need
bête stupid, dumb
Beurk! Yuk!
le **beurre** butter
une **bibliothèque** library
bien well; really; fine, good 8; *bien sûr* of course
bientôt soon 3
Bienvenue! Welcome!
un **bijou** jewel 6
un **billet** ticket; bill (money) 6
la **biologie** biology
une **bise** kiss
blanc, blanche white
bleu(e) blue
blond(e) blond
un **blouson** jacket (outdoor)
le **bœuf** beef
boire to drink 8
une **boisson** drink, beverage
une **boîte** dance club; can; *une boîte aux lettres* mailbox 6
un **bol** bowl
bon, bonne good; *Bon anniversaire!* Happy Birthday! 5; *bon ben* well then; *bon marché* cheap; *Bonne journée!* Have a good day! 7
bonjour hello
bonsoir good evening
le **bord** side, shore 10; *au bord de la mer* at the seashore 10
une **botte** boot
une **bouche** mouth
un **boucher, une bouchère** butcher 2
une **boucherie** butcher shop
une **boucle d'oreille** earring 6
une **bouillabaisse** fish soup
un **boulanger, une boulangère** baker 2
une **boulangerie** bakery

un **boulot** job, work 9
une **boum** party
une **bouteille** bottle
une **boutique** shop, boutique
un **bracelet** bracelet 6
un **bras** arm
une **brosse: une brosse à cheveux** hairbrush 4; *une brosse à dents* toothbrush 4
se **brosser** to brush 4
un **bruit** noise
brûler to burn 9
brun(e) dark (hair), brown
un **bulletin météo** weather report 5
un **bureau** desk; *un bureau de change* currency exchange 6
burlesque burlesque, comical 4
un **bus** (city) bus 3

C

c'est this is, it's; he is, she is; that's
ça that, it; *Ça fait....* That's/It's . . . .; *Ça fait combien?* How much is it/that?; *Ça va?* How are things going?; *Ça va bien.* Things are going well.
un **cabinet** (doctor or dentist's) office
un **cadeau** gift, present
un **café** café; coffee; *un café au lait* coffee with milk 8
un **cahier** notebook
une **caisse** cashier's (desk) 6
un **caissier, une caissière** cashier 2
un **calendrier** calendar
calme quiet 2
une **camarade: une camarade de chambre** roommate 4; *une camarade de classe* classmate 9
le **camembert** Camembert cheese
le **Cameroun** Cameroon 10
camerounais(e) Cameroonian 10
un **camion** truck 11
la **campagne** country, countryside 3
le **camping** camping
un **camping** campground
le **Canada** Canada
canadien, canadienne Canadian
un **canapé** couch, sofa
un **canard** duck 3
un **canoë** canoe 5
une **cantine** cafeteria
une **capitale** capital 4
un **capot** hood 11
une **carotte** carrot
une **carte** map; card 3; *une carte de crédit* credit card 8; *une carte postale* postcard 2
un **cas** case 8
une **cascade** waterfall 3
une **casquette** cap 6
une **cassette** cassette
un **CD** CD
ce, cet, cette; ces this, that; these, those
ce sont they are, these are, those are
une **ceinture** belt 6; *une ceinture de sécurité* seat belt 11
célèbre famous 2
cent (one) hundred
un **centre** center; *un centre commercial* shopping center, mall
des **céréales (f.)** cereal 8
une **cerise** cherry
une **chaise** chair
une **chambre** bedroom; room 8; *une camarade de chambre* roommate 4
un **champ** field 3
un **champignon** mushroom
la **chance** luck
un **change: un bureau de change** currency exchange 6
un **changement** change 11
changer to change 4; *changer de vitesse* to shift gears 11
une **chanson** song 9
un **chanteur, une chanteuse** singer 9
un **chapeau** hat
une **chapelle** chapel 7
chaque each, every 3
une **charcuterie** delicatessen
un **charcutier, une charcutière** delicatessen owner 2
chargé(e) full
un **chat** cat
un **château** castle 3
chaud(e) warm, hot; *avoir chaud* to be warm, hot
un **chauffeur** driver 9
une **chaussette** sock
une **chaussure** shoe
un **chef** chef 9
un **chemin** path, way
une **chemise** shirt
un **chèque de voyage** traveler's check
cher, chère expensive; dear
chercher to look for; *venir chercher* to pick up, to come and get 10
un **chercheur, une chercheuse** researcher 9
un(e) **chéri(e)** darling 5
un **cheval** horse
des **cheveux (m.)** hair; *une brosse à cheveux* hairbrush 4
une **chèvre** goat 3
chez to the house/home of; at the house/home of; *chez moi* to my house
un **chien** dog
la **chimie** chemistry
la **Chine** China
chinois(e) Chinese
des **chips (m.)** snacks
le **chocolat** chocolate; *un chocolat chaud* hot chocolate 8
choisir to choose 2
un **choix** choice 3

le **chômage** unemployment 11
une **chose** thing; *quelque chose* something
ciao bye
un **cimetière** cemetery
le **cinéma** movies
cinq five
cinquante fifty
cinquième fifth
la **circulation** traffic 10
un **citron** lemon 8
une **clarinette** clarinet 5
une **classe** class 9; *une camarade de classe* classmate 9
la **climatisation** air conditioning 8
un **clip** video clip 9
un **coca** Coke
un **cochon** pig 3
un **cœur** heart; *avoir mal au cœur* to feel nauseous
un **coiffeur, une coiffeuse** hairdresser
un **colis** package 6
collectionner to collect 5
un **collier** necklace 6
combien how much; *combien de* how much, how many
une **comédie** comedy 5
une **commande** order 8
comme like, for; how 2; as 9; *comme ci, comme ça* so-so; *comme d'habitude* as usual 4
commencer to begin
comment what; how; *Comment vas-tu?* How are you?
un(e) **commerçant(e)** shopkeeper 2
complet, complète complete, full 8
composter to stamp 7
un **composteur** ticket stamping machine 7
compris(e) included 8
un(e) **comptable** accountant
un **comptoir** counter 7
un **concert** concert 5
un **conducteur, une conductrice** driver 11
conduire to drive 11
la **confiture** jam
congolais(e) Congolese
une **connaissance** acquaintance 7
connaître to know 7
consommer to use 11
contemporain(e) contemporary 11
content(e) happy 2
continuer to continue
un **contrôle de sécurité** security check 7
contrôler to control 11
un **contrôleur, une contrôleuse** inspector 7
une **conversation** conversation 8
un **copain, une copine** friend 3
un **coq** rooster 3; *le coq au vin* chicken cooked in wine 3
des **coquilles Saint-Jacques au curry (f.)** curried scallops 10
une **corbeille** wastebasket
un **corps** body
un(e) **correspondant(e)** host brother/sister 3
une **corvée** chore 4
un **costume** man's suit
une **côte** coast 10; *la côte d'Azur* Riviera 10
un **côté** side 7; *à côté (de)* beside, next to 2
la **Côte-d'Ivoire** Ivory Coast
un **cou** neck
se **coucher** to go to bed 4
une **couleur** color
un **couloir** hall 4; aisle 7
un **coup: Donne-moi un coup de main....** Give me a hand 4
un **couple** couple 4
courageux, courageuse courageous 9
courir to run 5
le **courrier** mail 6
un **cours** course, class; *au cours de* in the course of, during 8
une **course** race 4
les **courses: faire les courses** to go grocery shopping
court(e) short
le **couscous** couscous
un(e) **cousin(e)** cousin
un **couteau** knife
coûter to cost
un **couvert** table setting
un **crabe** crab
un **crayon** pencil
une **crème caramel** caramel custard 3
une **crémerie** dairy store
une **crêpe** crêpe; pancake 8
une **crevette** shrimp
croire to believe, to think 9
un **croisement** intersection 11
un **croissant** croissant
des **crudités (f.)** raw vegetables 3
une **cuiller** spoon
le **cuir** leather 6
une **cuisine** kitchen; cooking 10
un **cuisinier, une cuisinière** cook
une **cuisinière** stove
la **culture** culture 10

D

d'abord first
d'accord OK
d'après according to
une **dame** lady 2
dans in; on 3
danser to dance
une **date** date
un **dauphin** dolphin 2
de (d') of, from; a, an, any; some; in, by; about 5; *de plus* furthermore, what's more 9; more 11
une **décapotable** convertible 11
décembre December
décider (de) to decide
déclarer to declare 7

décoller to take off 7
décrire to describe 8
un **défilé** parade
se **déguiser** to dress up 4
dehors outside 10
déjà already
déjeuner to have lunch 10
le **déjeuner** lunch; *le petit déjeuner* breakfast
délivrer to free 9
demain tomorrow
demander to ask for; to ask 7
démarrer to start (up) 11
déménager to move 10
demi(e) half; *et demi(e)* thirty (minutes), half past
un **demi-frère** half-brother
une **demi-heure** half an hour 2
une **demi-sœur** half-sister
une **dent** tooth; *une brosse à dents* toothbrush 4
le **dentifrice** toothpaste 4
un(e) **dentiste** dentist
un **départ** departure 7
dépasser to pass, to exceed 11
se **dépêcher** to hurry 4
depuis for, since 7; *depuis combien de temps* how long 7; *depuis quand* since when 7
dernier, dernière last
derrière behind 4
des some; from (the), of (the); any
descendre to go down 8
se **déshabiller** to undress 4
désirer to want; *Vous désirez?* What would you like?
désolé(e) sorry 2
un **dessert** dessert
le **dessin** drawing; *un dessin animé* cartoon 5
dessus: au-dessus de above
une **destination** destination 7
deux two
deuxième second
devant in front of
devenir to become 2
devoir to have to
les **devoirs (m.)** homework
un **dictionnaire** dictionary
difficile hard, difficult 2
diligent(e) hardworking
dimanche (m.) Sunday
un **dindon** turkey 3
le **dîner** dinner, supper
dire to say, to tell 6
direct(e) direct 7
dis say
une **disquette** diskette
dix ten
dix-huit eighteen
dixième tenth
dix-neuf nineteen
dix-sept seventeen
un **docteur** doctor
un **documentaire** documentary 5
un **doigt** finger; *un doigt de pied* toe
un **dollar** dollar
Dommage! Too bad! 4
donc so, then
donner to give; *donner sur* to overlook 8; *Donnez-moi....* Give me . . . .
dormir to sleep
un **dortoir** dormitory room (for more than one person) 8
un **dos** back
la **douane** customs 7
un **douanier, une douanière** customs agent 7
doubler to pass (a vehicle) 11
doucement gradually 11
une **douche** shower
doué(e) gifted 9
douze twelve
un **drame** drama 5
un **drap** sheet 4
la **drogue** drugs 11
la **droite: à droite** to (on) the right
drôle funny 2
du from (the), of (the); some, any; in (the)
dur(e) hard 3
dynamique dynamic 2

E

l' **eau (f.)** water; *l'eau minérale (f.)* mineral water
échanger to exchange 4
les **échecs (m.)** chess 5
une **école** school
écoute listen
écouter to listen (to); *écouter de la musique* to listen to music
écrire to write 6
un **écrivain** writer 9
l' **éducation (f.)** education 11
un **effort** effort 8
une **église** church
égoïste selfish
Eh! Hey!
un **éléphant** elephant 2
un(e) **élève** student
elle she, it; her 8
elles they (f.); them (f.) 8
une **émission** program 5
emmener to take (someone) along 5
un **emploi du temps** schedule
en to (the); on; in; by, as 3; made of 6; some, any, of (about, from) it/them 10; *en avance* early 2; *en retard* late 2; *en solde* on sale
enchanté(e) delighted
encore still; *ne (n')... pas encore* not yet 10
l' **énergie (f.)** energy 11
un(e) **enfant** child
enfin finally 2
enlever to remove 4; *enlever la poussière* to dust 4
une **enquête** survey 11
enregistrer: faire enregistrer ses bagages (m.) to check one's baggage 7
ensemble together
un **ensemble** outfit
entendre to hear 6

entre between, among 3
une **entrée** entrance; entrée (course before main dish) 3
entrer to enter, to come in
une **enveloppe** envelope 6
l' **envie (f.): avoir envie de** to want, to feel like
l' **environnement (m.)** environment 11
envoyer to send 3
une **épaule** shoulder
épicé(e) spicy 10
l' **épouvante (f.)** horror 5
l' **escalade (f.)** climbing 5
une **escale** stop, stopover 7
un **escalier** stairs, staircase
un **escargot** snail 3
l' **Espagne (f.)** Spain
l' **espagnol (m.)** Spanish (language)
espagnol(e) Spanish
espérer to hope 7
l' **essence (f.)** gasoline 11
est is
l' **est (m.)** east
est-ce que? (phrase introducing a question)
et and
un **étage** floor, story
un **étang** pond 3
les **États-Unis (m.)** United States
l' **été (m.)** summer
éteindre to turn off 5
être to be; *être en train de* **(+ infinitive)** to be busy (doing something) 2; *Nous sommes le* **(+ date)**. It's the (+ date).
une **étude** study 9
un(e) **étudiant(e)** student
étudier to study; *Étudions....* Let's study . . . .
euh uhm
un **euro** euro
l' **Europe (f.)** Europe
européen, européenne European 10
eux them (m.) 8
un **évier** sink
une **excursion** trip 3
excusez-moi excuse me
un **exemple: par exemple** for example 10
exotique exotic 10
une **exposition** exhibit, exhibition 2
extra fantastic, terrific, great 6

F

une **fac (faculté)** university 4
facile easy
un **facteur, une factrice** letter carrier 6
faible weak 2
la **faim** hunger 11; *J'ai faim.* I'm hungry.
faire to do, to make; *faire de l'aérobic (m.)* to do aerobics 5; *faire de l'escalade (f.)* to go climbing 5; *faire de la gym (gymnastique)* to do gymnastics 5; *faire de la musculation* to do body building 5; *faire de la planche à voile* to go windsurfing 5; *faire de la plongée sous-marine* to go scuba diving 5; *faire de la voile* to go sailing 5; *faire du* **(+ number)** to wear size (+ number); *faire du baby-sitting* to baby-sit 5; *faire du camping* to go camping, to camp 5; *faire du canoë* to go canoeing 5; *faire du cheval* to go horseback riding 3; *faire du footing* to go running; *faire du karaté* to do karate 5; *faire du roller* to go in-line skating; *faire du shopping* to go shopping; *faire du ski nautique* to go waterskiing, to water-ski 5; *faire du sport* to play sports; *faire du vélo* to go biking; *faire enregistrer ses bagages (m.)* to check one's baggage 7; *faire la connaissance (de)* to meet 7; *faire la queue* to stand in line 7; *faire le plein* to fill up the gas tank 11; *faire le tour* to take a tour; *faire les courses* to go grocery shopping; *faire les devoirs* to do homework; *faire les magasins* to go shopping; *faire sécher le linge* to dry clothes 4; *faire un stage* to have on-the-job training 6; *faire un tour* to go for a ride; *faire une promenade* to go for a ride 3; to go for a walk 10
fait: *Ça fait....* That's/It's . . . .; *Quel temps fait-il?* What's the weather like? How's the weather?; *Il fait beau.* It's (The weather's) beautiful/nice.; *Il fait chaud.* It's (The weather's) hot/warm.; *Il fait du soleil.* It's sunny.; *Il fait du vent.* It's windy.; *Il fait frais.* It's (The weather's) cool.; *Il fait froid.* It's (The weather's) cold.; *Il fait mauvais.* It's (The weather's) bad.
falloir to be necessary, to have to
une **famille** family
un(e) **fana** fanatic, buff 9
un **fast-food** fast-food restaurant
fatigué(e) tired
faut: il faut it is necessary, one has to/must, we/you have to/must; *il me faut* I need 6
un **fauteuil** armchair
favorable favorable 11
favori, favorite favorite 2
faxer to fax 6
une **femme** wife; woman; *une femme au foyer* housewife; *une femme d'affaires* businesswoman; *une femme politique* politician 9
une **fenêtre** window
un **fer à repasser** iron 4
une **ferme** farm 3
fermer to close
un **fermier, une fermière** farmer

une **fête** holiday, festival
fêter to celebrate 5
un **feu** (traffic) light 11; *un feu d'artifice* fireworks
une **feuille de papier** sheet of paper
un **feuilleton** soap opera 5
février February
une **fiche de commande** order form 8
la **fièvre** fever
une **figure** face
une **fille** girl; daughter
un **film** movie
un **fils** son
finalement eventually, in the end 9
finir to finish
flâner to stroll 7
une **fleur** flower
un(e) **fleuriste** florist 2
un **fleuve** river 3
une **flûte** flute 5
une **fois** time; *à la fois* all at once 11
le **fond: au fond de** at the end of 4
le **foot (football)** soccer
le **footing** running
une **forme: être en bonne/ mauvaise forme** to be in good/bad shape
formidable great, terrific
fort(e) strong 2
un **foulard** scarf 6
un **four** oven
une **fourchette** fork
frais, fraîche cool, fresh
une **fraise** strawberry
le **français** French (language)
français(e) French
la **France** France
franchement frankly 10
francophone French-speaking 9
un **frère** brother
un **frigo** refrigerator
des **frissons (m.)** chills
des **frites (f.)** French fries
froid(e) cold; *avoir froid* to be cold
le **fromage** cheese
un **fruit** fruit; *des fruits de mer (m.)* seafood 3

G

une **galère: Quelle galère!** What a drag! 5
une **galerie** hall, gallery 7
un **gant** glove 6; *un gant de toilette* bath mitt 4
un **garage** garage
un **garçon** boy
garder to keep
une **gare** train station
un **gâteau** cake
gâter to spoil 5
la **gauche: à gauche** to (on) the left
généreux, généreuse generous
un **genou** knee
des **gens (m.)** people 8
gentil, gentille nice
la **géographie** geography
une **girafe** giraffe 2
une **glace** ice cream; mirror 4; *une glace à la vanille* vanilla ice cream; *une glace au chocolat* chocolate ice cream
le **golf** golf 5
une **gorge** throat
un **gorille** gorilla 2
goûter to taste 3
le **goûter** afternoon snack
grand(e) tall, big, large
une **grand-mère** grandmother
un **grand-père** grandfather
une **grange** barn 3
gratuit(e) free 10
grave serious 11
un **grenier** attic
la **grippe** flu
gris(e) gray
gros, grosse big, fat, large
la **Guadeloupe** Guadeloupe
guadeloupéen, guadeloupéenne inhabitant of/from Guadeloupe 10
une **guerre** war 9
un **guichet** ticket window; *un guichet automatique* ATM machine 6
une **guitare** guitar 5
guyanais(e) inhabitant of/from French Guiana 10
la **Guyane française** French Guiana 10
la **gym (gymnastique)** gymnastics 5

H

s' **habiller** to get dressed 4
habiter to live
Haïti (f.) Haiti 4
haïtien, haïtienne Haitian 10
un **hamburger** hamburger
des **haricots verts (m.)** green beans
haut(e) tall, high 4
un **héros, une héroïne** hero, heroine 9
l' **heure (f.)** hour, time, o'clock; *à l'heure* on time 2; *Quelle heure est-il?* What time is it?
heureusement fortunately 10
heureux, heureuse happy 2
hier yesterday
un **hippopotame** hippopotamus 2
l' **histoire (f.)** history; story 3
le **hit-parade** the charts 9
l' **hiver (m.)** winter
un **homme** man; *un homme au foyer* househusband; *un homme d'affaires* businessman; *un homme politique* politician 9
honnête honest 9
un **horaire** schedule, timetable
un **hot-dog** hot dog
un **hôtel** hotel
l' **huile (f.)** oil 11
huit eight
huitième eighth

I

ici here
une **idée** idea 2
il he, it
il y a there is, there are; ago 7; *Il n'y a pas de quoi.* You're welcome. 7
une **île** island 3
ils they (m.)
imaginer to imagine
un **immeuble** apartment building
l' **immigration (f.)** immigration 7
un **imperméable (imper)** raincoat 6
impressionniste Impressionist
indiquer to indicate 7
un **infirmier, une infirmière** nurse
un **informaticien, une informaticienne** computer specialist
des **informations (f.)** news 5
l' **informatique (f.)** computer science
un **ingénieur** engineer
s' **inquiéter** to worry 8
intelligent(e) intelligent
intéressant(e) interesting 2
intéresser to interest 9
une **interro (interrogation)** quiz, test
inviter to invite
l' **Italie (f.)** Italy
italien, italienne Italian
ivoirien, ivoirienne from the Ivory Coast

J

j' I
jamais: ne (n')... jamais never
une **jambe** leg
le **jambon** ham
janvier January
le **Japon** Japan
japonais(e) Japanese
un **jardin** garden, lawn; park
jaune yellow
le **jazz** jazz
je I
un **jean** (pair of) jeans
un **jeu** game 5; *des jeux vidéo (m.)* video games; *un jeu télévisé* game show 5
jeudi (m.) Thursday
jeune young
joli(e) pretty
jouer to play; *jouer au basket* to play basketball; *jouer au foot* to play soccer; *jouer au golf* to play golf 5; *jouer au tennis* to play tennis; *jouer au volley* to play volleyball; *jouer aux cartes (f.)* to play cards 5; *jouer aux échecs (m.)* to play chess 5; *jouer aux jeux vidéo* to play video games
un **jour** day
un **journal** newspaper 3
le **journalisme** journalism 6
un(e) **journaliste** journalist
une **journée** day; *Bonne journée!* Have a good day! 7
juillet July
juin June
jumeau, jumelle twin 8
une **jupe** skirt
le **jus d'orange** orange juice; *le jus de fruit* fruit juice; *le jus de pamplemousse* grapefruit juice 8; *le jus de pomme* apple juice; *le jus de raisin* grape juice; *le jus de tomate* tomato juice 8
jusqu'à up to, until
juste just, only

K

le **karaté** karate 5
le **ketchup** ketchup
un **kilogramme (kilo)** kilogram
un **kilomètre** kilometer

L

là there, here
là-bas over there
un **lac** lake 3
laid(e) unattractive 2
laisser to leave 6
le **lait** milk
une **lampe** lamp
un **lapin** rabbit 3
le **latin** Latin (language)
se **laver** to wash (oneself) 4
un **lave-vaisselle** dishwasher 4
le, la, l' the; him, her, it 5; *le* **(+ day of the week)** on (+ day of the week); *le* **(+ number)** on the (+ ordinal number)
une **leçon** lesson 11
un **légume** vegetable
le **lendemain** the next day 8
les the; them 5
la **lessive** laundry 4
une **lettre** letter 3; *une boîte aux lettres* mailbox 6
leur their; to them 6
se **lever** to get up 4
une **lèvre** lip 4; *le rouge à lèvres* lipstick 4
la **liberté** liberty
une **librairie** bookstore
libre free (not busy) 5
la **limite de vitesse** speed limit 11
une **limonade** lemon-lime soda
le **linge: faire sécher le linge** to dry clothes 4
un **lion** lion 2
liquide: l'argent liquide (m.) cash 6
lire to read
un **lit** bed; *des lits jumeaux* twin beds 8; *un grand lit* double bed 8
un **livre** book
loin far
les **loisirs (m.)** leisure activities 5

long, longue long
louer to rent 7
lui to him, to her 6; him 8
une **lumière** light
lundi (m.) Monday
des **lunettes (f.)** glasses 6; *des lunettes de soleil (f.)* sunglasses 6
le **Luxembourg** Luxembourg
luxembourgeois(e) from Luxembourg
un **lycée** high school 10

M

m'appelle: je m'appelle my name is
une **machine à laver** washer 4
Madagascar (f.) Madagascar 10
Madame (Mme) Mrs., Ma'am
Mademoiselle (Mlle) Miss
un **magasin** store; *un grand magasin* department store
un **magazine** magazine 3
un **magnétoscope** VCR
magnifique magnificent 2
mai May
un **maillot de bain** swimsuit
une **main** hand
maintenant now
une **mairie** town hall
mais but
une **maison** house
mal bad, badly; *avoir mal (à...)* to hurt, to have a/an . . . ache, to have a sore . . .
malade sick
une **maladie** disease, illness 11
malgache inhabitant of/from Madagascar 10
maman (f.) Mom
la **Manche** English Channel 10
manger to eat; *manger de la pizza* to eat pizza; *une salle à manger* dining room
un **manteau** coat
le **maquillage** makeup 4
se **maquiller** to put on makeup 4
un(e) **marchand(e)** merchant
un **marché** market
marcher to walk
mardi (m.) Tuesday
un **mari** husband
un **mariage** marriage 4
un(e) **marié(e)** groom, bride 4
le **Maroc** Morocco
marocain(e) Moroccan
marrant(e) funny 4
marre: J'en ai marre! I'm sick of it! I've had it!
marron brown
mars March
martiniquais(e) inhabitant of/from Martinique 10
la **Martinique** Martinique
le **mascara** mascara 4
un **match** game, match 5
les **maths (f.)** math
un **matin** morning; *le matin* in the morning
mauvais(e) bad
maximum: Il faut profiter de la vie au maximum. We have to live life to the fullest. 8
la **mayonnaise** mayonnaise
me (to) me; myself 4
un **mec** guy 5
méchant(e) mean
un **médecin** doctor
un **melon** melon
un **membre** member
même even
le **ménage** housework 4
un **menu** fixed-price meal 3
une **mer** sea; *au bord de la mer* at the seashore 10; *des fruits de mer* seafood 3; *la mer des Antilles* Caribbean Sea 10; *la mer du Nord* North Sea 10; *la mer Méditerranée* Mediterranean Sea 10
merci thanks
mercredi (m.) Wednesday
une **mère** mother
Mesdames ladies 3
un **message** message 3
Messieurs-Dames ladies and gentlemen
un **métier** trade, craft 2
un **métro** subway
un **metteur en scène** director 9
mettre to put (on), to set
mexicain(e) Mexican
le **Mexique** Mexico
un **micro-onde** microwave
midi noon
mieux better 5; *le mieux* the best 10
mignon, mignonne cute 9
mille (one) thousand
un **million** million
mince slender 2; *Mince!* Darn! 7
la **mine: avoir bonne/mauvaise mine** to look well/sick
un **minivan** minivan 11
minuit midnight
une **minute** minute
moche ugly
moderne modern
moi me, I
moins minus; less; *au moins* at least; *moins le quart* quarter to
un **mois** month
un **moment** moment 8
mon, ma; mes my
Monaco (m.) Monaco 10
le **monde** world; people 3
monégasque inhabitant of/from Monaco 10
un **moniteur, une monitrice** instructor 11
la **monnaie** change 6
Monsieur Mr., Sir
une **montagne** mountain 3
monter to go up; to get on 7; to get in 11
une **montre** watch 6
montrer to show; *Montrez-moi....* Show me . . . .
un **monument** monument

un **morceau** piece
un **mouchoir** handkerchief 6
une **moule** mussel 3
mourir to die 9
une **mousse** mousse 3; *une mousse au chocolat* chocolate mousse 3
la **moutarde** mustard
un **mouton** sheep 3
moyen, moyenne medium 2
mûr(e) ripe
la **musculation** body building 5
un **musée** museum
un **musicien, une musicienne** musician
la **musique** music
mystérieux, mystérieuse mysterious 2

N

n'est-ce pas? isn't that so?
nager to swim
naître to be born 8
une **nappe** tablecloth
national(e) national
une **nationalité** nationality 8
naturellement naturally 6
ne (n')... jamais never
ne (n')... pas not
ne (n')... pas encore not yet 10
ne (n')... personne no one, nobody, not anyone
ne (n')... plus no longer, not anymore
ne (n')... rien nothing, not anything
neiger: Il neige. It's snowing.
nettoyer to clean 3
neuf nine
neuvième ninth
un **nez** nose
noir(e) black
un **nom** name 2
non no
le **nord** north
notre; nos our
nourrir to feed 3
la **nourriture** food 2
nous we; us; ourselves 4; to us 6
nouveau, nouvel, nouvelle new
novembre November
nucléaire nuclear 11
un **numéro** number 3; *un numéro de téléphone* telephone number 8

O

un **objet d'art** objet d'art 2
obligé(e): être obligé(e) de to be obliged to, to have to
occupé(e) busy 2
un **océan** ocean 3; *l'océan Atlantique (m.)* Atlantic Ocean 10; *l'océan Indien (m.)* Indian Ocean 10; *l'océan Pacifique (m.)* Pacific Ocean 10
octobre October
un **œil** eye
un **œuf** egg; *des œufs brouillés (m.)* scrambled eggs 8; *des œufs sur le plat (m.)* fried eggs 8
offrir to offer, to give 5
oh oh; *Oh là là!* Wow! Oh no! Oh dear!
un **oignon** onion
un **oiseau** bird
OK OK
une **omelette** omelette
on they, we, one; *On y va?* Shall we go (there)?
un **oncle** uncle
onze eleven
une **opinion** opinion 11
l' **or (m.)** gold 6
orange orange
une **orange** orange
ordinaire regular (gasoline) 11
un **ordinateur** computer
une **oreille** ear
ou or
où where
ouais yeah
l' **ouest (m.)** west
oui yes
un **ours** bear 2
un **ouvrier, une ouvrière** (factory) worker 9
ouvrir to open 6

P

le **pain** bread; *le pain grillé* toast 8; *le pain perdu* French toast 8
un **pamplemousse** grapefruit 8
une **panne** breakdown 11; *tomber en panne* to have a (mechanical) breakdown 11
un **panneau** sign 7
un **pantalon** (pair of) pants
une **pantoufle** slipper 6
papa (m.) Dad 5
par per; by 3; *par avion* by air mail 6; *par exemple* for example 10
le **paradis** paradise
un **parapluie** umbrella 6
un **parc** park 2
parce que because
pardon excuse me
un **pare-brise** windshield 11
un **parent** parent; relative
paresseux, paresseuse lazy
parfait(e) perfect 9
parier to bet 9
parler to speak, to talk; *Tu parles!* No way! You're kidding! 7
part: à part aside from 7
partir to leave
pas not; *pas du tout* not at all 4
un **passager, une passagère** passenger 7
un **passeport** passport
passer to show (a movie); to spend (time); to pass, to go (by) 6; *passer à la douane* to go through customs 7; *passer l'aspirateur (m.)* to vacuum 4

une **pastèque** watermelon
le **pâté** pâté
une **pâtisserie** pastry store
un **pâtissier, une pâtissière** pastry store owner 2
pauvre poor 2
un **pays** country 4
une **pêche** peach
un **peigne** comb 4
se **peigner** to comb (one's hair) 4
un **peignoir de bain** bathrobe 6
une **pelouse** lawn 4
pendant during 3
une **pendule** clock
pénible unpleasant 2
penser (à) to think (of)
perdre to lose
un **père** father
se **perfectionner** to improve 9
un **permis de conduire** driver's license 11
une **personnalité** personality 2
une **personne** person 8; *ne (n')... personne* no one, nobody, not anyone
peser to weigh 6
petit(e) short, little, small; *le petit déjeuner* breakfast; *mon petit* son 4
des **petits pois (m.)** peas
(un) **peu** (a) little; *(un) peu de* (a) little, few
la **peur: avoir peur (de)** to be afraid (of)
peut-être maybe
un **pharmacien, une pharmacienne** pharmacist 2
la **philosophie** philosophy
une **photo** photo, picture
la **physique** physics
un **piano** piano 5
une **pièce** room; coin 6
un **pied** foot; *à pied* on foot 3; *un doigt de pied* toe
un **pilote** pilot 9
piqueniquer to have a picnic 2
une **piscine** swimming pool
une **pizza** pizza
un **placard** cupboard
la **place** room, space; *une place* (public) square; place 4
placé(e) placed, situated 9
une **plage** beach
un **plaisir** pleasure 8
plaît: ... me plaît. I like . . . .
un **plan** map
la **planche à voile** windsurfing 5
une **plante** plant 4
un **plat** dish 3; *le plat principal* main course 3
plein(e) full 3; *faire le plein* to fill up the gas tank 11
pleuvoir: Il pleut. It's raining.
le **plomb** lead 11
la **plongée sous-marine** scuba diving 5
plonger to dive 5
plus more; *de plus* further-more, what's more 9; more 11; *le plus* **(+ adverb)** the most (+ adverb) 10; *le/la/les plus* **(+ adjective)** the most (+ adjective); *ne (n')... plus* no longer, not anymore; *plus tard* later 7
un **pneu** tire 11
une **poire** pear
les **pois (m.): des petits pois (m.)** peas
un **poisson** fish; *un poisson rouge* goldfish
le **poivre** pepper
poli(e) polite 9
un **policier, une policière** detective 5
politique political 9
la **pollution** pollution 11
une **pomme** apple; *une pomme de terre* potato
un **pompier** firefighter 9
un(e) **pompiste** gas station attendant 11
un **pont** bridge 3
le **porc** pork
une **porte** door; gate 7; *une porte d'embarquement* departure gate 7
un **portefeuille** billfold, wallet 6
porter to wear
une **possibilité** possibility 10
possible possible
une **poste** post office
un **postier, une postière** postal worker 6
un **pot** jar
le **potage** soup 3
une **poubelle** garbage can 4
une **poule** hen 3
un **poulet** chicken
pour for; (in order) to
pourquoi why
la **poussière** dust 4; *enlever la poussière* to dust 4
pouvoir to be able to
pratique practical 11
préférer to prefer
premier, première first
prendre to take, to have (food or drink); *prendre rendez-vous* to make an appointment
un **prénom** first name 8
préparer to prepare 6; *se préparer* to get ready 4
près (de) near
présenter to introduce
préserver to save, to protect 11
presque almost 11
prêt(e) ready 4
prie: Je vous en prie. You're welcome.
principal(e) main 3
le **printemps** spring
un **problème** problem 11
prochain(e) next 8
un(e) **prof** teacher
un **professeur** teacher
une **profession** occupation
profiter de to take advantage of 8; *Il faut profiter de la vie au maximum.* We have to live life to the fullest. 8
une **promenade** ride 3; walk 10
puis then
puissant(e) powerful 9

un **pull** sweater
un **pyjama** pyjamas 6

Q

qu'est-ce que what; *Qu'est-ce que c'est?* What is it/this?; *Qu'est-ce que tu as?* What's the matter with you?
qu'est-ce qui what 9
un **quai** platform 3
quand when
quarante forty
un **quart** quarter; *et quart* fifteen (minutes after), quarter after; *moins le quart* quarter to
un **quartier** quarter, neighborhood
quatorze fourteen
quatre four
quatre-vingt-dix ninety
quatre-vingts eighty
quatrième fourth
que how; than, as, that; which, whom 6; what 9; *Que je suis bête!* How dumb I am!; *Que vous êtes gentils!* How nice you are!
un(e) **Québécois(e)** inhabitant of Quebec 8
quel, quelle what, which; *Quel, Quelle...!* What (a) . . . ! 5
quelqu'un someone, somebody
quelque chose something
quelquefois sometimes 10
quelques some
la **queue: faire la queue** to stand in line 7
qui who, whom; which, that 6; *qui est-ce que* whom 9; *qui est-ce qui* who 9
une **quiche** quiche
quinze fifteen
quitter to leave (a person or place)
quoi what; *Il n'y a pas de quoi.* You're welcome. 7
quotidien, quotidienne daily 4

R

raconter to tell (about) 8
un **raisin** grape
ranger to pick up, to arrange 4
rapide fast 7
rapidement rapidly, fast 10
une **raquette** racket 5
se **raser** to shave 4
un **rasoir** razor 4
la **réception** reception desk 8
un(e) **réceptionniste** receptionist
recevoir to receive, to get 8
recommander to recommend 3
recommencer to begin again 5
recycler recycle 11
regarder to watch; to look (at); *se regarder* to look at oneself 4
le **reggae** reggae
régler to pay 8
regretter to be sorry
une **reine** queen 7
se **rejoindre** to meet 9
remercier to thank 5
remplir to fill (out) 8
un **rendez-vous** appointment; *prendre rendez-vous* to make an appointment
rendre: rendre visite (à) to visit 8
rentrer to come home, to return, to come back
un **repas** meal
repasser to iron 4
un **reporter** reporter 11
la **République Démocratique du Congo** Democratic Republic of the Congo
le **R.E.R. (Réseau Express Régional)** express subway to suburbs 7
une **réservation** reservation 3
réserver to reserve 8
résoudre to solve 11
ressembler à to look like, to resemble
un **restaurant** restaurant
rester to stay, to remain
retard: en retard late 2
réussir to pass (a test), to succeed 10
se **réveiller** to wake up 4
revenir to come back, to return
rêver to dream 11
le **rez-de-chaussée** ground floor
un **rhume** cold
riche rich 2
rien: ne (n')... rien nothing, not anything
une **rivière** river 3
une **robe** dress
rocheux, rocheuse rocky 10
le **rock** rock (music)
un **roi** king 7
le **roller** in-line skating
un **roman** novel 3
rose pink
rouge red; *le rouge à lèvres* lipstick 4
rouler to drive 11
une **route** road 3
roux, rousse red (hair)
une **rue** street

S

s'appelle: elle s'appelle her name is; *il s'appelle* his name is
s'il te plaît please; *s'il vous plaît* please
un **sac à dos** backpack; *un sac à main* purse 6
un(e) **saint(e)** saint 9
une **saison** season 10
une **salade** salad
une **salle à manger** dining room
une **salle de bains** bathroom
une **salle de classe** classroom
un **salon** living room
salut hi; good-bye

samedi (m.) Saturday
une **sandale** sandal 6
un **sandwich** sandwich; *un sandwich au fromage* cheese sandwich; *un sandwich au jambon* ham sandwich
sans without 11
un(e) **sans-abri** homeless person 11
la **santé** health
la **sauce hollandaise** hollandaise sauce 3
une **saucisse** sausage 8
le **saucisson** salami
sauf except 5
un **saumon** salmon 3
savoir to know (how) 7
le **savon** soap 4
un **saxophone** saxophone 5
la **science-fiction** science fiction 5
les **sciences (f.)** science
scientifique scientific 9
scolaire school 6
la **sculpture** sculpture 2
se himself, herself, oneself, themselves 4
un **sèche-cheveux** hair dryer 4
un **sèche-linge** dryer 4
sécher to dry 4
le **secours: Au secours!** Help!
un(e) **secrétaire** secretary 9
la **sécurité: une ceinture de sécurité** seat belt 11
seize sixteen
un **séjour** family room; stay; *un séjour en famille* family stay 3
le **sel** salt
selon according to 2
une **semaine** week
sembler to seem 7; *Il me semble....* It seems to me 7
le **Sénégal** Senegal
sénégalais(e) Senegalese
un **sens unique** one-way (street) 11
sensible sensitive 9
sept seven
septembre September
septième seventh
sérieusement seriously 9
sérieux, sérieuse serious 9; *au sérieux* seriously 2
un **serveur, une serveuse** server
une **serviette** napkin; towel 4
seulement only
le **shampooing** shampoo 4
le **shopping** shopping
un **short** (pair of) shorts
si yes (on the contrary); so; if 2
le **SIDA** AIDS 11
un **siècle** century 2
un **siège** seat 7
signer to sign 6
un **singe** monkey 2
le **sirop d'érable** maple syrup 8
six six
sixième sixth
le **ski nautique** waterskiing 5
skier to ski
une **sœur** sister
la **soif: J'ai soif.** I'm thirsty.
un **soir** evening; *ce soir* tonight; *le soir* in the evening 8
soixante sixty
soixante-dix seventy
des **soldes (f.)** sale(s)
le **soleil** sun
solide steady
son, sa; ses his, her, one's, its
sortir to go out; *sortir la poubelle* to take out the garbage 4
un **souhait: À tes souhaits!** Bless you!
la **soupe** soup
sous under
un **sous-sol** basement
des **sous-vêtements (m.)** underwear 6
souvent often
spécial(e) special 7
une **spécialité** specialty 10
un **sport** sport
sportif, sportive athletic 5
un **stade** stadium
un **stage** on-the-job training 6
une **station** station; *une station-service* gas station 11
une **statue** statue
un **steak** steak; *un steak-frites* steak with French fries
une **stéréo** stereo
un **stylo** pen
le **sucre** sugar
le **sud** south
suisse Swiss
la **Suisse** Switzerland
suivant(e) following, next 6
suivre to follow, to take (a class) 11
super super, terrific, great; premium (gasoline) 11
superbe superb 7
un **supermarché** supermarket
un **supplément** extra charge 8
sur on; in; about 9; to 10
sûr: bien sûr of course
une **surprise** surprise 3
surtout especially 7
un **sweat** sweatshirt
sympa (sympathique) nice
sympathiser to get along 4
un **syndicat d'initiative** tourist office 7
un **synthé (synthétiseur)** synthesizer 5

T

t'appelles: tu t'appelles your name is
un **tabac** tobacco shop
une **table** table
un **tableau** (chalk)board; painting; *le tableau des arrivées et des départs* arrival and departure information 7
Tahiti (f.) Tahiti 10
tahitien, tahitienne Tahitian 10

une **taille** size
un **taille-crayon** pencil sharpener
un **tailleur** woman's suit
Tant mieux. That's great.
Tant pis. Too bad. 7
une **tante** aunt
un **tapis** rug
tard late 7; *plus tard* later 7
une **tarte (aux fraises)** (strawberry) pie
une **tartine** slice of buttered bread 8
une **tasse** cup
un **taxi** taxi
te to you; yourself 4; you 5
un **tee-shirt** T-shirt
la **télé (télévision)** TV, television; *à la télé* on TV 9
un **télégramme** telegram 6
un **téléphone** telephone 8
téléphoner to phone (someone), to make a call
une **température** temperature
le **temps** weather; time 6; *Quel temps fait-il?* What's the weather like? How's the weather?
des **tennis (m.)** tennis shoes
le **tennis** tennis
la **terminale** last year of *lycée* 9
terminer to finish 3
la **terre: une pomme de terre** potato
le **terrorisme** terrorism 11
une **tête** head
le **thé** tea 3; *le thé au citron* tea with lemon 8; *le thé au lait* tea with milk 8
un **théâtre** theater 9
Tiens! Hey!
un **tigre** tiger 2
un **timbre** stamp
timide timid, shy
toi you
les **toilettes (f.)** toilet
une **tomate** tomato
un **tombeau** tomb
tomber: tomber en panne to have a (mechanical) breakdown 11
ton, ta; tes your
une **tondeuse** lawn mower 4
tondre to mow 4
tôt early 3
toucher to cash
toujours always; still
un **tour** trip; *le tour* tour
une **tour** tower
une **tournée** tour 9
tourner to turn
tous all 5
la **Toussaint** All Saints' Day
tout all, everything; *tout de suite* right away, right now 2; *tout droit* straight ahead
tout(e); tous, toutes all, every 8; *tous les deux* both; *tout le monde* everybody
un **train** train; *être en train de* **(+ infinitive)** to be busy (doing something) 2
un **trajet** trip 7
une **tranche** slice
le **travail** work 3
travailler to work
traverser to cross 3
treize thirteen
trente thirty
très very
un **triomphe** triumph
triste sad 2
trois three
troisième third
un **trombone** trombone 5
une **trompette** trumpet 5
trop too; too much; *trop de* too much, too many
une **trousse** pencil case
trouver to find; to think 9
tu you
la **Tunisie** Tunisia
tunisien, tunisienne Tunisian

U

un one; a, an
une a, an, one
une **université** university 4
utiliser to use 8

V

les **vacances (f.)** vacation
une **vache** cow 3
vachement really, very 3
la **vaisselle** dishes 4
une **valise** suitcase 7
un **vase** vase
la **veille** night before
un **vélo** bicycle, bike
un **vendeur, une vendeuse** salesperson
vendre to sell
vendredi (m.) Friday
venir to come; *venir chercher* to pick up, to come and get 10; *venir de* **(+ infinitive)** to have just 2
le **vent** wind
un **ventre** stomach
vérifier to check 7
un **verre** glass; *des verres de contact (m.)* contacts 6
vert(e) green
une **veste** (sport) jacket
des **vêtements (m.)** clothes
un **vétérinaire** veterinarian 9
une **vidéocassette** videocassette
la **vie** life 2
le **Vietnam** Vietnam
vietnamien, vietnamienne Vietnamese
vieux, vieil, vieille old; *mon vieux* buddy 7
vif, vive bright 2
un **village** village
une **ville** city; *en ville* downtown 6
le **vin** wine 3
vingt twenty
violet, violette purple

un **violon** violin 5
une **visite** visit 7; *rendre visite (à)* to visit 8
visiter to visit (a place)
vite fast, quickly 2
la **vitesse** speed 11; *changer de vitesse* to shift gears 11; *la limite de vitesse* speed limit 11
vivre to live
voici here is/are
une **voie** (train) track 7
voilà here is/are, there is/are; that's it 4
la **voile** sailing 5
voir to see
une **voiture** car; (train) car 7; *une voiture de sport* sports car 11
une **voix** voice 9
un **vol** flight 7
le **volley (volleyball)** volleyball
votre; vos your
voudrais would like
vouloir to want; *vouloir bien* to be willing
vous you; to you; yourself, yourselves 4
un **voyage** trip
voyager to travel
un **voyageur, une voyageuse** traveler 7
voyons let's see
vrai(e) true; real 9
vraiment really
une **vue** view 8

W

les **W.-C. (m.)** toilet
un **weekend** weekend 3

Y

y there, (about) it 9
le **yaourt** yogurt
des **yeux (m.)** eyes

Z

un **zèbre** zebra 2
zéro zero
un **zoo** zoo 2
Zut! Darn!

Vocabulary English/French

All words and expressions introduced as active vocabulary in the first- and second-level *C'est à toi!* textbooks appear in this end vocabulary. The number following the meaning of each word or expression indicates the unit in which it appears for the first time. If there is more than one meaning for a word or expression and it has appeared in different units, the corresponding unit numbers are listed. Words and expressions that were introduced in the first-level *C'est à toi!* textbook do not have a number after them.

A

a un, une; de (d'); *a lot* beaucoup; *a lot of* beaucoup de
to be **able to** pouvoir
about de (d') 5; sur 9; en 10; *about them* en 10; *(about) it* y 9
above au-dessus de
to **accelerate** accélérer 11
to **accept** accepter 9
accessory un accessoire 6
according to d'après; selon 2
accountant un(e) comptable
ache: to have a/an . . . ache avoir mal (à...)
acquaintance une connaissance 7
active actif, active 9
activities: leisure activities les loisirs (m.) 5
actor un acteur 9
actress une actrice 9
address une adresse 6
to **admire** admirer 9
advantage: to take advantage of profiter de 8
adventure une aventure 5
aerobics l'aérobic (m.) 5; *to do aerobics* faire de l'aérobic (m.) 5
aerogram (air letter) un aérogramme 6
to be **afraid (of)** avoir peur (de)
Africa l'Afrique (f.)
African africain(e) 10
after après
afternoon l'après-midi (m.)
age l'âge (m.)
agent un agent 7; *customs agent* un douanier, une douanière 7
ago il y a 7
ahead: straight ahead tout droit
AIDS le SIDA 11
air conditioning la climatisation 8
air mail: by air mail par avion 6
airplane un avion
airport un aéroport
aisle un couloir 7
alcoholism l'alcoolisme (m.) 11
Algeria l'Algérie (f.)
Algerian algérien, algérienne
all tout; tous 5; tout(e), tous, toutes 8; *all at once* à la fois 11; *All Saints' Day* la Toussaint; *not at all* pas du tout 4
almost presque 11
already déjà
also aussi
always toujours
America l'Amérique (f.) 7; *North America* l'Amérique du Nord (f.) 10; *South America* l'Amérique du Sud (f.) 10
American américain(e)
among entre 3
amusing amusant(e) 9
an un; une; de (d')
and et
animal un animal 2
another un(e) autre
any de (d'); des, du; en 10
anymore: not anymore ne (n')... plus
anyone: not anyone ne (n')... personne
anything: not anything ne (n')... rien
apartment un appartement; *apartment building* un immeuble
apple une pomme; *apple juice* le jus de pomme
appointment un rendez-vous; *to make an appointment* prendre rendez-vous
April avril
arch un arc, une arche
arm un bras
armchair un fauteuil
army une armée 9
to **arrange** ranger 4
arrival une arrivée 7; *arrival and departure information* le tableau des arrivées et des départs 7
to **arrive** arriver
art l'art (m.) 2; *objet d'art* un objet d'art 2
artist un(e) artiste 2
as aussi, que; en 3; comme 9; *as soon as* aussitôt que; *as usual* comme d'habitude 4
Asia l'Asie (f.) 10
Asian asiatique 10
aside from à part 7
to **ask** demander 7; *to ask for* demander

at à; *at (the)* au, aux; *at least* au moins; *at the end of* au fond de 4; *at the seashore* au bord de la mer 10

athlete un(e) athlète 9

athletic sportif, sportive 5

Atlantic Ocean l'océan Atlantique (m.) 10

ATM machine un guichet automatique 6

to **attend** assister à 5

attendant: gas station attendant un(e) pompiste 11

attic un grenier

August août

aunt une tante

Australia l'Australie (f.) 10

Australian australien, australienne 10

automatic automatique 6

autumn l'automne (m.)

avenue une avenue

B

to **baby-sit** faire du baby-sitting 5

baby-sitting le baby-sitting 5

back un dos; *to come back* rentrer, revenir

backpack un sac à dos

bad mal; mauvais(e); *It's bad.* Il fait mauvais.; *Too bad!* Dommage! 4; Tant pis. 7

badly mal

baggage des bagages (m.) 7; *to check one's baggage* faire enregistrer ses bagages (m.) 7

baker un boulanger, une boulangère 2

bakery une boulangerie

balcony un balcon

banana une banane

bank une banque

banker un banquier, une banquière 6

barn une grange 3

basement un sous-sol

basketball le basket (basketball); *to play basketball* jouer au basket

bath mitt un gant de toilette 4

bathrobe un peignoir de bain 6

bathroom une salle de bains

bathtub une baignoire

to **be** être; *Be careful!* Attention! 3; *to be . . . (years old)* avoir... ans; *to be able to* pouvoir; *to be afraid (of)* avoir peur (de); *to be born* naître 8; *to be busy (doing something)* être en train de (+ *infinitive*) 2; *to be cold* avoir froid; *to be how old* avoir quel âge; *to be hungry* avoir faim; *to be in good/bad shape* être en bonne/ mauvaise forme; *to be necessary* falloir; *to be obliged to* être obligé(e) de; *to be sorry* regretter; *to be thirsty* avoir soif; *to be warm/hot* avoir chaud; *to be willing* vouloir bien

beach une plage

beans: green beans des haricots verts (m.)

bear un ours 2

beard une barbe 4

beautiful beau, bel, belle; *It's beautiful.* Il fait beau.

because parce que

to **become** devenir 2

bed un lit; *double bed* un grand lit 8; *to go to bed* se coucher 4; *twin beds* des lits jumeaux 8

bedroom une chambre

beef le bœuf

before avant (de) 8

to **begin** commencer; *to begin again* recommencer 5

behind derrière

beige beige

Belgian belge

Belgium la Belgique

to **believe** croire 9

belt une ceinture 6; *seat belt* une ceinture de sécurité 11

beside à côté (de) 2

best: the best le mieux 10

to **bet** parier 9

better mieux 5

between entre 3

beverage une boisson

bicycle un vélo

big grand(e); gros, grosse

bike un vélo

biking: to go biking faire du vélo

bill (at a restaurant) une addition 3; *bill (money)* un billet 6

billfold un portefeuille 6

biology la biologie

bird un oiseau

birthday un anniversaire; *Happy Birthday!* Bon anniversaire! 5

black noir(e)

Bless you! À tes souhaits!

blond blond(e)

blue bleu(e)

board un tableau

boat un bateau

body un corps; *body building* la musculation 5; *to do body building* faire de la musculation 5

book un livre

bookstore une librairie

boot une botte

to be **born** naître 8

both tous les deux

bottle une bouteille

boutique une boutique

bowl un bol

boy un garçon

bracelet un bracelet 6

bread le pain; *long, thin loaf of bread* une baguette; *slice of buttered bread* une tartine 8

breakdown une panne 11; *to have a (mechanical) breakdown* tomber en panne 11
breakfast le petit déjeuner
bride une mariée 4
bridge un pont 3
bright vif, vive 2
brother un frère; *host brother* un correspondant 3
brother-in-law un beau-frère
brown brun(e); marron
to **brush** se brosser 4
buddy mon vieux 7
buff un(e) fana 9
building: apartment building un immeuble
burlesque burlesque 4
to **burn** brûler 9
bus: (city) bus un autobus, un bus 3
businessman un homme d'affaires
businesswoman une femme d'affaires
busy occupé(e) 2; *free (not busy)* libre 5; *to be busy (doing something)* être en train de (+ *infinitive)* 2
but mais
butcher un boucher, une bouchère 2; *butcher shop* une boucherie
butter le beurre
to **buy** acheter
by de (d'); en, par 3; *by air mail* par avion 6
bye ciao

C

café un café
cafeteria une cantine
cake un gâteau
calendar un calendrier
call: to make a call téléphoner
Camembert cheese le camembert
Cameroon le Cameroun 10
Cameroonian camerounais(e) 10
to **camp** faire du camping 5
campground un camping
camping le camping; *to go camping* faire du camping 5
can une boîte; *garbage can* une poubelle 4
Canada le Canada
Canadian canadien, canadienne
canoe un canoë 5
canoeing: to go canoeing faire du canoë 5
cap une casquette 6
capital une capitale 4
car une voiture; une auto (automobile) 10; *(train) car* une voiture 7; *sports car* une voiture de sport 11
caramel custard une crème caramel 3
card une carte 3; *credit card* une carte de crédit 8; *to play cards* jouer aux cartes (f.) 5
careful: Be careful! Attention! 3
Caribbean Sea la mer des Antilles 10
carrot une carotte
cartoon un dessin animé 5
case un cas 8
cash l'argent liquide (m.) 6
to **cash** toucher
cashier un caissier, une caissière 2; *cashier's (desk)* une caisse 6
cassette une cassette
castle un château 3
cat un chat
CD un CD
to **celebrate** fêter 5
cemetery un cimetière
center un centre; *shopping center* un centre commercial
century un siècle 2
cereal des céréales (f.) 8
chair une chaise
chalkboard un tableau
change la monnaie 6; un changement 11
to **change** changer 4
channel: English Channel la Manche 10
chapel une chapelle 7
charge: extra charge un supplément 8
charts le hit-parade 9
cheap bon marché
check (at a restaurant) une addition 3; *security check* un contrôle de sécurité 7; *traveler's check* un chèque de voyage
to **check** vérifier 7; *to check one's baggage* faire enregistrer ses bagages (m.) 7
cheese le fromage; *Camembert cheese* le camembert; *cheese sandwich* un sandwich au fromage
chef un chef 9
chemistry la chimie
cherry une cerise
chess les échecs (m.) 5; *to play chess* jouer aux échecs (m.) 5
chicken un poulet; *chicken cooked in wine* le coq au vin 3
child un(e) enfant
chills des frissons (m.)
China la Chine
Chinese chinois(e)
chocolate le chocolat; *chocolate ice cream* une glace au chocolat; *chocolate mousse* une mousse au chocolat 3; *hot chocolate* un chocolat chaud 8
choice un choix 3
to **choose** choisir 2
chore une corvée 4
church une église
city une ville
clarinet une clarinette 5

class un cours; une classe 9; *to take (a class)* suivre 11
classmate une camarade de classe 9
classroom une salle de classe
to **clean** nettoyer 3
cleaner: vacuum cleaner un aspirateur 4
climbing l'escalade (f.) 5; *to go climbing* faire de l'escalade (f.) 5
clip: video clip un clip 9
clock une pendule
to **close** fermer
clothes des vêtements (m.); *to dry clothes* faire sécher le linge 4
club: dance club une boîte
coast une côte 10
coat un manteau
coffee un café; *coffee with milk* un café au lait 8
coin une pièce 6
Coke un coca
cold froid(e); *It's cold.* Il fait froid.; *to be cold* avoir froid
cold un rhume
to **collect** collectionner 5
color une couleur
comb un peigne 4
to **comb (one's hair)** se peigner 4
to **come** venir; *to come and get* venir chercher 10; *to come back* rentrer, revenir; *to come home* rentrer; *to come in* entrer
comedy une comédie 5
comic strip une bande dessinée 3
comical burlesque 4
complete complet, complète 8
computer un ordinateur; *computer science* l'informatique (f.); *computer specialist* un informaticien, une informaticienne
concert un concert 5
Congolese congolais(e)
contacts des verres de contact (m.) 6
contemporary contemporain(e) 11
to **continue** continuer
to **control** contrôler 11
conversation une conversation 8
convertible une décapotable 11
cook un cuisinier, une cuisinière
cooking la cuisine 10
cool frais, fraîche; *It's cool.* Il fait frais.
to **cost** coûter
couch un canapé
counter un comptoir 7
country la campagne 3; un pays 4
countryside la campagne 3
couple un couple 4
courageous courageux, courageuse 9
course un cours; *entrée (course before main dish)* une entrée 3; *in the course of* au cours de 8; *main course* le plat principal 3
couscous le couscous
cousin un(e) cousin(e)
cow une vache 3
crab un crabe
craft un métier 2
credit card une carte de crédit 8
crêpe une crêpe
croissant un croissant
to **cross** traverser 3
culture la culture 10
cup une tasse
cupboard un placard
currency exchange un bureau de change 6
current events l'actualité (f.) 11
curried scallops des coquilles Saint-Jacques au curry 10
custard: caramel custard une crème caramel 3
customs la douane 7; *customs agent* un douanier, une douanière 7; *to go through customs* passer à la douane 7
cute mignon, mignonne 9

D

Dad papa (m.) 5
daily quotidien, quotidienne 4
dairy store une crémerie
dance un bal; *dance club* une boîte
to **dance** danser
dark (hair) brun(e)
darling un(e) chéri(e) 5
Darn! Zut!; Mince! 7
date une date
daughter une fille
day un jour; une journée; *Have a good day!* Bonne journée! 7; *the next day* le lendemain 8
dear cher, chère
December décembre
to **decide** décider (de)
to **declare** déclarer 7
delicatessen une charcuterie; *delicatessen owner* un charcutier, une charcutière 2
delighted enchanté(e)
Democratic Republic of the Congo la République Démocratique du Congo
dentist un(e) dentiste
department store un grand magasin
departure un départ 7; *arrival and departure information* le tableau des arrivées et des départs 7; *departure gate* une porte d'embarquement 7
to **describe** décrire 8
desk un bureau; *cashier's (desk)* une caisse 6; *reception desk* la réception 8

dessert un dessert
destination une destination 7
detective un policier, une policière 5
dictionary un dictionnaire
to **die** mourir 9
difficult difficile 2
dining room une salle à manger
dinner le dîner
diploma at end of *lycée* le bac (baccalauréat) 10
direct direct(e) 7
director un metteur en scène 9
disease une maladie 11
dish un plat 3
dishes la vaisselle 4
dishwasher un lave-vaisselle 4
diskette une disquette
to **dive** plonger 5
diving: scuba diving la plongée sous-marine 5; *to go scuba diving* faire de la plongée sous-marine 5
to **do** faire; *to do aerobics* faire de l'aérobic (m.) 5; *to do body building* faire de la musculation 5; *to do gymnastics* faire de la gym (gymnastique) 5; *to do homework* faire les devoirs; *to do karate* faire du karaté 5
doctor un médecin; un docteur
documentary un documentaire 5
dog un chien
dollar un dollar
dolphin un dauphin 2
door une porte
dormitory room (for more than one person) un dortoir 8
double bed un grand lit 8
downtown en ville 6
drag: What a drag! Quelle galère! 5
drama un drame 5
drawing le dessin
to **dream** rêver 11
dress une robe; *to dress up* se déguiser 4
dressed: to get dressed s'habiller 4
drink une boisson
to **drink** boire 8
to **drive** conduire 11; rouler 11
driver un chauffeur 9; un conducteur, une conductrice 11; *driver's license* un permis de conduire 11
driving school une auto-école 11
drugs la drogue 11
drums une batterie 5
to **dry** sécher 4; *to dry clothes* faire sécher le linge 4
dryer un sèche-linge 4; *hair dryer* un sèche-cheveux 4
duck un canard 3
dumb bête; *How dumb I am!* Que je suis bête!
during pendant 3; au cours de 8
dust la poussière 4
to **dust** enlever la poussière 4
dynamic dynamique 2

E

each chaque 3
ear une oreille
early en avance 2; tôt 3
earring une boucle d'oreille 6
east l'est (m.)
easy facile
to **eat** manger; *to eat pizza* manger de la pizza
education l'éducation (f.) 11
effort un effort 8
egg un œuf; *fried eggs* des œufs sur le plat (m.) 8; *scrambled eggs* des œufs brouillés (m.) 8
eight huit
eighteen dix-huit
eighth huitième
eighty quatre-vingts
elephant un éléphant 2
elevator un ascenseur 7
eleven onze
end: at the end of au fond de 4; *in the end* finalement 9
energy l'énergie (f.) 11; *nuclear energy* l'énergie nucléaire 11
engineer un ingénieur
England l'Angleterre (f.)
English anglais(e); *English (language)* l'anglais (m.); *English Channel* la Manche 10
enough assez de
to **enter** entrer
entrance une entrée
entrée (course before main dish) une entrée 3
envelope une enveloppe 6
environment l'environnement (m.) 11
especially surtout 7
euro un euro
European européen, européenne 10
even même
evening un soir; *in the evening* le soir 8
events: current events l'actualité (f.) 11
eventually finalement 9
every chaque 3; tout(e), tous, toutes 8
everybody tout le monde
everything tout
exam at end of *lycée* le bac (baccalauréat) 10
example: for example par exemple 10
to **exceed** dépasser 11
except sauf 5
exchange: currency exchange un bureau de change 6
to **exchange** échanger 4

excuse me pardon; excusez-moi
exhibit, exhibition une exposition 2
exotic exotique 10
expensive cher, chère
express subway to suburbs le R.E.R. (Réseau Express Régional) 7
extra charge un supplément 8
eye un œil; *eyes* des yeux (m.)

F

face une figure
factory worker un ouvrier, une ouvrière 9
fall l'automne (m.)
family une famille; *family room* un séjour; *family stay* un séjour en famille 3
famous célèbre 2
fanatic un(e) fana 9
fantastic extra 6
far loin
farm une ferme 3
farmer un fermier, une fermière
fast vite 2; rapide 7; rapidement 10
fast-food restaurant un fast-food
fat gros, grosse
father un père
father-in-law un beau-père
favorable favorable 11
favorite favori, favorite 2
to **fax** faxer 6
February février
to **feed** nourrir 3
to **feel like** avoir envie de; *to feel nauseous* avoir mal au cœur
festival une fête
fever la fièvre
few (un) peu de
fiction: science fiction la science-fiction 5
field un champ 3
fifteen quinze; *fifteen (minutes after)* et quart
fifth cinquième
fifty cinquante
to **fill (out)** remplir 8; *to fill up the gas tank* faire le plein 11
finally enfin 2
to **find** trouver
fine une amende 7
fine bien 8
finger un doigt
to **finish** finir; terminer 3
firefighter un pompier 9
fireworks un feu d'artifice
first premier, première; d'abord; *first name* un prénom 8
fish un poisson; *fish soup* une bouillabaisse
five cinq
fixed-price meal un menu 3
flight un vol 7
floor un étage; *ground floor* le rez-de-chaussée
florist un(e) fleuriste 2
flower une fleur
flu la grippe
flute une flûte 5
to **follow** suivre 11
following suivant(e) 6
food la nourriture 2
foot un pied; *on foot* à pied 3
for pour; comme; depuis 7; *for example* par exemple 10
fork une fourchette
form: order form une fiche de commande 8
fortunately heureusement 10
forty quarante
four quatre
fourteen quatorze
fourth quatrième
France la France
frankly franchement 10
free gratuit(e) 10; *free (not busy)* libre 5
to **free** délivrer 9
French français(e); *French (language)* le français; *French fries* des frites (f.); *French toast* le pain perdu 8; *French-speaking* francophone 9
French Guiana la Guyane française 10; *inhabitant of/from French Guiana* guyanais(e) 10
fresh frais, fraîche
Friday vendredi (m.)
fried eggs des œufs sur le plat (m.) 8
friend un(e) ami(e); un copain, une copine 3
fries: French fries des frites (f.); *steak with French fries* un steak-frites
from de (d'); *from (the)* des, du; *from it/them* en 10
front: in front of devant
fruit un fruit; *fruit juice* le jus de fruit
full chargé(e); plein(e) 3; complet, complète 8
fullest: We have to live life to the fullest. Il faut profiter de la vie au maximum. 8
fun: to have fun s'amuser 6
funny drôle 2; marrant(e) 4; amusant(e) 9
furthermore de plus 9

G

gallery une galerie 7
game un jeu, un match 5; *game show* un jeu télévisé 5; *to play video games* jouer aux jeux vidéo; *video games* des jeux vidéo (m.)
garage un garage
garbage: garbage can une poubelle 4; *to take out the garbage* sortir la poubelle 4
garden un jardin
gas station une station-service 11; *gas station attendant* un(e) pompiste 11

gas tank: to fill up the gas tank faire le plein 11

gasoline l'essence (f.) 11; *premium (gasoline)* super 11; *regular (gasoline)* ordinaire 11

gate une porte 7; *departure gate* une porte d'embarquement 7

gears: to shift gears changer de vitesse 11

generous généreux, généreuse

geography la géographie

German allemand(e); *German (language)* l'allemand (m.)

Germany l'Allemagne (f.)

to **get** recevoir 8; *to come and get* venir chercher 10; *to get along* sympathiser 4; *to get dressed* s'habiller 4; *to get in* monter 11; *to get on* monter 7; *to get ready* se préparer 4; *to get up* se lever 4

gift un cadeau

gifted doué(e) 9

giraffe une girafe 2

girl une fille

to **give** donner; offrir 5; *Give me . . . .* Donnez-moi....; *Give me a hand . . . .* Donne-moi un coup de main.... 4

glass un verre

glasses des lunettes (f.) 6

glove un gant 6

to **go** aller; *let's go (there)* allons-y; *Shall we go (there)?* On y va?; *to go (by)* passer 6; *to go biking* faire du vélo; *to go camping* faire du camping 5; *to go canoeing* faire du canoë 5; *to go climbing* faire de l'escalade (f.) 5; *to go down* descendre 8; *to go for a ride* faire un tour; faire une promenade 3; *to go for a walk* faire une promenade 10; *to go grocery shopping* faire les courses; *to go horseback riding* faire du cheval 3; *to go in-line skating* faire du roller; *to go out* sortir; *to go running* faire du footing; *to go sailing* faire de la voile 5; *to go scuba diving* faire de la plongée sous-marine 5; *to go shopping* faire du shopping, faire les magasins; *to go through customs* passer à la douane 7; *to go to bed* se coucher 4; *to go up* monter; *to go waterskiing* faire du ski nautique 5; *to go windsurfing* faire de la planche à voile 5

goat une chèvre 3

gold l'or (m.) 6

goldfish un poisson rouge

golf le golf 5; *to play golf* jouer au golf 5

good bon, bonne; bien 8; *good evening* bonsoir; *good-bye* au revoir, salut; *Have a good day!* Bonne journée! 7

gorilla un gorille 2

gradually doucement 11

grandfather un grand-père

grandmother une grand-mère

grape un raisin; *grape juice* le jus de raisin

grapefruit un pamplemousse 8; *grapefruit juice* le jus de pamplemousse 8

gray gris(e)

great super; formidable; extra 6; *That's great.* Tant mieux.

green vert(e); *green beans* des haricots verts (m.)

groom un marié 4

ground floor le rez-de-chaussée

Guadeloupe la Guadeloupe; *inhabitant of/from Guadeloupe* guadeloupéen, guadeloupéenne 10

Guiana: French Guiana la Guyane française 10; *inhabitant of/from French Guiana* guyanais(e) 10

guitar une guitare 5

guy un mec 5

gymnastics la gym, la gymnastique 5; *to do gymnastics* faire de la gym (gymnastique) 5

H

hair des cheveux (m.); *hair dryer* un sèche-cheveux 4; *to comb (one's hair)* se peigner 4

hairbrush une brosse à cheveux 4

hairdresser un coiffeur, une coiffeuse

Haiti Haïti (f.) 4

Haitian haïtien, haïtienne 10

half demi(e); *half an hour* une demi-heure 2; *half past* et demi(e)

half-brother un demi-frère

half-sister une demi-sœur

hall un couloir 4; une galerie 7

ham le jambon; *ham sandwich* un sandwich au jambon

hamburger un hamburger

hand une main; *Give me a hand . . . .* Donne-moi un coup de main.... 4

handkerchief un mouchoir 6

handsome beau, bel, belle

happy content(e), heureux, heureuse 2; *Happy Birthday!* Bon anniversaire! 5

hard difficile 2; dur(e) 3

hardworking diligent(e)

hat un chapeau

to **have** avoir; *Have a good day!* Bonne journée! 7; *I've had it!* J'en ai marre!; *one has to, we/you have to* il faut; *to have (food or drink)* prendre; *to have a/an . . . ache, to have a sore . . .* avoir mal; *to have a (mechanical) breakdown* tomber en panne 11; *to have a picnic* piqueniquer 2; *to have fun, to have a good time* s'amuser 6; *to have just* venir de (+ *infinitive*) 2;

to have lunch déjeuner 10; *to have on-the-job training* faire un stage 6; *to have to* devoir, falloir; être obligé(e) de; *We have to live life to the fullest.* Il faut profiter de la vie au maximum. 8

he il; *he is* c'est

head une tête

health la santé

to **hear** entendre 6

heart un cœur

hello bonjour; *hello (on telephone)* allô

help l'aide (f.) 9; *Help!* Au secours!

to **help** aider 2

hen une poule 3

her son, sa; ses; le, la, l' 5; elle 8; *her name is* elle s'appelle; *to her* lui 6

here là; ici; *here is/are* voilà, voici

hero un héros 9

heroine une héroïne 9

herself se 4

Hey! Eh!, Tiens!

hi salut

high haut(e) 4; *high school* un lycée 10

hightops des baskets (f.)

him le, la, l' 5; lui 8; *to him* lui 6

himself se 4

hippopotamus un hippopotame 2

his son, sa; ses; *his name is* il s'appelle

history l'histoire (f.)

holiday une fête

hollandaise sauce la sauce hollandaise 3

home: at/to the home of chez; *to come home* rentrer

homeless person un(e) sans-abri 11

homework les devoirs (m.); *to do homework* faire les devoirs

honest honnête 9

hood un capot 11

to **hope** espérer 7

horror l'épouvante (f.) 5

horse un cheval

horseback riding: to go horseback riding faire du cheval 3

host brother un correspondant 3; *host sister* une correspondante 3

hostel: youth hostel une auberge de jeunesse 8

hot chaud(e); *hot chocolate* un chocolat chaud 8; *It's hot.* Il fait chaud.; *to be hot* avoir chaud

hot dog un hot-dog

hotel un hôtel

hour l'heure (f.); *half an hour* une demi-heure 2

house une maison; *at/to the house of* chez; *to my house* chez moi

househusband un homme au foyer

housewife une femme au foyer

housework le ménage 4

how comment; que; comme 2; *How are things going?* Ça va?; *How are you?* Comment vas-tu?; *How dumb I am!* Que je suis bête!; *how long* depuis combien de temps 7; *how many* combien de; *how much* combien, combien de; *How much is it/that?* Ça fait combien?; *How nice you are!* Que vous êtes gentils!; *How old are you?* Tu as quel âge?; *How's the weather?* Quel temps fait-il?

hundred: (one) hundred cent

hunger la faim 11

hungry: I'm hungry. J'ai faim.; *to be hungry* avoir faim

to **hurry** se dépêcher 4

to **hurt** avoir mal (à...)

husband un mari

I

I j', je; moi; *I need* il me faut 6

ice cream une glace; *chocolate ice cream* une glace au chocolat; *vanilla ice cream* une glace à la vanille

idea une idée 2

if si 2

illness une maladie 11

to **imagine** imaginer

immigration l'immigration (f.) 7

Impressionist impressionniste

to **improve** se perfectionner 9

in dans; à, en, sur; de (d'); *in (the)* au, aux, du; *in front of* devant; *in my opinion* à mon avis 9; *in order to* pour; *in the course of* au cours de 8; *in the end* finalement 9; *in the evening* le soir 8; *in the morning* le matin

included compris(e) 8

Indian Ocean l'océan Indien (m.) 10

to **indicate** indiquer 7

information: arrival and departure information le tableau des arrivées et des départs 7

inhabitant: inhabitant of/from French Guiana guyanais(e) 10; *inhabitant of/from Guadeloupe* guadeloupéen, guadeloupéenne 10; *inhabitant of/from Madagascar* malgache; *inhabitant of/from Martinique* martiniquais(e) 10; *inhabitant of/from Monaco* monégasque 10; *inhabitant of Quebec* un(e) Québécois(e) 8

in-line skating le roller; *to go in-line skating* faire du roller

inspector un contrôleur, une contrôleuse 7

instructor un moniteur, une monitrice 11

intelligent intelligent(e)
to **interest** intéresser 9
interesting intéressant(e) 2
intersection un croisement 11
to **introduce** présenter
to **invite** inviter
iron un fer à repasser 4
to **iron** repasser 4
is est; *isn't that so?* n'est-ce pas?
island une île 3
it elle, il; ça; le, la, l' 5; y 9; en 10; *about it* y 9; *from it* en 10; *it is necessary* il faut; *It seems to me . . . .* Il me semble.... 7; *it's* c'est; *It's . . . .* Ça fait....; *It's bad.* Il fait mauvais.; *It's beautiful.* Il fait beau.; *It's cold.* Il fait froid.; *It's cool.* Il fait frais.; *It's hot.* Il fait chaud.; *It's nice.* Il fait beau.; *It's raining.* Il pleut.; *It's snowing.* Il neige.; *It's sunny.* Il fait du soleil.; *It's the* **(+ date)**. Nous sommes le (+ *date*).; *It's warm.* Il fait chaud.; *It's windy.* Il fait du vent.; *of it* en 10; *that's it* voilà 4
Italian italien, italienne
Italy l'Italie (f.)
its son, sa; ses
Ivory Coast la Côte-d'Ivoire; *from the Ivory Coast* ivoirien, ivoirienne

J

jacket (outdoor) un blouson; *ski jacket* un anorak; *sport jacket* une veste
jam la confiture
January janvier
Japan le Japon
Japanese japonais(e)
jar un pot
jazz le jazz
jeans: (pair of) jeans un jean
jewel un bijou 6
job un boulot 9; *on-the-job training* un stage 6
journalism le journalisme 6
journalist un(e) journaliste
juice: apple juice le jus de pomme; *fruit juice* le jus de fruit; *grape juice* le jus de raisin; *grapefruit juice* le jus de pamplemousse 8; *orange juice* le jus d'orange; *tomato juice* le jus de tomate 8
July juillet
June juin
just juste; *to have just* venir de (+ *infinitive*) 2

K

karate le karaté 5; *to do karate* faire du karaté 5
to **keep** garder
ketchup le ketchup
kidding: You're kidding! Tu parles! 7
kilogram un kilogramme (kilo)
kilometer un kilomètre
king un roi 7
kiss une bise
kitchen une cuisine
knee un genou
knife un couteau
to **know** connaître 7; *to know (how)* savoir 7

L

ladies Mesdames 3; *ladies and gentlemen* Messieurs-Dames
lady une dame 2
lake un lac 3
lamp une lampe
to **land** atterrir 7
large grand(e); gros, grosse
last dernier, dernière; *last year of* **lycée** la terminale 9
late en retard 2; tard 7
later plus tard 7
Latin (language) le latin
laundry la lessive 4
lawn un jardin; une pelouse 4; *lawn mower* une tondeuse 4
lawyer un(e) avocat(e)
lazy paresseux, paresseuse
lead le plomb 11
to **learn** apprendre 9
least: at least au moins
leather le cuir 6
to **leave** partir; laisser 6; *to leave (a person or place)* quitter
left: to (on) the left à gauche
leg une jambe
leisure activities les loisirs (m.) 5
lemon un citron 8; *tea with lemon* le thé au citron 8
lemon-lime soda une limonade
less moins
lesson une leçon 11
letter une lettre 3; *letter carrier* un facteur, une factrice 6
liberty la liberté
library une bibliothèque
license: driver's license un permis de conduire 11
life la vie 2; *We have to live life to the fullest.* Il faut profiter de la vie au maximum. 8
light une lumière; *traffic light* un feu 11
like comme
to **like** aimer; *I like . . . .* ... me plaît.; *What would you like?* Vous désirez?; *would like* voudrais
limit: speed limit la limite de vitesse 11
line: to stand in line faire la queue 7
lion un lion 2
lip une lèvre 4
lipstick le rouge à lèvres 4
to **listen (to)** écouter; *listen* écoute; *to listen to music* écouter de la musique
little petit(e); *a little* (un) peu, (un) peu de

to **live** habiter; vivre; *We have to live life to the fullest.* Il faut profiter de la vie au maximum. 8

living room un salon

long long, longue; *how long* depuis combien de temps 7

longer: no longer ne (n')... plus

to **look (at)** regarder; *to look at oneself* se regarder 4; *to look for* chercher; *to look like* ressembler à; *to look well/sick* avoir bonne/mauvaise mine

to **lose** perdre

lot: a lot beaucoup; *a lot of* beaucoup de

love l'amour (m.) 5; *in love* amoureux, amoureuse

to **love** aimer; adorer

to **lower** baisser

luck la chance

luggage des bagages (m.) 7

lunch le déjeuner; *to have lunch* déjeuner 10

Luxembourg le Luxembourg; *from Luxembourg* luxembourgeois(e)

M

Ma'am Madame (Mme)

machine: ATM machine un guichet automatique 6; *ticket stamping machine* un composteur 7

Madagascar Madagascar (f.) 10; *inhabitant of/from Madagascar* malgache 10

made of en 6

magazine un magazine 3

magnificent magnifique 2

mail le courrier 6

mailbox une boîte aux lettres 6

main principal(e) 3; *main course* le plat principal 3

to **make** faire; *to make a call* téléphoner; *to make an appointment* prendre rendez-vous

makeup le maquillage 4; *to put on makeup* se maquiller 4

mall un centre commercial

man un homme

many beaucoup; *how many* combien de; *too many* trop de

map une carte; un plan

maple syrup le sirop d'érable 8

March mars

market un marché

marriage un mariage 4

Martinique la Martinique; *inhabitant of/from Martinique* martiniquais(e) 10

mascara le mascara 4

match un match 5

math les maths (f.)

matter: What's the matter with you? Qu'est-ce que tu as?

May mai

maybe peut-être

mayonnaise la mayonnaise

me moi; me; *to me* me

meal un repas; *fixed-price meal* un menu 3

mean méchant(e)

Mediterranean Sea la mer Méditerranée 10

medium moyen, moyenne 2

to **meet** faire la connaissance (de) 7; se rejoindre 9

melon un melon

member un membre

merchant un(e) marchand(e)

message un message 3

Mexican mexicain(e)

Mexico le Mexique

microwave un micro-onde

midnight minuit

milk le lait; *coffee with milk* un café au lait 8; *tea with milk* le thé au lait 8

million un million

mineral water l'eau minérale (f.)

minivan un minivan 11

minus moins

minute une minute

mirror une glace 4

Miss Mademoiselle (Mlle)

mitt: bath mitt un gant de toilette 4

modern moderne

Mom maman (f.)

moment un moment 8

Monaco Monaco (m.) 10; *inhabitant of/from Monaco* monégasque 10

Monday lundi (m.)

money l'argent (m.)

monkey un singe 2

month un mois

monument un monument

more plus; de plus 11; *what's more* de plus 9

morning un matin; *in the morning* le matin

Moroccan marocain(e)

Morocco le Maroc

most: the most (+ adjective) le/la/les plus (+ *adjective*); *the most* **(+ adverb)** le plus (+ *adverb*) 10

mother une mère

mother-in-law une belle-mère

mountain une montagne 3

mousse une mousse 3; *chocolate mousse* une mousse au chocolat 3

mouth une bouche

to **move** déménager 10

movie un film; *movies* le cinéma

to **mow** tondre 4

mower: lawn mower une tondeuse 4

Mr. Monsieur

Mrs. Madame (Mme)

much: how much combien; combien de; *How much is it/that?* Ça fait combien?; *too much* trop de, trop; *very much* beaucoup

museum un musée
mushroom un champignon
music la musique
musician un musicien, une musicienne
mussel une moule 3
must: one/we/you must il faut
mustard la moutarde
my mon, ma; mes; *my name is* je m'appelle
myself me 4
mysterious mystérieux, mystérieuse 2

N

name un nom 2; *first name* un prénom 8; *her name is* elle s'appelle; *his name is* il s'appelle; *my name is* je m'appelle; *your name is* tu t'appelles
napkin une serviette
national national(e)
nationality une nationalité 8
naturally naturellement 6
nauseous: to feel nauseous avoir mal au cœur
near près (de)
to be **necessary** falloir; *it is necessary* il faut
neck un cou
necklace un collier 6
to **need** avoir besoin de; *I need* il me faut 6
neighborhood un quartier
never ne (n')... jamais
new nouveau, nouvel, nouvelle
news des informations (f.) 5
newspaper un journal 3
next suivant(e) 6; prochain(e) 8; *next to* à côté (de) 2; *the next day* le lendemain 8
nice sympa (sympathique); gentil, gentille; aimable 2; *How nice you are!* Que vous êtes gentils!; *It's nice.* Il fait beau.
night before la veille
nine neuf
nineteen dix-neuf
ninety quatre-vingt-dix
ninth neuvième
no non; *no longer* ne (n')... plus; *no one* ne (n')... personne; *No way!* Tu parles! 7
nobody ne (n')... personne
noise un bruit
noon midi
north le nord; *North America* l'Amérique du Nord (f.) 10; *North Sea* la mer du Nord 10
nose un nez
not pas; ne (n')... pas; *not anymore* ne (n')... plus; *not anyone* ne (n')... personne; *not anything* ne (n')... rien; *not at all* pas du tout 4; *not yet* ne (n')... pas encore 10
notebook un cahier
nothing ne (n')... rien
novel un roman 3
November novembre
now maintenant
nuclear nucléaire 11; *nuclear energy* l'énergie nucléaire 11
number un numéro 3; *telephone number* un numéro de téléphone 8
nurse un infirmier, une infirmière

O

o'clock l'heure (f.)
objet d'art un objet d'art 2
to be **obliged to** être obligé(e) de
occupation une profession
ocean un océan 3; *Atlantic Ocean* l'océan Atlantique (m.) 10; *Indian Ocean* l'océan Indien (m.) 10; *Pacific Ocean* l'océan Pacifique (m.) 10
October octobre
of de (d'); *of (the)* des, du; *of course* bien sûr; *of it/them* en 10
to **offer** offrir 5
office (doctor or dentist's) un cabinet; *tourist office* un syndicat d'initiative 7
often souvent
oh ah; oh; *Oh no! Oh dear!* Oh là là!
oil l'huile (f.) 11
OK d'accord; OK
old vieux, vieil, vieille; âgé(e) 2; *How old are you?* Tu as quel âge?; *I'm . . . years old.* J'ai... ans.; *to be . . . (years old)* avoir... ans; *to be how old* avoir quel âge
omelette une omelette
on sur; en; dans 3; *on* **(+ day of the week)** le (+ *day of the week*); *on foot* à pied 3; *on sale* en solde; *on the* au 9; *on the* **(+ ordinal number)** le (+ *number*); *on time* à l'heure 2; *on TV* à la télé 9
once: all at once à la fois 11
one un; on; une; *no one* ne (n')... personne
one's son, sa; ses
oneself se 4; *to look at oneself* se regarder 4; *to wash (oneself)* se laver 4
one-way (street) un sens unique 11
onion un oignon
only juste; seulement
on-the-job training un stage 6; *to have on-the-job training* faire un stage 6
to **open** ouvrir 6
opinion une opinion 11; *in my opinion* à mon avis 9
or ou
orange une orange; orange; *orange juice* le jus d'orange
order une commande 8; *order form* une fiche de commande 8

other autre
our notre; nos
ourselves nous 4
outfit un ensemble
outside dehors 10
oven un four
over there là-bas
to **overlook** donner sur 8
owner: pastry store owner un pâtissier, une pâtissière 2

P

Pacific Ocean l'océan Pacifique (m.) 10
package un colis 6
painting un tableau
pancake une crêpe 8
pants: (pair of) pants un pantalon
panty hose des bas (m.)
paper: sheet of paper une feuille de papier
parade un défilé
paradise le paradis
parent un parent
park un jardin; un parc 2
party une boum
to **pass** passer 6; dépasser 11; *to pass (a test)* réussir 10; *to pass (a vehicle)* doubler 11
passenger un passager, une passagère 7
passport un passeport
pastry store une pâtisserie; *pastry store owner* un pâtissier, une pâtissière 2
pâté le pâté
path un chemin
to **pay** régler 8
peach une pêche
pear une poire
peas des petits pois (m.)
pen un stylo
pencil un crayon; *pencil case* une trousse; *pencil sharpener* un taille-crayon
people le monde 3; des gens (m.) 8
pepper le poivre
per par
perfect parfait(e) 9
person une personne 8; *homeless person* un(e) sans-abri 11
personality une personnalité 2
pharmacist un pharmacien, une pharmacienne 2
philosophy la philosophie
to **phone (someone)** téléphoner
photo une photo
physics la physique
piano un piano 5
to **pick up** ranger 4; venir chercher 10
picnic: to have a picnic piqueniquer 2
picture une photo
pie une tarte; *strawberry pie* une tarte aux fraises
piece un morceau
pig un cochon 3
pilot un pilote 9
pink rose
pizza une pizza; *to eat pizza* manger de la pizza
place une place 4
placed placé(e) 9
plant une plante 4
plate une assiette
platform un quai 3
to **play** jouer; *to play basketball* jouer au basket; *to play cards* jouer aux cartes (f.) 5; *to play chess* jouer aux échecs (m.) 5; *to play golf* jouer au golf 5; *to play soccer* jouer au foot; *to play sports* faire du sport; *to play tennis* jouer au tennis; *to play video games* jouer aux jeux vidéo; *to play volleyball* jouer au volley
please s'il vous plaît; s'il te plaît
pleasure un plaisir 8
pole: ski pole un bâton
police officer un agent de police
polite poli(e) 9
political politique 9
politician un homme politique, une femme politique 9
pollution la pollution 11
pond un étang 3
pool: swimming pool une piscine
poor pauvre 2
pork le porc
possibility une possibilité 10
possible possible
post office une poste
postage l'affranchissement (m.) 6
postal worker un postier, une postière 6
postcard une carte postale 2
poster une affiche
potato une pomme de terre
powerful puissant(e) 9
practical pratique 11
to **prefer** préférer
premium (gasoline) super 11
to **prepare** préparer 6
present un cadeau
pretty joli(e)
problem un problème 11
program une émission 5
to **protect** préserver 11
purple violet, violette
purse un sac à main 6
to **put (on)** mettre; *to put on makeup* se maquiller 4
pyjamas un pyjama 6

Q

quarter un quart; un quartier; *quarter after* et quart; *quarter to* moins le quart
Quebec: inhabitant of Quebec un(e) Québécois(e) 8
queen une reine 7
quiche une quiche
quickly vite 2

quiet calme 2
quite assez
quiz une interro (interrogation)

R

rabbit un lapin 3
race une course 4
racket une raquette 5
to **rain: It's raining.** Il pleut.
raincoat un imperméable (imper) 6
rapidly rapidement 10
rather assez
raw vegetables des crudités (f.) 3
razor un rasoir 4
to **read** lire
ready prêt(e) 4; *to get ready* se préparer 4
real vrai(e) 9
really bien; vraiment; vachement 3
to **receive** recevoir 8
reception desk la réception 8
receptionist un(e) réceptionniste
to **recommend** recommander 3
recycle recycler 11
red rouge; *red (hair)* roux, rousse
refrigerator un frigo
reggae le reggae
regular (gasoline) ordinaire 11
relative un parent
to **remain** rester
to **remove** enlever 4
to **rent** louer 7
report: weather report un bulletin météo 5
reporter un reporter 11
researcher un chercheur, une chercheuse 9
to **resemble** ressembler à
reservation une réservation 3
to **reserve** réserver 8
restaurant un restaurant; *fast-food restaurant* un fast-food
to **return** rentrer, revenir
rich riche 2
ride une promenade 3; *to go for a ride* faire un tour; faire une promenade 3
riding: to go horseback riding faire du cheval 3
right away/now tout de suite 2; *to (on) the right* à droite
ring une bague 6
ripe mûr(e)
river un fleuve, une rivière 3
Riviera la côte d'Azur 10
road une route 3
rock (music) le rock
rocky rocheux, rocheuse 10
room une pièce; la place; une chambre 8; *dining room* une salle à manger; *dormitory room (for more than one person)* un dortoir 8; *family room* un séjour; *living room* un salon
roommate unc camarade de chambre 4
rooster un coq 3
rug un tapis
to **run** courir 5
running le footing; *to go running* faire du footing

S

sad triste 2
sailing la voile 5; *to go sailing* faire de la voile 5
saint un(e) saint(e) 9; *All Saints' Day* la Toussaint
salad une salade
salami le saucisson
sale(s) des soldes (f.); *on sale* en solde
salesperson un vendeur, une vendeuse
salmon un saumon 3
salt le sel
sandal une sandale 6
sandwich un sandwich; *cheese sandwich* un sandwich au fromage; *ham sandwich* un sandwich au jambon
Saturday samedi (m.)
sauce: hollandaise sauce la sauce hollandaise 3
sausage une saucisse 8
to **save** préserver 11
saxophone un saxophone 5
to **say** dire 6; *say* dis
scallops: curried scallops des coquilles Saint-Jacques au curry 10
scarf un foulard 6
schedule un emploi du temps; un horaire
school scolaire 6
school une école; *driving school* une auto-école 11; *high school* un lycée 10
science les sciences (f.)
science fiction la science-fiction 5
scientific scientifique 9
scrambled eggs des œufs brouillés (m.) 8
scuba diving la plongée sous-marine 5; *to go scuba diving* faire de la plongée sous-marine 5
sculpture la sculpture 2
sea une mer; *Caribbean Sea* la mer des Antilles 10; *Mediterranean Sea* la mer Méditerranée 10; *North Sea* la mer du Nord 10
seafood des fruits de mer (m.) 3
seashore: at the seashore au bord de la mer 10
season une saison 10
seat un siège 7; *seat belt* une ceinture de sécurité 11
seated assis(e) 9
second deuxième
secretary un(e) secrétaire 9
security check un contrôle de sécurité 7

to **see** voir; *let's see* voyons; *See you soon.* À bientôt.; *See you tomorrow.* À demain.
to **seem** sembler 7; *It seems to me . . . .* Il me semble.... 7
selfish égoïste
to **sell** vendre
to **send** envoyer 3
Senegal le Sénégal
Senegalese sénégalais(e)
sensitive sensible 9
September septembre
serious sérieux, sérieuse 9; grave 11
seriously au sérieux 2; sérieusement 9
server un serveur, une serveuse
to **set** mettre
setting: table setting un couvert
seven sept
seventeen dix-sept
seventh septième
seventy soixante-dix
shampoo le shampooing 4
shape: to be in good/bad shape être en bonne/mauvaise forme
sharpener: pencil sharpener un taille-crayon
to **shave** se raser 4
she elle; *she is* c'est
sheep un mouton 3
sheet un drap 4
to **shift gears** changer de vitesse 11
shirt une chemise
shoe une chaussure; *tennis shoes* des tennis (m.)
shop une boutique
shopkeeper un(e) commerçant(e) 2
shopping le shopping; *shopping center* un centre commercial; *to go grocery shopping* faire les courses; *to go shopping* faire du shopping, faire les magasins
shore le bord 10
short court(e), petit(e)
shorts: (pair of) shorts un short
shoulder une épaule
show: game show un jeu télévisé 5
to **show** montrer; *Show me . . . .* Montrez-moi....; *to show (a movie)* passer
shower une douche
shrimp une crevette
shy timide
sick malade; *I'm sick of it!* J'en ai marre!
side un côté 7; le bord 10
sign un panneau 7
to **sign** signer 6
silver l'argent (m.) 6
since depuis 7; *since when* depuis quand 7
singer un chanteur, une chanteuse 9
sink un évier
Sir Monsieur
sister une sœur; *host sister* une correspondante 3
sister-in-law une belle-sœur
to **sit down** s'asseoir 4
situated placé(e) 9
six six
sixteen seize
sixth sixième
sixty soixante
size une taille
skating: in-line skating le roller; *to go in-line skating* faire du roller
ski: ski jacket un anorak; *ski pole* un bâton
to **ski** skier
skirt une jupe
to **sleep** dormir
slender mince 2
slice une tranche; *slice of buttered bread* une tartine 8
slipper une pantoufle 6
small petit(e)
snacks des chips (m.); *afternoon snack* le goûter
snail un escargot 3
snow: It's snowing. Il neige.
so si; donc; *so-so* comme ci, comme ça
soap le savon 4; *soap opera* un feuilleton 5
soccer le foot (football); *to play soccer* jouer au foot
sock une chaussette
soda: lemon-lime soda une limonade
sofa un canapé
to **solve** résoudre 11
some des; du; de (d'), quelques; en 10
somebody, someone quelqu'un
something quelque chose
sometimes quelquefois 10
son un fils; mon petit 4
song une chanson 9
soon bientôt 3; *as soon as* aussitôt que
sore: to have a sore . . . avoir mal (à...)
sorry désolé(e) 2
to be **sorry** regretter
soup la soupe; le potage 3; *fish soup* une bouillabaisse
south le sud; *South America* l'Amérique du Sud (f.) 10
space la place
Spain l'Espagne (f.)
Spanish espagnol(e); *Spanish (language)* l'espagnol (m.)
to **speak** parler
special spécial(e) 7
specialty une spécialité 10
speed la vitesse 11; *speed limit* la limite de vitesse 11
to **spend (time)** passer
spicy épicé(e) 10
to **spoil** gâter 5
spoon une cuiller
sport un sport; *sport jacket* une veste; *sports car* une voiture de sport 11; *to play sports* faire du sport

spring le printemps
square: public square une place
stadium un stade
staircase, stairs un escalier
stamp un timbre
to stamp composter 7
to stand in line faire la queue 7
to start (up) démarrer 11
station une station; *gas station* une station-service 11; *gas station attendant* un(e) pompiste 11; *train station* une gare
statue une statue
stay un séjour; *family stay* un séjour en famille 3
to stay rester
steady solide
steak un steak; *steak with French fries* un steak-frites
stepbrother un beau-frère
stepfather un beau-père
stepmother une belle-mère
stepsister une belle-sœur
stereo une stéréo
still encore, toujours
stomach un ventre
stop une escale 7
to stop arrêter 4; s'arrêter 11
stopover une escale 7
store un magasin; *department store* un grand magasin
story un étage; une histoire 3
stove une cuisinière
straight ahead tout droit
strawberry une fraise; *strawberry pie* une tarte aux fraises
street une rue; *one-way (street)* un sens unique 11
to stroll flâner 7
strong fort(e) 2
student un(e) élève, un(e) étudiant(e)
study une étude 9
to study étudier; *Let's study . . . .* Étudions....
stupid bête
suburbs: express subway to suburbs le R.E.R. (Réseau Express Régional) 7
subway un métro; *express subway to suburbs* le R.E.R. (Réseau Express Régional) 7
to succeed réussir 10
sugar le sucre
suit: man's suit un costume; *woman's suit* un tailleur
suitcase une valise 7
summer l'été (m.)
sun le soleil
Sunday dimanche (m.)
sunglasses des lunettes de soleil (f.) 6
sunny: It's sunny. Il fait du soleil.
super super
superb superbe 7
supermarket un supermarché
supper le dîner
surprise une surprise 3
survey une enquête 11
sweater un pull
sweatshirt un sweat
to swim nager
swimming pool une piscine
swimsuit un maillot de bain
Swiss suisse
Switzerland la Suisse
synthesizer un synthé, un synthétiseur 5
syrup: maple syrup le sirop d'érable 8

T

table une table; *table setting* un couvert
tablecloth une nappe
Tahiti Tahiti (f.) 10
Tahitian tahitien, tahitienne 10
to take prendre; *to take (a class)* suivre 11; *to take a tour* faire le tour; *to take advantage of* profiter de 8; *to take (someone) along* emmener 5; *to take off* décoller 7; *to take out the garbage* sortir la poubelle 4
to talk parler
talkative bavard(e)
tall grand(e); haut(e) 4
tank: to fill up the gas tank faire le plein 11
to taste goûter 3
taxi un taxi
tea le thé 3; *tea with lemon* le thé au citron 8; *tea with milk* le thé au lait 8
teacher un(e) prof, un professeur
teenager un(e) ado 3
telegram un télégramme 6
telephone un téléphone 8; *telephone number* un numéro de téléphone 8
television la télé (télévision)
to tell dire 6; *to tell (about)* raconter 8
temperature une température
ten dix
tennis le tennis; *tennis shoes* des tennis (m.); *to play tennis* jouer au tennis
tenth dixième
terrific super; formidable; extra 6
terrorism le terrorisme 11
test une interro (interrogation); *to pass (a test)* réussir 10
than que
to thank remercier 5
thanks merci
that ça; ce, cet, cette, que; qui 6; *that's* c'est; *That's....* Ça fait....; *That's great.* Tant mieux.; *that's it* voilà 4
the le, la, l', les
theater un théâtre 9
their leur
them les 5; eux, elles 8; *about/from them* en 10; *of them* en 10; *to them* leur 6

themselves se 4
then puis; donc; *(well) then* alors
there là; y 9; *over there* là-bas; *there is/are* voilà, il y a
these ces; *these are* ce sont
they on; *they (f.)* elles; *they (m.)* ils; *they are* ce sont
thing une chose; *How are things going?* Ça va?; *Things are going well.* Ça va bien.
to **think** croire, trouver 9; *to think (of)* penser (à)
third troisième
thirsty: I'm thirsty. J'ai soif.; *to be thirsty* avoir soif
thirteen treize
thirty trente; *thirty (minutes)* et demi(e)
this ce, cet, cette; *this is* c'est
those ces; *those are* ce sont
thousand: one thousand mille
three trois
throat une gorge
Thursday jeudi (m.)
ticket un billet; *ticket stamping machine* un composteur 7; *ticket window* un guichet
tiger un tigre 2
time l'heure (f.); une fois; le temps 6; *on time* à l'heure 2; *to have a good time* s'amuser 6; *What time is it?* Quelle heure est-il?
timetable un horaire
timid timide
tire un pneu 11
tired fatigué(e)
to à; sur 10; *in order to* pour; *to (the)* au, aux, en; *to her/him* lui 6; *to them* leur 6; *to us* nous 6
toast le pain grillé 8; *French toast* le pain perdu 8
tobacco shop un tabac
today aujourd'hui
toe un doigt de pied
together ensemble
toilet les toilettes (f.), les W.-C. (m.)
toiletries des affaires de toilette (f.) 4
tomato une tomate; *tomato juice* le jus de tomate 8
tomb un tombeau
tomorrow demain
tonight ce soir
too aussi; trop; *Too bad!* Dommage! 4; Tant pis. 7; *too many* trop de; *too much* trop, trop de
tooth une dent
toothbrush une brosse à dents 4
toothpaste le dentifrice 4
tour le tour; une tournée 9; *to take a tour* faire le tour
tourist office un syndicat d'initiative 7
towel une serviette 4
tower une tour
town hall une mairie
track une voie 7; *train track* une voie 7
trade un métier 2
traffic la circulation 10; *traffic light* un feu 11
train un train; *(train) car* une voiture 7; *train station* une gare; *train track* une voie 7
training: on-the-job training un stage 6; *to have on-the-job training* faire un stage 6
to **travel** voyager
traveler un voyageur, une voyageuse 7; *traveler's check* un chèque de voyage
tree un arbre
trip un tour; un voyage; une excursion 3; un trajet 7
triumph un triomphe
trombone un trombone 5
truck un camion 11
true vrai(e)
trumpet une trompette 5
T-shirt un tee-shirt
Tuesday mardi (m.)
Tunisia la Tunisie
Tunisian tunisien, tunisienne
turkey un dindon 3
to **turn** tourner; *to turn off* éteindre 5; *to turn on* allumer 5
TV la télé (télévision); *on TV* à la télé 9
twelve douze
twenty vingt
twin jumeau, jumelle 8; *twin beds* des lits jumeaux 8
two deux

U

ugly moche
uhm euh
umbrella un parapluie 6
unattractive laid(e) 2
uncle un oncle
under sous
underwear des sous-vêtements (m.) 6
to **undress** se déshabiller 4
unemployment le chômage 11
United States les États-Unis (m.)
university une fac (faculté), une université 4
unpleasant pénible 2
until, up to jusqu'à
us nous; *to us* nous 6
to **use** utiliser 8; consommer 11
usual: as usual comme d'habitude 4

V

vacation les vacances (f.)
to **vacuum** passer l'aspirateur (m.) 4
vacuum cleaner un aspirateur 4
vanilla ice cream une glace à la vanille
vase un vase
VCR un magnétoscope

vegetable un légume; *raw vegetables* des crudités (f.) 3

very très; vachement 3; *very much* beaucoup

veterinarian un vétérinaire 9

video clip un clip 9

video games des jeux vidéo (m.); *to play video games* jouer aux jeux vidéo

videocassette une vidéocassette

Vietnam le Vietnam

Vietnamese vietnamien, vietnamienne

view une vue 8

village un village

violin un violon 5

visit une visite 7

to **visit** rendre visite (à) 8; *to visit (a place)* visiter

voice une voix 9

volleyball le volley (volley-ball); *to play volleyball* jouer au volley

W

to **wait (for)** attendre

to **wake up** se réveiller 4

walk une promenade 10; *to go for a walk* faire une promenade 10

to **walk** marcher

wallet un portefeuille 6

to **want** désirer; vouloir; avoir envie de

war une guerre 9

wardrobe une armoire

warm chaud(e); *It's warm.* Il fait chaud.; *to be warm* avoir chaud

to **wash (oneself)** se laver 4

washer une machine à laver 4

wastebasket une corbeille

watch une montre 6

to **watch** regarder; *Watch out!* Attention! 3

water l'eau (f.); *mineral water* l'eau minérale (f.)

to **water** arroser 4

waterfall une cascade 3

watermelon une pastèque

to **water-ski** faire du ski nautique 5

waterskiing le ski nautique 5; *to go waterskiing* faire du ski nautique 5

way un chemin; *No way!* Tu parles! 7

we nous, on; *We have to live life to the fullest.* Il faut profiter de la vie au maximum. 8

weak faible 2

to **wear** porter; *to wear size (+* ***number****)* faire du (+ *number*)

weather le temps; *The weather's bad.* Il fait mauvais.; *The weather's beautiful/nice.* Il fait beau.; *The weather's cold.* Il fait froid.; *The weather's cool.* Il fait frais.; *The weather's hot/warm.* Il fait chaud.; *weather report* un bulletin météo 5; *What's the weather like? How's the weather?* Quel temps fait-il?

Wednesday mercredi (m.)

week une semaine

weekend un weekend 3

to **weigh** peser 6

Welcome! Bienvenue!; *You're welcome.* Je vous en prie.; Il n'y a pas de quoi. 7

well bien; ben 9; *well then* alors, bon ben

west l'ouest (m.)

what comment; qu'est-ce que; quel, quelle; quoi; qu'est-ce qui, que 9; *What (a) . . . !* Quel, Quelle...! 5; *What a drag!* Quelle galère! 5; *What is it/this?* Qu'est-ce que c'est?; *What time is it?* Quelle heure est-il?; *What would you like?* Vous désirez?; *what's more* de plus 9; *What's the matter with you?* Qu'est-ce que tu as?; *What's the weather like?* Quel temps fait-il?

when quand; *since when* depuis quand 7

where où

which quel, quelle; que, qui 6

white blanc, blanche

who qui; qui est-ce qui 9

whom qui; que 6; qui est-ce que 9

why pourquoi

wife une femme

to be **willing** vouloir bien

wind le vent

window une fenêtre; *ticket window* un guichet

windshield un pare-brise 11

windsurfing la planche à voile 5; *to go windsurfing* faire de la planche à voile 5

windy: It's windy. Il fait du vent.

wine le vin 3; *chicken cooked in wine* le coq au vin 3

winter l'hiver (m.)

with avec

without sans 11

woman une femme

work le travail 3; un boulot 9

to **work** travailler

worker un ouvrier, une ouvrière 9; *factory worker* un ouvrier, une ouvrière 9; *postal worker* un postier, une postière 6

world le monde

to **worry** s'inquiéter 8

would like voudrais

Wow! Oh là là!

to **write** écrire 6

writer un écrivain 9

Y

yeah ouais

year un an; une année 6; *I'm . . . years old.* J'ai... ans.; *last year of* **lycée** la terminale 9; *to be . . . (years old)* avoir... ans

yellow jaune

yes oui; *yes (on the contrary)* si

yesterday hier

yet: not yet ne (n')... pas encore 10

yogurt le yaourt

you tu, vous; toi; te 5; *to you* te, vous; *You're kidding!* Tu parles! 7; *You're welcome.* Je vous en prie.; Il n'y a pas de quoi. 7

young jeune

your ton, ta, tes, votre, vos; *your name is* tu t'appelles

yourself te, vous 4

yourselves vous 4

youth hostel une auberge de jeunesse 8

Yuk! Beurk!

Z

zebra un zèbre 2

zero zéro

zoo un zoo 2

Grammar Index

Acknowledgments

The following teachers responded to our surveys by offering valuable comments and suggestions in the revision of the *C'est à toi!* series:

Rebecca Alford, Burlington High School, Burlington, KS; **James Anteau**, Power Middle School, Farmington Hills, MI; **Linda Attaway**, North Mesquite High School, Mesquite, TX; **Rochelle R. Barry**, Trumansburg Middle School, Trumansburg, NY; **Marie Beauzil**, Vailsburg Middle School, Newark, NJ; **Mary Ann Becker**, Academy of the Sacred Heart, Bloomfield Hills, MI; **Barbara Bellino**, Somerset High School, Somerset, MA; **Marlene J. Berasi**, Monte Vista Middle School, Tracy, CA; **Ellen Berna**, Sagewood Middle School, Parker, CO; **Vicki Blankenship**, Mansfield Middle School, Mansfield, MO; **Julia T. Bressler**, North Middlesex Regional High School, Townsend, MA; **R. L. Bryant**, Thurgood Marshall Middle School, Atlanta, GA; **Mary Kay Buckius**, Parker Vista West Middle School, Parker, CO; **Sister Jeanne Buisson**, C.S.C., Academy of the Holy Cross, Kensington, MD; **Angeline A. Burke**, Joliet Central High School, Joliet, IL; **Cecile Canales**, Greenway Middle School, Pittsburgh, PA; **Scott Capron**, Alameda High School, Lakewood, CO; **Rosalie Caputo**, Centennial High School, Pueblo, CO; **Fran Carlson**, St. Francis Senior High School, St. Francis, MN; **Kevin J. Carney**, Kelvyn Park High School, Chicago, IL; **Corinne Chace**, Lauvalton Hall, Milford, CT; **Carolyn Cimino**, Lyme - Old Lyme High School, Old Lyme, CT; **Pat Clark**, Rembrook School, W. Hartford, CT; **Marilyn Coartney**, Casey-Westfield High School, Casey, IL; **Debbie Cody**, South High School, Pueblo, CO; **Amy Coe**, Horace Mann High School, N. Fond du Lac, WI; **Rick Cohoun**, Lovington High School, Lovington, IL; **Alexandra (Sandy) Colomb**, Hopkins North Junior High School, Minnetonka, MN; **Virginia Cosgrove**, Scranton Preparatory School, Scranton, PA; **Erika D. Couey**, Ridgeland High School, Rossville, GA; **Dianne Couts**, Minerva High School, Minerva, OH; **Teresa A. Crowe**, Catholic Central High School, Springfield, OH; **Gloria Cunningham**, Farmington High School, Farmington, MI; **Lisa Curtiss**, Clearwater Central Catholic High School, Clearwater, FL; **Pat De la Cerda**, Poinciana Day School, West Palm Beach, FL; **Carol S. Dempsey**, Ridge High School, Basking Ridge, NJ; **Margaret Dodge**, Honeoye Central High School, Honeoye, NY; **Dawn M. Drexler**, Huth Middle School, Matteson, IL; **Judy Dudukovic**, Mehlville Senior High School, St. Louis, MO; **Heather Edwards**, Nelson County High School, Lovingston, VA; **James E. Ellis**, Mather High School, Chicago, IL; **Elizabeth A. Elvidge**, Newton High School, Newton, NJ; **Joan Faisant**, Carey High School, Carey, OH; **Claudie Finney**, Palm Beach Day School, Palm Beach, FL; **Dawn Floyd**, Lincoln-Way High School, New Lenox, IL; **Larry Friedman**, Hoover Middle School, Buffalo, NY; **Irene Garger**, Knoxville Middle School, Pittsburgh, PA; **Marie T. George**, North Country Union High School, Newport, VT; **Margaret Geyer**, Whitehall-Yearling High School, Whitehall, OH; **Karen Gibson**, Bishop DuBourg High School, St. Louis, MO; **Joanna Gipson**, The Honor Roll School, Sugar Land, TX; **James V. Goddard**, Howard A. Doolin Middle School, Miami, FL; **Sheila Gomez-Mira**, Keystone School, San Antonio, TX; **Patricia Goslin**, Upper Township Middle School, Petersburg, NJ; **Laura Graf**, Wentzville High School, Wentzville, MO; **Barbara Graff**, Caro Learning Center, Caro, MI; **Anne Graham**, William Chrisman High School, Independence, MO; **Mary Green**, O. E. Dunckel Middle School, Farmington Hills, MI; **Donna Grissom**, Wentzville Holt High School, Wentzville, MO; **Linda Guerrieri**, Champion High School, Warren, OH; **Joyce Hall**, Tattnall Square Academy, Macon, GA; **Peri V. Hartzell**, Field Kindley High School, Coffeyville, KS; **Kathy Hayes**, Oconto High School, Oconto, WI; **Annette Hegler**, Southwest Junior High School, Forest Lake, MN; **Barbara Herman**, North Farmington High School, Farmington, MI; **Annette Herr**, Kenmore West High School, Kenmore, NY; **Linda Herron**, Marshall School, Duluth, MN; **Sherry Hoff**, Cadott Junior/Senior High School, Cadott, WI; **Mignonne A. Holz**, Metz Junior High School, Manassas, VA; **Julie Horowitz**, Culver City High School, Culver City, CA; **Susan C. Johnson**, LaSalle-Peru Township High School, LaSalle, IL; **Paula Johnson-Fox**, Muskego High School, Muskego, WI; **Vera C. Kap**, Our Lady of the Elms High School, Akron, OH; **Edna-May L. King**, Lamoille Union High School, Hyde Park, VT; **Tad Kirkendoll**, Mesquite High School, Mesquite, TX; **Elaine Koehler**, Northwest High School, House Springs, MO; **Karen Kramer**, Fairborn High School, Fairborn, OH; **Pamela LaLonde**, Rombout Middle School, Beacon, NY; **Christine Leroueil**, LaKota Junior High School, Federal Way, WA; **Donna Lombardo**, Benjamin Franklin Middle School, Buffalo, NY; **Kathleen A. Lutz**, Sterling Heights High School, Sterling Heights, MI; **JoAnn Mancuso**, Cassadaga Valley Central School, Sinclairville, NY; **Marie Martin**, Giles High School, Pearisburg, VA; **Roberta**

Matt, Federal Way High School, Federal Way, WA; **Kathleen Mattern**, Mishicot High School, Mishicot, WI; **May Mavrogenis**, Clinton Central High School, Clinton, NY; **Donyce McCluskey**, West Canada Valley Central School, Newport, NY; **Kathleen J. McCrillis**, Miami East High School, Casstown, OH; **Carol McLeod**, Delphian School, Sheridan, OR; **Henry Menninger**, The School at Church Farm, Padi, PA; **Terry Meredith**, Aquinas High School, Augusta, GA; **Stephanie N. Mikesell**, National Trail High School, New Paris, OH; **Fabienne Modesitt**, Powhatan School, Boyce, VA; **Tamara Montgomery**, Northside College Prep High School, Chicago, IL; **Tola Mosadami**, Louise S. McGehee School, New Orleans, LA; **Jim Mozina**, Port Clinton High School, Port Clinton, OH; **Jon Muellerleile**, St. Michael - Albertville Senior High, Albertville, MN; **Julia Mullikin**, Herscher High School, Herscher, IL; **Carol Dean Nassau**, Oneonta Middle School, Oneonta, NY; **Mary Nichols**, Austin High School, Austin, TX; **Robin Noble**, Providence Catholic, New Lenox, IL; **Diane Odoerfer**, South Lake High School, St. Clair Shores, MI; **Mirta Pagnucci**, Oak Park River Forest High School, Oak Park, IL; **Catherine Pasture**, South Kingstown High School, Wakefield, RI; **Rebecca G. Philippone**, Greene Central High School, Greene, NY; **Amy B. Polcha**, King George High School, King George, VA; **Alla Pyatkovskaya**, Benedictine High School, Cleveland, OH; **Sonia Quinlan**, Linden High School, Linden, MI; **Mary Rebmann**, Hoover Middle School, Buffalo, NY; **Susan Reese**, Heritage Christian School, Canton, OH; **Paul H. Ribbeck**, Benjamin Franklin Middle School, Buffalo, NY; **M. Carmen L. Richards**, Gateway High School, Kissimmee, FL; **Kim Riley**, Archbishop Spalding High School, Severn, MD; **Judith A. Rinck**, Ocean City High School, Ocean City, NJ; **Suzanne Robert**, Preble Shawnee High School, Camden, OH; **Kristi Rumschlag**, Buckeye Central High School, New Washington, OH; **Kevin J. Ruth**, Newark Academy, Livingston, NJ; **Frank Sabina**, Carbondale Area High School, Carbondale, PA; **Frances Salvato**, Julian Junior High School, Oak Park, IL; **Lise B. Sanborn**, Concord High School and Rundlett Middle School, Concord, NH; **Eileen Sauret**, Kenmore West Senior High School, Kenmore, NY; **Aurora Schlegel**, Ocean Township High School, Oakhurst, NJ; **Susan Schmied**, South Oldham High School, Crestwood, KY; **Florence Schranz**, Chaparral High School, Parker, CO; **Pamela Schroeder**, Westosha Central High School, Salem, WI; **Mary Alice Schroeger**, Lansing High School, Lansing, KS; **Ramona Shaw**, Steelville R-3 High School, Steelville, MO; **Judy Shick**, Arlington Local, Arlington, OH; **Cari Simon**, Johnson-Williams Middle School, Berryville, VA; **Leslie Sims**, Totem Junior High School, Federal Way, WA; **Jackie Slade**, Blessed Sacrament, Walpole, MA; **Bev Smith**, Fairborn High School, Fairborn, OH; **Diane Smith**, Upper Sandusky High School, Upper Sandusky, OH; **Pamela St. Clair-Correa**, Rockbridge County High School, Alexandria, VA; **Carolyn K. Staker**, East High School, Portsmouth, OH; **Laura G. Stark**, Saint Mary's School, Raleigh, NC; **Joanne A. Stemer**, Warren Mott High School, Warren, MI; **Laurie Stolarz**, Our Lady of Nazareth Academy, Wakefield, MA; **Donna Stutzman**, Central High School, Pueblo, CO; **Pamela Sundheim**, Mattoon Senior High School, Mattoon, IL; **Roz Sunquist**, Mother McAuley High School, Chicago, IL; **Susan G. Thibo**, Lemon-Monroe High School, Monroe, OH; **Bassirou Thioune**, Cleveland High School, Reseda, CA; **Kirk Tooley**, Northville Central School, Northville, NY; **Karina Tulley**, Lincoln Way High School, New Lenox, IL; **Patricia Hunt Vana**, North Country Union High School, Newport, VT; **Lea Wainwright**, Caravel Academy, Bear, DE; **Cheryl Weisberg**, Birch Wathen Lenox School, New York, NY; **Darlene Weller**, Jefferson High School, Shenandoah Junction, WV; **Rita Peer Williams**, Eastern High School, Reedsville, OH; **Carol Wilson**, Charles City High School, Charles City, VA; **John Wilson**, Southeast Whitfield High School, Dalton, GA; **Mary Woznicki**, River View Middle School, Kaukauna, WI; **Carol Wright**, Gateway High School, Kissimmee, FL; **Jenny (Geneva) K. Yelle**, Frontier Regional School, S. Deerfield, MA; **Kimberly Young**, New Riegel High School, New Riegel, OH; **Catherine Ziegler**, Carterville High School, Carterville, IL; **Linda A. Zynda**, Kenmore East High School, Tonawanda, NY

Photo Credits

Cover: Kelly Stribling Sutherland, *Sunday in the Park with Balloons*, original acrylic.
Abbreviations: top (t), bottom (b), left (l), right (r), center (c)
Abraham, Bob/The Stock Market: 331
Anderson, G./The Stock Market: 303 (t)
Armstrong, Rick: 91, 225 (t)
Bachmann, Bill/Leo de Wys Inc.: 408 (l)
Baker, Peter/Leo de Wys Inc.: 33 (t)
Ball, David/The Stock Market: 278 (tl), 279 (r)
Barnes, David/The Stock Market: vi
Basta, David/The Stock Market: 319 (t)
Bider, Vic/Leo de Wys Inc.: 198
Billings, Henry: 53 (c), 65 (t), 75 (br)
Bognar, Tibor/The Stock Market: xviii-1, 243 (b)
Bordes, B./Documentation Française: 203 (tr)
Boschung, Danilo/Leo de Wys Inc.: 126 (t), 294
Bouthillier, J./Office de Tourisme de Marseille: 99 (bl, br)
Boutroux/Presse Sports: 202 (bl)
Bradt, Hilary: 389 (b), 408 (r)
Brittany Ferries Photo Library: 304 (b), 308, 323 (b), 324
Brown, Steve/Leo de Wys Inc.: 202 (br)
Bureau du Comité du Tourisme de la Guyane: 389 (t)
Burgess, Michele: 53 (t), 70 (t), 79, 145, 146 (c), 235 (b), 243 (tl, tr), 394 (b)
Burnham, Kimberly/Unicorn Stock Photos: 380 (b)
Cambon, Sylvain/Documentation Française: 264 (tr)
Chalifour, Benoît/Ministère du Tourisme du Québec: 323 (c)
Chastel, A./French Government Tourist Office: 34
Chauvin, Marc/Comité Régional de Tourisme (Nantes): 186 (b)
de Wys, Leo/Sipa/Zan/Leo de Wys Inc.: 13
Degonda, L./Swiss National Tourist Office: 390 (t)
Delpech, F./Office de Tourisme de Bordeaux: 207
Delvert, Ray/French Government Tourist Office: 208 (t)
Dembinsky Photo Associates: 28 (b)
Dolgin, Alan/Leo de Wys Inc.: 148
Domke, Jim/Leo de Wys Inc.: 284
Éditions Houvet/La Crypte: 398 (tr)
Flipper, Florent/Unicorn Stock Photos: 203 (b)
Fournier, Frank/The Stock Market: 121 (t)
French Government Tourist Office: 3 (tr), 29 (cr), 202 (t), 278 (b)
Frerck, Robert/Odyssey/The Stock Market: 245
Fried, Robert: vii (t), viii (t), 5 (b), 7, 10, 11, 18 (b), 48-49, 52 (r), 59, 73 (t), 74 (br), 81, 83, 89 (b), 94-95, 98, 99 (t), 101 (c), 107, 109, 111, 116 (t, b), 120 (b), 125 (t, b), 128 (t, b), 131, 138, 155, 157, 161, 162 (t), 163 (c), 166, 169 (t, b), 171 (r), 172, 176 (t), 178, 190 (t), 196, 203 (tl), 215, 224 (t), 230 (b), 236, 260-61, 267 (t), 272 (tr), 273 (t, c, b), 277, 278 (tr), 280 (b), 281 (t, b), 283 (b), 304 (t), 305, 316 (t), 323 (t), 337 (b), 341, 342 (b), 343, 347, 348, 350 (b), 356 (t), 395 (t), 398 (tl), 400 (t), 401 (t), 418 (r), 420 (r), 422, 424, 426, 428 (b), 433 (t, b), 439 (b), 440, 441 (t)
Gawlowski, Greg/Dembinsky Photo Associates: 113
Geppert, Rollin/Frozen Images: 27 (b)
Gerda, Paul/Leo de Wys Inc.: 432 (t)
Gibson, Keith: 310 (tr)
Giraudon/Art Resource: 63 (t)
Greenberg, Jeff/Leo de Wys Inc.: 191

Hackett, James/Leo de Wys Inc.: 210 (t)
Harrington, Blaine/The Stock Market: 204 (t)
Higgins, Jean/Unicorn Stock Photos: 32 (t)
Holden, L./Visual Contact: 16 (b), 20
Jacobs, Warren/Tony Stone Images: 242
Jaffe, Ron P./Unicorn Stock Photos: xii (b)
Johnson, Everett/Frozen Images: 45 (t)
Joly, J.F./Documentation Française: 419 (t)
Jones, Martin R./Unicorn Stock Photos: 287
Kaiser, Henry/Leo de Wys Inc.: 247
Kraft, Wolfgang: 167 (l), 176 (b)
Lackie, L.D./Visual Contact: 384
Larime Photographic/Dembinsky Photo Associates: 75 (t), 312
Larson, June: 3 (tl), 29 (cl), 32 (b), 33 (b), 121 (b), 129, 130, 137, 182-83, 326, 345, 364, 381 (t), 398 (b), 402, 437 (t, b), 446
Last, Victor: 15 (t), 17 (br), 37, 63 (b), 82, 264 (b), 272 (c), 316 (b), 319 (b), 356 (b), 382, 395 (b), 439 (t)
Lesage, J./Comité Régionale de Tourisme (Pays de la Loire): 272 (b)
Lloyd, Harvey/The Stock Market: 74 (tr), 164 (r), 376-77
Lowry, W./Visual Contact: 14, 17 (bl), 24
Mare, Gérard/Documentation Française: 264 (tl)
McCunnall, Karen/Leo de Wys Inc.: 112 (t)
McNamara, Eileen: 394 (t), 396
Ministère du Tourisme du Québec: 15 (b), 44, 303 (b)
Moen, Diana: 55 (t), 100, 112 (b)
Morceau, Marc/Photothèque EDF: 432 (b)
Moroccan National Tourist Office: 244 (b)
Myers, Jeffry W./Frozen Images: 240
Nacivet, J.P./Leo de Wys Inc.: 80 (b), 119 (t)
Nelson, Tom/Frozen Images: viii (b)
Parks, Claudia/The Stock Market: 390 (b)
Peugeot: xiv, 425 (t), 428 (t), 441 (b)
Phillips, Van/Leo de Wys Inc.: 279 (l)
Photo Flandre/Office de Tourisme d'Amiens: 197 (tr)
Photothèque Crédit Lyonnais/Documentation Française: 296
Photothèque Renault: 427 (t)
Pinheira, J.C./Documentation Française: 186 (c)
Ploquin, P./Moroccan National Tourist Office: 244 (t), 248 (t)
Pollack, David/The Stock Market: 70 (b)
Ramey, H./Unicorn Stock Photos: 162 (br)
Reynaud, M./France Telecom/Documentation Française: 235 (c)
Rheims, Bettina/Documentation Française: 336, 357 (t)
Rodier, A./Documentation Française: 419 (b), 435
Rohr, Kathleeen Marie/DDB Stock Photo: 146 (t), 162 (bl)
Saur, Françoise/Documentation Française: 286
Sheppard, Tom/Tony Stone Images: 224 (b)
Simmons, Ben/The Stock Market: 64
Simson, David: vii (b), xi (t), 4, 5 (t), 8, 12, 17 (t), 18 (t), 21 (t, b), 22, 27 (t), 28 (t), 38, 39, 40, 45 (b), 52 (l), 55 (b), 58, 65 (b), 66 (t, b), 67, 69, 71, 72, 89 (t), 90, 101 (t, b), 102, 103, 106, 114 (b), 117 (t, b), 132, 139, 142-43, 146 (b), 147, 149, 156 (b), 158 (b), 159, 160, 163 (t, b), 164 (l), 167 (r), 168 (t, c, b), 171 (l), 179, 186 (t), 187, 188 (b), 189, 190 (b), 197 (tl), 199 (t), 201, 204 (b), 208 (b), 209, 210 (b), 212 (t, b), 216, 217, 225 (b), 227, 229, 230 (t), 232, 237 (t, b), 238, 239 (b), 248 (b), 249 (b), 257, 267 (b), 274, 289, 290 (b), 297, 306, 310 (tl, b), 311, 314, 325 (b), 332, 333, 342 (t),

349, 350 (t), 352, 361 (b), 362, 363, 365, 373, 386, 391 (t, b), 392, 401 (b), 403, 404, 405, 410, 411, 414-15, 418 (l), 420 (l), 421, 425 (b), 429, 430, 434 (t, b), 437 (b), 438, 448
Sipa/Ginies/Leo de Wys Inc.: 283 (t)
Skubic, Ned: 16 (t), 300-1, 317, 318 (t, b)
Smith, Barrie/French Government Tourist Office: 114 (t)
Sorensen, Chris/The Stock Market: 73 (b)
Sporting Pictures (UK) Ltd.: 337 (t), 357 (b), 361 (t)
Stefan, Claude/Documentation Française: 197 (b)
Sternberg, Will: v (b), ix, 3 (b), 35, 53 (b), 105, 156 (t), 158 (t), 188 (t), 192, 199 (b), 226, 231, 239 (t), 250, 251 (t), 265, 266, 275, 290 (t), 325 (t), 327, 340, 344, 372, 381 (b), 385, 427 (b), 449
Stock Market, The: 220-21, 235 (tr)
Straiton, Ken/The Stock Market: 136
Teubner, Christian: 119 (b), 124, 127
Theisen, Toni: xiii
Thomason, Bob/Leo de Wys Inc.: 56
Travers, David/The Stock Market: xi (b)
Tremsal, J. M.: 394 (c)
Tunisian National Tourist Office: 235 (tl)
Uemura, Masa/Leo de Wys Inc.: iv
Vaillancourt, Sarah: 80 (t), 115
Van Der Veen, Eddy/Leo de Wys Inc.: 74 (tl, bl), 75 (bl)
Vidler, Steve/Leo de Wys Inc.: v (t), x, 27 (c), 32 (c), 120 (t), 251 (b), 280 (t), 380 (t)
Vienney, Dany/Documentation Française: 399
Wilson, Peter/The Stock Market: 400 (b)
Yeager, Jon/Frozen Images: 249 (t)

Additional Credits

Amiens Mag, December, 1995 (article): 442-44
Comité Régional du Tourisme Riviera Côte d'Azur (brochure, map): 399
Diop, Birago, "Souffles" in *Leurres et lueurs*, Présence Africaine, 1960 (poem): 406
Maison du tourisme de Madagascar (map): 389
Moroccan National Tourist Board (maps): 243, 245
Office de Tourisme d'Amiens (map): 197
Office Départemental du Tourisme de la Guadeloupe (map): 155
Office du Tourisme de Belfort (brochures, map): 15, 41
Office du Tourisme de Lille (map): 110
Office du Tourisme de Marseille (map): 99
Pagnol, Marcel, *Le château de ma mère* in *Easy Readers* series (a C-Level Book), EMC/Paradigm Publishing (novel): 367-69
Philombe, René, "L'homme qui te ressemble" in *Poèmes d'Afrique pour les enfants*, le Cherche Midi Éditeur, Paris, 1990 (poem): 253
RATP (R.E.R. map): 79
Thorp, Simon, *France File*, Carel Press Ltd., 1996 (graphs and table): 173
Tourisme Québec (maps): 16, 303, 317, 323
Vigneault, Gilles, "Mon Pays," Les Éditions Le Vent qui Vire (song): 329

We have attempted to locate owners of copyright materials used in this book. If an error or omission has occurred, EMC/Paradigm Publishing will acknowledge the contribution in subsequent printings.